9

Vol. 1°
La preparación
El primer año de la vida pública (primera parte)

Vol. 2°
El primer año de la vida pública (segunda parte)

Vol. 3°
El segundo año de la vida pública (primera parte)

Vol. 4°
El segundo año de la vida pública (segunda parte)

Vol. 5°
El segundo año de la vida pública (tercera parte)

Vol. 6°
El tercer año de la vida pública (primera parte)

Vol. 7°
El tercer año de la vida pública (segunda parte)

Vol. 8°
El tercer año de la vida pública (tercera parte)

Vol. 9°
El tercer año de la vida pública (cuarta parte)

Vol. 10°
Preparación a la Pasión
La Pasión (primera parte)

Vol. 11°
La Pasión (segunda parte)
La Glorificación

Maria Valtorta

El Hombre-Dios

Vol. 9°

CENTRO EDITORIALE VALTORTIANO

Título original de la edición en italiano:
Il poema dell'Uomo-Dio

Traducción española de Juan Escobar

Primera edición en 5 volúmenes

Segunda edición en 11 volúmenes

03036 Isola del Liri (FR) Italia

El tercer año de la vida pública
(cuarta parte)

189. Jesús, los fariseos, la adúltera [1]

(Escrito el 20 de marzo de 1944)

Veo el interior del recinto del Templo, o más bien uno de tantos patios rodeados de pórticos. Veo también a Jesús, cuyo manto cubre su vestido de color rojo oscuro (parece hecho de lana gruesa), que habla a la gente que lo rodea.

Estaría por decir que es una mañana invernal porque veo que todos están muy bien envueltos en sus mantos, y que hace más bien frío porque en vez de estar parados caminan rápidamente para calentarse. Sopla viento que sacude los mantos y levanta el polvo de los patios.

El grupo que rodea a Jesús, el único que está parado mientras los otros van y vienen alrededor de este o de aquel maestro, se abre para dejar que pase un grupo de escribas y fariseos que gesticulan, y que más que nunca traen el veneno en su alma, que les brota de los ojos, de su cara, de su boca. ¡Qué víboras! Más bien que traer, arrastran a una mujer de unos treinta años, despeinada, con sus vestidos desarreglados, como que ha sido golpeada, y que llora. La arrojan a los pies de Jesús como si fuese un montón de andrajos o despojos de algún muerto. Se queda allí, tirada por el suelo con la cara apoyada sobre los dos brazos, que la ocultan y que le sirven de defensa contra el suelo.

«Maestro, ésta fue tomada en flagrante adulterio. Su marido la amaba, nada le faltaba. Era la reina en su hogar. Pero lo traicionó porque es una pecadora, una viciosa, una ingrata, una sacrílega. Es adúltera y como a tal se le va a lapidar. Moisés lo prescribió [2]. Manda en su ley que mujeres tales sean lapidadas como animales inmundos. Y que si lo son, porque traicionan a la fe y al hombre que las ama y las cuida, porque son como tierra que jamás se sacia, sino que están muertas de lujuria. Peor que las prostitutas son, porque sin necesidad de algo, se hacen daño a sí mismas para dar alimento a su impudicicia. Son unas corrompidas. Son unos seres que todo contaminan. Deben ser condenadas a muerte. Moisés lo mandó. Y Tú, Maestro, ¿qué dices de esto?»

Jesús, al que la llegada tumultuosa de los fariseos, a los que había mirado con una mirada penetrante, había interrumpido y que luego había bajado sus ojos a la pobre mujer, arrojada a sus pies, no dice nada. Siguiendo sentado, se inclina y con un dedo escribe en las piedras del patio que el viento cubre de polvo. Ellos

[1] Cfr. Ju. 8, 1-11.
[2] Cfr. Lev. 20, 10; Deut. 22, 22-24.

hablan y El escribe.

«¿Maestro? Te estamos hablando. Escúchanos. Respóndenos. ¿No has entendido? Esta mujer fue sorprendida en adulterio. En su casa. En el lecho de su marido. Lo ha ensuciado con su pecado.»

Jesús continúa escribiendo.

«¡Que si es tonto este hombre! ¿No veis que no comprende nada y que traza signos en el polvo como un pobre demente?»

«Maestro, por tu buen nombre, habla. Tu sabiduría responda a nuestra pregunta. Te repetimos: a esta mujer nada le faltaba. Tenía vestidos, comida, amor. Y ha traicionado.»

Jesús continúa escribiendo.

«Ha faltado a la palabra a su marido que tenía confianza en ella. Su mentirosa boca lo saludó al despedirse y con una sonrisa lo acompañó hasta la puerta y luego abrió la puerta secreta e introdujo a su amante. Y mientras su marido estaba ausente por el trabajo que era para ella, ésta como un animal inmundo, se echó en brazos de la lujuria.»

«Maestro: es una profanadora de la ley además del lecho nupcial. Una rebelde, una sacrílega, una blasfema.»

Jesús continúa escribiendo. Escribe y borra lo escrito con sus sandalias y escribe más allá, dando vuelta sobre Sí mismo para encontrar espacio. Parece un niño que estuviese jugando. Pero lo que escribe no son palabras de juego. Sucesivamente ha escrito: «Usurero», «Falso», «Hijo irrespetuoso», «Fornicador», «Asesino», «Profanador de la ley», «Ladrón», «Libidinoso», «Usurpador», «Marido y padre indigno», «Blasfemo», «Rebelde ante Dios», «Adúltero». Lo escribió una y otra vez, mientras los acusadores hablan.

«¡Maestro, tu parecer! La mujer va a ser juzgada. No puede seguir contaminando la tierra con su presencia. Su aliento es veneno que perturba los corazones.»

Jesús se levanta. ¡Pero qué rostro veo! Es algo así como si despidiese rayos que arrojase contra los acusadores. Parece hasta más grande, porque ha echado la cabeza hacia atrás. Parece un rey en su trono. Su severidad y majestad son indescriptibles. El manto se le ha caído y forma detrás de El una especie de cauda, pero no se preocupa de ello.

En su rostro es imposible descubrir lo mínimo de sonrisa. Pone sus ojos en la cara de esa gentuza que se echa para atrás como delante de dos puñales puntiagudos. Mira a uno por uno, con tal intensidad investigadora que infunde temor. Muchos de ellos, tratan de esconderse entre la multitud, de esconderse entre ella. El cerco se va alargando cada vez más y se va rompiendo como si una fuerza oculta lo amenazara.

Por fin habla: «Quien de vosotros esté sin pecado, arroje sobre la mujer la primera piedra.» Su voz es un trueno acompañado de un vivo relampaguear en sus ojos. Jesús cruza los brazos sobre su pecho y así continúa, derecho como un juez. Su mirada no da paz. Escudriña, penetra, acusa.

Primero uno, luego dos, después cinco, y finalmente los demás se retiran con la cabeza inclinada. No sólo los escribas y fariseos, sino también los que antes estaban alrededor de Jesús y otros que se le habían acercado para oir la sentencia y condenación y que tanto éstos como los otros se habían juntado para decir insolencias a la culpable y pedir su lapidación.

Jesús se queda solo con Pedro y Juan. No veo a los demás apóstoles.

Jesús se ha puesto otra vez a escribir, mientras los acusadores huyen. Ahora escribe: «Fariseos», «Víboras», «Sepulcros de podredumbre», «Mentirosos», «Traidores», «Enemigos de Dios», «Insultadores de su Verbo»...

Cuando todo el patio está ya vacío y un gran silencio reina en él, a excepción del ruido del viento y el de una fuentecilla que hay en un rincón, Jesús levanta su cabeza y mira. Su rostro esta ya tranquilo. Un poco triste, pero no enojado. Dirige una mirada a Pedro que se ha alejado un poco, apoyándose contra una columna, y a Juan que muy cerca de El, lo mira con ojos en que se reflejan su amor por El. En los ojos de Jesús se dibuja una sonrisa al mirar a Pedro y una sonrisa mayor al mirar a Juan. Dos sonrisas diversas.

Luego mira a la mujer que todavía sigue postrada y llorando a sus pies. La contempla. Se levanta. Se compone el manto como si se fuese a poner en camino. Hace una señal a los dos apóstoles para que se dirijan hacia la salida.

Cuando queda solo, dice a la mujer: «Mujer, escúchame. Mírame.» Repite su orden porque ella no se atreve a levantar la cara. «Mujer, estamos solos. Mírame.»

La desgraciada levanta una cara que el llanto y el polvo han desfigurado.

«¿Dónde están, mujer, los que te acusaban?» Jesús habla despacio, con misericordia. Su rostro y cuerpo están ligeramente inclinados hacia tierra, hacia esa miseria, y sus ojos están preñados de una indulgente expresión, de una fuerza renovadora: «¿Nadie te condenó?»

La mujer entre sollozos, responde: «Nadie, Maestro.»

«Tampoco Yo te condeno. Vete. Y no peques más. Ve a tu casa. Procura que te perdone tu marido, que te perdone Dios. No abuses de la benignidad del Señor. Vete.»

La ayuda a incorporarse tomándola de una mano, pero no la bendice y no le da la paz [3]. La mira irse con la cabeza inclinada y que levemente vacila bajo su vergüenza. Cuando ha desaparecido, Jesús sale a su vez con sus dos discípulos.

[3] Cfr. pág. 410, not. 3.

190. «Indico a la culpable el camino que tiene seguir para redimirse»

(Escrito en el mismo día)

Dice Jesús:

«Lo que más me dolía era la falta de caridad y sinceridad en los acusadores. No mentían al acusarla. La mujer era realmente culpable, pero eran insinceros al hacer escándalo de una cosa que ellos miles de veces habían cometido y que sólo debido a su astucia o a su buena estrella había quedado oculta. Era la primera vez que pecaba, y había sido menos astuta y menos afortunada. Pero ninguno de sus acusadores y acusadoras — porque también las mujeres, aunque no levantaban su voz, la acusaban en el fondo del corazón — estaban exentos de culpa.

Adúltero es el que llega al acto y quien apetece el acto y lo desea con todas sus fuerzas. La lujuria existe tanto en el que peca como en el que desea pecar. No basta no hacer el mal, es menester no desear hacerlo.

Acuérdate, María, de las primeras palabras de tu Maestro cuando te llamó del borde del precipicio donde estabas: "*No basta no hacer el mal, es menester no desear hacerlo*".

Quien se complace en pensamientos sensuales y enciende con lecturas y espectáculos apropiados y con costumbres malsanas, sensaciones de sensualidad, es tan impuro como el que peca materialmente [1]. Me atrevo a decir: *es mucho más culpable, porque con el pensamiento va contra la naturaleza* [2], *además de que va contra la moralidad. No me refiero a actos reales que son contra la naturaleza. Lo único atenuante de éstos es que estén enfermos orgánica y síquicamente. Quien no tiene semejante excusa es muy inferior a la bestia más repugnante. Para condenar con justicia, es*

[1] Afirmación que debe entenderse a la luz de Mt. 5, 27-30.

[2] Según la Voluntad de Dios, y por lo tanto, según la naturaleza (o viceversa), no es el formarse castillos en el aire, sino realizar acciones que el Altísimo, Padre, Creador quiso y bendijo (Cfr. Gén. 1, 27-28; 9, 1).

menester estar inmunes de culpa.

Os remito a dictados anteriores, cuando hablé de las condiciones esenciales para ser juez.

No me eran desconocidos los corazones de aquellos fariseos y escribas, ni los de que se unían en atacar a la culpable. Eran pecadores contra Dios y contra el prójimo. En ellos habían culpas contra el culto, contra sus padres, contra el prójimo, culpas, y muy numerosas, contra sus mujeres. Si por un milagro hubiese dicho a su sangre que escribiese sobre su frente su pecado, entre las muchas acusaciones hubiera prevalecido la de "adúlteros" de hecho o de deseo. He dicho: "Lo que sale del corazón del hombre es lo que contamina al hombre". Y fuera de mi corazón, no había ninguno de los jueces que hubiese tenido su corazón puro.

Sin sinceridad y sin caridad. Ni siquiera el ser semejantes a ella por la concupiscencia que los consumía, los llevaba a tener caridad. Yo era el que tenía caridad por aquella mujer humillada. Yo, el Unico que debía haber tenido asco. Pero acordaos de esto: "*Que cuanto alguien es más bueno, tanto más es compasivo para con los culpables". No perdona la culpa por tratarse de ella. Eso no. Compadece a los débiles que no pudieron resistir a la culpa.*

¡El hombre! Más que una frágil caña o que una tierna florecilla, se puede doblar fácilmente a las tentaciones y asirse de aquello en lo que espera encontrar un consuelo.

Porque muchas veces la culpa se comete, sobre todo en el sexo débil, por esta búsqueda de consuelo. Por esto afirmo que quien carece de cariño para con su mujer, y aun para su hija propia, es noventa por ciento responsable de la culpa de su mujer o de sus hijas y de esas culpas responderá. Tanto el afecto necio, que es sólo una esclavitud estúpida de un hombre para con una mujer, de un padre para con una hija, cuanto una falta de afecto o, peor, una culpa de propia líbido que lleva un marido a otros amores y los padres a otras preocupaciones que no sean los hijos, son incentivo para el adulterio y prostitución y como tales los condeno. Sois seres dotados de razón y os guía una ley divina y una ley moral. Envilecerse hasta llevar una conducta de salvajes o de animales debería horrorizar a vuestra gran soberbia. Pero de ésta, que en tales casos sería hasta útil, *os servís para otras cosas muy diversas.*

Miré a Pedro y a Juan de modo diverso, porque al primero quise darle a entender: "Pedro, tampoco faltes tú a la caridad y sinceridad", y darle también a entender como a mi futuro Pontífice: "Recuerda esta hora y juzga como tu Maestro en el porvenir"; entre tanto que al segundo: joven en años, corazón de niño, le quise decir: "Tú puedes juzgar y no lo haces porque tienes mi mismo sentimiento. Gracias porque eres muy semejante a Mí". Quise que ambos se retirasen, antes de que me dirigiera a la mujer para no aumentar su pena con la presencia de dos testigos.

Aprended, ¡oh hombres inmisericordes! *Por más que alguien sea culpable, hay que tratarlo con respeto y caridad. No gozarse con su envilecimiento, ni encarnizarse en él, ni siquiera con miradas curiosas. ¡Piedad, piedad para el caído!*

Señalo a la culpable el camino que tiene que seguir para redimirse. Volver a su hogar, pedir humildemente perdón y obtenerlo con una vida honesta. No ceder más a las tentaciones de la carne. No abusar de la Bondad divina y de la bondad humana para no purgar dos o más veces la culpa. Dios perdona y perdona porque es la Bondad, pero el hombre, por más que yo haya dicho: "Perdona a tu hermano setenta veces", no sabe perdonar dos.

No le di la paz ni la bendición *porque no existía en ella todavía la completa separación del pecado que es necesaria para obtener el perdón. Todavía no existía en su carne, y ni siquiera en su corazón la náusea por el pecado* [3]. María de Mágdala, al haber saboreado mi palabra, había experimentado disgusto por el pecado y se había acercado a Mí con una voluntad total de ser otra. En aquella otra

[3] «Dar la paz» es una expresión antiquísima. En materia de confesión significa absolver, perdonar, con todas sus consecuencias benéficas ante los ojos de Dios y de su Iglesia. Véase, por ejemplo, ya en el siglo tercero, en Siria, la *Didascalía de los Apóstoles* (versión latina, parte segunda), en Africa las *Cartas*(15-18, 55, 57) y el *De lapsis* (15-18, 28-29) de san Cipriano. Según los elementos puestos en orden o dispersos en estos documentos antiquísimos, la penitencia llevaba consigo una serie de actos, que remataban con la «paz» o bendición. Tales actos eran: el dolor de las culpas; la acusación de los pecados; la súplica, la imposición y el cumplimiento de ciertas obras penitenciales; la imposición de la mano del sacerdote que bendecía. Esta imposición de la mano sacerdotal era una bendición grande y eficaz; esto es, era un rito que, por virtud del Espíritu Santo, Amor divino, absolvía de los pecados, remitía las culpas, perdonaba las ofensas, y por lo tanto volvía a poner al hombre en paz con Dios y con la Iglesia, con Dios Padre y con los hermanos, miembros de la Iglesia. En plena armonía con los Hechos (6, 6; 8, 14-19; 9, 17-19; 13, 1-2; 19, 1-7), la *Didascalía de los Apóstoles* ilumina admirablemente el significado y la eficacia de la imposición de las manos sacerdotales sobre la cabeza de los pecadores penitentes: «Si quis... postea conversus poenitentiae fructus ostenderit, tunc et ad orationem eum admitte sicut gentilem. Quemadmodum igitur gentilem *baptizas* ac postea recipis, ita et huic *manus impones*, omnibus pro eo precantibus, ac deinde eum introduces et participes facis Ecclesiae, et erit ei *in loco baptismi impositio manus;* namque *aut per impositionem manus aut per baptismum accipiunt participationem Spiritus Sancti»* (XLI). Dicha imposición de las manos sacerdotales era, pues, una *bendición:* de hecho, en todas las Liturgias orientales y occidentales, hay estrecha unión entre bendecir, santificar, consagrar, imponer las manos sacerdotales sobre personas o cosas, pedir y comunicar el Espíritu Santo, el cual siendo el Amor divino, se comprende muy bien que ame bendiciendo, perdonando, transformando, dando la paz. A la luz de estas consideraciones, se comprende lo que se lee en el texto: «No le di la paz ni la bendición porque no existía en ella todavía la completa separación del pecado que es necesaria para obtener el perdón. Todavía no existía ni en su carne, y ni siquiera en su corazón la náusea por el pecado». Jesús, pues, al menos por ahora, según esta Obra, no dió «la paz» a la adúltera, porque carècía de aquellos sentimientos y actos penitenciales de los que «la paz» es premio y corona.

había un fluctuar de voces de la carne y del espíritu. Ni ella misma, en medio de la turbación de la hora, había logrado poner el hacha en la raíz de su carne y cortarla para verse así libre y poder entrar en el Reino de Dios. Libre de lo que le servía de ruina, pero enriquecida con lo que era a salvación.

¿Quieres saber si se salvó? No fui para todos Salvador. Quise serlo para con todos, pero no lo fui porque no todos tuvieron la voluntad de que se les salvase [4]. Y esto fue uno de los dardos más dolorosos en mi agonía del Getsemaní.

Quédate en paz, María de María, y no quieras volver a faltar más ni siquiera en las bagatelas. Bajo el manto de María no hay más que cosas puras. Recuérdalo.

Un día María mi Madre te dijo: "Yo ruego con lágrimas a mi Hijo". Y en otra ocasión: "Dejo a mi Jesús el cuidado de que me amen... Cuando me amáis vengo. Y mi llegada siempre es alegría y salvación".

Mi Madre te ama. Te he entregado a ella. Más bien *te llevé conmigo*, porque sé que donde puedo obtener lo que quiero con mi autoridad, ella os guía con sus caricias amorosas y os lleva mejor que Yo. Su tocar es un sello delante del que huye Satanás. Tienes ahora su hábito y si eres fiel a las oraciones de ambas Ordenes [5] medita diariamente toda la vida de nuestra Madre. Sus alegrías y sus dolores. Esto es *mis alegrías y mis dolores*. Porque desde el momento en que el Verbo se hizo Jesús con ella y por los mismos motivos me he alegrado y llorado.

Mira, pues, que amar a María es amar a Jesús. Es amarlo más fácilmente. Porque te hago que lleves la cruz y sobre ella te pongo. Por el contrario mi Madre te lleva o está a los pies de la cruz para recibirte sobre el corazón que no sabe otra cosa más que amar. Aun en la muerte el seno de María es más dulce que la cuna. Quien espira en ella no oye más que las voces de los coros angelicales que vuelan alrededor de María. No ve tinieblas sino los rayos de la Estrella matutina. No ve lágrimas, sino su sonrisa. No conoce el miedo. ¿Quién se atreverá a arrebatar de nosotros, de los brazos de María al moribundo que amamos, que es *nuestro*?

No me des "gracias" a Mí. Dáselas a ella que no ha querido acordarse de otra cosa, fuera del poco bien que has hecho y del amor que tienes por Mí y por este te quiere, para poner bajo sus pies lo que tu buena voluntad no lograba hacerlo. Grita: "¡Viva María!" Y quédate a sus pies, a los pies de la Cruz. Te adornarás tu vestido con rubíes de mi Sangre y de perlas de su llanto. Tendrás un vestido de reina para entrar en mi Reino.

Quédate en paz. Te bendigo.»

[4] Cfr. vol. 3°, pág. 621, not. 4.

[5] Esto es, de la Orden de San Francisco y de la Orden de los Siervos de María: de las cuales, con los permisos de la Autoridad eclesiástica, era Terciaria al mismo tiempo.

191. Enseñanzas a los apóstoles y discípulos

(Escrito el 17 de septiembre de 1946)

Dice Jesús: «Aquí pondréis la visión de la adúltera que viste el 20 de marzo de 1944.»

Jesús ha reunido a los doce apóstoles y a los discípulos principales en la pendiente del Monte de los Olivos, cerca de la fuente de Siloán. Cuando ven que a paso largo, acompañado de Pedro y Juan, viene a ellos, le salen al encuentro, y precisamente cerca de la fuente se juntan.

«Subamos por el camino que va a Betania. Me voy de la ciudad por un poco de tiempo. En el camino os diré lo que debéis hacer» ordena Jesús.

Entre los discípulos están Mannaén y Timoneo que, tranquilizados, han vuelto a tomar su lugar. También están Esteban y Hermas, Nicolás, Juan de Efeso, Juan el sacerdote y en una palabra todos los más sobresalientes por su sabiduría, además de otros, que no lo son tanto, pero que son muy activos por la gracia de Dios y de su propio querer.

«¿Te vas de la ciudad? ¿Te ha pasado algo?» preguntan muchos.

«No. Pero hay otros lugares que me aguardan...»

«¿Qué has hecho esta mañana?»

«He hablado... Los profetas... Una vez más. Pero no entienden...»

«¿Ningún milagro, Maestro?» pregunta Mateo.

«Ninguno. Un perdón. Y una defensa.»

«¿Quién fue? ¿A quién ofendió?»

«Unos que se creían sin pecado acusaron a una pecadora. La salvé.»

«Si era pecadora, tenían ellos razón.»

«En su cuerpo era realmente pecadora, pero su alma... Muchas cosas podría deciros acerca de las almas. *No llamo pecadores sólo a aquellos cuya culpa es clara. Son también pecadores los que empujan a otras a pecar. Y su pecado es más astuto. Hacen el papel de la Serpiente y del Pecador* [1].»

«¿Qué había hecho la mujer?»

«Había cometido adulterio.»

«¿Adulterio? ¿Y la salvaste? ¡No debiste!» exclama Iscariote.

Jesús lo mira detenidamente, luego le pregunta: «¿Por qué no debí?»

«Porque... Te puede acarrear algún mal. Sabes bien cuánto te odian y que buscan acusaciones contra Ti. Ciertamente... Salvar a una adúltera es ir contra la Ley [2].»

«Yo no dije que la salvé. Dije a ellos que el que estuviese sin pecado la lapidase. Ninguno la lapidó porque ninguno estaba libre de pecado. Así pues confirmé la Ley que ordena que los adúlteros sean lapidados, pero también salvé a la mujer porque no hubo nadie que la lapidase.»

[1] Alusión a Gén. 3.

[2] Cfr. pág. 405, not. 2.

«Pero Tú...»

«¿Querías que la hubiera Yo lapidado? Habría podido, y hubiera sido un acto de justicia, pero no de misericordia.»

«¡Ah, se arrepintió! Te suplicó y Tú...»

«No. Ni siquiera estaba arrepentida. Tan sólo estaba deshecha y llena de miedo.»

«Pero entonces... ¿por qué? ¡Cada vez te comprendo menos! Antes lograba comprender lo que habías hecho con una María de Mágdala, con un Juan de Endor, en una palabra... con muchos pec...»

«Dilo claro: con Mateo. No me ofendo, antes bien te agradezco que me ayudes a recordar mi deuda de reconocimiento para con mi Maestro» dice Mateo con calma y dignidad.

«Bueno, también con Mateo... Pero ellos estaban arrepentidos de su pecado, de su vida licenciosa. ¡Pero esa!... ¡Te comprendo cada vez menos! Y no soy el único...»

«Lo sé. No me comprendes... Siempre me has comprendido poco. Y no has sido el único. Pero eso no cambia mi modo de obrar.»

«Se perdona a quien lo pide.»

«¡Oh, si Dios tuviese que perdonar sólo a quien se lo pide! Y castigar al punto a quien no se arrepiente de su culpa! ¿No te has sentido alguna vez perdonado antes de haberte arrepentido? ¿Puedes con toda verdad afirmar que te arrepentiste, y por este se te perdonó?»

«Maestro, yo...»

«Escuchadme todos, porque muchos de vosotros pensáis que hice mal y que Judas tiene razón. Aquí están Pedro y Juan. Oyeron lo que dije a la mujer y lo pueden repetir. No fui un necio al perdonar. No dije lo que he dicho a otras almas a las que perdoné porque estaban del todo arrepentidas [3]. Pero he dado manera y tiempo para que esa alma llegue a arrepentirse y sea santa, si quisiere. Recordadlo para cuando seáis maestros de las almas.

Dos cosas son necesarias para ser verdaderos maestros y dignos de serlo. *Primera: llevar una vida austera de modo que se pueda juzgar y sin la hipocresía de condenar en los otros lo que se nos perdona. Segunda: una misericordia paciente para dar modo a las almas de que se curen y se fortifiquen. No todas las almas se curan instantáneamente de sus heridas. Algunas lo hacen por etapas sucesivas, lentamente y con recaídas. Arrojarlas, condenarlas, infundirles miedo, no es el arte de un médico del espíritu.*

Si las arrojáis, volverán por rechazo a echarse entre los brazos de falsos amigos y maestros. Abrid siempre vuestros brazos y el corazón a las pobres almas. Que vean en vosotros a un verdadero y santo confidente en cuyas rodillas no se avergüenzan de llorar. Si las condenaréis privándolas de ayuda espiritual, haréis que se enfer-

[3] Cfr. pág. 410, not. 3.

men más y se debiliten.

Si les infundís miedo de vosotros y de Dios, ¿cómo podrán levantar sus ojos a vosotros y a Dios? El primer juez que encuentra el hombre es al hombre. Sólo el que vive espiritualmente sabe encontrar primero a Dios. Pero la criatura que ya ha logrado vivir espiritualmente no cae en culpa grave [4]*. Humanamente puede tener debilidades, pero su espíritu robusto vigila y las debilidades no se convierten en culpas graves. Mientras que el hombre que todavía se deja llevar por lo que es, peca y encuentra al hombre. Ahora bien, si quien debe señalarle a Dios y formar su alma, le infunde miedo, ¿cómo puede el culpable confiar en él? ¿Y cómo puede decir: "Me humillo porque creo que Dios es bueno y que perdona" si ve que un semejante a sí, no lo es?*

Vosotros debéis ser el termino de la comparación, la medida de lo que es Dios. Así como un céntimo es parte de lo que hace un millón. Pero si sois crueles con las almas, vosotros que sois una pequeñez del Infinito [5]*, y lo representáis, ¿qué cosa pensarán que sea Dios? ¿No pensarán acaso que El es duro e intransigente?*

Judas: tú que juzgas con severidad, si en este momento te dijese: "Te voy a denunciar al Sanedrín por prácticas de magia..." [6]»

«¡Señor, no lo harías! Sería... sería... Tú sabes que es...»

«Sé y no sé. Pero ves que inmediatamente invocas piedad sobre ti... *y tú sabes que ellos no te condenarían* porque...»

«¿Qué insinúas, Maestro? ¿Por qué dices esto?» dice Judas muy agitado, interrumpiendo a Jesús.

Con tono muy tranquilo, pero con ojos que atraviesan el corazón de Judas, y al mismo tiempo para calmar a su apóstol agitado sobre quien convergen todas las miradas de los once apóstoles y de muchos discípulos, Jesús dice: «Porque ellos te aman. Tienes buenos amigos allá dentro. Lo has dicho muchas veces.»

Judas da un suspiro de alivio, se enjuga un sudor, extraño porque el día esta frío y sopla el viento. Dice: «Es verdad. Viejos amigos. Pero no creo que si pecase...»

«¿Y por esto invocas piedad?»

«Ciertamente. Soy todavía imperfecto y quiero ser perfecto.»

«Lo has dicho. También aquella mujer es muy imperfecta. Le he dado tiempo para que sea buena, si quiere.»

Judas no replica.

Van por el camino de Betania, lejos de Jerusalén. Jesús se detiene y dice: «¿Habéis dado a los pobres lo que os di? ¿Habéis hecho

[4] Cfr. pág. 321, not. 1.

[5] «Pequeñez del Infinito» esto es: participación del Dios Infinito; miembros, y por lo tanto parte del Cuerpo Místico de Cristo. Cfr. Rom. 12, 3-13; 1 Cor. 6, 12-20; 12.

[6] Cfr. vol. 2°, pág. 287, not. 1.

todo lo que os dije?»
«Todo, Maestro» dicen apóstoles y discípulos.
«Entonces, oíd. Voy ahora a bendeciros y a despedirme de vosotros. Os esparciréis por la Palestina, como siempre. Os reuniréis aquí para la Pascua. No vayáis a faltar... y en estos meses fortaleced vuestro corazón y el de los que creen en Mí. Sed siempre más justos, desinteresados, pacientes. Sed lo que os he enseñado a ser. Recorred ciudades, poblados, casas desparramadas. No evitéis a nadie. Soportad todo. No busquéis vuestro bien propio, como Yo, Jesús de Nazaret, no busco el mío, sino que sirvo y busco el de mi Padre. También vosotros servid y buscad el de vuestro Padre. Por esto os deben ser cosa sagrada sus intereses, no los vuestros, aun cuando pudieren padecer alguna merma o vosotros algún dolor. Tened espíritu de abnegación y obediencia. Podrá suceder que os llamare y ordenare que os quedéis donde estéis. No discutáis mis órdenes. Obedeced sea lo que fuere, creyendo firmamente que eso se hace para bien vuestro. No tengáis envidia si alguien fuere llamado y vosotros no. Lo estáis viendo... Algunos se han separado de Mí... y me causó aflicción. Eran de los que querían acomodar su conducta a su propia manera de pensar. *La soberbia es la palanca que derriba los espíritus y el imán que me los arranca.* No maldigáis a quien me ha abandonado. Rogad para que vuelvan... Mis pastores estarán de dos en dos en las cercanías de Jerusalén. Isaac por ahora viene conmigo junto con Marziam. Amaos mucho entre vosotros, Ayudaos mutuamente. Todo lo demás, amigos míos, os lo dicte vuestro corazón recordando lo que os he enseñado, y os lo inspiren vuestros ángeles [7]. Os bendigo.»
Todos se postran mientras Jesús pronuncia la bendición mosaica [8]. Luego se apiñan a despedirse de Jesús, y se van, mientras con los doce, con Isaac y Marziam continúa por el camino que lleva a Betania.
«Ahora vamos a detenernos para despedirnos de Lázaro y luego continuaremos hacia el Jordán.»
«¿Vamos al Jordán?» pregunta con interés Judas de Keriot.
«No. A Betabara.»
«Pero... la noche...»
«No faltan casas y poblados de aquí al río...»
La menor palabra no sale de la boca de ninguno. Y fuera del movimiento de los olivos y del ruido de los pasos, no se oye otro rumor.

[7] Cfr. pág. 51, not. 3.
[8] Cfr. Núm. 6, 22-27.

192. En el poblado de Salomón y en su casa

(Escrito el 18 de septiembre de 1946)

Para que la gente del poblado no los vean entrar, suben por el margen del río y llegan a la casucha de Salomón. Pienso que son precauciones inútiles porque a principios de noviembre o a fines de octubre atardece temprano y la gente se recoge a sus casas. Por el camino no se ve a nadie, absolutamente a nadie, y si no fuese porque se oye algún balido, se diría que es un desierto.

Sacuden el cancelillo. Está cerrado. El jardincito parece que está bien atendido.

«Llamad. Está en la cocina. Por las hendiduras sale un rayo de luz» dice Jesús.

Tomás con su vozarrón grita al anciano, que sin tardanza abre la puerta, mirando hacia el camino. No ve nada porque casi afuera no hay luz, y porque dentro de la cocina había fuego y él no logra distinguir inmediatamente.

Pero cuando Jesús dice: «Somos nosotros», el anciano reconoce al punto la voz y grita: «¡El Maestro!» y desciende por la grada corriendo a abrir.

«¡Mi Señor! Entra, entra en tu casa, y que sea bendito este día que termina con tu llegada» dice tratando de abrir el cancel. Luego: «Estoy solo y cierro bien... Los ladrones son capaces de todo. Hay algunos que cometen injusticias acá o allá, viniendo al valle de los montes de Galaad. No tengo miedo por mi vida. Había preparado para Ti y ... Mira, Maestro. Ven. La noche está húmeda. Tus cabellos lo están por el rocío [1]...»

«Eres más diligente que la esposa del Cantar de los Cantares [2], padre. ¿No te molestas en acoger al Peregrino?» dice Jesús sonriendo.

«¿Molestarme? ¡Qué largos me han parecido los meses! Fueron pasando los días, unos después de los otros. Sembré semillas y vi que se convertían en verduras. Me dije: "Si viniese, las saborearía". Pero no viniste y ellas maduraron... Veía que las frutas se pintaban de colores y con dolor me las comía, porque Tú no estabas. Aquella oveja me parió un corderito, que es todo un vellón blanco. Lo guardé para que nos lo pudiéramos comer juntos. Tenía esperanzas de que nos veríamos antes de los Tabernáculos. Luego... ¿Un corderito para mí?... ¡Demasiado! Lo cambié por una cordera, y fueron buenos conmigo porque no me pidieron la diferencia. Con todo he guardado lo más que he podido: frutas y queso,

[1] Alusión al esposo del Cantar de los Cantares. Cfr. 5, 2.
[2] Cfr. Cant., por ej., 1, 4; 3, 1-5; 5, 6-8; 7, 12-14.

pescado seco y legumbres y alguna que otra sandía. Tengo un poco de vino... bebo de él, pero lo preparé para Ti, para el invierno.»

Sigue hablando mientras limpia la mesa y pone encima el servicio, atiza el fuego, pone agua en el caldero, y se entrega contento a su quehacer. No parece ser el viejo de meses anteriores.

Sale, vuelve con leche y dice a manera de excusa: «Es poca porque sola una de ellas da leche. Dentro de poco serán dos. Pero es suficiente para Ti.»

Todo tiene en sí: gestos paternales y gestos de devoción. Toma los mantos húmedos, las sandalias lodosas y los lleva a otra parte. Vuelve con manzanas, granadas, uvas y con algunos higos no del todo secos. Dice: «Los hice secar así, sólo para que los probases. Pensaba... pensaba yo que a mi Ananías le gustaba tanto que así se los preparase...» Su voz, antes serena, toma un tinte de tristeza al decir estas palabras y concluye: «... pensé que te gustarían mucho y pensé que... al prepararlos, lo hacía para el hijo de mi hijo.» Sacude su cabeza, hace fuerzas por sonreir, pese al brillo de las lágrimas que hay en sus ojos.

Jesús, que estaba sentado a la mesa, se levanta, le pone un brazo en la espalda, lo atrae a Sí: «Me gustan mucho. Es algo que me recuerda mi niñez... Y a mi padre. No deberías de privarte de tantas cosas por Mí. A los de edad les hace bien. Debes estar sano y fuerte, para hospedarme siempre. Es tan dulce encontrar una casa igual, con un padre que nos espera. ¿No es verdad, amigos míos?»

«¡Cierto que lo es! Y es tan hermoso, que podemos entregarnos a la pereza aunque no ayude Ananías» dice Pedro, y poniéndose de pie, continúa: «Ea, vamos a preparar nuestras camas, mientras Jesús habla con él.»

«¡No es necesario! Siempre están preparadas. Todo está limpio... Sólo que... No alcanzan. Sois doce. Yo iré al pajar y...»

«Eso no, padre. Yo iré» dice Juan.

«No, yo» se disputa Andrés con otros este honor.

«No es necesario. Yo puedo dormir sobre esta mesa. No es más dura que el fondo de mi barca, y Marziam...» dice Pedro.

«Duerme conmigo» lo interrumpe Jesús.

«O conmigo, si os gusta... como hacía mi pequeñuelo Ananías» dice el viejo, y en su mirada hay algo de súplica.

«Está bien, Maestro. Todavía puedo estar contigo.... Duermo con él» dice Marziam.

Jesús lo acaricia viendo su gesto.

«Muchas veces después de Pentecostés vinieron a buscarte. Luego no más» dice el anciano.

«¿Quién lo buscaba?»

«¡Quienes otros, sino los fariseos! Y otros como ellos. Querían saber de Ti. Yo les dije: "No está aquí, ni sé cuándo vendrá..." Es la verdad. Terminaron por cansarse de venir. Buscaban a otro, a un cierto Juan, que decían que estaba contigo y que pensaban que tal vez estaría aquí. Les dije: "Su discípulo anda con El". Dijeron: "¿Acaso su discípulo es tuerto? ¿Acaso viejo, casi por morir?" Comprendí que no eras tú y respondí: "Conozco a su apóstol Juan, que es un joven apuesto, y sano de alma como de cuerpo". Me amenazaron. Pero, ¿qué podia decir yo? Era la verdad...»

«Cierto que era la verdad. Sé siempre veraz. Aunque tuvieses que causarme algún daño, nunca mientas, padre.»

«Señor, mis cabellos son grises ya, tratando de obedecer siempre al Señor. Y entre las cosas que tengo que obedecer está la de no decir cosas falsas. Pero, ¿por qué te buscan, Señor? Yo era un ciego. Jamás iba a Jerusalén. Volví, pues... para la ceremonia. Porque quise esperarte aquí.... Oí que se se te odia y se te ama... He comprendido que existe más odio que amor entre los jefes del pueblo. Estaba en el Templo en aquella mañana en que quisieron hacerte daño... triste huí para esperarte y para llorar aquí. ¿Por qué el hombre debe ser tan malo?»

«Porque ha dado muerte a su espíritu. Y con ella a su capacidad de oir el remordimiento de que es injusto.»

«¿Es verdad que te buscaban para hacerte mal?»

«Así es.»

«¡Sí! ¿Quiere Israel causar daño a su Rey? ¡Horror! Israel sale al encuentro de los castigos que los profetas predijeron [3].... Oh, estoy contento, ahora, de que mi hijo haya muerto... también yo quisiera morirme para no ver el pecado de Israel...»

Un silencio profundo se cierne sobre todos. Tan sólo el crepitar de la leña parece entonar un lúgubre canto.

«Hablemos de otra cosa. Siempre se habla de muerte, de odio, de traición. ¡Basta, basta! ¡No puedo más oir hablar de esto!» dice Iscariote completamente cambiado de rostro, torvo, agitado y caminando por la cocina, abriendo sus brazos.

«Judas tiene razón» dicen muchos.

«Pero no querer oir, no sirve para nada. Lo que sirve es no consentir» dice Jesús abriendo resignadamente sus manos, con las palmas abiertas, sobre la rústica mesa.

«¿Qué quieres decir con eso de "consentir"? ¿Quién es el que consiente en ello?» Judas le agita las manos por su rostro, a través de la mesa.

«¿Quién? Todos los que sueñan ya con verme morir bañado en mi sangre. ¡Sangre! ¡Sangre de tu Mesías! ¡Sangre sobre ti, tierra que no quiere a su Señor! ¡Sangre que brilla más que esas llamas!

[3] Cfr. por ej., Is. 2, 6-22; 5, 18-20; Os. 5, 8-14; Jl. 2, 1-2; Sof. 1, 14-18, etc.

¡Sangre, fuego en el hielo y en las tinieblas de un mundo criminal! Creen poder matar la Luz, quitándole su sangre. Pero Luz es el espíritu; la sangre es todavía algo material. Lo material hace pesado el espíritu. ¿Acaso no es cierto que la sangre echada sobre una lámina de mica hace más débil la luz? Bueno. En verdad, en verdad os digo que así como esos leños no brillaban, sino hasta que se convirtieron en llama y su resina no prendió hasta que sintió el fuego, y ahora resplandecen y alumbran, de igual modo cuando todo se haya cumplido y la sangre y la carne se hayan consumido en sacrificio, entonces, como ese fuego, que es ahora todo luz, mi espíritu más que nunca iluminará el mundo y más que nunca seré Luz. Una Luz tal que deslumbrará para siempre a los que la odian, como a sus asesinos. Una Luz tan intensa que se fundirán las puertas áureas de los cielos cerradas al Linaje humano por tantos siglos [4] y se abrirán de par en par a los justos. Una Luz tal que perforará las piedras que aman al Abismo y su fuego ardiente será mucho más cruel con mis rayos que despediré. ¡Ay, ay, ay de aquellos que hayan tratado de atacar a la Luz! ¡Sangre y Luz! Sólo estas dos cosas estarán ante ellos para hacerlos enloquecer y desesperar [5]. ¡Demonios!»

Jesús que se había puesto de pie cuando pronunció «en verdad, en verdad...» y había infundido un miedo terrible en la cocina de paredes oscuras, a quien el chisporrotear de la leña parecía como si le formase una corona, se sienta y guarda silencio.

Todos se miran entre sí, todos menos Judas que parece hipnotizado al ver la leña que arde... Hipnotizado y espantado. Un espanto que le pone algo así como una horrible máscara de lívido color sobre la que las llamas de la hoguera pintan colores rojizos. Esto me recuerda la espantosa cara de Jesús en el Viernes Santo. Luego se vuelve de pronto y grita: «¡Cállate! ¡Cállate! ¿Por qué nos atormentas? [6]» y sale golpeando violentamente la puerta...

«Teniendo en cuenta su carácter es verdad, pero él te quiere mucho... y sufre al oir ciertas palabras» dice Tomás. Luego: «También a nosotros nos causan pena. Pero nosotros no nos comportamos de esa manera rara... tan rara, para decirlo de una vez...»

Nadie se atreve a hablar. El mismo Jesús sigue callado.

«Las verduras están cocidas, y la leche ya se calentó...» dice en voz baja el atemorizado anciano, y como que no se atreviera a decir palabras tan corrientes después de lo sucedido...

[4] Cfr. Gén. 3, 22-24; Hebr. 9; Ap. 22, 14.

[5] Alusión a Judas, loco y desesperado en el Viernes Santo, después de su crimen.

[6] Expresión de los demonios (Cfr. Mt. 8, 28-34; Mc. 5, 1-13; Lc. 8, 26-33) como para indicar que Judas estaba ya bajo el influjo o imperio del demonio, mejor dicho, de los demonios. Cfr. también vol. 3°, pág. 313, not. 2 y pág. 713, not. 2; vol. 1°, pág. 804, not. 3.

«Llamad a Judas y cenemos» ordena Jesús.

Juan sale a llamar al compañero. Entran... En la cara de Judas se nota el tormento, un tormento sin paz... Se sienta a la mesa y se levanta con los demás cuando Jesús ofrece y bendice, y mira de reojo a Jesús cuando hace las partes, guardando para Sí la última.

Todos quieren romper el muro de tristeza que reina en la sala. Nadie lo logra hasta que el mismo Jesús se dirige al anciano, preguntándole si el poblado y lugares vecinos han aceptado la palabra del Señor.

«Sí, sí, Maestro. Y produce mucho, mucho bien. Diría yo más que al otro lado de la ribera. Sabes... por acá el recuerdo del Bautista vive fuertemente, y sus discípulos, que ahora son tuyos, le alimentan, y te dan a conocer con sus palabras. Además... aquí... Los fariseos son pocos tanto en Perea como en la Decápolis, y por eso...»

193. Jesús y Simón de Jonás

(Escrito el 20 de septiembre de 1946)

No sé dónde están. Pero cierto es que no en el valle del Jordán, sino sobre los montes que lo flanquean, porque veo el verde valle y el hermoso río azul allá abajo, entre tanto que las altas cimas de los montes sobresalen en la extensa meseta da que se extiende hacia el oriente del Jordán.

Veo a Pedro que está solo, en algo que sobresale, y que mira detenidamente al nordeste, que suspira, que está muy triste. La leña está a sus pies; leña que sin duda recogió entre la maleza de estos bosques. Un poblado hay entre el verdor. Pedro está en verdad abatido. Termina por sentarse con su hatillo, mete la cabeza entre las manos, hecho un ovillo. Se queda así, olvidándose de las horas y de las cosas. Tan absorto que no lo sacan de su ensimismamiento algunos niños al pasar detrás de sus caprichosas cabras; le miran y luego corren detrás de sus animales en dirección del pobladucho. Poco a poco el sol va ocultándose, pero Pedro no se mueve.

Por la vereda que va del pobladucho al monte camina Jesús. Anda despacio para no hacer ruido. Llega al lugar donde está Pedro. Le dice: «¡Simón!»

«¡Maestro!» Pedro da un sobresalto, levanta su mirada tratando de decir algo.

«¿Qué estás haciendo, Simón? Ya regresaron todos tus compañeros, pero tú, no. Todos están preocupados. Tanto que tu hermano y los hijos de Zebedeo con Tomás y Judas han ido por los montes a buscarte, mis hermanos con Isaac y Marziam fueron hacia la llanura.»

«Me desagrada... Me desagrada de ser la causa de esta aflicción y de esta fatiga...»

«Todos tus compañeros te quieren mucho... Fue Judas el primero que se preocupó y que regañó a Marziam porque te dejó venir solo.»

«¡Uhm!...»

«Simón, ¿qué te pasa?»

«Nada, Maestro.»

«¿Qué estabas haciendo en este lugar, solo, mientras la tarde baja?»

«Estaba mirando...»

«Tal vez estuviste mirando, pero *ahora* no mirabas ya... Pasaron cerca de ti unos niños y los espantaste porque creyeron que estabas muerto, pues estabas tan encongido. Corrieron al redil que nos hospedó y me lo dijeron. Por eso vine... ¿Qué mirabas, Simón?»

«Miraba... miraba en dirección de Ramot de Galaad, de Gerasa, de Bosra, de Arbela... nuestro viaje del año pasado, tan hermoso... Veía a la Madre con nosotros. A las discípulas... a Juan de Endor... al mercader... Hasta él era bueno y nos hizo agradable el camino... ¡Cuántas cosas han cambiado! ¡Qué diversas son!... ¡Cuántos dolores!... En una palabra, miraba hacia el pasado.»

«Y hacia el porvenir, Simón mío.» Jesús se sienta sobre el montón de leña al lado de Pedro y pone un brazo sobre su espalda. Le dice: «Mirabas el horizonte... y la tristeza te envolvió. El presente como un torbellino levantó sus nubes que infunden temor y te ocultó el recuerdo sereno, lleno de promesas y esperanzas. Te llenó de miedo. Simón, estás en una de esas horas de tristeza y de melancolía que nuestra naturaleza humana encuentra en su camino. Nadie se exceptúa de ellas, porque las suscita quien odia al hombre. Cuanto más el hombre sirve a Dios, tanto más Satanás trata de infundirle miedo y de cansarlo para arrancarlo del ministerio abrazado. También tú te encuentras en una hora de cansancio... El continuo repetirse de persecuciones que caen sobre tu Maestro, te cansa. En una palabra — no sabes que no eres tú, sino el Tentador — escuchas una voz que te susurra: "¿Y mañana? ¿Qué será el mañana?"...»

«Es verdad, Señor. Estás leyendo mi corazón. Pero también sabes que si hago esto no es porque tenga miedo por mí. Es porque... No. No podré verte jamás atormentado... Frecuentemente hablas de un crimen, de una traición. Yo... ¡Oh, no soy solo yo! ¿Cuántos, sobre todo entre los viejos, te han pedido morir antes de ver que ofendan a su Rey? ¡Y yo!... Tú sabes que eres todos para mí. Ninguna otra cosa que no seas Tú, me interesa. No es como dice Judas, nostalgia por mi barca, por mi mujer... Mira: Tú sabes que digo la verdad. Insistí mucho por tener a Marziam. Mi modo humano quería tener por lo menos un hijo adoptivo en lugar de los hijos que mi mujer no me dió, llenando de pena mi virilidad que quería perpetuarse. Pero ahora, pero hoy yo... Quiero sí a Marziam. Pero si me lo quitaras no reaccionaría. Tan sólo te diría... ¡pero no! No diría nada.»

«¿Tan sólo me dirías? Acaba.»

«Inútil, Maestro.»

«¡Habla!»

«Diría: "Dalo a quien mejor que yo puede educarlo en la rectitud". No te diría más. Esto es... y esto te lo digo, llorando, por él, por mí, por mi hermano, y también por Juan y Santiago, y también por los demás, pero nosotros... nosotros somos los que fuimos tus primeros...» Pedro se pone de rodillas apoyándose sobre las rodillas de Jesús, con sus manos en alto, con sus palmas en alto, como suplicantes, con lágrimas en sus mejillas que se le pierden entre la barba... «... Lo digo por nosotros: haznos morir, llévanos antes de que nosotros... ¡Oh! Hace meses que pienso y Tú sabes que es verdad que este pensamiento me corroe, me envejece. Es algo que no me deja nunca en paz, ni siquiera cuando duermo. Pienso que si es como tu dices, podría yo ser el traidor, o serlo Andrés, o Juan, Santiago, Marziam... Y si no se llegare a esto, ser uno de los que decías hace apenas tres noches en la casa de Ananías, uno de los que llegan a desear tu Sangre, uno, aun uno de los que no sabrán oponerse por cobardía y a consentir en el mal por temor del mal... Yo... si tuviera que consentir solo en no reaccionar por temor... Maestro, ¡oh, Maestro mío!, me mataría para castigarme o... mataría a tus asesinos si los encontrase... Yo... si no quieres esto, haz que muera antes. Hazlo pronto, aquí... La vida no vale nada. Pero faltar al amor que te tengo... Ser uno de esos... ser... ver y no...» Está tan excitado que le faltan hasta las palabras. Baja su cabeza sobre las rodillas de Jesús llorando con gemidos amargos de un hombre rudo, de un hombre de edad, que no sabe llorar, que se encuentra presa di diversos sentimientos.

Jesús le pone sus manos sobre la cabeza como para calmar ese dolor y ahuyentar los pensamientos que lo perturban. Dice: «Amigo mío, crees que si tuvieses que... no ser perfecto en aquella hora, el Señor que es justo ¿no pondrá en la balanza tu error y tu amor y voluntad actuales? ¿Tienes miedo que este amor sin comparación y que esta voluntad puedan valer menos que tu momentánea imperfección, y ser insuficientes para alcanzar el perdón de Dios, y con ella todos los medios para que vuelvas en ti, mi amado Simón?»

«¡Haz que muera! ¡Sálvame! ¡Tengo miedo!»

«Tú eres mi Piedra, Simón. ¿Podría hacer añicos la Piedra que será el fundamento que me debe perpetuar en la tierra?»

«No soy digno. Me doy cuenta. Soy un pobre hombre, ignorante, pecador. No hay inclinación mala que no haya en mí. No soy digno, ¡no lo soy! Seré un perverso. Un homicida. Todo lo peor que haya... Haz que muera. Comprende que si pudiese descubrir a quien te odia...»

«Todo un mundo me odia, Simón. Hay que perdonar...»

«Me refiero al cabecilla. Debe haber uno que haga de cabecilla...»

«Habrá tantos *uno*, y todos tendrán su mansión principal...»

«¿Qué mansión? La de... ¡Oh, no quiero pronunciar su nombre! Pero yo...»

«Tú debes perdonar como Yo y conmigo. ¿Por qué te turbas, Simón, al pensar lo que podrías hacer para castigar? Deja al Señor esto. A ti te toce amar y perdonar, compadecer y perdonar. ¡Todos esos que se harán culpables ante tu Jesús, tienen *mucha* necesidad de que se les ayude y de que se les perdone!»

«No hay perdón para ellos.»

«¡Oh, qué duro eres con tus hermanos, Simón! ¡No! Hay perdón también para ellos, si vuelven atrás. ¡Ay de todos los que me ofenden, si no pudiesen ser perdonados! ¡Ea, levántate, Simón! Tus hermanos estarán muy preocupados al ver que ni tú ni Yo regresamos al redil. Pero aunque pudieran sufrir algo, antes de irnos, vamos a orar. Oremos juntos. *No hay otra cosa para poder conseguir de nuevo la paz, la fuerza espiritual, el amor, la compasión... también para con nosotros mismos. La oración ahuyenta los fantasmas de Satanás, y hace que sintamos cerca a Dios. Si Dios está cerca, puede uno enfrentarse a todo y soportarlo con rectitud y mérito.* Oremos así, Yo y tú, aquí, desde este monte desde el que se ve una gran parte de nuestra Patria, como la vió Moisés desde el Nebo [1]. Nosotros, más afortunados que él, traemos a esta tierra que pertenecerá al Mesías la palabra y la salvación. Yo he sido el primero, después tú. ¡Mira! Con los últimos rayos se distinguen aun los montes de la Judea. Más allá está la llanura, el mar, luego otras tierras, el mundo.. Esas tierras, ese mundo te esperan, Pedro. Te esperan para saber que existe un solo Dios. Un Dios que dará la verdadera luz a las almas que andan a tientas en la oscuridad del gentilismo y de la idolatría. Mira: la luz terrenal se apaga. ¿Cómo podrán los viajeros hacer menos de no perder la dirección en una noche sin luz? Pero mira allí la estrella polar. Se levanta para guiarlos. Mi religión será la estrella que guíe a los caminantes del espíritu en el camino que va al cielo. Y estarás tan unido a ella que llegarás a ser una sola luz conmigo y con mi doctrina, ¡oh Pedro mío!, ¡oh Piedra bendita! Oremos por esa hora en que los hombres se salvarán por mi Nombre. "Padre nuestro que estás en los cielos"...»

Recita lentamente el *Padre nuestro* teniendo de la mano a Pedro

[1] Cfr. Deut. 32, 48-52; 34, 1-4.

y parece como si lo presentase al Padre levantando brazos y manos, sobre los que apoyan los del apóstol.

«Bajemos. Dejemos aquí las tristezas y cruces inútiles para el mañana. Junto con el pan cotidiano el Padre nos dará mañana, cada mañana, su ayuda. ¿No lo crees, Simón?»

«Sí, Maestro, lo creo» dice con firmeza Pedro, cuyo rostro no tiene más señales de intranquilidad, sino de una austeridad que hace pocos meses se ha venido acentuando y que parece haber transformado al rudo y tosco pescador de hace dos años antes.

Descienden. Jesús va adelante, detrás Pedro con su haz de leña. Casi al llegar a las primeras casas del poblado encuentran a los apóstoles preocupados.

«¿Dónde te habías ido?» gritan a Pedro.

«Hubiéramos podido llegar hace mucho antes, pero nos quedamos hablando, viendo Gerasa...» responde Jesús en su lugar.

Doblan a la derecha, a una especie de redil semidestruido; algo que parece como si fuera a caer, un tinglado de paredes toscas, mal cubierto, mal protegido de muros por los tres lados y tablas por el cuarto. Dentro no hay más que una poca de paja en el suelo y un horno malhecho en un rincón.

Me imagino que no los quisieron recibir en el poblado y que buscaron aquí refugio...

194. Jesús habla con Tadeo y Santiago de Zebedeo

(Escrito el 21 de septiembre de 1946)

«¿De veras quiere tomar este camino? No me parece prudente por varias razones» objeta Iscariote.

«¿Cuáles? ¿No fueron a verme de estos contornos hasta Cafarnaúm varias personas, en busca de salvación y sabiduría? ¿No son también criaturas de Dios?»

«Sí... pero. No es muy prudente ir cerca de Maqueronte... Es un lugar de mal presagio para los enemigos de Herodes.»

«Maqueronte está lejos. No tengo tiempo de ir hasta allá. Quisiera ir hasta Pera y más allá... pero no llegaré sino hasta la mitad del camino, y tal vez menos. De todos modos, vámonos...»

«José te aconsejó...»

«Que anduviese por caminos que están vigilados. Esta es exactamente la vía de Ultrajordania que frecuentemente vigilan los romanos. No soy un cobarde, Judas, pero tampoco un imprudente.»

«Yo no me fiaría. No me alejaría yo de Jerusalén. Yo...»

«Deja que el Maestro decida. El es el Maestro y nosotros sus discípulos. ¿Cuándo se ha visto que sea el discípulo quien aconseje al maestro?» pregunta Santiago de Zebedeo.

«¿Cuándo? No han pasado muchos años desde que tu hermano aconsejó al Maestro no ir a Acor, y El le hizo caso. Ahora que me lo haga a mí.»

«Tienes celos y quieres imponerte. Si mi hermano lo propuso y se aceptó su proposición, señal fue que era justo lo que decía, y por eso se le escuchó. Bastaba con haber mirado a Juan aquel día, para comprender que había razón para escucharlo.»

«¡Oh, con toda su sabiduría no ha sabido jamás defenderlo, y nunca logrará hacerlo! Por el contrario todavía está fresco lo que hice yo al venir a Jerusalén.»

«Cumpliste con tu deber. También mi hermano lo hubiera hecho con otros modos, porque no sabe mentir ni siquiera en cosas buenas, y de ello me alegro...»

«Me ofendes. Me tomas por mentiroso...»

«Eh, ¿quieres que diga que fuiste sincero, cuando mentiste tan hábilmente, sin cambiar de color?»

«Lo hice...»

«Sí. Lo sé. Lo sé. Para salvar al Maestro. Pero eso no lo acepto, y ninguno de nosotros lo acepta. Prefiramos la respuesta sencilla del viejo. Prefiramos callar y ser tenidos como necios, como bobos, antes que mentir. Se empieza por una cosa buena y se termina con otra que no lo es.»

«¡Quién es el malo! Cierto que yo no. ¡Quién es el necio! Es claro que yo tampoco.»

«Basta. Si tenéis al principio razón, termináis por equivocaros y ofenderos porque es algo contra la caridad. Vosotros *todos* sabéis lo que pienso sobre la sinceridad; lo mismo que sobre la caridad. Vámonos. Estas disputas vuestras me son más dolorosas que los insultos de los enemigos.»

Y Jesús dando muestras de enfado echa a andar a paso veloz, solo, por un camino que sin necesidad de ser arqueólogo, se comprende que lo hicieron los romanos. Se dirige al sur, derecho entre dos cadenas de montañas desiguales. Un camino monótono, grisáceo por los bosques que lo encierran, y que impiden que la mirada se extienda lejos. Con todo, el camino está bien cuidado. De cuando en cuando se ve un puente romano sobre arroyos y arroyuelos que con seguridad desembocan en el Jordán o en el Mar Muerto. No comprendo por qué los montes me impidan ver hacia el occidente donde deben estar el río y el mar. Se ve de cuando en cuando alguna caravana por el camino, una caravana que sube tal vez del Mar Rojo y quién sabe a dónde vaya con muchos camellos y camelleros y mercaderes de razas que claramente se ve que no son de la judía.

Jesús sigue adelante, solo. Detrás, divididos en dos grupos, los apóstoles que cuchichean entre sí. Los galileos adelante. Detrás los judíos con Andrés y Juan y los dos discípulos que se les unieron. Los dos grupos tratan, uno de consolar a Santiago que está deprimido por la severa reprensión del Maestro, el otro que trata de persuadir a Judas que no sea tan obstinado y agresivo. Ambos grupos están de acuerdo en aconsejarles a que vayan al Maestro y le pidan excusa.

«¿Yo? De mi parte al punto voy. Estoy seguro de tener razón. Conozco mis acciones. No fui quién insinúe algo malo. Voy» dice Iscariote, moviéndose de un lado a otro, diría yo, desfachatadamente. Apresura el paso para alcanzar a Jesús. Una vez más me pregunto si por aquellos días no estaba ya decidido a traicionarlo y no conspiraba con sus enemigos...

Por el contrario Santiago, que en relidad es menos culpable, está casi abatido por haber causado un dolor al Maestro, y no tiene valor para acercársele. Mira a su Maestro que ahora va hablando con Judas... Lo mira, y el deseo de oir su palabra de perdón se dibuja vivamente en su cara. Pero en su mismo amor, sincero, constante, fuerte, le parece que su falta no tenga perdón.

Los dos grupos se han juntado y también Simón Zelote, Andrés, Tomás y Santiago dicen: «¡Ve! ¡Como si no lo conocieras! ¡Ya te perdonó El!» y con una agudeza de ingenio, Bartolomé, el de mayor edad y más prudente, dice poniendo su mano sobre la espalda de Santiago: «Yo te lo digo: para no suscitar otras disputas, imparcialmente os reprendió a ambos, pero su corazón lo decía sólo por Judas.»

«Es así, Tolmai. Mi hermano se consuma en soportar a ese hombre que se obstina en querer reconocer sus yerros, y se cansa en tratar de hacerle ver... como somos nosotros. El es el Maestro, y yo... soy yo... Pero si yo fuese El, ¡oh, el hombre de Keriot no estaría con nosotros!» dice Tadeo, cuyos bellísimos y resplandecientes ojos recuerdan los de Jesús.

«¿Lo crees? ¿Sospechas algo? ¿Qué cosa?» preguntan varios.

«Nada. Nada preciso. Pero ese hombre no me gusta.»

«Jamás te ha gustado, hermano. Una repulsión que no tiene motivo, que te nació desde el momento en que lo viste. Tú mismo me los confesaste. Es algo contrario al amor. Tienes que vencerla, sino por otro motivo, por dar alegría a Jesús» dice con tono calmado y persuasivo Santiago de Alfeo.

«Tienes razón, pero... no lo logro. Ven, Santiago, vamos con mi hermano» y Judas de Alfeo toma resueltamente del brazo a Santiago de Zebedeo y se lo lleva.

Judas los oye venir, se da vuelta y dice algo a Jesús. Este se detiene y los espera. Judas con una mirada maliciosa mira al apóstol

avergonzado.
«Perdón. Déjanos un momento. Quiero hablar con mi hermano» dice Tadeo. La frase es cortés, pero el tono muy seco.
Iscariote sonríe maliciosamente y alzando los hombros, regresa y se une con los otros.
«Jesús, somos pecadores...» dice Judas Tadeo.
«Yo lo soy, no tú» murmura Santiago con la cabeza inclinada.
«Somos pecadores, Santiago, porque lo que hiciste, yo lo pensé, lo aprobé, lo tengo en el corazón. Por esto también yo he pecado. Mi corazón juzga a Judas, lo que mancha la caridad... Jesús, ¿no dices nada a tus discípulos que reconocen su falta?»
«¿Qué debo decir que no sepáis? ¿Acaso os hacéis mejores con mis palabras?»
«No. No más de lo que él se cambia con lo que le dices» le responde sinceramente en nombre suyo y en el del otro primo suyo.
«No te preocupes de Judas. ¡Déjalo! Yo fui el que falté. Se trata de mí y de mí debo ocuparme, no de otros. Maestro, no estés enojado conmigo...»
«Santiago, Yo quisiera de ti, como de todos una sola cosa. Muchas son las penas, muchas las incomprensiones con que tropiezo... debidas a una resistencia obstinada. Lo estáis viendo... De un poblado que me da alegría, tres no me la dan, y me arrojan cual malhechor. Yo quisiera que esa comprensión, esa adhesión que los otros no me brindan, me la dierais al menos vosotros. Que el mundo no me ame, que me sienta ahogarme en medio de este odio, de la antipatía, enemistad, sospechas, que me rodean, de inmundicias de toda clase, de egoísmos, de todo lo que sólo mi infinito amor por el hombre me hace soportar, es algo penoso. Sin embargo lo sufro con resignación. Para eso vine, para soportar a los que odian la salvación. ¡Pero vosotros! ¡No, esto no lo soporto! No soporto que no seáis capaces de amaros mutuamente y por lo tanto de comprenderme. No soporto que no os adhieráis a mi espíritu, esforzándoos por hacer lo que hago.
¿Creéis, podéis creer todos vosotros, que no vea los errores de Judas, que ignore algo de él? ¡Oh! persuadíos que no es así. Si hubiera querido seres perfectos de espíritu, habría hecho que se encarnasen los ángeles y me hubiera rodeado de ellos. Habría podido haberlo hecho. ¿Habría sido un bien verdadero? No. De mi parte hubiera sido egoísmo y desprecio. Habría evitado el dolor que recibo de vuestras imperfecciones y habría despreciado a los hombres que mi Padre creó y que tanto ama hasta el punto de que me envió a salvarlos. De parte del hombre hubiera sido para él un daño en lo futuro. Terminada mi misión, vuelto a subir al cielo con mis ángeles, ¿qué cosa hubiera quedado para continuar mi misión? ¿Y quién hubiera sido? ¿Qué hombre hubiera podido esforzarse en ha-

cer lo que digo, si sólo un Dios y ángeles hubieran dado ejemplo de una vida nueva, controlada por el espíritu? Fue necesario que me revistiese de carne para persuadir al hombre que, si quiere, puede ser casto y santo en todos los modos. Fue necesario que tomase algunos hombres, así, que con su espíritu respondiesen al llamado del mío, sin pensar si eran ricos o pobres, doctos o ignorantes, nacidos en la ciudad o paisanos. Los tomé como los encontré, mi voluntad y la suya los transformó lentamente en maestros de otros hombres.

El hombre puede creer al hombre, al hombre que ve. Es difícil para él, que se encuentra tan caído, creer en Dios a quien no ve. Todavía no dejaban de relampaguear los rayos en el Sinaí y a las faldas del monte había brotado ya la idolatría [1]... Aun no había muerto Moisés, cuyo rostro no podía mirarse, y se pecaba contra la ley [2]. Pero cuando vosotros, transformadoos en maestros, sirváis de ejemplo, de testimonio, de levadura entre los hombres, éstos no podrán decir: "Son dioses bajados entre nosotros y no podemos imitarlos". Tendrán que decir: "Son hombres como nosotros. Ciertamente que en ellos existen los mismos instintos y estímulos que en nosotros, las mismas reacciones, pero saben resistir a los estímulos e instintos, y reaccionar de una manera diversa de la nuestra que es grosera". Y se persuadirán de que el hombre puede divinizarse, con tal de que quiera entrar en los caminos de Dios. Ved a los gentiles y a los idólatras. ¿Todo su Olimpo, todos sus ídolos los hacen acaso buenos? No. Porque, si son incrédulos, dicen que sus dioses son un cuento; si creen, piensan: "Son dioses y yo soy un mortal" y no se esfuerzan por imitarlos. Tratad, pues, de llegar a ser otros Yo. Y no tengáis prisas. El hombre se desenvuelve lentamente de animal racional en un ser espiritual. ¡Tened compasión de vosotros mismos! Fuera de Dios, nadie es perfecto.

Ahora todo ha pasado ¿no es verdad? Transformaos con firme voluntad imitando a Simón de Jonás, que en menos de un año ha dado pasos de gigante. Y con todo... ¿Quién más que Simón de entre vosotros era el hombre cargado de defectos demasiado humanos?»

«Es verdad, Jesús. Continuamente lo estudio y lo observo. Me llena de admiración» confiesa Tadeo.

«Sí. Lo conozco desde mi niñez. Como si fuese un hermano mío. Pero ahora tengo frente a mí a un Simón nuevo. Te confieso que cuando dijiste que sería nuestro jefe yo, y no sólo yo, nos quedamos perplejos. Me parecía el menos indicado de todos. ¡Simón respecto al otro Simón y a Natanael! ¡Simón respecto a mi hermano y a los tuyos! ¡Sobre todo a estos cinco! Me pareció un verdadero error... Ahora digo que tenías razón.»

[1] Cfr. Ex. 32; Deut. 9, 7-29.
[2] Cfr. nota anterior. Además Ex. 34, 29-35; 2 Cor. 3.

«Y vosotros no veis sino la superficie de Simón. Yo veo lo profundo de su corazón. Para ser perfecto tiene todavía mucho que trabajar y padecer. Yo quisiera que en todos hubiera su voluntad, su sencillez, su humildad y su amor...»

Jesús mira hacia delante, y quién sabe qué cosa mire. Se absorbe en su pensamiento y sonríe a lo que ve. Baja luego sus ojos sobre Santiago y le sonríe.

«¿Entonces... estoy perdonado?»

«Quisiera poder perdonar a todos como a ti... Ved, aquella ciudad debe ser Esebón. Así lo dijo aquél: después del puente de tres arcos está la ciudad. Esperemos a los otros para entrar juntos.»

195. Jesús y el hombre de Petra (cerca de Esebón)

(Escrito el 22 de septiembre de 1946)

No veo la ciudad de Esebón. Jesús y los suyos están saliendo de ella, y por lo que distingo en sus rostros comprendo que no los hospedaron. Los siguen, o mejor, los persiguen a unos metros de distancia dando gritos y profiriendo amenazas...

«Estos lugares vecinos al Mar Salado [1] están maldidos como el mismo mar» dice Pedro.

«Este lugar es el mismo de los tiempos de Moisés, y Tú eres demasiado bueno para costigarlo como lo fue entonces. Sería justo. Aplastarlos con la potencia del cielo y con la de la tierra. A todos. Hasta el último ser viviente, y hasta en cualquier rincón» dice irritado Natanael, con un fulgor de ira en sus ojos. El rostro del flaco y viejo apóstol es un representante típico de la raza hebrea bajo el ímpetu de la ira, y se parece mucho al de muchos rabinos y fariseos enemigos de Jesús.

Este se vuelve. Levanta su mano y dice: «¡Paz, paz! También ellos serán arrastrados a la Verdad. Pero se necesita paz. Es necesaria la comprensión. Nunca habíamos venido acá. No nos conocen. Así nos pasó en otros lugares donde fuimos por vez primera, y luego cambiaron.»

«Es que estos lugares son como Masada. ¡Son unos vendidos! Regresemos al Jordán» insiste Pedro.

Pero Jesús toma el camino consular, que habían dejado y que se

[1] El Mar Muerto tiene otros nombres como "Salado, Saladísimo, Mar del desierto, de la soledad, de los sodomitas, o el Mar del asfalto". Ocupa el lugar donde estuvieron la Pentápolis o cinco ciudades castigadas por Dios por su inmoralidad. Cfr. Gén. 18, 16 - 19, 29; y también Ib. 14; Deut. 29, 22; Os. 11, 18; Am. 4, 11.

dirige al sur. Los más encarnizados de la población lo persiguen, llamando la atención de los viajeros.

Un rico mercader, o que está al servicio de otro, observa desde sobre su camello en medio de su larga caravana de la que es jefe y que va hacia el norte, lo que sucede. Sorprendido detiene su camello. Lo mismo hacen los demás. Mira a Jesús, a los apóstoles, que no tienen con qué defenderse, que reflejan bondad en sus rostros; mira a los que amenazan con gritos y con curiosidad les llama. No oigo sus palabras, pero sí las que salen de las gargantas de los otros: «Es el maldito, el loco, el endemoniado Nazareno. ¡No lo queremos entre nuestras murallas!»

El hombre no pregunta más. Vuelve su camello. En voz alta dice algo a uno de los suyos que lo sigue. Grita a su animal que en unos cuantos pasos alcanza a los apóstoles. «En nombre de vuestro Dios, ¿quién de entre vosotros es Jesús el Nazareno?» pregunta a los apóstoles Mateo, Felipe, Simón Zelote y a Isaac, que van en el último grupo.

«¿Por qué lo quieres saber? ¿Para molestarnos? ¿No son suficientes ya sus compatriotas? ¿También tú quieres intervenir?» pregunta de muy mal humor Felipe.

«Soy mejor que ellos. Quiero pedir un favor. No me lo neguéis. Lo pido en nombre de vuestro Dios.»

Hay algo en la voz del hombre que persuade a los cuatro, y Simón responde: «El que va adelante en medio de los dos más jóvenes.»

El hombre grita nuevamente a su animal, porque Jesús que iba ya adelante, ha avanzando más mientras hablaban.

«¡Señor!... Escucha a un infeliz...» dice tan pronto como lo ha alcanzado.

Jesús, Juan y Marziam se vuelven sorprendidos.

«¿Qué quieres?»

«Soy de Petra, Señor. Trabajo para otros llevando mercancías desde el Mar Rojo hasta Damasco. No soy pobre, pero es como si lo fuera. Tengo dos hijos, Señor. La desgracia ha venido sobre sus ojos, y están ciegos. Uno completamente. Fue el primero en haber enfermado; el otro casi ya lo está y pronto lo estará. Los médicos no hacen milagros, pero Tú sí.»

«¿Cómo lo sabes?»

«Conozco a un rico mercader que te conoce. Se hospeda donde yo me hospedo. Algunas veces también me pongo a sus órdenes. Me dijo al ver a mis hijos: ''Sólo Jesús de Nazaret los podrá curar. Búscalo''. Te habría buscado, pero tengo poco tiempo y debo seguir las rutas más indicadas.»

«¿Cuándo viste a Alejandro?»

«En el espacio de vuestras dos fiestas de primavera. Desde entonces he hecho otros dos viajes, pero no te había podido encontrar.

¡Señor, ten piedad de mí!»

«No puedo [2] bajar a Petra, ni tu puedes abandonar la caravana...»

«Sí que puedo. Arisa es hombre de confianza. Lo mando delante de mí y que vaya lentamente. Yo vuelo a Petra. Tengo un camello más veloz que el viento del desierto y más ágil que un venado. Tomo a mis dos hijos y a otro siervo fiel. Te alcanzo. Me los curas... ¡Que venga la luz a sus ojos cual estrellas negras, y ahora cubiertos de una espesa nube! Yo continúo, mientras vuelven a donde está su madre. Veo que sigues adelante, Señor. ¿A dónde te diriges?»

«Iba ir a Debón...»

«No vayas. Está llena de... de esos de Maqueronte. Lugares malditos, Señor. No te separes de los infelices, Señor, para echarte en brazos de unos malditos.»

«Lo que había dicho yo» refunfuña Bartolomé entre su barba, y muchos le dan la razón.

Están ya todos cerca de Jesús y del hombre de Petra. Por el contrario, los habitantes de Esebón, viendo que la caravana se pone a favor del Perseguido, vuelven atrás. La caravana se detiene esperando el resultado y la decisión.

«Hombre, si no voy por las ciudades del sur, vuelvo hacia el norte. No he dicho que no te quiera hacer caso.»

«Sé que a vuestros ojos soy indigno. Soy incircunciso, no merezco que se me oiga. Pero Tú eres el Rey del mundo, y en él también estamos nosotros...»

«No se trata de esto... Es que... ¿cómo puedes creer que Yo pueda hacer lo que los médicos no pueden?»

«Porque Tú eres el Mesías de Dios y ellos son hombres. Tú eres el Hijo de Dios. Me lo dijo Misace, y lo creo. Puedes hacer todo, aun para un hombre como lo soy yo.» La respuesta es segura y el hombre lo demuestra descendiendo a tierra sin hacer siquiera que se arrodille el camello, y se postra en medio del polvo.

«Tu fe es más grande que la de muchos. Ve. ¿Sabes dónde está el Nebo?»

«Sí, Señor. Aquel monte es el Nebo. También hemos oído algo de Moisés. ¡Un gran hombre! Demasiado grande para no haber oído nada de él. Pero Tú lo eres más. Entre Moisés y Tú, existe la comparación que hay entre una roca y un monte.»

«Ve a Petra. Te esperaré en el Nebo...»

«Hay un poblado a las faldas del monte para los huéspedes que lo visitan. Hay albergues... Estaré ahí dentro de diez días a lo más. Haré que mi animal dé lo máximo, y si el que Te ha mandado, me protege, no encontraré tempestades.»

«Vete. Regresa lo más presto que puedas. Porque tengo que ir a

[2] Cfr. vol. 1°, pág. 539, not. 2.

otras partes...»

«¡Señor! Yo... no estoy circuncidado. Mi bendición sería una maldición para ti, pero la de un padre no lo es jamás. Te bendigo y parto.»

Saca un silbato de plata y da tres silbidos. El que está a la cabeza de la caravana viene al galope. Hablan entre sí. Se despiden. Después regresa a la caravana que empieza a moverse. El otro sube nuevamente sobre su camello y toma el camino del sur a todo galope. Jesús y los suyos emprenden nuevamente la marcha.

«¿Vamos de veras al Nebo?»

«Sí. Dejaremos la ciudad al llegar a las pendientes de los montes Abarim. Habrá muchos pastores. Nos enseñarán el camino para ir al monte Nebo y tomaremos el que lleva al monte de Dios. Nos detendremos algunos días como hicimos en los montes de Arbela y cerca de Carit.»

«¡Oh, qué bello! Y nos haremos mejores. Siempre hemos bajado de esos lugares más fuertes y más buenos» dice Juan.

«Nos hablarás de todo lo que el Nebo encierra en sí de recuerdos. Hermano, ¿te acuerdas de cuando éramos pequeños, y de que un día representaste a Moisés que bendecía a Israel antes de morir?» pregunta Judas de Alfeo.

«¿Y de que tu Madre gritó al verte como muerto? Ahora sí que vamos al Nebo» dice Santiago de Alfeo.

«Y bendecirás a Israel. Eres el verdadero Jefe del Pueblo de Dios» exclama Natanael.

«Pero no mueres. Tú nunca morirás ¿no es verdad, Maestro?» pregunta con una risita burlona Judas de Keriot.

«Moriré y resucitaré como está dicho [3]. Muchos morirán sin haber muerto en aquel día. Y mientras que los justos resucitarán, aun cuando ya haga muchos años que murieron, los que se ven vivir, pero que estáran muertos espiritualmente del todo en aquel día, no resucitarán. Procura que no te encuentres en el número de éstos.»

«Y Tú procura no repetir que resucitarás. Dicen que es una blasfemia» replica Judas de Keriot.

«Es verdad. Y la repito.»

«¡Qué fe la de ese hombre! ¡Y ese Misace!» dice Zelote tratando de desviar la discusión.

«¿Pero quién es Misace?» preguntan los que el año pasado no estuvieron cuando fueron los otros al otro lado del Jordán. Y se alejan hablando de esto; mientras Jesús prosigue la conversación interrumpida con Marziam y Juan.

[3] Tal vez alusión a los salmos 21 y 117, como a Is. 52, 13 - 53, 12.

196. Bajando del Nebo

(Escrito el 23 de septiembre de 1946)

«Siempre me acordaré de este monte y de este descanso en el Señor» dice Pedro mientras se aprestan a descender al valle por una parte muy agreste.

Se encuentran dentro de una cadena de montes muy altos. Al oriente, más allá del valle, se ven otros montes, como también al sur, y mucho más altos que éstos, los del norte. Al noroeste el verde valle del Jordán que desemboca en el Mar Muerto. Al occidente primero el solitario mar y luego, más allá el desierto pedregoso, en que está enclavado el sin igual oasis de Engaddi, y luego los montes de la Judea. Un panorama imponente, majestuoso. La mirada humana puede dirigirse a donde quiera, y olvidar a contemplar la vida vegetal, en que se supone o en que se sabe que hay gente, la tétrica vista del Lago de asfalto [1] en que no se ve ninguna barca, ni una señal de vida, siempre triste aun cuando lo bañe el sol, melancólico aun en la península baja y extensa del lado oriental que llega casi hasta la mitad del lago. ¡Pero qué veredas para bajar al valle! Sólo los animales salvajes pueden encontrarse en su medio en ellas. Si no pudieran agarrarse a troncos y matorrales no sería posible que bajasen de la cima, lo cual hace murmurar a Iscariote.

«Y con todo de buena gana regresaría» le replica Pedro.

«Tienes gustos propios. Esto es peor que el primer y segundo lugares.»

«Pero no peor que aquél donde nuestro Maestro se preparó para la predicación» interviene Juan.

«¡Eh, para ti todo siempre es bello!»

«Sí. Todo lo que se refiere a mi Maestro es bello y bueno, y me gusta.»

«Ten en cuenta que en todo esto también estoy yo... y frecuentemente están los saduceos, escribas, herodianos... ¿Amas también a éstos?»

«El los ama.»

«¿Y tú? Ah, ¿haces como El? El es El, y tú eres tú. No sé si podrás amar siempre, sobre todo tú que palideces cuando oyes hablar de traición y de muerte, o ves a quien le agradan estas cosas.»

«El hecho de que pierda mi control por temor a El y de rabia contra los culpables, señal es de que todavía soy muy imperfecto.»

«Ah, ¿también pierdes el control con la ira? No lo creía... Entonces si, por una suposición, vieses un día a alguien que atacase real-

[1] Cfr. pág. 429, not. 1.

mente a tu Maestro, ¿qué harías?»

«¡¿Yo!? ¿Me lo preguntas? La Ley dice: "Ojo por ojo, diente por diente" [2]. Mis manos se convertirían en tenazas en su garganta.»

«¡Oh, oh! El predica que se debe perdonar. ¿Esto es lo que sacaste de tus meditaciones?»

«¡Déjame, sinvergüenza! ¿Por qué tientas y perturbas? ¿Qué tienes en el corazón? Quisiera poder leértelo...»

«Alguien puede escudriñar las aguas de Mar Muerto, pero no descubrirá el misterio que hay en su fondo. Esas aguas son la tapa del sepulcro en el que hay tanta podredumbre oculta» dice a sus espaldas Bartolomé, que se había quedado detrás de todos. Los demás van adelante y por eso nada habían oído. Pero Bartolomé, sí. Interviene en la conversación de los dos y su mirada es amonestación.

«¡El sabio Tolmai! ¡Es claro que no quieres decir que sea yo como el Mar Salado!»

«No te hablaba a ti, sino a Juan. Ven conmigo, hijo del Zebedeo. Yo no te molestaré» y toma del brazo a Juan como para sostenerse.

Judas se queda detrás y a sus espaldas les hace una mueca de ira. Parece como si jurase algo o que amenazase...

«¿Qué quería decir Judas? ¿Tú que le quisiste decir?» pregunta Juan al viejo Natanael.

«No te preocupes, amigo. Pensemos mejor en todo lo que el Maestro nos ha enseñado en estos días. ¡En qué forma Israel ha comprendido!»

«Es verdad. ¡No logro a enteder por qué el mundo no lo comprenda!»

«Tampoco nosotros lo comprendemos del todo, Juan. No queremos comprenderlo. ¿Ves cuántos obstáculos tenemos en aceptar su idea mesiánica?»

«Sí. En todo le creemos ciegamente, pero no en esto. Tú que eres docto, ¿podrías decirme el por qué? Nosotros que decimos que los rabinos son unos obstinados para con el Mesías, ¿por qué entonces ni siquiera nosotros no llegamos a la idea perfecta de una realeza espiritual de El?»

«Muchas veces me lo he preguntado, porque quisiera llegar a lo que llamas idea perfecta. Creo tranquilizarme diciéndome a mí mismo que esto que dentro de nosotros lucha, en nosotros que tenemos deseos de seguirlo no sólo material y doctrinalmente, sino aun espiritualmente, son los siglos que nos han precedido... que están dentro de nosotros. ¿Ves? Mira hacia el oriente, al sur, al occidente. Cada piedra tiene un recuerdo y tiene su nombre. Cada piedra, cada fuente, sendero, villorrio o castillo, cada ciudad, río o monte ¿qué nos recuerdan? ¿Qué dicen a gritos? La promesa de un Salva-

[2] Cfr. Ex. 21, 22-25; Lev. 24, 18-22; Deut. 19, 21.

dor. Las misericordias de Dios para con su pueblo. Como gota de aceite de un odre perforado, el pequeño grupo inicial, el núcleo del futuro pueblo de Israel se extendió con Abraham por el mundo, hasta el lejano Egipto, y luego, siempre más numeroso, volvió con Moisés a las tierras de nuestro padre Abraham, siempre más rico de mayores y más seguras promesas, con señales del amor paterno de Dios, y se constituyó en un pueblo a quien se dió una Ley, la más santa que exista [3]. ¿Pero qué sucedió después? Lo que sucedió sobre aquella cima en la que hace poco daba el sol. Mírala ahora. Está envuelta en nubes que han cambiado su forma. ¿Si no supiésemos que es ella, y tuviésemos que reconocerla para dirigirnos a ella por un camino saguro, lo podríamos ahora que ha cambiada con tantas nubes que parecen crestas y lomos de montañas? Así nos ha sucedido. El Mesías es lo que Dios dijo a nuestros padres, a los patriarcas y a los profetas [4]. Inmutable. Pero lo que hemos puesto de lo nuestro, para... explicárnoslo, según la pobre sabiduría humana, esto es lo que nos ha creado un Mesías, una figura moral tal falsa del Mesías, que ya no le reconocemos más. Con los siglos, con las generaciones que nos han precedido, creemos en un Mesías que nos hemos imaginado, en un Vengador, en un Rey humano, muy humano, y no logramos creer, ni concebir un Mesías y Rey como lo es en realidad, como Dios lo ha pensado y lo ha querido, aunque digamos que sí. ¡Esta es la realidad, amigo!»

«¿Entonces nunca lograremos, por lo menos nosotros, ver, creer, amar al verdadero Mesías?

«Lo lograremos. Si no lo pudiésemos no nos hubiera elegido. Si el linaje humano no fuese a beneficiarse del Mesías, el Altísimo no lo habría mandado.»

«El redimirá de la culpa aun sin la ayuda de la raza humana, por sus solos méritos.»

«Amigo mío, la redención de la culpa original sería ya una gran redención, pero no completa. En nosotros existen otras culpas individuales además de aquella. Y para que se nos laven tienen necesidad del Redentor, de la fe de quien recurre a El como a su Salvación. Pienso que la redención continuará hasta el fin de los siglos. El Mesías jamás estará inactivo ni siquiera un instante [5] desde el momento en que sea Redentor y dé al linaje humano la Vida que en sí tiene, día tras día, luna tras luna, año tras año, siglo tras siglo. La raza humana tendrá siempre necesidad de la Vida. No puede dejar de darla a quien espera y cree en El con sabiduría y rectitud.»

«Eres un docto, Natanael. Yo soy un pobre ignorante.»

«Tú haces por instinto espiritual lo que yo realizo con muchos

[3] Cfr. Pentateuco: desde Gén. 12 hasta el Deut. 34 y Josué.
[4] Cfr. vol. 1°, pág. 468, not. 1.
[5] Cfr. por ej., Rom. 8, 31-34; Hebr. 7, 20-28; 1 Ju. 2, 1-2.

esfuerzos, esto es, nuestra transformación de israelitas en seguidores del Mesías. Pero tú llegarás muy pronto al término porque sabes más bien amar que pensar. El amor te transporta y te transforma.»

«Eres bueno, Natanael. ¡Si fuéramos todos como tú!» Juan suspira fuertemente.

«¡No pienses en esto, Juan! Roguemos por Judas» le dice el viejo apóstol que ha comprendido el suspiro de Juan.

«¿También vosotros por aquí! Os vimos que veníais platicando. ¿De qué cosa se trataba?» pregunta sonriente Tomás.

«Veníamos hablando del antiguo Israel. ¿Dónde está el Maestro?»

«Fue con sus hermanos e Isaac a la casa de un pastor enfermo. Nos dijo que siguiéramos adelante hasta aquel camino que sube a la cima.»

«Vamos entonces.»

Bajan ahora por un sendero menos resbaladizo hasta un camino para animales que sube hacia el Nebo. Se ve un grupo de casuchas entre el bosque. Más abajo, casi en el valle, se distingue un poblado cuyas paredes blanquean en las faldas casi planas del monte. Del sendero donde están ven que entra gente en la población.

«¿Esperamos allá al de Petra?» pregunta Pedro.

«Sí. Aquél es el poblado. Esperamos que haya llegado, de otro modo volveremos a tomar nuestro camino hacia el Jordán. No sé. No me siento por nada tranquilo aquí» dice Mateo.

«El Maestro había dicho que iríamos mucho más adelante» dice Iscariote.

«Sí, pero espero que se convenza de lo contrario.»

«¿De quién tiene miedo? ¿De Herodes? ¿De sus esbirros?»

«Los esbirros no están sólo cerca de Herodes. ¡Oh, ved al Maestro! Los pastores son muchos y están contentos. Están conquistados. Son nómadas. Irán esparciendo la buena nueva de que el Mesías está en la Tierra» torna a decir Mateo.

Jesús los alcanza con un grupo de pastores que traen sus ganados.

«Vámonos. Apenas si llegaremos a tiempo a la población. Estos nos darán hospedaje. Son conocidos.» Jesús está contento de encontrarse entre los sencillos que saben creer en el Señor.

197. «Las Tinieblas no aman la Luz»

(Escrito el 24 de septiembre de 1946)

Es una bella mañana de otoño. Fuera de las hojas amarillentas que cubren el suelo y que recuerdan la estación, la hierba está muy verde y tiene hasta una que otra florecilla que ha brotado del césped vuelto a la vida con las lluvias de octubre; está tan sereno el aire que juguetea entre las ramas casi ya desnudas, que hace a uno pensar que se está en primavera, tanto más cuanto que las plantas de follaje perenne se mezclan con las que anualmente reverdecen, y ponen una nota de hojitas color esmeraldino, que nacieron en las puntas de las ramitas, junto a las ramas desnudas de hojas, y así parece como si de éstas brotasen las primeras hojas. Las ovejas salen de sus rediles y balando se van con los corderos nacidos en este tiempo a los pastizales. El agua de una fuente, que está a la entrada del poblado, como si estuviera hecha de diamantes brilla ante el sol que la besa, y al caer en la concavidad forma un centelleo multicolor contra una casucha de paredes negras por el tiempo.

Jesús se sienta sobre una pared pequeña que está al lado del camino y espera. Los suyos le rodean, también los habitantes del poblado. Los pastores si se ven obligados a esparcirse por ambos lados del camino hacia la llanura, no suben con su ganado, para no separarse mucho.

Por el camino que del valle va al Nebo no se ve nadie subir.

«¿No vendrá?» preguntan los apóstoles.

«Sí, viene. Lo esperamos. No quiero matar una esperanza que nace, y destruir una futura fe» responde Jesús.

«¿No estáis contentos con nosotros? Os dimos lo mejor que teníamos» dice un anciano que se calienta al sol.

«Mejor que en otras partes, padre. Dios os pagará vuestra caridad» le dice Jesús.

«Entonces háblanos nuevamente. Algunas veces vienen por acá los celosos fariseos y los soberbios escribas. Pero no nos hablan. Tienen razón. Son de los separados [1] por su grandeza, por... todo... son los sabios. Nosotros... ¿Entonces no somos dignos de conocer nada porque la suerte nos hizo nacer aquí?»

«En la casa de mi Padre no hay divisiones o diferencias para los que llegan a creer en El y practicar su ley que es el código de su voluntad, que manda que el hombre viva rectamente para alcanzar el premio eterno en su Reino.

Escuchad. Un padre tenía muchos hijos. Algunos habían estado siempre en contacto con él; otros, por diversas razones, no mucho. Sin embargo, como conocían los deseos de su padre, aunque estaban lejos, se comportaban como si estuviese presente. Otros, que estaban aun más lejos, y desde el día en que nacieron, habían sido educados entre siervos que hablaban diversas lenguas y tenían diversas costumbres, se esforzaban por servir a su padre, según lo po-

[1] La palabra « separado» corresponde a la aramea: «fariseo». (N.T.)

co que instintivamente conocían, para agradarle. Un día este padre, que sabía que pese a sus órdenes los siervos no habían dado a conocer sus pensamientos a estos hijos lejanos, porque orgullosamente los tenían por inferiores, como a hijos menos amados, porque no vivían junto al padre, quiso reunirlos a todos, y los mandó llamar. Pues bien, ¿pensáis que se iba a dejar guiar sólo por una norma del derecho humano, haciendo que fuesen herederos suyos los que habían siempre estado con él, o los que no habían estado muy lejos y que por lo tanto podían conocer sus órdenes y deseos? El siguió una conducta muy diversa. Observando las acciones de los que se habían comportado rectamente por amor a él, a quien conocían sólo de nombe, pero que lo habían honrado en todas sus acciones, les dijo que se le acercasen: "Doble mérito vuestro es el que seáis justos; pues lo fuisteis por sola vuestra voluntad y sin ayuda. Venid y estad conmigo. Tenéis derecho. Los primeros siempre han estado conmigo y todas sus acciones se atuvieron a mis consejos y mi sonrisa fue su premio. Vosotros no obrasteis más que por fe y por amor. Venid. En mi casa vuestro lugar está ya pronto, y desde hace tiempo. Ante mis ojos no hay diferencia en que hayáis estado lejos, como en que hayáis estado cerca. La diferencia la forman las acciones, que lejos o cerca de mí, mis hijos han hecho".

Esta es la parábola. Su explicación es la siguiente: que escribas y fariseos, que están junto al Templo, puede ser que no se encuentren en el día eterno en la casa de Dios, y que muchos, que por estar lejos apenas si conocieron algo de las cosas de Dios, puede ser que estén en su Seno. Porque lo que da el Reino es la voluntad del hombre pronto a obedecer a Dios, y no el cúmulo de prácticas y de saber.

Haced, pues, lo que ayer os dije. Hacedlo sin demasiado temor que paraliza, hacedlo sin estar pensando que así evitaréis el castigo. Hacedlo solo por amor de Dios que os creó para amaros y para que lo améis, y tendréis un lugar en la casa paterna.»

«¡Oh, síguenos hablando!»

«¿Qué queréis que os diga?»

«Nos dijiste ayer que hay sacrificios más agradables a Dios que los de corderos y machos cabríos, y que hay una lepra más vergonzosa que la de la carne. No pude comprender bien tu pensamiento» dice un pastor, que termina de este modo: «Antes de que un cordero llegue al año, y sea el más hermoso del ganado, sin ninguna mancha o defecto, ¿sabes cuántos sacrificios es necesario hacer, y cuántas veces tiene que vencerse la tentación de convertirlo en el macho del rebaño o venderlo como tal? Ahora bien, si durante un año se resiste a estas tentaciones, y se le tiene cuidado, y hasta llega uno a aficionarse a él, como lo mejor del ganado, ¿sabes cuán grande es el sacrificio de inmolarlo sin ninguna utilidad y sí con gran dolor?

¿Puede haber un sacrificio mayor que puede ofrecerse al Señor?»

«Hombre, en verdad te digo que el sacrificio no está en el animal que es inmolado, sino en el esfuerzo que hiciste por conservarlo hasta su inmolación. En verdad os digo que se aproxima el día en que, como dice la palabra inspirada [2], dirá Dios: "No tengo necesidad de sacrificios de corderos y machos cabríos". Exigirá un único y perfecto sacrificio. Y a partir de ese momento todo sacrificio será espiritual. David con lágrimas en los ojos dice: "Si hubieses deseado un sacrificio, te lo habría dado, pero a Ti no te gustan los holocaustos. El sacrificio que quiere Dios es el espíritu compungido (y Yo añado: obediente y amoroso, porque se puede realizar también un sacrificio de alabanzas, de alegría, de amor, y no sólo de expiación). El sacrificio que quiere Dios es el espíritu compungido, el corazón contrito y que se humilla. Tú, ¡oh Dios!, no lo desprecias" [3]. No. Ni siquiera vuestro Padre desprecia el corazón que ha pecado, pero que se ha arrepentido. Y entonces, ¿cómo no ha de acoger el sacrificio del corazón puro y justo que lo ama? Este es el sacrificio más agradable. El sacrificio diario de la voluntad humana en honor de la divina que se muestra en la Ley, en las inspiraciones, en los acontecimientos de la vida diaria. De igual modo, la lepra de la carne no es lo más vergonzoso y que excluya de la presencia de los hombres y de los lugares de oración. Lo es la lepra del pecado. Es verdad que muchas veces pasa ignorada a los ojos de los hombres. Pero ¿vivís para los hombres o para el Señor? ¿Se acaba todo acá o continúa en la otra vida? Vosotros lo sabéis. Así pues sed santos para que no seáis leprosos a los ojos de Dios que ve el corazón del hombre. Conservaos limpios en el espíritu para poder vivir eternamente.»

«¿Y si alguien ha cometido un gran pecado?»

«No imites a Caín, ni tampoco a Adán y Eva [4]. Corre a los pies de Dios, y con verdadero arrepentimiento, invoca piedad. Un enfermo, un herido va al médico para que lo cure. Un pecador debe ir a Dios para alcanzar el perdón, Yo...»

«¿Aquí tú, Maestro?» grita uno que va subiendo por el camino, envuelto en su manto y con quien van otros.

Jesús se vuelve para mirarlo.

«¿No me reconoces? Soy al rabí Sadoc. De cuando en cuando nos encontramos.»

«El mundo siempre es pequeño cuando Dios quiere que se encuentren las personas. Nos volveremos a encontrar, rabí. Entre tanto, la paz sea contigo.»

Sadoc no devuelve el saludo. Pregunta: «¿Qué estás haciendo

[2] Cfr. Is. 1, 11; (Os. 6, 6; 8, 13; Am. 5, 22).

[3] Cfr. Sal. 50, 18-19.

[4] Cfr. Gén. 3, 8-13; 4, 9-16.

aquí?»

«Lo que vas a hacer, ya lo hice. ¿No es sagrado para ti este monte?»

«Tú lo has dicho. Vengo con mis discípulos. ¡Pero yo soy un escriba!»

«Y Yo un hijo de la Ley. Venero a Moisés como tú lo veneras.»

«Es mentira. Tú anulas su palabra con la tuya, y prefieres que se te obedezca a Ti, que a nosotros.»

«No hay necesidad de que se os obedezca.»

«¿No hay necesidad? ¡Horror!»

«No lo es como no son necesarios en tu vestido, que te defiende del viento otoñal, los abundantes zizit [5] que lo adornan. El vestido es el que te protege. De igual modo, de entre las innumerables palabras que se enseñan acepto las necesarias y santas, las mosaicas; y no me preocupo de las demás.»

«¡Samaritano! ¡No crees en los profetas!»

«Ni siquiera vosotros observáis lo que ellos dijeron. Si los observaras no me llamarías samaritano.»

«Déjalo en paz, Sadoc. ¿Quieres hablar con un endemoniado?» dice otro viajero que acaba de llegar con otras personas. Y volviendo una fría mirada sobre el grupo que está alrededor de Jesús, ve a Judas de Keriot y lo saluda con sorna.

Hubiera ocurrido cualquier incidente, porque los de la población están dispuestos a defender a Jesús. Pero el hombre de Petra, a quien sigue un siervo, se abre paso. Ambos traen un niño en brazos.

«Dejadme pasar. Señor, ¿te hice mucho esperar?»

«No. Acércate.»

La gente le abre paso. Llega a donde está Jesús. Se arrodilla poniendo en tierra una niña con la cabeza vendada de lino. El siervo lo imita y pone en tierra a un niño de ojos nublados.

«¡Mis hijos, Maestro Señor!» dice, y en estas breves palabras palpita su dolor, palpita su esperanza de padre.

«Has tenido mucha fe. ¿Y si te hubiera engañado? ¿Si no me hubieras encontrado? ¿Si te hubiese dicho que no te los puedo curar?»

«No lo creería. Y no creería ni siquiera aun cuando te viera. Diría que te habría escondido para probar mi fe y te buscaría hasta haberte encontrado.»

«¿Y la caravana? ¿Tus ganancias?»

«¿Esas cosas qué son respecto a Ti que puedes curar a mis hijos y darme una fe segura para creer en Ti?»

«Descubre la carita de la niña» ordena Jesús.

«La tiene cubierta porque sufre mucho al contacto de la luz.»

«Será un instante de dolor» dice Jesús.

[5] Cfr. pág. 268, not. 8.

La niña se pone a llorar desesperadamente y no quiere que se le quiten las vendas.

«Así se pone porque cree que la vas a quemar con fuego como los médicos» dice su padre, que trata de quitar las manitas de las vendas.

«No tengas miedo, niña. ¿Cómo te llamas?»

La niña llora y no responde. Su padre dice: «Tamar. Del lugar donde nació. Y el otro se llama Fara.»

«No llores, Tamar. No te voy a hacer mal. Tienta mis manos. No tengo nada entre los dedos. Ven a mis rodillas, mientras curo a tu hermano y él te dirá lo que experimentó. Ven aquí, niño.»

El siervo conduce hacia las rodillas de Jesús al cieguito que la tracoma ha reducido a tal estado. Jesús le acaricia la cabeza y le pregunta: «¿Sabes quién soy?»

«Jesús Nazareno, el Rabí de Israel, el Hijo de Dios.»

«¿Quieres creer en Mí?»

«Sí.»

Jesús le pone las manos sobre los ojos. Dice: «¡Quiero! Y la luz de las pupilas te lleve al camino de la luz de la fe.» Quita la mano.

El niño da un grito. Se lleva las manos a los ojos, y luego dice: «¡Padre, veo!» Pero no va a él. Con su espontaneidad infantil se echa al cuello de Jesús, lo besa en las mejillas y así se queda, asido a su cuello, con la cabecita oculta en su hombro para acostumbrar sus pupilas al sol.

La multitud da gritos al contemplar el milagro. El padre quiere separar a su hijo del cuello de Jesús.

«Déjalo. No me molesta. Fara, di solo a tu hermana lo que te hice.»

«Una caricia, Tamar. Parecía que fuese la mano de mamá. ¡Oh, también tú cúrate y volveremos a jugar!»

Todavía la niña, con un poco de resistencia, se hace poner sobre las rodillas de Jesús que la quiere curar sin tocar siquiera las vendas. Pero los escribas y compañeros gritan: «Es una trampa. La niña ve. Una trampa para sorprender vuestra buena fe, habitantes de este lugar.»

«Mi hija está enferma. Yo...»

«No les hagas caso. Tamar, sosiégate y déjame que te quite las vendas.»

La niña consiente. ¡Qué espectáculo cuando desaparece la última capa de lino! En lugar de los ojos se ven dos llagas rosadas, con costras, hinchadas. Lágrimas y pus gotean de ellas. La gente se sacude de horror y de compasión, entre tanto que la niña se lleva las manitas a su cara sobre las sienes que muestran todavía señales de recientes quemaduras para defenderse de la luz que la debe molestar muchísimo.

Jesús le quita de allí la manitas, toca ligeramente las llagas, pone su mano sobre ellas y dice: «Padre, que creaste la luz para gozo de los vivientes y diste pupilas aun al mosquito, devuelve la luz a esta criatura tuya para que te vea y crea en Ti y por la luz de la tierra entre, con la fe, a la luz de tu reino.» [6] Quita la mano...

Todos lanzan un grito de exclamación.

No hay más llagas. Pero la pequeñita tiene todavía los ojos cerrados.

«Abrelos, Tamar. No temas. La luz no te hará daño.»

La niña obedece un poco temerosa, y al levantar los párpados aparecen sus vivaces ojos negros.

«¡Padre mío, te veo!» y también ella se echa sobre el hombro de Jesús para habituarse poco a poco a la luz.

La gente está alborozada. El hombre de Petra se arroja en medio de lágrimas a los pies de Jesús.

«Tu fe alcanzó su premio. De hoy en adelante tu gratitud lleve la fe que tienes en el Hombre a una esfera más alta; a la del verdadero Dios. Levántate y vámanos.»

Jesús pone en tierra a la niña que feliz sonríe, lo mismo que a su hermanito. Los vuelve a acariciar otra vez y trata de abrirse paso entre la rueda de gente que se apiña para ver a los dos niños curados.

«Deberías también pedir tú que te cure tus ojos nublados» dice un discípulo a un viejo de ojos empañados a quien llevan de la mano.

«¿Yo? ¿Yo? No quiero la luz de un demonio. ¡Antes bien, me dirijo a Ti, Dios eterno! Escúchame. ¡A mí! ¡Que vengan sobre mí las tinieblas completas! Pero que no vea la cara del demonio, de ese demonio, de ese sacrílego, usurpador, blasfemo, deicida! Que la ceguera se apodere para siempre de mis ojos. Las tinieblas, las tinieblas para no verlo jamás, jamás, jamás.» Parece como si fuera un demonio. En medio de su paroxismo se golpea las órbitas de los ojos como si se los quisiera hacer saltar.

«No tengas miedo. No me verás. Las Tinieblas no aman la Luz, y ésta no se impone a quien la rechaza. Me voy. No me verás nunca sobre la tierra, pero de todos modos me verás en otra parte [7].»

Jesús, abatido, ligeramente encurvado, se dirige a la bajada. Lo está tanto que parece ya el Condenado que baja por el monte Moria cargando la cruz... Y los aullidos de sus enemigos animados con los del viejo enfurecido, se parecen en mucho a los de la multitud de Jeruralén en el Viernes Santo.

El hombre de Petra, apenado, con su hijita que llora espantada entre sus brazos, le dice: «¡Soy la causa, Señor! La soy. Tú me has

[6] Concisa y bellísima oración, escrita según el estilo clásico bíblico y litúrgico (alabanza y petición, armoniosamente unidas).

[7] Alusión al Juicio universal. Cfr. Mt. 25, 31-46.

hecho tanto bien, ¡y yo!... Tengo unas cosas para ti en la tienda, sobre el camello. Pero ¿qué pueden ser en comparación de los insultos de los que he sido causa? Me da vergüenza habérteme acercado...»

«No te preocupes. Es mi pan amargo de cada día. Tú eres su miel y me lo has endulzado. El pan es siempre más que la miel. Pero basta una gota de ella para endulzarlo.»

«Tú eres bueno... Al menos dime: ¿qué debo hacer para curar estas heridas?»

«Conserva la fe que tienes en Mí por ahora y como puedas. Dentro de no mucho tiempo... Sí, dentro de poco, mis discípulos irán a Petra y más allá. Acepta su doctrina porque hablaré en ellos [8]. Por ahora cuenta a los de Petra lo que te he hecho, de modo que cuando estos que me rodean y otros vayan en mi Nombre, no lo desconozcan.»

Al pie de la bajada, en camino consular, están esperando tres camellos. Uno con sola la silla, otros con baldaquín. Los está cuidando un siervo.

El hombre va a la tienda y toma unos envoltorios: «Mira» dice ofreciéndoselos a Jesús, «te servirán. No me des las gracias. Sólo me toca a mí bendecirte por lo que me has hecho. Si puedes hacerlo con los incircuncisos, bendíceme a mí y a mis hijos, ¡oh Señor!» y se arrodilla con los niños. Los siervos lo imitan.

Jesús extiende sus manos orando en voz baja con los ojos fijos en el cielo.

«Vete. Sé bueno y encontrarás a Dios en tu camino, y lo seguirás sin perderlo. ¡Adiós, Tamar! ¡Adiós, Fara!» Los acaricia antes de que suban con los siervos cada uno en su camello.

Las bestias se levantan al crrr, crrr de los camelleros y se vuelven tomando su trote hacia el sur. Dos manitas morenas salen de por entre las cortinas y se oye decir a dos vocecitas: «¡Adiós, Señor Jesús! ¡Hasta pronto, papá!»

El hombre está para subir a la silla, se inclina en tierra, besa la vestidura de Jesús, sube al camello y parte hacia el norte.

«Vámonos» dice Jesús, siguiendo el mismo camino.

«¡Cómo! ¿No vas a dónde querías ir?» le pregunta.

«No. No podemos ya más ir [9]!... ¡Las voces del mundo tenían razón! ...Y la razón es porque el mundo es astuto y conoce las obras del demonio... Iremos a Jericó...»

¡Qué triste está Jesús!... Todos le siguen, cargados con cosas que el hombre les dió, abatidos, sin hablar...

[8] También en Mt. 10, 20; Hebr. 1, 1-2 se usa igual modo de expresarse, diciendo que Dios habló *en* los profetas, *en* el Hijo y hablará *en* los creyentes.

[9] Cfr. vol. 3°, pág. 306, not. 3.

198. Jesús consuela a sus apóstoles

(Escrito el 25 de septiembre de 1946)

Apenas acaban de pasar el vado de Betabara. Desde el río de aguas azuladas y abundantes por las recientes lluvias otoñales, se ve la otra ribera, la oriental en que muchas personas hacen señales. En la occidental, donde está Jesús con los suyos, no hay más que un pastor con su ganado que pace por la ribera.

Pedro se sienta sobre un pedazo de pared pequeña que hay allí, sin preocuparse de sus pies mojados. Es verdad que en este tiempo suele usarse las barcas, pero para no embarrancar en los arenales de poco fondo las usan sólo en la parte más profunda, y se paran donde se oye el chasquido de las hierbas sumergidas. Y sucede así que los pasajeros tienen que dar unos cuantos pasos dentro del agua.

«¿Qué te pasa? ¿Te sientes mal?» le preguntan.

«No. Pero no puedo más. Ese arranque de violencia en el Nebo. Antes había sucedido igual en Esebón, y mucho antes en Jerusalén, Cafarnaúm, Nebo de Caliroe, y ahora acá en Betabara... ¡Oh!...» y mete la cabeza entre sus manos y llora...

«No te acobardes, Simón. No me prives también de tu valor, de vuestro valor» le dice Jesús acercándosele y poniendo una mano sobre el grueso manto gris que lleva el apóstol.

«¡No puedo, no puedo ver! ¡No puedo ver que te traten así! Si me permitieses reaccionar... tal vez podría. Pero así... tener que conformarme... y presenciar sus insultos, tus sufrimientos, cual un impotente párvulo, ¡oh, siento que se me rompen las entrañas!, ¡me siento ser un andrajo!... Pero ved, si acaso puede vérsele así. Parece un enfermo, como uno que muere de fiebre... Parece un criminal a quien se le persigue y que no encuentra dónde pueda detenerse para comer un pedazo de pan, beber un sorbo de agua, buscarse una piedra para reclinar la cabeza. ¡Esa hiena del Nebo! ¡Aquellas serpientes de Caliroe! ¡Aquel loco que todavía está allá! (y señala la otra ribera). Es menos demonio que el de Caliroe, aunque Tú dices que es el segundo al que tiene Belzebú dominado [1]! Yo tengo miedo a los endemoniados, pienso que si Satanás se apoderó de ellos de ese modo, debieron haber sido muy malos. Pero... el hombre puede caer en sus garras sin saberlo. Por el contrario los que sin estar poseídos se comportan como lo hacen, con toda su inteligencia. ...¡Oh! no los vencerás jamás, puesto que no los quieres castigar. Ellos... te vencerán...» Y las lágrimas del fiel apóstol, que se habían calmado en su desahogo de ira, vuelven a estar más abun-

[1] Cfr. pág. 373, not. 2.

dantes.

«Pedro mío, ¿y crees que ellos no estén poseídos? ¿Crees que para serlo hay que ser como el de Caliroe y otros que hemos encontrado? ¿Crees que la obsesión se manifiesta sólo con gritos de loco, con brincos, furia, manía de vivir en cuevas, mutismo, con miembros que no se mueven, con la inteligencia entorpecida, de modo que lo que dice y hace el obseso, lo realice incoscientemente? No. Existen otras obsesiones [2] mucho más sutiles y fuertes, y más peligrosas porque no estorban, ni impiden el uso de la razón para hacer cosas buenas, pero sí le dan fuerzas, mejor dicho, la aumentan para que sea más poderosa en servir a quien es su dueño. *Cuando Dios [3] se apodera de una inteligencia y la emplea para su servicio, transfunde en ella, en las horas en que está a su servicio, una inteligencia sobrenatural que aumenta muchísimo a la natural del sujeto.* Por ejemplo, ¿no creéis que si Isaías, Ezequiel, Daniel y los demás profetas, hubieran debido leer y explicar las profecías que escribieron, como si hubieran sido de otros, no habrían encontrado oscuridades inexplicables que encontraban sus contemporáneos? Y sin embargo os digo que mientras las recibían, ellos las comprendían perfectamente. Mira, Simón. Tomemos esta flor nacida cerca de tus pies. ¿Qué ves en la sombra que rodea el cáliz? Nada. Ves algo profundo, una abertura y nada más. Mira, voy a cortarla y a ponerla a que le dé la luz del sol. ¿Qué cosa ves?»

«Veo los pistilos, el polen y una coronilla de pelillos que parecen cejas alrededor de los pistilos, y una tirita como con cejas diminutas que adorna el pétalo y los dos más pequeños... y veo una gotica de rocío en el fondo del cáliz... y... ¡oh, mira! Se ha metido un mosquito a beber y se ha enviscado entre los pelillos, y no puede librarse... ¡Pero ahora! Déjame ver mejor. Oh, los pelillos parece como si estuviesen untados con miel... se ha pegado... ¡Comprendido! Dios así los hizo o para que la flor se nutra con él, o los pajarillos que vienen en busca de mosquitos, o se purifique el aire de ellos... ¡Qué maravilla!»

«Si el sol no hubiera alumbrado directamente, no hubieras visto, ¿no es así?»

«¡A no dudarlo!»

«Lo mismo sucede cuando Dios se apodera de alguien. *La criatura, que de su parte pone sólo su buena voluntad para amar totalmente a su Dios, que se entrega a sus deseos, que practica las virtudes y domeña sus pasiones, Dios la toma para sí, y a la Luz que es El, en la Sabiduría que es El, ve todo y lo comprende todo. Después*

[2] Cfr. vol. 1°, pág. 804, not. 3.

[3] Leáse atentamente la doctrina que expone en este lugar la Escritora, María Valtorta, que muchas veces se aplicará a sí misma, con humildad, pero sin temor, para explicar el fenómeno de su Obra, esto es, de estos libros. Tal fue su persuasión, pero que a nadie impuso.

que termina la intervención divina, se produce en la criatura un estado en el que lo recibido se transforma en norma de vida y en medio de santificación, pero se vuelve oscuro, mejor dicho, como crepúsculo, lo que antes era muy claro. El demonio, perpetuo mono que arremeda a Dios, produce un efecto semejante en la inteligencia de sus poseídos, aunque en forma limitada, porque sólo Dios es infinito; en los posesos que tiene y que voluntariamente se le han entregado para triunfar, y les comunica su inteligencia superior *con la única condición de que se dirija sólo al mal, a hacer daño, a ofender a Dios y al hombre. La acción satánica, al encontrar en el alma consentimiento, prosigue, y poco a poco llega al total conocimiento del mal.* Estas son las peores posesiones. No se ve nada al exterior, y por eso no se huye de ellos como si estuvieran poseídos. Pero sí lo están. Como he dicho muchas veces, el Hijo del hombre será el blanco de esta clase de poseídos.»

«¿Pero no podría Dios derrotar el infierno?» pregunta Felipe.

«Sí. Es más fuerte.»

«¿Y por qué no lo hace para defenderte?»

«En el cielo se conocerán las razones de Dios [4]. ¡Ea, vámonos! No os acobardéis.»

El pastor, que había escuchado aunque sin muestras de haberlo estado haciendo, pregunta: «¿Tienes a dónde ir? ¿Te espera alguien?»

«No. Tengo que ir más allá de Jericó. Nadie me espera.»

«¿Estás muy cansado, Rabí?»

«Sí, estoy. No nos dieron alojamiento en el Nebo, ni nos dejaron descansar.»

«Entonces... Quería decirte... Vivo cerca de Betagla la antigua... Mi padre está ciego, y no puedo alejarme mucho porque no puedo dejarlo. Mucho me duele esto, como también me aflijo por el ganado. Si quisieras... Te daría alojamiento. No está lejos. Mi viejo padre cree mucho en Ti. José, el hijo de José, que es tu discípulo, lo sabe.»

«Vamos.»

El pastor no se lo hace repetir otra vez. Junta su ganado, lo guía hacia el poblado que debe estar hacia el nordeste del lugar donde están ahora. Jesús se pone detrás del ganado con los suyos.

«Maestro» dice Iscariote después de algún tiempo «Betagla no es un lugar propicio para que alguien pueda comprar lo que el hombre de Petra nos dió...»

«Cuando pasemos por Jericó para ir a casa de Nique lo venderemos.»

«Es que... el pastor, me refiero a éste, es pobre y habrá que re compensarlo. No tengo ni un céntimo.»

[4] Respuesta semejante en Mt. 24, 36; Hech. 1, 6-7.

«Tenemos víveres, y muchos. También para aquel mendigo. No necesitamos por ahora de más.»

«Como quieres. Pero sería mejor que me enviases delante de Ti. Podré...»

«No es necesario.»

«Maestro, ¡eso significa desconfianza! ¿Por qué no nos mandas como antes, de dos en dos?»

«Porque os amo y pienso en vuestro bien.»

«¡Pero no lo está que permanezcamos tan desconocidos! Pensarán que... somos indignos, incapaces... Antes nos dejabas ir, predicar. Hacíamos milagros, éramos conocidos...»

«¿Te duele no poder hacer más milagros? ¿Te hacía bien separarte de Mí? Eres el único que se lamenta de no poder ir solo. ¡Judas!...»

«Maestro, bien sabes que te amo» dice con firmeza Judas.

«Lo sé, y para que tu corazón no se desvíe te tengo cerca de Mí. Eres el que recoges todo y distribuyes, que vendes o cambias algo en favor de los pobres. Es suficiente, aun más, es mucho. Mira a tus compañeros, ni uno de ellos pide lo que tú...»

«Pero lo has concedido a los discípulos... Es una injusticia esta diferencia.»

«Judas, eres el único en llamarme injusto... Te perdono. Adelántate, y mándame a Andrés.»

Jesús disminuye el paso para esperar a Andrés y hablarle aparte. No sé qué cosa le haya dicho, lo cierto es que sonríe y se inclina a besar las manos de su Maestro. Luego parte.

Jesús se queda detrás, el último de todos... y con la cabeza muy inclinada continúa secándose el rostro con la punta de su manto como si sudase. Pero son lágrimas y no gotas de sudor que le corren por las descarnadas y pálidas mejillas.

Dice Jesús: «Aquí pondréis la visión del 3 de octubre de 1944: "La mujer del saduceo nigromante".»

199. La mujer del saduceo nigromante

(Escrito el 3 de octubre de 1944)

Jesús va caminando sin cansarse por los caminos de Palestina. El río queda a su derecha. Prosigue al lado de la bella corriente azul, que centellea donde el sol la besa, teñida de su color verde-azul donde la sombra de los árboles de la ribera reflejan en ella sus verdes copas.

Jesús está en medio de sus discípulos. Oigo que Bartolomé le pregunta: «¿Entonces vamos en realidad a Jericó? ¿No tienes miedo de alguna asechanza?»

«No tengo miedo. Voy a Jerusalén para la Pascua por otros caminos y ellos se han llevado un chasco. No pueden aprehenderme sin toparse con el pueblo. Créeme, Bartolomé, que para Mí es menos peligroso estar en una ciudad que en caminos solitarios. El pueblo es bueno y sincero, aunque impetuoso. Se revolvería si me capturasen cuando estoy en medio de él evangelizándolo y curándolo. Las sierpes trabajan en la soledad y en la sombra. Y luego... todavía me queda tiempo para trabajar... Después.... vendrá la hora del demonio [1] y vosotros me perderéis, para encontrarme después. Creed en esto. Y tratad de creer en ello, aun cuando los sucesos parezcan más que nunca darme un mentís.»

Los apóstoles se entristecen, y lo miran con amor y con dolor. Juan lanza un gemido: «¡No!», Pedro lo rodea con sus cortos y robustos brazos como para defenderlo. Grita: «¡Oh, Señor y Maestro mío!» No añade más, pero qué no hay en esas pocas palabras.

«Así es, amigos. Para esto vine. Sed valerosos. Veis que sin vacilar me dirijo hacia mi meta, como alguien que va hacia el sol, y sonríe al sol que le besa en la frente. Mi sacrificio será sol para el mundo. La luz de la gracia bajará a los corazones, la paz con Dios los hará fecundos, los méritos de mi martirio harán a los hombres capaces de ganarse el cielo. ¿Y qué otra cosa quiero sino ésta? Poner vuestras manos en las del Eterno, en las de mi Padre y vuestro y decirle: "Mira, Te vuelvo a traer a estos hijos. Mira, Padre, que están limpios. Pueden regresar a Ti". Veros juntos a su corazón y deciros: "Amados al fin, que el Uno y los otros tenéis ansias de ello, y porque no podíais amar, sufríais intensamente". Ved que ésta es mi alegría. Cada día que me acerca al cumplimiento de este regreso, de este perdón, de esta unión, aumenta mi ansia de consumar el holocausto para daros a Dios y su Reino.»

Jesús está majestuoso, diría yo, como extasiado al decir estas palabras. Camina derecho con su vestido azul y su manto más oscuro, con la cabeza descubierta en esta hora fresca de la mañana, y parece como si sonriese a quién sabe qué visión que sus ojos ven allá en lo azul de un cielo sereno. El sol que le acaricia la mejilla izquierda hace mucho más brillante su mirada y le pone centelleos dorados en su cabellera que levemente mueven el aire y su paso, y acentúa lo rojo de sus labios abiertos prontos a sonreir y parece como si encendiese todo su rostro con una alegría que en realidad viene de lo interior de su adorable Corazón, encendido en caridad por nosotros.

[1] Cfr. Lc. 4, 13; 22, 3 y 53; Ju. 13, 2 y 27; y también vol. 3°, pág. 314, not. 3.

«Maestro, ¿puedo decirte una palabra?» pregunta Tomás.

«¿Cuál?»

«El otro día dijiste que el Redentor, esto es, Tú, tendrá un traidor. ¿Cómo puede un hombre traicionarte a Ti, Hijo de Dios?»

«De hecho un hombre no podría traicionar al Hijo de Dios, que es Dios como el Padre. Pero ese tal no será un hombre, será un demonio en cuerpo de hombre; el más poseído de los hombres. María Magdalena tuvo siete demonios, y el endemoniado de hace unos cuantos días era la presa de Belzebú [2], pero en ése estarán Belzebú y toda su corte de demonios [3]... ¡Oh, en ese corazón estará el infierno para excitarle a vender a sus enemigos, cual cordero para ser degollado, al Hijo de Dios!»

«Maestro, ¿ha tomado Satanás ya posesión de ese hombre?»

«No, Judas. Pero se inclina a Satanás e inclinarse a él quiere decir ponerse en condiciones de echarse en sus brazos [4].» (Jesús habla a Iscariote).

«¿Y por qué no viene a Ti para que se cure de su inclinación? ¿Sabe que lo está o lo ignora?»

«Si lo ignorase no sería culpable como lo es, porque sabe que se inclina hacia el mal y que no persiste en sus resoluciones de salir de él. Si persistiera, vendría a Mí... pero no viene... El veneno penetra y el contacto conmigo no lo limpia porque no lo desea, antes bien huye de él... Es el error vuestro. Huís de Mí cuando más necesidad tenéis de Mí.» (Jesús ha respuesto a Andrés).

«¿Ha venido algunas veces a Ti? ¿Lo conoces? ¿Lo conocemos nosotros?»

«Mateo, Yo conozco a los hombres antes de que me conozcan [5]. Tú lo sabes y también éstos. Soy Yo quien os llamé porque os conocía.»

«¿Pero lo conocemos nosotros?» insiste Mateo.

«¿Y acaso no sois capaces de conocer a quien viene a vuestro Maestro? Vosotros sois amigos y compartís conmigo la comida, el descanso y las fatigas. Hasta mi casa se os ha abierto, la casa de mi santa Madre. Os he llevado a ella para que el aura que en ella se respira os haga capaces de comprender el cielo con sus voces y mandamientos. Os he llevado a ella como un médico lleva a sus enfermos, apenas salidos de sus enfermedades, a aguas medicinales que los fortifiquen acabando con el resto de sus males que pueden convertirse en más peligrosos. Por esta razón conocéis a todos los que

[2] Cfr. pág. 373, not. 2, y vol. 1°, pág. 804, not. 3.

[3] Creíble aun por lo que se lee en Mc. 5, 1-20; Lc. 8, 26-39.

[4] Creíble aun por lo que se lee en Ju. 13, 2 y 27.

[5] Téngase en cuenta esta expresión, para cuando se encuentre con la otra de «no conozco», que se refiere sólo al conocimiento por «experiencia humana».

vienen a Mí.»
«¿En qué ciudad lo encontraste?»
«¡Pedro, Pedro!»
«Es verdad, Maestro, soy peor que una mujer chismosa. Perdóname. Pero es el amor, sabes...»
«Lo sé, y por esto te digo que no me desagrada tu defecto, pero deséchalo también.»
«Sí, Señor mío.»
El sendero se estrecha entre una hilera de árboles y una zanja no muy profunda, y el grupo se alarga. Jesús habla con Iscariote al que da órdenes de los gastos y limosnas. Detrás, de dos en dos, vienen los demás. En último lugar, sólo, viene Pedro. Viene pensando, la cabeza baja, absorto en tal forma en sus pensamientos que ni siquiera cae en la cuenta de venir un poco separado de sus otros compañeros.
«¡Oye, Tú!» le grita uno que pasa a caballo. «¿Vienes con el Nazareno?»
«Sí, ¿por qué?»
«¿Vais a Jericó?»
«¿Te interesa saberlo? Yo no sé nada. Vengo en pos del Maestro y no pregunto nada. Adonde quiera que va, está bien hecho. El camino lleva a Jericó, pero podemos torcer para la Decápolis. ¡Quién lo sabe! Si quieres informarte mejor, allá va el Maestro.» El hombre espolea su caballo y Pedro le hace una mueca curiosa y entre sí refunfuña: «No me fío, querido señor. ¡Todos sois una jauría de perros! No quiero ser el traidor. Juro por mí mismo: "Esta boca estará cerrada". Eh» y hace una señal sobre sus labios como si los cerrase con candado.
El jinete ha alcanzado ya a Jesús. Le habla, lo que hace que Pedro pueda reunirse con los demás. Cuando el jinete torna a partir, hace una señal de saludo a Iscariote. Nadie lo nota fuera de Pedro que camina el último, y que parece no le agrade el saludo. Toma a Judas por una manga y le pregunta: «¿Quién es? ¿Lo conoces? ¿Cómo es posible?»
«De vista. Es un rico de Jerusalén.»
«Tienes amistades muy arriba. Bien... con tal de que sean para bien. Dime una cosa: ¿es esa cara de zorra que te dice tantas cosas?...»
«¿Qué?»
«Bueno. Las que dices que sabes acerca del Maestro.»
«¿Yo?»
«Sí, Tú. ¿No recuerdas aquella tarde de agua y lodo? ¿Cuando fue la avenida?»
«¡Ah! ¡No, no! ¿Pero te tienes todavía a las palabras dichas en un momento de malgenio?»

«Yo me acuerdo de todo lo que puede dañar a Jesús: cosas, personas, amigos, enemigos... Estoy siempre listo a mantener las promesas que hago a quienes quieren hacer mal a Jesús. Hasta pronto.»

Judas con una rara actitud mira a Pedro irse. Hay admiración, pena, enfado y, diría yo, hasta rencor.

Pedro alcanza a Jesús y lo llama.

«¡Oh, Pedro, ven!» Jesús le pone el brazo en la espalda.

«¿Quién era ese áspero judío?»

«¿Aspero, Pedro? ¡Si estaba todo liso y perfumado!»

«Pero tenía áspera la conciencia. Desconfía, Jesús.»

«Te he dicho que todavía no es mi tiempo [6]. Y cuando llegare, ninguna prevención me salvará... si es que quisiera salvarme. Aun las piedras gritarían y se pondrían en forma de valla si es que quisiera salvarme.»

«Será como dices... pero desconfía... Maestro.»

«¿Qué te pasa, Pedro?»

«Quiero decirte una cosa que es un peso en el corazón.»

«¿Una cosa? ¿Un peso?»

«Sí. El peso es un pecado. La cosa es un consejo.»

«Comienza por el pecado.»

«Maestro... yo... yo odio... siento repulsión, sí, repulsión si no odio — aun cuando no quieres que se odie, — por uno de los nuestros. Me parece estar cerca de una cueva de serpientes en celo de donde salga su hedor... y no quiero que salgan para que te hagan daño alguno. Ese hombre es un nido de serpientes y él mismo está en relación con el demonio.»

«¿De dónde sacas esto?»

«¡Bueno!... No lo sé. Soy un rústico y un ignorante, pero tonto no lo soy. Estoy acostumbrado a leer en los vientos y en las nubes... y hasta creo que en los corazones. Jesús... tengo miedo.»

«No juzgues, Pedro. No sospeches. La sospecha crea fantasmas. Se ve lo que no existe.»

«El Dios eterno quiera que no sea nada de ello. Pero yo dudo.»

«¿De quién Pedro?»

«De Judas de Keriot. Se gloría de tener muy grandes amistades y hace poco aquel sinvergüenza jinete lo saludó como se saluda a un buen conocido. Antes no las tenía.»

«Judas es el que recibe y distribuye. Tiene ocasiones de acercarse a los ricos. Lo sabe hacer.»

«¡Sí, eh! *Lo sabe hacer*... Maestro, dime la verdad. ¿No tienes sospechas?»

«Pedro, te quiero mucho, pero quiero que seas perfecto, y no es perfecto el que no obedece. Te he dicho: no juzgues, no sospeches.»

[6] Cfr. pág. 213, not. 7.

«Pero entre tanto no me respondes...»
«Dentro de poco habremos llegado a Jericó y nos detendremos a esperar a una mujer que no puede recibirnos en su casa...»
«¿Por qué? ¿Es una pecadora?»
«No. Es una infeliz. Ese jinete que te ha dado tanta molestia vino a decirme que la esperara, y la esperaré aun cuando sepa que no pueda hacer nada [7] por ella. ¿Y sabes quién puso a ella y al jinete sobre mi camino? Judas. Ves que no es cosa mala que conozca a ese judío.»
Pedro baja la cabeza y se calla avergonzado, pero tal vez, no persuadido, y con la curiosidad todavía por dentro, pero no habla más.
Jesús se detiene fuera de los muros de la ciudad y cansado se sienta bajo la sombra de un grupo de árboles plantados cerca de una fuente, donde los animales están bebiendo agua. Los discípulos se sientan también. Es un lugar no muy frecuentado porque fuera de los caballos y asnos que serán de comerciantes o viajeros, no se ve gente.
Se acerca una mujer envuelta en un manto oscuro. El velo grueso le llega hasta la mitad de la cara. Viene con ella el jinete de antes, que está de pie, y otros tres hombres lujosamente vestidos.
«¿Cómo estás, Maestro?»
«La paz sea con vosotros.»
«Esta es la mujer. Escúchala y hazle el favor que desea.»
«Si puedo [8].»
«Puedes todo.»
«¿Lo crees tú, saduceo?» El saduceo es el jinete.
«Creo en lo que veo.»
«¿Y has visto que puedo?»
«Sí.»
«¿Y porqué puedo, lo sabes?» Silencio. «Puedo saber en qué te fundas para creer que pueda?» Silencio.
Jesús no le habla más al saduceo, ni tampoco se dirige a los otros. Habla ahora a la mujer: «¿Qué se te ofrece?»
«Maestro... Maestro...»
«Hablas sin temor.»
La mujer echa una mirada de soslayo a sus acompañantes, que la interpretan a su modo.
«La mujer tiene su marido enfermo y te pide que lo cures. Es una persona de influencia, de la corte de Herodes. Te conviene escucharla.»
«No porque sea influyente, sino porque es infeliz, la escucharé si puedo. Se lo he dicho. ¿Qué tiene tu marido? ¿Por qué no vino?

[7] Cfr. vol. 1°, pág. 539, not. 2, y pág. 578, not. 3. Comparar también Mt. 13, 58.
[8] Cfr. nota anterior.

¿Por qué no quieres que vaya a donde está?»
Otro silencio y miradas de soslayo.
«¿Quieres hablarme sin testigos? Ven.» Se separan unos cuantos pasos. «Habla.»
«Maestro... yo creo en Ti. Tanto es así que estoy segura que sabes todo lo de él, de mí, de nuestra vida desgraciada... Pero él no cree... Te odia... pero él...»
«Pero él no *puede* curarse, porque no tiene fe. Y no sólo no tiene fe en Mí, pero ni siquiera en el Dios verdadero.»
«¡Ah, lo sabes!» La mujer llora amargamente. «¡Mi casa es un infierno! ¡Un infierno! Tú curas a los obsesos. Sabes, pues, lo que es el demonio. Pero, ¿conoces esta clase de demonio sutil, inteligente, mentiroso, sabio? ¿Sabes a qué perversiones puede llevar? ¿Sabes a qué pecados? ¿Sabes qué desgracias arrastra consigo? ¡Mi casa! ¿Es un hogar? No. Es el umbral del infierno. ¡Mi marido! ¿Marido mío? Ahora está enfermo y no se preocupa de mí. Pero aun cuando fue robusto y buscaba el amor, ¿acaso era un hombre el que me abrazaba, que me tenía, que estaba conmigo? ¡No! Eran los tentáculos de un demonio, sentí su hedor, su viscosidad. Siempre he querido a mi marido y lo sigo queriendo. Soy su mujer. Era apenas una doncella cuando me conoció. Tenía entonces catorce años. Ahora cuando vuelven a mi memoria aquellas primeras horas, aquellas horas en que me convertí en mujer, yo siempre aborrecí con el alma y con todo mi ser lo que veía en él de nigromancia [9]. Me parecía que no era mi marido, sino los muertos que él todavía evoca, los que querían saciarse conmigo... Y todavía hoy, sólo con mirarlo, agonizante y sumergido en esa magia, siento asco. No le veo a él... Veo a Satanás. ¡Oh desgracia mía! Ni siquiera en la muerte estaré con él porque la Ley lo prohibe. Sálvalo, Maestro. Te ruego que lo cures para darle tiempo a que se reponga.» La mujer llora angustiadamente.
«¡Pobre mujer! *No puedo* curarlo.»
«¿Por qué, Señor?»
«Porque él no quiere.»
«Sí. Tiene miedo de la muerte. Sí que quiere.»
«No quiere. No es un loco, ni un poseso que no comprenda su estado. Su inteligencia es libre para poder pedir que se le liberte. Su voluntad no está maniatada. Es uno que *quiere* ser lo que es. Sabe que lo que hace está prohibido. Sabe que el Dios de Israel lo maldice. Pero persiste. Aun cuando lo curase, y primero en su alma, él volvería a su fruición satánica. Su voluntad está corrompida. Es

[9] Cfr. vol. 2°, pág. 287, not. 1; vol. 1°, pág. 804, not. 3.

uno rebelde. No puedo [10].»

La mujer llora con mayor angustia. Se acercan los otros que la habían acompañado. «¿No le quieres hacer lo que pide, Maestro?»

«No puedo.»

«Os lo había dicho. ¿Y las razones?»

«¿Me las preguntas, tú, saduceo? Te recuerdo el libro de los Reyes. Lee lo que dijo Samuel a Saúl [11] y Elías a Ocozías [12]. El espíritu del profeta echó en cara al rey que hubiera ido a perturbarlo, evocándolo del reino de los muertos. No es lícito hacerlo. Lee el Levítico [13], si es que recuerdas la palabra de Dios, Creador y Señor de todo cuanto existe, Cuidador de la vida y de los que están en la muerte. Difuntos o vivos están en las manos de Dios y *no os es lícito arrancarlas de donde están, ni por vana curiosidad, ni con sacrílega violencia, ni por incredulidad reprobable.* ¿Qué deseáis saber? ¿Si hay un futuro que sea eterno? Y decís que creéis en Dios. Que si Dios tiene también una corte. ¿Y qué corte no deberá ser sino eterna como El lo es y está compuesta de espíritus eternos [14]? Si decís que creéis en Dios, ¿por qué no creéis en su palabra? ¿No dice acaso: "No practicaréis la adivinación, ni tendréis en cuenta los sueños"? ¿No dice también: "Si alguien va a los magos y a los adivinos, y con ellos comunica, apartaré mi rostro de él y lo exterminaré de en medio de mi pueblo"? ¿Además: "No os hagáis dioses de barro"? Y ¿qué sois vosotros? ¿Samaritanos y extraviados o hijos de Israel? ¿Sois unos necios o tenéis inteligencia? Si decís que el alma no es inmortal, ¿por qué evocáis los muertos? Si no son inmortales las partes incorpóreas que dan vida al hombre, ¿qué queda del hombre después de su muerte? Podredumbre y huesos, huesos blanqueados en medio de gusanos. Y si no creéis en Dios, de modo que recurrís a ídolos y señales para obtener curación, dinero, respuestas, como ha hecho ese por quien intercedéis, ¿por qué os hacéis dioses de barro y creéis que puedan deciros palabras más verdaderas, más santas, más divinas que las que Dios dice? Ahora os voy a dar la misma respuesta que Elías envió a Ocozías: "Porque enviaste mensajeros a consultar a Belzebú, dios de Accarón, como si no existiese un Dios en Israel para consultarlo, por esto no bajarás del lecho al que subiste, y morirás en tu pecado".»

«Tú eres siempre el que insultas y atacas. Te lo hago notar. Nosotros vinimos a verte para...»

«Para ponerme una trampa. Os leo el corazón. ¡Abajo la másca-

[10] Cfr. nota 7

[11] Cfr. 1 Rey. 28.

[12] Cfr. 4 Rey. 1.

[13] Cfr. Lev. 19, 4 y 26 y 31; 20, 6.

[14] Esto es, los ángeles, seres creados, pero que viven eternamente. Cfr. pág. 51, not. 3.

ra, herodianos vendidos al enemigo de Israel! ¡Abajo la máscara, fariseos falsos y crueles! ¡Abajo la máscara, saduceos, verdaderos samaritanos! ¡Abajo la máscara, escribas de palabras que contradicen a los hechos! ¡Abajo la máscara, todos vosotros contraventores de la Ley de Dios, enemigos de la Verdad, patrocinadores del mal! ¡Abajo, profanadores de la casa de Dios! ¡Abajo, alborotadores de conciencias débiles! ¡Abajo, chacales que olfateáis la víctima por el viento que os llega y seguís las huellas y os quedáis en acecho, esperando la hora propicia de matar, y os relaméis los labios como gustando de antemano el sabor de la sangre y pensáis en aquella hora!... Barateros y perversos hombres que vendéis por menos de un puño de lentejas vuestra primogenitura [15] entre los pueblos y no os alcanza ni una bendición, pues los otros pueblos se revestirán del vellón del Cordero de Dios, y aparecerán como verdaderos Mesías a los ojos del Altísimo, el cual, al percibir la fragancia de su Cristo que emana de ellos, dirá [16]: "Este es el perfume de mi Hijo. Semejante al de un campo en flor que Dios ha bendecido. Sobre vosotros venga el rocío del cielo: la gracia. Sobre vosotros la riqueza de la tierra: los frutos de mi Sangre. Sobre vosotros la abundancia del trigo y vino: mi Cuerpo y mi Sangre que daré para vida de los hombres y en recuerdo mío. Os servirán los pueblos. Ante vosotros se inclinen los pueblos, porque donde esté la señal de mi Cordero, allí estará el cielo. La tierra está sometida al cielo. Sed señores de vuestros hermanos, porque los seguidores de mi Mesías serán los reyes del espíritu porque tienen la Luz y los otros volverán a esa luz su mirada, en espera de su ayuda. Maldito sea quien os maldiga y bendito quien os bendiga, porque quien os bendice o maldice a vosotros, a Mí, vuestro Padre y vuestro Dios, bendice y maldice". Tales palabras dirá. Esto, ¡vosotros perversos que pudiendo tener la fe cual esposa amada del alma, fornicáis con Satanás y con sus falsas doctrinas! Esto dirá, ¿oh, asesinos! Asesinos de conciencias, asesinos de cuerpo. ¡Aquí están vuestras víctimas. Pero si dos corazones son asesinados, no tendréis más que un Cuerpo por el espacio de tiempo igual al de Jonás [17]. Y después unido El con su esencia inmortal, os juzgará.»

Jesús es sencillamente terrible con estas palabras. ¡Terrible! Y mucho más el Ultimo día, como me lo imagino.

«¿Y dónde están estos asesinados? Deliras. Eres un perverso como Satanás [18], y en su nombre obras milagros. No puedes hacerlo con nosotros porque somos herederos de la amistad de Dios.»

«Satanás no se arroja a sí mismo. Yo arrojo los demonios. ¿En

[15] Cfr. Gén. 25, 29-34.
[16] Alusión a Gén. 27, 27-29. El cap. entero es una sublime adaptación.
[17] Cfr. Jon. 2.
[18] Cfr. pág. 373, not. 2.

nombre de quién?» Silencio. «¡Responded!»

«No perdamos el tiempo con este poseso. Os lo había dicho. No nos hicisteis caso. Lo escucháis de sus labios. Responde, Nazareno loco, ¿conoces el sciemanflorasc (sic)?»

«No tengo necesidad.»

«¿Oís? Otra pregunta. ¿No estuviste en Egipto?»

«Sí.»

«Lo veis. ¿Quién es el nigromante, el satanás? ¡Horror! Ven, mujer. Tu marido es santo respecto a éste. ¡Ven!... Será necesario que te purifiques. ¡Has tocado a Satanás!...» Y se van arrastrando consigo a la mujer que llora con vivos gestos de repulsa.

Jesús con los brazos abiertos, los sigue con la luz de su mirada.

«Maestro... Maestro...» Los apóstoles están aterrorizados, por la violencia de las palabras de Jesús y por las palabras de los judíos.

Pedro pregunta, y al hacerlo se inclina profundamente: «¿Qué quisieron decir con esa última pregunta? ¿Qué es eso?»

«¿Cuál? El sciemanflorasc? [19]»

«Sí. ¿Qué es?»

«No te preocupes. Confunden la verdad con la mentira, a Dios con Satanás, y en su soberbia satánica piensan que Dios, por satisfacer el capricho de los hombres, tenga necesidad de ser conjurado con su tetragrama. El Hijo habla con el Padre el lenguaje verdadero y a través de éste y por el amor recíproco que se tienen, se realizan los milagros.»

«¿Pero por qué te preguntó que habías estado en Egipto?»

«Porque el mal se sirve de las cosas más inofensivas para acusar a quien quiere hacer daño. El haber estado yo en tierras de Egipto se contará como una de las principales acusaciones cuando llegue la hora de su venganza. Vosotros y los que vengan, tened en cuenta que con Satanás astuto y con sus fieles servidores hay que tener doble astucia. Por esto he dicho: ''Sed astutos como las serpientes, además de ser sencillos como las palomas''. Lo cual sirve para proporcionar lo mínimo de armas a los endemoniados. Pero de nada sirve. Vámonos.»

«¿A dónde, Maestro? ¿A Jericó?»

«No. Tomemos una barca y vayamos a la Decápolis nuevamente. Subiremos por el Jordán hasta la altura de Enón y allí desembarcaremos. Luego en las riberas de Genezaret tomaremos otra barca y pasaremos a Tiberíades, de allí a Caná y Nazaret. Tengo necesidad

[19] Probablemente esta palabra no fue bien transcrita, y los expertos ignoran su significado. Teniendo en cuenta el contexto parece que se trate de una expresión que empleaban las personas dedicadas a la magia en sus conjuros. Cfr. Hech. 19, 13-17; Clem. Alejandrino, *De adoratione et cultu in spiritu et veritate*, lib. VI, en Migne, *Patrol. griega*, tomo 68, col. 469-472.

de mi Madre. También vosotros. Lo que el Mesías no hace con su palabra, lo hace María con su silencio. Lo que no mi poder, lo hace su pureza. ¡Oh, Madre mía!»

«¿Lloras, Maestro? ¿Lloras? ¡Oh, no! ¡Nosotros te defenderemos! ¡Te amamos!»

«No lloro y no tengo miedo de los que me desean mal. Lloro porque sus corazones son más duros que el jaspe y no puedo *nada* en muchos de ellos [20]. Venid, amigos.»

Bajan a la ribera, suben a una barca, y reman río arriba. Todo termina de este modo.

[20] Cfr. vol. 1°. pág. 578, not. 3; vol. 2°, pág. 310, not. 6.

200. «Una oración puede uniros a Dios, no una fórmula mágica»

(Escrito el mismo día)

Dice Jesús:

«Tú y quien te guía meditad bien mi respuesta dada a Pedro.

El mundo - y por mundo entiendo no sólo los laicos - niega lo sobrenatural, pero luego, ante las manifestaciones de Dios, está pronto a acudir no a lo sobrenatural sino a lo oculto [1]. Confunden una cosa con la otra. Escuchad ahora: *sobrenatural es lo que viene de Dios. Oculto lo que viene de fuentes extraterrenales, pero no tiene su origen en Dios.*

En verdad os digo que los espíritus pueden venir a vosotros. Pero ¿cómo? De dos modos. Por orden de Dios o por fuerza del hombre. *Por órdenes de Dios vienen los ángeles y bienaventurados y los espíritus que están ya en la luz de Dios. Por fuerza del hombre pueden venir los espíritus sobre los que aun un hombre tiene poder, porque sumergidos en regiones más bajas que las humanas en las que todavía hay un recuerdo de la gracia, aun cuando ésta no sea activa. Los primeros vienen espontánea, obedientemente a la orden mía. Traen consigo la verdad que quiero conozcáis. Los otros vienen por un conjunto de fuerzas unidas. Fuerzas del hombre*

[1] Algunos se comportan realmente como se describe. Se puede pensar que no lo hacen por un partido tomado, con malicia o desprecio, sino más bien porque están impresionados de las palabras de Jesús mismo, que aparecen en: Mt. 24, 23-27 (cfr. también 2 Tes. 2, 1-12; Ap. 13.) Aun más en la misma S. Escritura no hay reglas claras para distinguir lo auténticamente sobrenatural de sus remedos. Cfr. por ej. 1 Ju. sobre todo 2, 18-23; 4, 1-6, etc.

idólatra con fuerzas de Satanás-ídolo. ¿Pueden enseñaros la verdad? No. Jamás. Absolutamente no pueden. ¿Puede una fórmula, aun cuando la enseñare Satanás, hacer que Dios se doblegue al capricho del hombre? *No. Dios viene siempre espontáneamente.* Una oración os puede unir con El, pero no una fórmula mágica.

Si alguien objeta: "Samuel se apareció a Saúl" [2]. Respondo: "No por mérito de la maga, sino por voluntad mía, con el objeto de conmover al rey, rebelde a mi ley". Algunos dirán: "¿Y los profetas? "*Los profetas hablan por el conocimiento de la Verdad que se infunde en ellos directamente o por el ministerio angélico* [3]. Otros objetarán: ¿Y la mano que escribió en el banquete del rey Baltasar?" Esos tales lean la respuesta de Daniel: "...también tú te has levantado contra el Dominador del cielo... alabando a los dioses de plata, de bronce, de hierro, de oro, de leña, de piedra, los cuales no ven ni oyen ni conocen; pero no glorificaste al Dios en cuyas manos está tu respiro y cualquier cosa que hagas. Por esto El (*espontáneamente mandó*, mientras tú, rey necio y hombre necio no pensabas ni te preocupabas sino en llenarte el vientre y en hinchar tu mente) envió el dedo de esa mano que escribió lo que allí ves"[4].

Puede suceder que Dios os llame con manifestaciones que llamáis "de mediums" [5] que causan compasión a un Amor que os quiere salvar. Pero no debéis querer hacerlas vosotros. Las que creáis no son jamás verdaderas. Ni útiles. Ni os traen jamás bien alguno. No os hagáis esclavos de lo que os lleva a la ruina. *No queráis llamaros y creeros más inteligentes que los humildes*, que acatan la verdad depositada desde hace siglos en mi Iglesia, *tan sólo porque seáis soberbios que buscáis en la desobediencia excusa para vuestros ilícitos instintos.* Volved a entrar y permaneced en la Doctrina tantas veces secular. Desde Moisés a Cristo, de Cristo a vosotros, de vosotros hasta el último día *es ésa, y no otra.*

¿Es acaso ciencia lo vuestro? No. *La ciencia está en Mí y en mi doctrina y la sabiduría del hombre consiste en obedecerme.* ¿Curiosidad sin peligro? *No. Contagio de cuyas consecuencias podéis lamentaros.* Arrojad a Satanás si queréis tener a Cristo. Soy el Bueno. Pero no puedo convivir con el espíritu del mal. *O Yo o él. Escoged.*

O "portavoz" mía, di esto a quien hay que decirlo. Es la última voz que llegará a éstos. Tú y quien te dirige estad precavidos. *Las pruebas se convierten en contrapruebas en manos del enemigo y de los enemigos de mis amigos.* ¡Estad atentos!

Quedaos con mi paz.»

[2] Cfr. 1 Rey. 28, 3-25.
[3] Cfr. pág. 51, not. 3.
[4] Cfr. Dan. 5.
[5] O telepáticas.

201. «Los que me aman, se van»

(Escrito el 26 de septiembre de 1946)

«Alzaos y partamos. Vamos de nuevo al río y busquemos una barca. Pedro, ve con Santiago. Que nos lleve hasta cerca de Betabara. Nos quedaremos un día en casa de Salomón y luego...»

«¿Ya no vamos a Nazaret?»

«No. Lo pensé, anoche. Me desagrada por vosotros. Pero debo regresar.»

«¡Soy feliz!» exclama Marziam. «¡Estaré todavía contigo!»

«Sí, aunque, pobre niño, te encontrarás con días muy tristes al estar a mi lado.»

«Por esto quiero quedarme contigo, para darte cariño. Es lo único que quiero. No pido más.»

Jesús lo besa en la frente.

«¿Volvemos a pasar por Betabara?» pregunta Mateo.

«No. Atravesamos el río con la barca de algún pescador.»

Regresan Pedro y Santiago. «Ni una barca, Maestro, hasta el atardecer... Y... ¿debo decirlo?»

«Dilo.»

«Pasaron algunos por aquí... Debieron haber pagado bien o haber hecho fuertes amenazas... No creo que ni en la noche encontrarás barca alguna... Son despiadados...» Pedro lanza un suspiro.

«No importa. Pongámonos en camino... y el Señor nos ayudará.»

La estación es mala. Llueve. Hay lodo. El camino está cenagoso, a lo largo de la calzada la lluvia aumenta con el rocío de la noche, pero continúan su camino por el estrecho espacio que hay al lado de la vía, que está menos cenagoso, donde la lluvia, que continúa, es menor, gracias a una hilera de álamos que defienden por un tiempo, hasta que el viento no sacude sus ramas y el agua cae en abundancia.

«¡Qué le hemos de hacer! ¡Es la temporada!» dice filosóficamente Tomás levantándose el vestido.

«¡Es el tiempo!» repite Bartolomé y suspira.

«Ya nos secaremos en alguna parte. No todos... están contra de nosotros» dice Pedro.

«Siempre habrá oportunidad de encontrar una barca... ¡No siempre habrá mala suerte!» añade Santiago de Alfeo.

«Si tuviésemos mucho dinero, se tendría todo. Pero no quiso que fuese yo a Jericó para vender» dice Judas de Keriot.

«Cállate. Te lo ruego. El Maestro está muy afligido. Cállate» suplica Juan.

«Me callo. Hasta me alegro de sus órdenes. Así no se podrá decir que yo envié a aquellos saduceos de Jericó» y mira a Pedro. Este que está distraído, no responde.

Caminan, siguen caminando bajo la llovizna, que se desprende de un cielo grisáceo. De vez en vez hablan entre sí, pero más bien parece que hablen consigo mismos, pues las palabras parecen conclusiones de un diálogo con un interlocutor invisible.

«Tendremos que detenernos en algún lugar.»

«Todo es igual, porque por todas partes llegan *ésos.*»

«Persecuciones tras persecuciones. Es mejor quedarse en la ciudad. Almenos no se moja uno.»

«¿A dónde querrán llegar?»

«¡Pobre María! ¡Si supiese esto!»

«¡Que el Dios Altísimo proteja a sus siervos!» y así de este modo hablan... Luego se juntan, discuten en voz baja.

Jesús va adelante, solo... ¡Solo! Después se le unen Marziam y Zelote.

«Los otros han bajado hacia la arena, para ver si hay alguna barca... Se avanzaría más rápido. ¿Nos permites que vengamos contigo?»

«¡Oh, sí! ¿De que veníais hablando antes?»

«De lo que sufre.»

«Y del odio de los hombres. ¿Qué cosa podemos hacer para consolarte y para detener este odio?» pregunta Zelote.

«Para mi dolor me basta vuestro amor... Por lo que respecta al odio... no hay más que soportarlo... Es una cosa que termina con la vida terrena... y este pensamiento brinda paciencia y fortaleza para soportalo. ¡Marziam! ¡Muchacho! ¿Por qué estás turbado?»

«Porque esto me trae al recuerdo la figura de Doras...»

«Tienes razón. Es tiempo de que te envíe a casa...»

«¡No, Jesús, no! ¿Por qué quieres castigarme de un mal que no cometí?»

«No quiero castigarte, sino defenderte... No quiero que recuerdes a Doras. ¿Qué cosa surge en tu mente ante tal recuerdo? Dímelo...»

Marziam llora con la cabeza inclinada, luego levanta su cara y dice: « Tienes razón. Mi corazón no es capaz de ver y perdonar, todavía no lo es. Pero, ¿por qué me alejas? Si Tú sufres, con mayor razón debo estar cerca de ti. ¡Siempre me has consolado Tú! Ya no soy el niño necio que el año pasado te decía: "No me hagas ver que sufres". Soy un hombre en verdad, ahora. ¡Deja que me quede, Señor! ¡Díselo, Simón!»

«El Maestro sabe lo que es bueno para nosotros. Tal vez... El quiere darte un encargo... No lo sé... Dije lo que pensaba...»

«Dijiste bien. Lo hubiera tenido conmigo hasta después de las Encenias con mucho gusto, pero... mi Madre está sola allá. El rumor del odio es muy grande. Podría llenarse de miedo más de lo que es necesario. Mi madre está sola y ha de llorar. Tú vas a ir y le dirás que le mando saludar y que la espero para después de las Encenias [1]. No añadirás otra cosa, Marziam.»

«¿Y si me pregunta?»

«Oh, puedes decir sin mentir... que la vida de su Jesús es como este cielo de etamín. Nubecillas y lluviá, y de vez en vez alguna que otra tempestad, pero que no deja de haber días con sol. Como ayer, como tal vez mañana. Callar no es mentir. Le referirás los milagros que has visto. Le dirás que Elisa está conmigo. Que Ananías me ha acogido cual un padre. Que en Nobe estuve en casa de un buen israelita. Lo demás... Sobre lo demás habrá silencio. Y luego irás a ver a Porfiria, y estarás allí hasta que te mande llamar.»

Marziam llora fuertemente.

«¿Por qué lloras así? ¿No estás contento de ir a la casa de María? Ayer sí que estaba...» dice Simón.

«Ayer sí, porque íbamos todos. Pero lloro por el temor de no volverte a ver más... ¡Señor, Señor, jamás volveré a tener días felices como estos en que he estado contigo!»

«Nos volveremos a ver, Marziam. Te lo prometo.»

«¿Cuándo? No antes de Pascua. ¡Falta mucho tiempo!» Jesús guarda silencio. «¿De veras que no me quieres antes de la Pascua?»

Jesús pone un brazo sobre sus flacas espaldas y lo atrae hacia Sí. «¿Por qué quieres saber el futuro? Estemos en el día de hoy. Mañana no lo estaremos. El hombre, aun el más rico y poderoso, no puede añadir un día a su vida. Como todo el futuro, está en manos de Dios...»

«Para Pascua *debo ir* al Templo. Soy Israelita. No puedes hacerme pecar.»

«No cometerás ningún pecado. El primer pecado que debes prometerme que no cometerás es el de desobediencia. Obedecerás y siempre. Ahora a Mí, después a quien hablare en mi Nombre. ¿Me lo prometes? Recuerda que Yo, tu Maestro y Dios, he obedecido a mi Padre y lo obedeceré hasta el fin... de mis días.» Jesús toma un aire grave al decir estas últimas palabras.

Marziam, como fascinado al verlo, dice: «Obedeceré. Lo juro. Delante de Ti y del Dios eterno.»

Un silencio. Luego Zelote pregunta: «¿Va ir sólo?»

«No. Con los discípulos. Encontraremos otros además de Isaac.»

«¿Mandas también a Isaac a Galilea?»

«Sí. Regresará con mi Madre.»

Llaman desde el río. Los tres se separan, atraviesan el camino y se acercan al río.

«Mira, Maestro. Hemos encontrado. Y no quieren nada. Son fa-

[1] Cfr. vol. 2°, pág. 424, not. 6.

miliares de uno que curaste. Acarrean arena a aquel poblado. Hay que ir hasta allá a pie, luego nos toman.»

«Que Dios se lo pague. Esta noche estaremos en casa de Ananías.»

Pedro, contento, sube al camino y ve que Marziam está afligido. «¿Qué te pasa? ¿Qué hiciste?»

«Nada malo, Simón. Le dije que cuando lleguemos al primer lugar donde encontraremos a unos discípulos, le diré que vaya a casa. El se ha entristecido con ello.»

«A casa... ¡Bueno!... Ya es justo... La estación...» reflexiona Pedro. Luego mira a Jesús y le tira de la manga haciéndole inclinarse hasta cerca de su boca. Le habla al oído: «Maestro, pero ¿por qué lo mandas sin esperar...»

«Por la estación, como tú mismo has dicho.»

«¿Y luego?»

«Simón, no quiero mentirte. Porque es bueno para Marziam que se vaya y no se envenene su corazón...»

«Tienes razón, Maestro. Que se envenene su corazón... Es lo que puede suceder en lo futuro...» Levanta su voz: «El Maestro tiene mucha razón. Irás... y nos veremos en Pascua. No tarda mucho... Pasado casleu... ¡Oh, en un santiamén ha llegado el bello nisam! ¡Sí, claro! Tiene mucha razón...» La voz de Pedro es segura. Repite lentamente pero con tristeza: «Tiene mucha razón...» y hablando consigo mismo: «¿Qué habrá pasado de aquí a nisam?» Se golpea la frente con ademán de tristeza.

Continúan caminando en este día húmedo. Torna a llover cuando, llenos de lodo hasta las rodillas, suben a cinco barquichuelas cargadas de arena, y que vuelven a bajar siguiendo la corriente. Llovizna. Al caer las goticas sobre la superficie tranquila del río que refleja un cielo de nubes grises, forman circulitos que se alargan, que se alargan cada vez como un juego de perlas sin fin.

Parece un lugar desierto. Sobre las calzadas, en las insignificantes aldeas, no se ve ser viviente. La lluvia hace que se cierren las casas, que los caminos estén solitarios, de modo que cuando al atardecer desembarcan donde vive Salomón, encuentran todo silencioso y sin nadie en el camino. Llegan a la casa sin ser vistos. Llaman. Nada. Sólo el arrullo de las palomas, el balido de las ovejitas y el ruido de la lluvia.

«No hay nadie. ¿Qué hacemos?»

«Id a las casas del poblado, a la del pequeño Miguel en primer lugar» ordena Jesús.

Y mientras los apóstoles más jóvenes se van prestos, Jesús con los de mayor edad se queda cerca de la casa, observan y hacen comentarios.

«Todo cerrado... El cancel está bien amarrado y asegurado. Mira, hasta hay un grueso clavo. Las ventanas están cerradas. ¡Qué tristeza! Y parece como si se quejaran los palomos y las ovejuelas. ¿No estará enfermo? ¿Qué piensas, Maestro?»

Jesús mueve la cabeza. Está cansado y triste...

Regresan corriendo los apóstoles. Andrés, el primero en llegar, grita cuando todavía está a unos cuantos metros: «Ha muerto... Ananías ha muerto... No se puede entrar en la casa porque todavía no está purificada [2]... Hace pocas horas que lo enterraron... Si hubíeramos podido venir ayer... Ahora viene la mujer, la madre de Miguel.»

«¿Pero qué cosa nos persigue?» prorrumpe Bartolomé.

«¡Pobre viejo! ¡Se sentía tan feliz! ¡Estaba tan bien! ¡Pero cómo! ¿Cuándo enfermó?» todos hablan al mismo tiempo.

Llega la mujer y sin acercarse dice: «Señor, la paz sea contigo. Mi casa está abierta para Ti. Pero... yo no sé... Preparé el cadáver. Por eso no me acerco. Te puedo señalar casas que os pueden acoger.»

«Está bien, mujer. Dios te lo pague y a quien tiene piedad de los viajeros... ¿Cómo murió?»

«No lo sé. No estaba enfermo. Antier estaba bien. Sí, estaba bien. Miguel había venido en la mañana a traer las dos ovejas para juntarlas con las nuestras. Se había pensado en ello. Yo le traje a la hora de sexta [3] sus vestidos que le había lavado. Estaba a la mesa comiendo, completamente sano. Por la tarde Miguel trajo las ovejas y les dió a beber, él le regaló dos tortas de pan que había hecho. Ayer por la mañana, mi hijo vino por las ovejas. Todo estaba cerrado como ahora y nadie respondió a sus gritos. Empujó el cancel, pero no logró abrirlo. Estaba bien cerrado. Miguel se espantó y corrió a verme. Yo y mi marido vinimos corriendo con otros. Abrimos el cancel, llamamos a la cocina... forzamos la puerta... Estaba todavía sentado junto al horno con la cabeza reclinada sobre la mesa, con la lámpara todavía cerca, pero apagada como él, un cuchillo pequeño a sus pies, una escudilla de madera, medio labrada... La muerte lo sorprendió en esta posición... Sonreía... Estaba en paz... ¡Oh, qué cara de justo tenía! Parecía hasta más hermoso... Yo... Poco era lo que lo atendía... pero le había cobrado cariño... y lloro...»

«Está en paz. Lo has dicho. ¡No llores! ¿Dónde lo pusisteis?»

«Sabíamos que lo amabas mucho y por eso lo pusimos en el sepulcro que Leví se hizo hace poco. El único, porque Leví es rico. Nosotros no lo somos. Allá al fondo, al otro lado del camino. Ahora, si quieres, purificaremos todo y...»

[2] El contacto con los cadáveres era considerado como algo que comunicaba impureza. Cfr. Lev. 21, 1-4; 22, 1-9; Núm. 6, 9-12; 19, 11-22; 31, 13-24; Ez. 44, 25-27; Ag. 2, 10-14.

[3] Cfr. Mt. 20, 1-16; 27, 45-46; Mc. 15, 25 y 33-34; Lc. 23, 44; Ju. 4, 6; 19, 14; Hech. 2, 15; 3, 1; 10, 3 y 9 y 30. Las horas pues de prima, tercia, sexta, y nona corresponden respectivamente más o menos a nuestras horas de 7, 9, 12 y 3 de la tarde.

«Sí. Te llevarás las ovejas y los palomos y lo demás guárdalo para Mí y mis amigos, para que pueda venir algunas veces a quedarme. Dios te bendiga, mujer. Vamos al sepulcro.»

«¿Lo quieres resucitar?» pregunta sorprendido Tomás.

«No. No sería un placer para él. Allí donde está, se encuentra más feliz. Lo deseaba tanto...»

Pero Jesús está muy abatido, parece como si todo se juntase para aumentar su tristeza. En las puertas de las casas las mujeres miran y saludan haciendo comentarios.

Llegan pronto al sepulcro: un pequeño cubo construído recientemente. Jesús ora cerca de él. Luego se vuelve con lágrimas en los ojos y dice: «Vámonos... a las casas del poblado... En nuestra casita no hay ya nadie que nos espere para bendecirnos... ¡Padre mío!... La soledad envuelve a tu Hijo, el vacío se va haciendo cada vez más extenso y más tenebroso. Los que me aman se van y se quedan los que me odian... ¡Padre mío, hágase siempre tu voluntad! ¡Siempre sea bendita!...»

Vuelven al poblado, y dos aquí, tres allá, entran en las casas de los que no han tocado el cadáver, para buscar refugio y descanso.

202. La parábola del juez malo[1]

(Escrito el 27 de septiembre de 1946)

Jesús está de regreso en Jerusalén. Una Jerusalén invernal, gris, azotada por el viento. Marziam está todavía con Jesús y con Isaac. Hablando se dirigen al Templo.

José y Nicodemo están con los doce y hablan con todos, mejor dicho con Zelote y Tomás. Luego se separan y pasan por delante, saludando a Jesús sin detenerse.

«No quieren hacer ver su amistad con el Maestro. ¡Es peligroso!» murmura Iscariote a Andrés.

«Creo que lo hacen por algún justo motivo, no por cobardía» los defiende Andrés.

«Por otra parte, no son discípulos. Y pueden hacerlo. *Nunca lo han sido*» dice Zelote.

«¿No? Me parecía que...»

«Ni siquiera Lázaro es discípulo y con todo...»

«Si sigues excluyendo, ¿quién queda?»

«¿Quién? Los que tienen la misión de discípulos.»

[1] Cfr. Lc. 18, 1-8.

«Y los otros, ¿qué cosa son?»

«Amigos. No más que amigos [2]. ¿Acaso dejan sus casas, sus intereses por seguir a Jesús?»

«No. Pero escuchan con gusto y le ayudan con...»

«¡Si es por eso! También los gentiles lo hacen. Viste que en la casa de Nique encontramos a quien se había preocupado por El. Y esas mujeres no son del número de los discípulos»

«¡No te acalores! Lo dije por decir. ¿Te molesta mucho que tus amigos no sean discípulos? Creo que deberías de pensar al revés.»

«No me acaloro y no quiero nada, como tampoco que les hagas mal llamándolos sus discípulos.»

«¿Pero a quién quieres que lo diga? Siempre estoy con vosotros...»

Simón Zelote lo mira tan duramente que la risita que tenía Judas en los labios se le congela y piensa que es mejor cambiar de tema: «¿Qué querían hablar con vosotros ésos dos?»

«Encontraron una casa para Nique, por los jardines, cerca de la Puerta. José conocía al propietario y sabía que con un poco más de dinero se la habría vendido. Se lo haremos saber a Nique.»

«¡Qué ganas de tirar dinero!»

«Es suyo. Puede hacer lo que le venga en gana. Ella quiere estar cerca del Maestro. Con eso obedece a la voluntad de su marido y a su corazón.»

«Sólo mi madre está lejos...» suspira Santiago de Alfeo.

«Y la mía» dice el otro Santiago.

«Pero por poco tiempo. ¿Oíste lo que dijo Jesús a Isaac, a Juan y a Matías? "Cuando volváis para la luna nueva [3] de Scebat venid con las discípulas además de mi Madre".»

«No sé por qué no quiere que Marziam vuelva con ellas. Le ha dicho: "Te quedarás hasta que te llame".»

«Tal vez será que Porfiria no se quede sin ayuda...Si nadie pesca allá, no se come. Nosotros no vamos, debe ir, pues, Marziam. La higuera, la colmena, los pocos olivos y las dos ovejas no son suficientes para quitar el hambre a una mujer, para vestirla...» observa Andrés.

Jesús, apoyado contra el muro del recinto del Templo, los ve venir. Con El están Pedro, Marziam y Judas de Alfeo. Los menesterosos se levantan de sus camastros de piedra en el camino que lleva al Templo — el que va de Sión al Moria, no el que va de Ofel al Templo — y levantan sus lamentos para que los oiga Jesús y les dé

[2] Téngase en cuenta la triple clase de los seguidores de Jesús: los apóstoles, los discípulos, los amigos.

[3] Cfr. Lev. 23, 23-24; Núm. 10, 1-10; 1 Rey. 20, 5 y 24; Is. 1, 10-20; Am. 8, 5: el primer día del mes lunar, llamada luna nueva o neomenia, era día de fiesta.

una limosna. Nadie pide ser curado. Jesús ordena a Judas que les socorra. Entra en el Templo.

No hay mucha gente. Después de la gran afluencia de las fiestas los peregrinos disminuyen. Tan sólo los que por intereses de importancia se ven obligados a venir a Jerusalén, o quien habita en esta ciudad, sube al Templo. Por esto los patios y los portales, aunque no están desiertos, están menos ocupados y parecen más extensos, más sagrados, porque hay más silencio. También los cambistas, los vendedores de palomas y de otros animales son menos numerosos, pegados a los muros de la parte que da el sol, un sol pálido que se abre paso por entre las grises nubes.

Después de que Jesús oró en el patio de los israelitas, se vuelve y se apoya junto a una columna observando... y siendo observado.

Ve que vienen de detrás del patio de los hebreos, un hombre y una mujer que sin mostrar que lloran, su rostro está lleno de dolor. El hombre trata de consolar a la mujer, pero se ve que también él está afligidísimo.

Jesús deja la columna y va a su encuentro. «¿Qué os pasa?» les pregunta compasivamente.

El hombre lo mira, sorprendido de que se interese por ellos, tal vez le parezca que la pregunta no sea delicada; pero la mirada de Jesús es tan dulce que lo desarma. Antes de decir lo que sufre, pregunta: «¿Cómo es posible que un rabí se interese de las penas de un sencillo israelita?»

«Porque el rabí es tu hermano. Tu hermano en el Señor y te ama como está escrito en el mandamiento [4].»

«¡Mi hermano! Soy un pobre campesino de la llanura de Sarón, hacia Dora. Tú eres un rabí.»

«El dolor es tanto para los rabíes como para los demás. Sé lo que significa el dolor, y quisiera consolarte.»

La mujer se levanta un momento el velo para mirar a Jesús y en voz baja dice a su marido: «Díselo. Tal vez nos pueda ayudar...»

«Rabí, tuvimos una hija. La tenemos. Por ahora todavía la tenemos... La casamos decorosamente con un joven que uno de nuestros amigos nos garantizó que sería un buen marido. Eso fue hace seis años. Les han nacido dos niños. Dos... porque después el amor se desvaneció... tanto que ahora... el esposo quiere el divorcio. Nuestra hija llora y se muere. Por esto dijimos que todavía la tenemos, porque dentro de poco morirá de dolor. Hemos hecho todo lo posible por persuadir a su marido. Hemos rogado mucho al Altísimo... Pero ninguno de los dos ha escuchado... Vinimos acá en peregrinación por este motivo y nos hemos quedado aquí por todo el

[4] Cfr. Lev. 19, 18.

tiempo de una luna [5]. Todos los días en el Templo. Yo en mi lugar, mi mujer en el suyo... Esta mañana un criado de mi hija nos trajo la noticia que su esposo había ido a Cesarea para mandarle desde allá el libelo de divorcio [6]. Esta es la respuesta que nuestras plegarias han obtenido...»

«No hables así, Santiago» suplica su mujer en voz baja. Y luego: «El Rabí nos puede maldecir como a blasfemos... Dios nos puede castigar. Es nuestro dolor. Viene de Dios... Y si nos ha castigado, señal es de que lo merecíamos» termina con un sollozo.

«No, mujer. No os voy a maldecir y Dios no os va a castigar. Os lo prometo. Así como os digo que no es Dios quien os envía este dolor, sino que es el hombre quien os lo causa. Dios lo permite para prueba vuestra y para probar al marido de vuestra hija. No perdáis la fe y el Señor os escuchará.»

«Es tarde. Nuestra hija ya fue repudiada y ha perdido su fama...» dice el marido.

« Jamás es tarde para el Altísimo. En un instante y por la oración persistente, puede cambiar el curso de los sucesos. De la copa a los labios hay tiempo para que la muerte pueda encajar su puñal e impedir que quien ya tenía la copa en sus labios, no la beba. Y esto porque Dios ha intervenido. Os lo aseguro. Volved a vuestros lugares de plegaria y continuad hoy, mañana y pasado mañana, y si conserváis vuestra fe, veréis el milagro.»

«Rabí, tratas de consolarnos... pero en estos momentos... No se puede. Tú lo sabes, no se puede anular el libelo una vez que se entrega a la repudiada» insiste el marido.

«Te digo que tengas fe. Es verdad que no se le puede anular, pero ¿sabes que tu hija ya lo recibió?»

«De Dora a Cesarea el camino no es largo. Mientras vino hasta aquí el siervo, no hay duda de que Jacob haya regresado ya a casa y expulsado a María.»

«El camino no es largo, pero ¿estás seguro que ya lo hizo? ¿No puede una voluntad superior a la humana haber detenido a un hombre, si Josué, con la ayuda de Dios, detuvo el sol [7]? Vuestra plegaria persistente y llena de confianza que tiene un buen fin, ¿no es acaso una voluntad santa que se opone a una mala? ¿Y puesto que pedís una cosa buena a Dios, a vuestro Padre, ¿no os ayudará a detener los pasos de ese insensato? ¿No os habrá ya escuchado? Y si el hombre se obstinase aun en ir, ¿lo podrá hacer si vosotros continuáis pidiendo al Padre una cosa justa? Os digo: id a orar hoy, mañana y pasado mañana y veréis el milagro.»

[5] Cfr. nota 3.
[6] Cfr. vol. 1°, pág. 881, not. 6.
[7] Cfr. Jos. 10, 10-15; Eccli. 46, 1-8.

«¡Vamos, Santiago! El Rabí sabe lo que dice. Si nos manda ir a orar señal es que sabe que es justo. Ten fe, esposo mío. Siento una gran paz, siento que una esperanza me nace donde antes había sólo dolor. Dios te lo pague, Rabí bueno, y que te escuche. Ruega también por nosotros. Ven, Santiago, ven» y logra persuadir a su marido que la sigue después de haberse despedido de Jesús con el acostumbrado saludo judío: «La paz sea contigo», al que Jesús responde de igual modo.

«¿Por qué no les dijiste quién eras? Hubieran orado con más tranquilidad» dicen los apóstoles. Felipe añade: «Se lo voy a decir.»

Jesús lo detiene diciéndole: «No quiero. Habrían orado con más serenidad pero con menos mérito. De este modo su fe es perfecta y será premiada.»

«¿De veras?»

«¿Queréis que hubiera mentido a esos dos infelices?»

Mira a la gente que le rodea. Será alrededor de un centenar de persona. Dice: «Escuchad esta parábola que os mostrará el valor de la oración perseverante.

Sabéis lo que dice el Deuteronomio al hablar de los jueces y magistrados [8]: que deben ser justos y misericordiosos escuchando con imparcialidad a quien recurre a ellos, pensando siempre que deben juzgar el caso que se les presenta, como si fuera un caso propio, personal, sin tener en cuenta regalos o amenazas, sin consideraciones por los amigos culpables y sin dureza para los que no están en buenas relaciones con ellos. Si las palabras de la Ley son justas, no lo son los hombres y no saben obeceder la Ley. De este modo se ve que con frecuencia la justicia humana es imperfecta, porque son raros los jueces que sepan conservarse puros de cohecho, que sean misericordiosos, pacientes para con ricos y pobres, para con las viudas y los huérfanos, como lo son para los que no se encuentran en tales circunstancias.

En una ciudad había un juez muy indigno del oficio que había alcanzado a través de familiares de mucha influencia. Por su parte era parcial en juzgar y propenso a dar razón al rico y al poderoso, a quien recomendaban éstos, o bien a quien le hacían grandes regalos. No tenía temor de Dios y se burlaba de las quejas de los pobres y de los débiles porque estaban solos y sin quien los defendiese. Cuando no quería escuchar a quien claramente tenía razón contra un rico, y al que no quería condenar, lo mandaba arrojar de su presencia amenazándolo con echarlo en la cárcel. Los más soportaban su modo violento de ser, resignándose a la derrota aun antes de que su caso se discutiese.

En aquella ciudad vivía una viuda cargada de hijos, la cual debía

[8] Cfr. Deut. 16, 18-20.

recibir una fuerte suma de dinero por trabajos que su difunto esposo había hecho para un rico. Obligada por la necesidad y amor maternal, había tratado de hacerse pagar del rico, y con ese dinero dar de comer a sus hijos y vestirlos para el invierno que se acercaba. Pero como el rico no le hizo caso pese a todas sus súplicas e insistencia, se dirigió al juez.

Este era amigo del rico que le había dicho: "Si me das la razón un tercio de la suma es tuyo". Por esto se hizo sordo a las palabras de la viuda que le decía: "Hazme justicia de mi adversario. Ves que tengo necesidad. Todos pueden decir si no tengo derecho a la suma". Se hizo sordo e hizo que sus ayudantes la arrojasen. Pero la mujer volvió una, dos, diez veces; por la mañana, al mediodía, por la tarde, incansable. Lo seguía por las calles gritándole: "Hazme justicia. Mis hijos tienen hambre y frío. Y no tengo con qué comprar harina y ropa". Se presentaba en el umbral de la casa del juez cuando éste volvía a ir a sentarse a la mesa con sus hijos. Y el grito de la viuda: "Hazme justicia de mi adversario, pues mis hijos y yo tenemos hambre y frío" penetraba hasta el interior de la casa, del comedor, de la alcoba durante la noche, persistente como el chillido de una lechuza: "Hazme justicia, si no quieres que Dios te castigue. Hazme justicia. Recuerda que la viuda y los huérfanos valen mucho ante los ojos de Dios y ¡ay de quien los pisotea! Hazme justicia si no quieres sufrir un día lo que sufrimos nosotros. El hambre que tenemos, el frío que soportamos lo encontrarás en la otra vida, si no me haces justicia. ¡Pobre de ti!"

El juez no tenía temor de Dios, ni del prójimo. Pero al verse siempre perseguido, objeto de burla de parte de toda la ciudad, y hasta de escarnio, terminó por cansarse. Un día se dijo a sí mismo: "Aunque yo no tema a Dios ni las amenazas de la mujer, ni el que dirán mis conciudadanos, sin embargo, para quitarme de encima tanta molestia, haré caso a la viuda y le haré justicia, obligando al rico a que le pague. Basta con que no me siga por todas partes y se me quite de encima". Llamó a su amigo rico y le dijo: "Amigo mío, no es posible que pueda darte gusto. Cumple con tu deber y paga, porque no puedo soportar que se me moleste por tu causa. Lo he dicho". El rico tuvo que desembolsar la suma de dinero según justicia.

Esta es la parábola. Ahora voy a aplicarla.

Oísteis las palabras de un inicuo: "Para quitarme de encima tanta molestia, haré caso a la viuda". Y era un inicuo. Pero Dios, el Padre óptimo, ¿será acaso inferior al juez malo? ¿No hará justicia a sus hijos que lo invocan de día y de noche? ¿Les hará esperar el favor pedido hasta que su alma está ya agotada de tanto rogar? Yo os digo que prontamente les hará justicia para que su alma no pierda la fe. Pero es necesario también saber orar, sin cansarse después de las primeras oraciones, y saber pedir cosas buenas. También hay que confiarse a Dios diciendo: "Que se haga lo que según tu sabiduría ves que nos es útil".

Tened fe. Sabed orar con fe en la plegaria y en Dios vuestro Padre. El os hará justicia contra los que os oprimen: bien sean hombres o demonios, enfermedades u otras desgracias. La oración perseverante abre el cielo, y la fe salva el alma por la plegaria. ¡Vámonos!»

Se dirige a la salida. Está ya casi fuera del recinto cuando levantando su cabeza para mirar a los pocos que siguen y a los muchos indiferentes u hostiles que lo miran desde lejos, exclama: «¿Pero cuando el Hijo del hombre torne, encontrará acaso todavía fe en la tierra?» y suspirando se envuelve en su manto, caminando a pasos largos hacia el suburbio de Ofel.

203. «Yo soy la Luz del mundo» [1]

(Escrito el 28 de septiembre de 1946)

Jesús está todavía en Jerusalén, no dentro de los patios del Templo, pero sí dentro de un amplio salón bien adornado, uno de tantos como hay en el recinto que es grande, inmenso como una villa.

Hace poco que ha entrado. Todavía caminando lleva a su lado a quien lo invitó a entrar, probablemente para que se defendiese del frío viento que sopla en el Moria, y detrás de El van los apóstoles y alguno que otro discípulo. Digo: «alguno que otro» porque además de Isaac y Marziam, está Jonatás, y mezclados entre la gente que también entra detrás del Maestro, está aquel levita, Zacarías, que hace pocos días antes le dijo que quería ser su discípulo, y también hay otros dos que he visto con los discípulos, pero cuyo nombre ignoro. Entre éstos, buenos de corazón, no faltan los acostumbrados e inevitables fariseos. Se detienen junto a la puerta, como si se hubiesen encontrado allí por mera casualidad para hablar de sus negocios, pero con la intención de oir. Los presentes arden en deseos de oir la palabra del Señor.

El mira este conjunto en que hay gente de varias naciones, pero todas de religión hebrea. La contempla. Muchos de ellos mañana se esparcirán por las regiones de donde vinieron y llevarán a ellas su paladra diciendo: «Hemos escuchado al Hombre que se dice ser nuestro Mesías.» No les habla de la ley en la que están instruídos,

[1] Cfr. Ju. 8, 12-20.

como ha hecho muchas veces, cuando comprende que no lo están, o que tienen opiniones diversas; sino que habla de Sí mismo, para que lo conozcan.

Dice: «Yo soy la Luz del mundo. Quien me sigue no camina en las tinieblas sino que tendrá la luz de la vida». Se calla, después de haber anunciado el tema del discurso que intenta desarrollar, como lo hace generalmente cuando está por pronunciar uno de mucha importancia. Se calla para dejar que la gente decida si el argumento le gusta o no, y dar también tiempo a que se vaya quien no tenga interés en el tema. De los presentes ninguno se va; más bien los fariseos que estaban en la puerta, trabados en una plática disimulada y fingida, se callan, y se vuelven hacia lo interior de la sinagoga a las primeras palabras de Jesús. Entran abriéndose paso con su prepotencia usual.

Cuando el rumor cesa, Jesús repite la anterior frase con voz más fuerte, y continúa: «Yo soy la Luz del mundo, porque soy Hijo del Padre que es el Padre de la Luz. El hijo siempre se asemeja al padre que lo engendró y tiene su misma naturaleza. De igual modo Yo me asemejo al que me engendró y tengo su misma naturaleza. Dios, el Altísimo, el Espíritu Perfecto e Infinito es Luz de Amor, Luz de Sabiduría, Luz de Poder, Luz de Bondad, Luz de Belleza. El es el Padre de las luces y quien vive de El y en El ve, porque está en la Luz, así como es deseo de Dios que las criaturas lo contemplen. Ha dado al hombre inteligencia y voluntad para que pueda ver la Luz, esto es, a El mismo, y comprenderla y amarla. Ha dado al hombre los ojos para que pueda ver la cosa más bella y más perfecta de todo lo creado, aquella por la cual es visible la creación, la que fue una de las primeras obras del Dios Creador y que lleva consigo la señal más visible del que la creó: la luz, incorpórea, luminosa, beatífica, consoladora, necesaria así como lo es el Padre de todos: el Dios eterno y Altísimo.

Por una orden de su Pensamiento creó el firmamento y la tierra, esto es, la masa de la atmósfera, la masa del polvo, lo incorpóreo y corpóreo, lo ligero y lo pesado, pero ambas cosas estaban informes y sin adornos porque estaban envueltas en las tinieblas, sin astros, sin vida. Para dar a la tierra y al firmamento su verdadera fisionomía, para hacer dos cosas bellas, útiles, aptas para la prosecución de su obra creadora, el Espíritu de Dios — que se cernía sobre las aguas y que era una sola cosa con el Creador que creaba y con el Inspirador que empujaba a crear para poder amarse no sólo a Sí mismo en el Padre y en el Hijo, sino también amar un número inmenso de criaturas que llevan por nombre, astros, planetas, agua, mares, selvas, plantas, flores, animales que vuelan, que nadan, que se arrastran, que corren, que saltan, que trepan, y finalmente al hombre, *el más perfecto de lo creado, más perfecto que el sol porque tiene alma además de la materia, inteligencia además del instinto, libertad además del orden, al hombre semejante a Dios por el espíritu, semejante al animal por la carne, semidiós que se convierte en dios* [2] *por la gracia de Dios y voluntad propia, al ser humano que si quiere puede transformarse en ángel* [3]*, al ser más amado de lo creado para el que, desde antes que el tiempo existiese y sabiendo que pecaría, preparó el Salvador, la Víctima en el Ser amado sin medida, en el Hijo, en el Verbo, por quien todo fue hecho* — pero para dar a la tierra y al firmamento su verdadera fisionomía, decía Yo, entonces el Espíritu de Dios, cerniéndose en el cosmos grita, y es la Palabra que por primera vez se manifiesta: "Hágase la luz" [4], y la luz es buena, salutífera, poderosa en el día, tenue en la noche, pero que no terminará sino hasta cuando llegue su tiempo. Dios sacó del océano de sus maravillas, de su trono, de su seno, la piedra preciosa más bella que fue la luz y es la que precedió al joyel más precioso que fue la creación del hombre, en el que no hay una piedra preciosa de Dios, sino Dios mismo [5] con su aliento que entró en el lodo para hacer un cuerpo, para dar una vida y crear un heredero suyo en el Paraíso celestial donde espera a los justos, a sus hijos, para regocijarse en ellos y ellos en El.

Si desde los principios de la creación Dios quiso que en sus obras estuviese la luz, si para hacer la luz se sirvió de su Palabra, si Dios entregó a sus seres más amados su semejanza más perfecta: la luz, luz material que regocija, que es incorpórea, la luz espiritual llena de sabiduría y de santificación, ¿podrá no haber entregado al Hijo de su amor lo que es El mismo? En verdad que el Altísimo dió ab eterno a aquel en quien se complace todo, y quiso que la Luz fuese la primera y la más poderosa, para que sin tener que esperar a subir a los cielos los hombres conociesen las maravillas de la Trinidad, lo que hace cantar a los cielos en sus coros bienaventurados, cantar por la armonía de su júbilo pleno que llega a los ángeles al contemplar la Luz, esto es, a Dios, la Luz que llena el Paraíso y lo hace bienaventurado en todos sus habitantes.

Yo soy la Luz del mundo. Quien me sigue no camina en las tinieblas, y tiene la luz de la Vida. Así como la luz de la tierra informe trajo la vida a plantas y animales, de igual modo mi Luz concede a los espíritus la vida eterna. Yo, Yo la Luz, creo en vosotros la vida y la sostengo, la aumento, os vuelvo a crear en ella, os transformo, os conduzco a la mansión de Dios por los caminos de la sabiduría, del amor, de la santificación. Quien tiene en sí a la Luz,

[2] Cfr. pág. 207, not. 3.
[3] Cfr. Mt. 22, 30; Mc. 12, 25; Lc. 20, 34-36.
[4] Para profundizar lo que se dice en este cap. de Jesús-Luz, cfr. Gén. 1, 1 - 2, 4; Eccli. 42, 15 - 43, 37; 1 Ju.
[5] Según el sentido del contexto y por lo tanto como en Gén. 1, 27; 2, 7.

tiene en sí a Dios, porque la Luz es una sola cosa con la caridad, y quien tiene la caridad tiene a Dios. Quien tiene en sí la Luz, tiene en sí la vida, porque Dios está allí donde se acepta a su Hijo amado.»

«Estás diciendo palabras sin sentido. ¿Quién jamás ha visto a Dios? Ni siquiera Moisés vió a Dios en el Horeb. Apenas supo quién le hablaba desde la zarza ardiente, se cubrió el rostro; y tampoco pudo verlo las otras veces en medio de los deslumbradores rayos. Y ahora dices que viste a Dios. A Moisés que fue el único que lo oyó hablar, se le quedó un resplandor en su cara [6]. Pero ¿Tú, qué luz tienes en tu rostro? Eres un pobre galileo de cara pálida como los sois casi todos vosotros. Estás enfermo, cansado. Estás flaco. Si hubieses visto en realidad a Dios, y si te amase, no estarías como uno que está próximo a morir. ¿Tú que no tienes la vida ni para Ti mismo, quieres darla a otros?» y sacuden su cazeba, con irónica compasión.

«Dios es Luz y Yo soy cual es su Luz para que los hijos conozcan a su padre y para que cada uno se conozca a sí mismo. Yo conozco a mi Padre y sé quién soy. Soy la Luz del mundo. Soy la Luz porque mi Padre es la Luz y me ha engendrado dándome su Naturaleza [7]. La Palabra no es desemejante al Pensamiento, porque la palabra expresa lo que la inteligencia piensa. Por otra parte, ¿no conocéis los profetas? ¿No os acordáis de Ezequiel y sobre todo de Daniel? Al describir a Dios, que vio en la visión, sobre el carro de cuatro animales, dice el primero: "En el trono había uno cuyo aspecto parecía el de un hombre y *dentro* de él y a su alrededor vi una especie como de rayo, parecido al fuego, y por detrás y por debajo de él vi algo así como fuego que resplandecía a su alrededor, como el aspecto del arco iris cuando se forma en las nubes después de la lluvia. Tal era el aspecto del resplandor a sus lados [8]" Daniel dice:"Estaba yo contemplando hasta que fueran puestos los tronos y se sentó el Anciano de días. Sus vestiduras eran blancas como la nieve, sus cabellos cual blanquísima lana. Llamas vivas eran su trono y las ruedas de su trono eran fuego abrasador. Un río de fuego corría rápidamente ante su rostro" [9]. Así es Dios y así seré cuando venga a juzgaros.»

«Tu testimonio no vale nada. Das testimonio de Ti mismo, por eso tu testimonio ¿qué valor puede tener? Para nosotros no lo tiene».

«Aunque Yo dé testimonio de Mí mismo, mi testimonio es verda-

[6] Cfr. Ex. 3, 1-6; 34, 29-35; (2 Cor. 3, 7 - 4, 6); y también vol. 1°, pág. 657, not. 3.
[7] Cfr. Símbolo Niceno-Constantinopolitano: «lumen de lumine».
[8] Cfr. Ez. 1, 26-28.
[9] Cfr. Dan. 7, 9-10.

dero, porque sé de dónde he venido y a dónde voy. Vosotros no sabéis de dónde haya venido ni a dónde vaya. Tomáis por sabiduría lo que veis. Yo al contrario conozco todo lo que es desconocido al hombre, y vine para que lo conozcáis. Por esto he dicho que soy la Luz. Porque la luz permite conocer lo que las sombras ocultan. En el cielo hay luz, en la tierra reinan las tinieblas y ocultan la verdad a los espíritus porque las tinieblas odian el corazón de los hombres y no quieren que conozcan la Verdad y las verdades para que no se santifiquen. Por esto he venido, para que tengáis luz y por lo tanto vida. Pero no me queréis aceptar. Queréis juzgar de lo que ignoráis y esto no lo podéis hacer porque está muy arriba de vosotros y es incomprensible a cualquiera que no contemple con los ojos del corazón, con espíritu humilde y nutrido de la fe. Vosotros juzgáis según el modo humano, por esto vuestro juicio no puede ser verdadero. Yo al contrario no juzgo a nadie, con tal que pueda abstenerme de juzgar. Os contemplo con misericordia y ruego por vosotros para que os abráis a la Luz. Pero cuando tenga que juzgar, entonces mi juicio es verdadero porque no estoy solo, sino con el Padre que me envió, y El ve desde su gloria el interior de los corazones. Y como ve el vuestro, ve el mío. Si viese en mi corazón un juicio injusto, por el amor que me tiene y por el honor de la justicia, me lo advertiría. Yo y el Padre juzgamos de un solo modo y por esto somos dos para juzgar y para dar testimonio. En vuestra ley está escrito que el testimonio de dos que afirman la misma cosa tiene que aceptarse por verdadero y válido [10]. Así pues Yo doy testimonio de mi Naturaleza y conmigo el Padre que me envió. Por esto, lo que Yo digo es verdad.»

«Nosotros no oímos la Voz del Altísimo. Tú dices que es tu Padre...»

«El habló de Mí en el Jordán...»

«Está bien. Pero no eras el único allí. Estaba también Juan. Podía haber hablado de él. El fue un gran profeta.»

«Con vuestras mismas palabras os condenáis. Decidme: ¿quién habla por los labios de los profetas?»

«El Espíritu de Dios [11].»

«¿Fue Juan para vosotros un profeta?»

«Uno de los más grandes, sino el mayor.»

«Entonces, ¿porque no habéis creído en sus palabras? El me señaló como el Cordero de Dios que vino a borrar los pecados del mundo. Respondía a quien le preguntaba si él era el Mesías: "No lo soy, sino quien lo precede. Detrás de mí viene el que en realidad es

[10] Cfr. Deut. 19, 15.

[11] Cfr. por ejemplo: Núm. 11, 16-17, 24-30; 23, 4 - 24, 25; 1 Rey. 9, 26 - 10, 16; 19, 18-24; 2 Rey. 23, 1-7; 3 Rey. 2, 1-18; 2 Par. 15, 1-15; 20, 13-17; 24, 17-22; Is. 48, 12-16; 61; Jl. 2, 28-32; Miq. 3, 5-8; Zac. 7, 4-14.

anterior a mí porque existe antes de mí, y yo no lo conocía, pero el que me tomó desde el vientre de mi madre y el que me habló en el desierto y me envió a buatizar, me dijo: 'Sobre quien vieras descender el Espíritu, El es el que bautizará en el Espíritu Santo y en fuego''. ¿No os acordáis? Y sin embargo muchos de vosotros estuvisteis presentes... ¿Por qué pues no creéis al profeta que me señaló después de haber escuchado las palabras del cielo? ¿Debo decir esto a mi Padre: que su Pueblo no cree más en los profetas?»

«¿Y dónde está tu padre? José el carpintero hace años que duerme en el sepulcro. Tú no tienes más padre.»

«Vosotros no me conocéis ni a mi Padre. Si me quisierais conocer, conoceríais también a mi verdadero Padre.»

«Estás poseído del demonio, y eres un mentiroso. Eres un blasfemo al sostener que el Altísimo es tu Padre. Merecerías que se te castigase según la ley [12].»

Los fariseos y los otros del Templo vociferan amenazadores mientras la gente defensora de Jesús los mira con torva actitud.

Jesús los contempla sin añadir palabra. Después sale del salón por una puertecilla lateral que comunica con un patio.

[12] Cfr. Lev. 24, 10-23.

204. «Somos descendencia de Abraham» [1]

(Escrito el 30 de septiembre de 1946)

Jesús vuelve a entrar en el Templo con los apóstoles y discípulos. Y no sólo aquéllos, sino también éstos le hacen observar que es imprudente hacerlo. El responde: «¿Con qué derecho pueden impedir que entre? ¿Estoy acaso sentenciado? No. Todavía no lo estoy. Subo, pues, al altar de Dios como cualquier otro israelita que teme al Señor.»

«Pero tienes intención de hablar...»

«¿Y no es este el lugar donde de costumbre se juntan los rabíes para hablar? La excepción es hablar y enseñar fuera de aquí, y puede interpretarse como el querer estar a solas con el rabí o por alguna necesidad personal. El lugar que cualquiera prefiere para enseñar a sus discípulos es este. ¿No estáis viendo que alrededor de los rabinos se acerca gente de cualquier nacionalidad, al menos para oir a los más célebres? Si no por otra cosa al menos para poder decir cuando regresen a su tierra natal: ''Hemos oído a un maestro, a un filósofo que habla según el modo de Israel''. Maestro para los que son o quieren ser hebreos; filósofo para los verdaderos y pro-

[1] Cfr. Ju. 8, 21-59.

pios gentiles. Ni los mismos rabinos toman a mal que estos últimos los escuchen, porque esperan hacer prosélitos. Sin esta esperanza, que si fuera humilde sería santa, ellos no estarían en el patio de los paganos, sino que pedirían hablar en el de los israelitas, y de ser posible hasta en el Santo mismo [2], que según su modo de juzgarse a sí mismos, son tan santos que sólo Dios les es superior... Yo, Maestro, hablo donde los maestros hablan. ¡No tengáis miedo! No ha llegado su hora. Cuando llegue [3] os lo diré para que fortifiquéis vuestro corazón.»

«No lo dirás» dice Iscariote.

«¿Por qué?»

«Porque no la podrás saber. Ninguna señal te la hará conocer. No hay señal alguna. Ya hace casi tres años que estoy contigo y siempre he visto que te amenazan y persiguen. Y en ese entonces estabas solo. Ahora tienes detrás de Ti al pueblo que te ama y al que temen los fariseos. Eres, pues, más fuerte. ¿Cómo puedes comprender cuando llegue la hora?»

«Por lo que leo en el corazón de los hombres.»

Judas se queda un momento estupefacto, luego: «Tampoco lo podrás decir porque... Tú no quieres ayudarte de nosotros porque desconfías de nuestro valor.»

«Cállate, para no afligirnos» interrumpe Santiago de Zebedeo.

«Puede serlo. Pero no hay duda de que no lo dirás.»

«Os lo diré. Y mientras no os lo diga, no os espantéis de la violencia y odio que viereis que se levanta contra de Mí. No tienen consecuencia alguna. Seguid adelante. Yo me quedo aquí para esperar a Mannaén y a Marziam.»

De mala gana los doce y quienes vienen con ellos siguen adelante.

Jesús vuelve a la puerta para esperar a los dos y hasta sale a la calle y da vuelta por la torre Antonia.

Algunos legionarios, que están firmes junto a la fortaleza, lo señalan y entre sí dicen algo. Parece como si discutiesen, luego uno en voz alta dice: «Voy a decírselo» y se viene a Jesús.

«Salve, Maestro. ¿Vas a hablar también hoy allá dentro?»

«La Luz te ilumine. Hablaré.»

«Entonces... ten cuidado. Uno que sabe nos ha puesto en alarma. Y una que te admira ha dado órdenes de estar atentos. Nosotros estaremos cerca del subterráneo oriental. ¿Sabes la entrada?»

«Me parece que sí. Pero está cerrada de una y otra parte.»

«¿De veras?» El legionario se sonríe por un instante. A la sombra de su yelmo sus ojos y dientes brillan, haciéndolo aparentar más

[2] Como en este cap. se alude al Santuario mosaico o salomónico, o a alguna de sus partes, cfr. pues, por ej.: Ex. 25-27; 33, 7-11; 35-38; Lev. 16; 3 Rey 5-9; 2 Par. 1-9; 1 Esd. 1-6; Hebr. 9.

[3] Cfr. pág. 448, not.1.

joven. Luego, irguiéndose, saluda: «Salve, Maestro. Acuérdate de Quinto Félix.»

«Lo haré. Que la Luz te ilumine.»

Jesús sigue caminando y el legionario vuelve a su lugar y habla con sus camaradas.

«Maestro ¿nos tardamos? ¡Había muchos leprosos!» dicen al mismo tiempo Mannaén, que viene vestido de una manera muy sencilla, de un color café oscuro, y Marziam.

«No. Os disteis prisa. Vamos, los otros nos están esperando. Mannaén, ¿fuiste tú el que hablaste con los romanos?»

«¿De qué, Señor? No he hablado con nadie. No sabría... Las romanas no están en Jerusalén.»

Nuevamente están junto a la puerta de la muralla. Como por casualidad está ahí el levita Zacarías.

«La paz sea contigo, Maestro. Quiero decirte... trataré de estar siempre donde estés, aquí dentro. No me pierdas de vista. Si hay tumulto y ves que me voy, trata de seguirme siempre. ¡Te odian mucho! No puedo hacer otra cosa... Compréndeme...»

«Dios te lo pague y te bendiga por la piedad que tienes por su Verbo. Haré lo que dices. No tengas miedo de que alguien sepa que me amas.»

Se separan.

«Tal vez fue él que advirtió a los romanos. Como está allí dentro, puede ser que lo haya sabido...» susurra Mannaén.

Van a orar pasando entre la gente que los mira con sentimientos desiguales y que sigue a Jesús, después de que terminó de orar y va al patio de los israelitas.

Fuera de la segunda valla Jesús quiere detenerse pero un grupo en que hay escribas, fariseos y sacerdotes lo rodea. Uno de los magistrados del Templo habla en nombre de todos.

«¿Estás aquí todavía? ¿No comprendes que no te queremos? ¿No tienes miedo ni siquiera al peligro que te amenaza? Lárgate. Agradece que te hayamos permitido entrar para orar. Pero no te permitimos que enseñes más tu doctrina.»

«Sí, lárgate, lárgate de aquí, blasfemo.»

«Me iré como lo deseáis, y no sólo fuera de estas murallas. Me iré, ya me estoy yendo, lejos, a donde no podréis llegar. Llegará tiempo en que me buscaréis también vosotros, y no sólo porque me queráis perseguir, sino por un supersticioso terror de que se os castigue, por haberme arrojado, por un ansia supersticiosa de que se os perdone vuestro pecado para que podáis alcanzar misericordia. Pero Yo os lo digo, esta es la hora de la misericordia. Este es el momento en que podáis haceros amigo al Altísimo. Cuando pase, cualquier modo de reparar será inútil. No me tendréis más y moriréis en vuestro pecado. Aun cuando recorrierais toda la tierra y lograseis llegar a las estrellas y planetas, no me encontraréis jamás porque a donde voy, no podréis ir. Ya os lo he dicho. Dios viene y pasa. Quien es sabio lo acoge con sus dones que le da al pasar. Quien es necio lo deja ir y no lo encontrará otra vez. Vosotros sois de acá abajo. Yo soy de allá arriba. Vosotros sois de este mundo. Yo no pertenezco a él . Por esto una vez que haya regresado a la mansión de mi Padre, fuera de este mundo vuestro, no me encontraréis más y moriréis en vuestros pecados porque ni siquiera sabréis llegar espiritualmente hasta Mí con la fe.»

«¿Te quieres matar, insensato? Es claro que al infierno a donde llegan los iracundos, no podremos ir. El infierno es de los condenados, de los malditos, y nosotros somos los hijos benditos del Altísimo» dicen algunos.

Otros lo aprueban diciendo: «No cabe duda que se quiere matar porque ha dicho que a donde va no podremos ir. Comprende que puede ser descubierto y que no logró presentar la prueba. Por esto se quita de en medio sin esperar a ser sorprendido cual falso Mesías, como el otro galileo [4].»

Y otros con mejor ánimo: «¿Y si fuese en realidad el Mesías y volviese en realidad a Aquel que lo envió?»

«¿A dónde? ¿Al cielo? No está Abraham y ¿quieres que El vaya allá? Debe venir antes el Mesías.»

«Elías fue arrebatado en un carro de fuego [5].»

«En un carro, sí. Pero ¡al cielo!... ¿Quién lo asegura?»

La discusión sigue mientras fariseos, escribas, magistrados, sacerdotes, judíos serviles de los sacerdotes, escribas y fariseos persiguen a Jesús a través de los pórticos exteriores como una jauría de perros persigue la presa que han olfateado.

Algunos, que en realidad tienen en su corazón un deseo bueno, se abren paso hasta llegar a Jesús y le hacen la angustiosa pregunta, que muchas veces le han hecho con amor o con odio: «¿Quién eres Tú? Dínoslo para que sepamos a qué atenernos. ¡Dinos la verdad en nombre del Altísimo!»

«Yo soy la Verdad misma y no miento. Soy el que os dije ser desde el primer día en que hablé a las turbas, desde el día en que he hablado por toda Palestina. Soy el que os he dicho aquí muchas veces ser, junto al Santo de los Santos [6] cuyos rayos no temo porque digo la verdad. Todavía me faltan muchas cosas que decir y juzgar respecto de este pueblo, y aunque parezca que la tarde se me acerca, sé que las diré y juzgaré a todos, porque así me lo prometió el que me envió y es veraz. El me habló con un eterno abrazo de amor,

[4] Probable alusión a Judas Galileo del que se habla en Hech. 5, 34-39.
[5] Cfr. 4 Rey. 2, 1-18; Eccli. 48, 1-11.
[6] Cfr. pág. 476, not. 2.

me comunicó todo su Pensamiento para que pudiese decirlo con mi Palabra al mundo y no podré callarme, ni nadie lo podrá impedir hasta que anuncie a todo el mundo lo que oí de mi Padre.»

«¿Y todavía sigues blasfemando? ¿Y continúas llamándote Hijo de Dios? ¿Quién te puede creer? ¿Quién puede ver en Ti al Hijo de Dios?» le gritan sus enemigos, arrebatados del odio, poniéndole sus puños cerrados cerca de su rostro.

Los apóstoles, los discípulos y otros de buen corazón los rechazan, formando como una barrera de protección a su alrededor. El levita Zacarías poco a poco, se mueve, pero de modo de no atraer la atención de los energúmenos, en dirección de Jesús, cerca de Mannaén y de los hijos de Alfeo.

Están ya junto a los límites del Patio de los Gentiles porque avanzan lentamente en medio de grupos contrarios. Jesús se detiene en su lugar acostumbrado, junto a la columna de la parte oriental. Desde el lugar donde están ni aun los paganos pueden arrojar a un verdadero israelita, a menos de excitar a la multitud, cosa que los enemigos evitan de hacer. Desde allí empieza a hablar otra vez respondiendo a sus ofensores y a todos: «Cuando hubiereis levantado al Hijo del hombre...»

Aúllan fariseos y escribas: «Y ¿quién quieres que te suba en alto? Miserable aquel país que tiene por rey a un charlatán, a un blasfemo, enemigo de Dios. Ninguno de nosotros te pondrá en alto, puedes estar seguro. Y pudiste comprobar lo poco que te queda de inteligencia, el día en que fuiste tentado. ¡Tú sabes que nunca podremos hacerte nuestro rey!»

«Lo sé. No me pondréis sobre un trono, pero sí me levantaréis en alto. Creeréis rebajarme al ponerme en alto, pero será todo lo contrario. No tan sólo en Palestina, no sólo en Israel esparcido por todo el mundo, sino en todas partes, hasta las naciones paganas, hasta aquellos lugares que todavía los doctos ignoran. Lo seré no por una generación, sino hasta que dure la tierra, y cada vez más la sombra del pabellón de mi trono se extenderá por la tierra hasta que la cubra. Solo entonces regresaré y me veréis. ¡Sí que me veréis!»

«¡Pero escuchad las palabras de este loco! Lo levantaremos en alto rebajándolo, y lo rebajaremos laventándolo! ¡Es un loco! ¡Loco! ¡Y la sombra de su trono por toda la tierra! ¡Más grande que Ciro! ¡Más que Alejandro! ¡Más que César! ¿Dónde pones al César? ¿Crees que te va a permitir que te apoderes del imperio de Roma? Y su trono durará mientras dure el mundo. ¡Ja, ja, ja!» Sus palabras suenan a bofetadas. Peor: como al chasquido del látigo.

Jesús los deja que hablen. Levanta su voz para hacerse oir en el clamor que levantan los que lo zahieren y los que lo defienden. Semejante al rumor de un mar tempestuoso.

«Cuando hubiereis levantado al Hijo del hombre, entonces comprenderéis quién soy y que por Mí no hago nada, sino que digo lo que mi Padre me enseñó y hago lo que El quiere. Y El, que me envió, no me ha dejado solo, sino que está conmigo. Así como la sombra sigue el cuerpo, de igual modo, detrás de Mí, atento, presente aunque invisible, está el Padre. Está a mis espaldas y me consuela y me ayuda y no se aleja porque hago siempre lo que a El le agrada. Se aleja sí cuando sus hijos no obedecen sus leyes e inspiraciones. Entonces se va y los deja solos. Por esto muchos en Israel pecan. Porque el hombre abandonado a sí mismo difícilmente se conserva justo y fácilmente cae en los lazos de la Serpiente. En verdad, en verdad os digo que por vuestro pecado de resistencia a la Luz y a la misericordia divina, Dios se aleja de vosotros, de este lugar, de vuestros corazones y lo que lloró Jeremías en sus profecías y lamentaciones [7] se cumplirá al pie de la letra. Meditad esas palabras y temblad y volved a vosotros mismos con un espíritu bueno. Escuchad no las amenazas sino la bondad del Padre que todavía advierte a sus hijos mientras pueden reparar y salvarse. Oíd a Dios en las palabras y en los hechos, y si no queréis creer en mis palabras porque el viejo Israel os sofoca, creed al menos al viejo Israel. A él los profetas le dicen a gritos los peligros y desgracias que llegarán sobre la ciudad santa y sobre toda nuestra Patria si no se convierte al Señor, Dios suyo, y no sigue al Salvador. En siglos pasados la mano de Dios se dejó sentir sobre este pueblo, pero nada serán el pasado y el presente respecto al futuro tremendo que lo espera por no haber querido aceptar el mandato de Dios. No se puede parangonar ni por su rigor ni por su duración lo que espera a Israel que rechaza al Mesías. Os lo digo al tender mi mirada por los siglos: cual planta arrancada y arrojada en un río turbulento, así será la raza hebrea castigada por el anatema divino. Obstinadamente tratará de asirse de las riberas, en este o en aquel punto, y vigorosa como es echará retoños y raíces, pero cuando creyere haber encontrado un lugar donde pueda estar, la violencia de la corriente la volverá a arrancar, la destrozará con vástagos y raíces, y avanzará más allá para sufrir, para echar raíces, para que de nuevo sea arrancada y dispersa. Y nada podrá darle paz porque la corriente que la persigue es la ira de Dios y el desprecio de los pueblos. Sólo si desemboca en un mar de Sangre viva y santificante podrá encontrar paz; pero huirá de esa Sangre porque, no obstante que ella la invite, le parecerá oir la voz de la sangre de Abel [8] contra sí: el

[7] Cfr. Jer., Lam. 1-5.
[8] Cfr. Gén. 4, 1-16.

Caín que oirá la voz del Abel celestial.»

Otro rumor se propaga por el extenso recinto como fragor de olas. Pero no se oyen las voces ásperas de los escribas, fariseos y de los que los siguen.

Jesús aprovecha este momento para tratar de irse, sin embargo algunos que estaban de lejos escuchándolo le dicen: «Maestro, óyenos. No todos somos como ésos (y señalan a sus enemigos). No podemos oírte bien porque tu voz es sola contra cientos que dicen lo contrario. Lo que ellos dicen es lo que hemos oído de labios de nuestros padres desde nuestra infancia. Pero tus palabras nos inducen a creer. ¿Cómo haremos para creer completamente y para tener vida? Estamos como ligados al pensamiento del pasado...»

«Si os afirmáis en mi Palabra como si nacierais ahora de nuevo, creeréis completamente y seréis mis discípulos. Pero es necesario que os despojéis del pasado y aceptéis mi doctrina. Ella no cancela todo el pasado, antes bien mantiene y revigoriza lo que hay de santo y sobrenatural en el pasado y quita lo superfluo humano poniendo la perfección de mi doctrina donde están las doctrinas humanas, imperfectas siempre. Se viniereis a Mí conoceréis la Verdad y la Verdad os hará libres.»

«Maestro, es verdad que te dijimos que estamos como ligados al pasado, pero esta unión no es prisión ni esclavitud. Somos descendencia de Abraham en las cosas del espíritu porque la posteridad de Abraham, sino estamos equivocados, se refiere a la posteridad espiritual contrapuesta a la de Agar [9] que es posteridad de esclavos. ¿Cómo pues puedes decir que seremos libres?»

«También fueron de la posteridad de Abraham Ismael y sus hijos, tenedlo en cuenta. Porque Abraham fue padre de Isaac e Ismael [10].»

«Pero impura porque fue hijo de una mujer esclava y egipcia.»

«En verdad, en verdad os digo que no hay sino una esclavitud: la del pecado. Sólo quien comete el pecado es un esclavo, pero de una esclavitud que no puede redimirse con dinero. Y se hace de un patrón inexorable y cruel. Una esclavitud que pierde todo derecho a la libre soberanía en el reino de los cielos. El hombre que es hecho prisionero en guerra o por alguna desgracia es reducido al estado de esclavitud puede llegar a ser propiedad de un buen patrón. No obstante su estado siempre es lastimero porque el patrón puede venderlo a otro que sea cruel. El esclavo es una mercancía y no más. Algunas veces se le emplea como moneda para pagar una deuda. No tiene ni siquiera el derecho de llorar. El siervo por el

[9] Cfr. Gén. 16 y 17; 21, 8-20; Gal. 4, 21-31.
[10] Cfr. Gén. 16; 21, 1-20; 25, 12-18; 1 Par. 1, 27-31.

contrario vive en la casa del patrón hasta que no lo liberte. Pero el hijo siempre se queda en la casa de su padre, y éste jamás piensa en arrojarlo. Sólo por su libre voluntad puede salir. En esto está la diferencia entre esclavitud, servidumbre y filiación. La esclavitud reduce el hombre a cadenas. La servidumbre lo pone a servicio de un patrón. La filiación lo coloca para siempre, y gozando de igual vida, en la casa del padre. La esclavitud aniquila al hombre, la servidumbre lo hace como un criado, la filiación lo hace libre y feliz. El pecado hace al hombre esclavo del patrón más cruel y sin límites de tiempo, de Satanás. La servidumbre, en este caso la Antigua Ley, hace al hombre temeroso de Dios como de un Ser intransigente. La filiación, esto es, el acercarse a Dios en su Primogénito, conmigo, hace al hombre libre y feliz, conoce y tiene confianza en el amor de su Padre. Aceptar mi doctrina es acercarse a Dios conmigo, Primogénito de muchos hijos amados. Yo romperé vuestras cadenas con sólo que vengáis a Mí para que lo haga, y seréis verdaderamente libres y coherederos conmigo en el reino de los cielos. Sé que sois posteridad de Abraham, pero el que de entre vosotros trata de matarme no honra a Abraham, sino a Satanás y le sirve como un fiel esclavo. ¿Por qué? Porque rechaza mi palabra y ella no puede penetrar en muchos de vosotros. Dios no hace violencia al hombre para que crea. No se la hace para que me acepte. Me manda para que Yo os indique su voluntad. Y Yo os digo lo que vi y oí cerca de mi Padre. Y hago lo que El quiere, pero quienes de vosotros me perseguís, hacéis lo que habéis aprendido de vuestro padre y lo que os sugiere.»

Como un paroxismo que se desata después de una ira mal contenida, así se revuelten los judíos: fariseos y escribas. Parecía que se había calmado, pero violenta vuelve a despertarse. Se entrometen como una cuña en el círculo compacto que rodea a Jesús y tratan de acercársele. Los movimientos de la multitud son contrarios, como contrarios son los sentimientos de los corazones. Aúllan los judíos, pálidos por la ira y el odio: «Nuestro padre es Abraham. No tenemos ningún otro padre.»

«El Padre de los hombres es Dios. Abraham [11] mismo es hijo del Padre universal. Pero muchos repudian al verdadero Padre en cambio de uno que no es padre, pero que eligen como tal porque parece más poderoso y dispuesto a darles contento en sus deseos inmoderados. Los hijos hacen las obras que ven que sus padres hacen. Si sois hijos de Abraham ¿porqué no hacéis sus obras? ¿No las conocéis? ¿Queréis que os las enumere tanto en la realidad como en

[11] Cfr. Gén. 11, 27 - 25, 11; Eccli. 44, 20-23; Hech. 7, 1-8; Rom. 4; Gal. 3 y 4; Hebr. 11, 8-19.

su símbolo? Abraham obedeció [12] yendo al lugar que Dios le señaló, figura del hombre que debe estar pronto a dejar todo para ir a donde Dios lo mandare. Abraham fue condescendiente [13] con el hijo de su hermano y le dejó escoger la región que le gustó, figura del respeto de la libertad de acción y de la caridad que se debe tener para con nuestro prójimo. Abraham fue humilde después de que Dios lo eligió de entre todos y lo honró en Mambré, sintiéndose siempre nada en comparación del Altísimo que le había hablado, figura de la posición de amor reverente que el hombre siempre debe tener para con su Dios. Abraham creyó y obedeció a Dios [14] aun en las cosas más difíciles de creerse y penosas de realizarse; y para sentirse seguro no se hizo egoísta, sino que rogó por los de Sodoma. Abraham no se puso a hacer cuentas con el Señor [15], pidiendo una recompensa por sus muchas obediencia, sino que para honrarlo hasta el fin, hasta donde no más podía, le sacrificó su hijo amado...»

«No lo sacrificó.»

«Lo sacrificó su hijo amado porque en verdad su corazón ya lo había sacrificado durante el camino. Un ángel detuvo aquella obediencia, cuando ya su corazón de padre se disponía a hendir el cuchillo en el corazón de su hijo. Iba a matar a su hijo para honrar a Dios. Vosotros le matáis a Dios el Hijo para honrar a Satanás. ¿Hacéis acaso las obras de quien llamáis vuestro padre? No. No las hacéis. Buscáis matarme porque os digo la verdad como la oí de Dios. Abraham no se comportó de este modo. No trató de apagar la voz que le llegaba del cielo, sino que la obedeció. No. Vosotros no hacéis las obras de Abraham, sino las que os indica vuestro padre.»

«No hemos nacido de una prostituta. No somos bastardos. Tú mismo lo has dicho que el Padre de los hombres es Dios y nosotros, además, somos del Pueblo elegido, de las castas elegidas de entre este pueblo. Por esto nuestro único Padre es Dios.»

«Si reconociereis a Dios por vuestro Padre en espíritu y en verdad, me amaríais porque de El procedo y vengo. No vengo por Mí mismo, sino que El me ha enviado. Por esto, si verdaderamente conociereis al Padre me conoceríais también a Mí, su Hijo y vuestro hermano y Salvador. ¿Pueden los hermanos no reconocerse? ¿Pueden los hijos de un solo Padre no reconocer el lenguaje que se habla en su casa? ¿Por qué entonces no comprendéis mi manera de hablar y no admitís mí palabras? Porque Yo vengo de Dios y vosotros no. Vosotros abandonasteis la mansión paterna y habéis olvidado el rostro y el lenguaje de quien allí habita. Habéis ido voluntariamente a otras regiones, a otras mansiones, donde reina

[12] Cfr. Gén. 12.
[13] Cfr. Gén. 13.
[14] Gén. 15; 18.
[15] Gén. 22.

otro que no es Dios y donde se habla otro lenguaje. Y quien allí reina exige que para entrar se haga uno su hijo y se le obedezca. Vosotros lo habéis hecho y lo estáis haciendo. Vosotros abjuráis, renegáis de Dios, Padre, para escogeros otro padre que es Satanás. Tenéis por padre al demonio y queréis realizar lo que os sugiere. Los deseos del demonio son pecado y violencia, y los aceptáis. Desde el principio fue un homicida y no perseveró en la verdad porque él, que se rebeló contra ella, no pudo tener en sí el amor por la verdad. Cuando habla, habla como es, en otras palabras, como un mentiroso, como un ser tenebroso, porque en verdad lo es y ha engendrado y parido la mentira después de haberse fecundado con la soberbia y alimentado con la rebelión. Toda la concupiscencia está en su seno, la escupe e inocula y envenena a las criaturas. Es el ser tenebroso, el escarnecedor, la maldita serpiente que se arrastra, es el oprobio, es el horror. En todos los siglos sus obras han atormentado al hombre, sus señales y frutos están ante la inteligencia de los seres humanos. Y pese a que miente y trae la ruina le escucháis, no me creéis y me llamáis pecador. ¿Quien de todos los que se han acercado a Mí, con odio o con amor, puede decir que me vio pecar? ¿Quién lo puede afirmar con verdad? ¿Dónde están las pruebas para convencerme a Mí y al que cree en Mí, de que sea Yo un pecador? ¿En cuál de los diez mandamientos he faltado? ¿Quién ante el altar de Dios puede jurar de haberme visto violar la Ley y las costumbres, los preceptos, tradiciones, oraciones? ¿Quién hay que pueda hacerm enrojecer al convencerme con pruebas de que he pecado? Nadie puede hacerlo. Ningún hombre, ningún ángel. Dios en el corazón de los hombres está gritando: "El es Inocente". Los que me acusáis estáis más convencidos de ello que éstos no saben a quién dar la razón si a Mí o a vosotros. Pero sólo el que es Dios, escucha las palabras de Dios. Vosotros no las escucháis aun cuando resuenen en vuestras almas día y noche, y no las escucháis porque no sois de Dios.»

«Nosotros, nosotros que vivimos para la Ley y la observamos en su más insignificantes pormenores para honrar al Altísimo, ¿no somos hijos de Dios? ¿Te atreves a decirlo? ¡¡Ja!!» Parece que el horror los asfixia como si fuese un dogal. «¿Y no debemos decir que eres endemoniado y un samaritano?»

«No soy ni una ni otra cosa, sino que honro a mi Padre aunque lo neguéis para ofenderme. Vuestra ofensa no me causa dolor. No busco mi gloria. Hay quien tiene cuidado de ella y juzga. Esto lo digo a quien trata de humillarme. Pero a quien tiene buena voluntad digo que el que acogiere mi palabra, o ya lo hubiere hecho, y supiere guardarla, no verá jamás la muerte.»

«¡Ah, ahora vemos claramente que por tus labios habla el demonio que en ti está! Tú mismo lo has dicho: "El habla como un mentiroso''. Lo que acabas de decir no es más que mentira, por esto, es del demonio. Abraham murió y también los profetas, pero Tú dices que quien observare tu palabra no verá la muerte jamás. ¿Tú nunca, pues, vas a morir?»

«No moriré sino como Hombre, para resucitar en el tiempo de gracia, pero como Verbo no moriré. La Palabra es Vida y no muere. Y quien acogiere la Palabra tendrá la Vida en sí y no morirá jamás, sino que resucitará en Dios porque Yo lo resucitaré.»

«¡Blasfemo! ¡Loco! ¡Demonio! ¿Eres más que nuestro padre Abraham que murió y que los profetas? ¿Quién pretendes ser?»

«El Principio que os hablo.»

Se sucede una confusión inaudita. Entre tanto el levita Zacarías empuja poco a poco a Jesús hacia un ángulo del portal, ayudado por los hijos de Alfeo y por otros que tal vez no saben lo que están haciendo.

Jesús apoyado bien contra el muro y con la protección de sus más fieles delante de El, al calmarse un poco la confusión, dice con su vigorosa y hermosa voz, tranquila aun en los momentos de peligro: «Si Yo me glorifico por Mí mismo, mi gloria no tiene valor. Cada uno puede decir de sí lo que se le ocurre. Pero quien me glorifica es mi Padre a quien llamáis vuestro Dios, aun cuando lo es tan poco que no lo conocéis ni jamás lo habéis conocido, y no queréis conocerlo por medio mío que os hablo porque lo conozco; y si dijese que no lo conozco para calmar el odio que me tenéis, sería un mentiroso como lo sois al decir que lo conocéis. Yo sé que no debo mentir por ninguna razón. El Hijo del hombre no debe mentir aun cuando el decir la verdad fuere causa de su muerte. Porque si el Hijo del hombre mintiese no sería ya verdaderamente Hijo de la Verdad, y la Verdad lo rechazaría de Sí. Como Dios y como Hombre Yo conozco a Dios.Como Dios y como Hombre guardo sus palabras y las observo. ¡Oh, Israel, reflexiona! Yo soy aquel en quien se cumplen las promesas. Reconóceme por lo que soy. Abraham vuestro padre suspiró por ver mi día. Lo vio, proféticamente, por un favor de Dios y saltó de gozo. Vosotros que en realidad lo estáis viviendo...»

«¡Pero cállate! ¿No tienes aun cincuenta años y dices que Abraham te vio y que Tú lo viste?» Sus carcajadas de befa se propagan como una onda de veneno o de ácido que corroe.

«En verdad, en verdad os digo que antes de que Abraham naciera, Yo existo.»

«¿''Yo existo'' [16]? Solo Dios puede decir que existe, porque es eterno. ¡No Tú, blasfemo! ¡''Yo existo''! ¡Blasfemia! ¿Acaso eres Dios Tú, para decirlo?» Estos gritos los lanza uno que debe ser un gran personaje y que, llegado hace poco, se ha acercado ya a Jesús,

[16] Cfr. Ex. 3, 13-15; Is. 42, 8.

porque todos los demás le dejan el paso por respeto.

«Tú lo has dicho» responde Jesús con voz que truena.

Todo se convierte en armas de quien odia. Mientras que el último que ha interrogado a Jesús se entrega a gestos de un horror escandalizado y arranca el capucho de la cabeza, se mesa la caballera y la barba; se suelta las fibias que detienen su vestido al cuello, como si se sintiese morir de horror; se lanzan contra el Maestro puñados de tierra, piedras, que los vendedores de palomas y de otros animales emplean para que estén tensos los lazos, pero que no le llegan, pues está muy atrás, sino a la multitud que rodea y que impreca...

Zacarías, el levita, da un fuerte empujón a Jesús, único medio para hacerlo llegar a una puertecilla baja, escondida en la muralla del pórtico y pronta a abrirse. Lo empuja junto con los dos hijos de Alfeo, Juan, Mannaén y Tomás. Los otros se quedan afuera, en medio de la confusión. El rumor llega hasta la galería, entre las poderosas murallas de piedra, que no sé cómo se llamen en arquitectura. Las piedras están como empotradas, las largas sobre las menos largas y viceversa. No sé si mi explico bien. Son oscuras, grandes, cinceladas toscamente, se distinguen sólo gracias a estrechas aberturas que hay arriba, para dejar que entre el aire o hacer que el lugar sea menos tenebroso. Es una estrecha galería que no sé para qué sirva, pero me da la impresión de que da la vuelta completa a todo el pórtico. Tal vez la construyeron para protección, defensa, para que fuese doble, y por lo tanto más resistente, la muralla de los pórticos que son como otra muralla del propiamente dicho templo, esto es, del Santo de los Santos. Mejor dicho, no sé. Digo lo que veo. Se percibe humedad, esa humedad que no sabe uno si es fría o no, como en ciertas bodegas.

«¿Y qué vamos a hacer aquí?» pregunta Tomás.

«¡Cállate! Me dijo Zacarías que vendrá y que nos estuviéramos callados y quietos» responde Tadeo.

«¿Pero... puede uno fiarse?»

«Así lo creo.»

«No temáis. El levita es bueno» dice Jesús para tranquilizarlos.

Afuera el tumulto se dispersa. Pasa el tiempo. Luego un rumor sordo de pasos y una lucecilla que tiembla y que sale de la espesa oscuridad.

«¿Estás allí, Maestro?» dice una voz que tiene miedo de que la oigan, pero que quiere hacerse oir.

«Sí, Zacarías.»

«¡Sea alabado Yeové! ¿Te hice esperar? Tuve que aguardar que fuesen todos a las demás entradas. Ven, Maestro... Tus apóstoles... Alcancé a decir a Simón que se fuesen todos a Betesda y que allí esperasen. De aquí se baja... Hay poca luz, pero el camino es seguro. Se baja a las cisternas... y se sale por el Cedrón. Camino antiguo.

No siempre destinado para buen uso, pero ahora sí... Y esto lo santifica...»

Siguen bajando en medio de una sombra que interrumpe la llama danzante de la tea hasta que se ve allá lejos, en el fondo, la claridad... la claridad de lo verde que parece lejos. La galería termina con una reja que es como una puerta por lo maciza y bien fija que está.

«Maestro, estás salvado. Puedes irte. Pero escúchame, no vengas por cierto tiempo. No podría siempre servirte sin que lo notasen. Y... olvida, olvidad todos este camino y a mí que os traje por él» dice Zacarías moviendo los goznes y abriendo la reja lo suficiente para que salgen. Repite: «Olvidad esto, os lo pido por favor.»

«No tengas miedo. Ninguno de nosotros hablará. Que Dios te acompañe por la piedad que tuviste con nosotros.» Jesús levanta su mano y la pone sobre la cabeza inclinada del joven.

Sale seguido de sus primos y de los demás. Se encuentra en un claro lleno de zarzas, enfrente del Olivete. Una vereda para cabras se dirige entre zarzas hacia el torrente.

«Vamos. Luego subiremos hasta la altura de la puerta de las Ovejas. Yo y mis hermanos iremos a la casa de José. Vosotros iréis a Betesda a llamar a los otros y os reuniréis conmigo. Iremos a Nobe mañana por la tarde, después del crepúsculo.»

205. En casa de José de Séforis

(Escrito el 7 de octubre de 1946)

La casa de José no es la de José de Arimatea, sino la de un viejo galileo de Séforis, amigo de los hijos de Alfeo y sobre todo de los más adultos porque fue amigo, y tal vez hasta pariente, del viejo y ya difunto Alfeo. Si no me equivoco, está en estrechas relaciones con los hijos del Zebedeo por negocios del pescado seco que se importa de Genezaret a la capital junto con otros productos de la Galilea que tanto aman los galileos que están radicados en Jerusalén. Esto lo deduzco de la conversación que tienen los dos hijos de Alfeo y Juan con Tomás.

Por su parte Jesús está un poco detrás con Mannaén, al que encarga que vaya a casa de José de Arimatea y de Nicodemo diciéndoles que vengan a El. Cosa que Mannaén se dispone a cumplir al punto. Jesús se junta con los tres para recomendarles nuevamente que sean prudentes en sus palabras «por amor del levita que los puso en salvo», luego se separa y a pasos largos se dirige por un vericueto...

En breve lo alcanza Juan.

«¿Para qué viniste?»
«No podíamos dejarte así solo... y vine yo.»
«¿Crees que podrías defenderme solo contra tantos?»
«No estoy cierto, pero por lo menos moriría antes de Ti. Y eso bastaría.»
«Morirás, Juan, mucho tiempo después de Mí. No te entristezcas. Si el Altísimo te deja en el mundo la razón es que quiere que le sirvas y que sirvas a su Verbo.»
«Pero después...»
«Después servirás y todo el tiempo que quisieres hacerlo como nuestros corazones desean. Pero aun después de muerto me servirás.»
«¿Cómo podré hacerlo, Maestro mío? Si estoy contigo en el cielo te adoraré. Pero no podré servirte en la tierra una vez que la haya dejado...»
«¿De veras? Pues bien, Yo te aseguro que me servirás hasta mi nueva venida, la final. Muchas cosas se acabarán antes del último tiempo, así como los ríos que se secan y se convierten en polvo y piedras secas. Pero tú continuarás siendo un río que hará resonar mi palabra y que reflejará mi luz. Será la última luz que quede para recordar al Mesías. Pues tu luz será toda espiritual y los últimos tiempos serán tiempos de lucha de las tinieblas contra la luz, de la carne contra el espíritu. Los que sepan perseverar en la fe, hallarán fuerza, esperanza, consuelo en lo que dejarás después de ti y que será todavía algo que te pertenece... que será mío sobre todo porque Yo y tú nos amamos; donde estés estaré, y donde Yo, tú. He prometido a Pedro que la Iglesia, que tendrá como cabeza y como base mi Piedra, no será destruída por el infierno con sus siempre repetidos y feroces asaltos, mas ahora te aseguro que lo que Yo seré todavía, que tu dejarás y será luz para quien la busca, no será destruído pese a que el Infierno, bajo todos modos, trate de aniquilarlo. ¡Aun más! Aquellos que crean en Mí imperfectamente, porque aunque me [1] acepten, no aceptarán a mi Pedro, siempre correrán al faro tuyo como navecillas sin piloto y sin brújula, que van derecho en medio de su tempestad hacia una luz, porque luz quiere decir también salvación.»
«Pero, ¿qué podré dejar yo, Señor mío? Yo soy... un pobre... un ignorante... No tengo otra cosa que el amor...»
«Exacto: dejarás el amor. Y el amor por tu Jesús será palabra. Muchos, muchos, aun entre los que no pertenezcan a mi Iglesia, entre los que no pertenezcan a ninguna, pero que buscarán una luz

[1] La expresión: "Aquellos que crean en Mí imperfectamente..." es muy *delicada*, y al mismo tiempo *exactísima*, para indicar a todos los Hermanos en cierto modo separados de la Sede de Pedro.

y un consuelo para aguijón de su espíritu insatisfecho, por necesidad de compasión en las penas, vendrán a ti y me encontrarán a Mí.»

«Yo quisiera que los primeros que te encontrasen, fuesen estos judíos malos, estos escribas y fariseos... Pero no sirvo para mucho...»

«No puede entrar cosa alguna donde todo está lleno. No te desanimes... Hemos llegado a la casa de José. Llama y entramos.»

Es una casa estrecha y alta; al lado una bodega baja y apestosa de cosas amontonadas. Al lado de ésta un patio de paredes negruzcas, un patio de forma como de hospedería, como lo eran en tiempos antiguos, con pórticos para las mercancías, pesebres para los animales de carga y habitacioncillas o cuartuchos para los pasajeros. Se ve un patio empedrado sin ningún arte, un estanque, dos pesebres bajos y oscuros, un tinglado rústico que sirve de portal, apoyado a la casa, y con una portezuela que comunica con el almacén. La casa es vieja, oscura, con una puerta alta y estrecha ante la que hay tre escalones de piedra que los años han consumido.

Juan llama a la puerta y espera hasta que una celosía se abre y la cara arrugada de una anciana se ve en la penumbra: «¡Oh, Juan! Voy a abrir. Dios sea contigo» dice. La puerta se abre con mucho ruido de cerrojos.

«No vengo solo, María. Está el Maestro.»

«La paz sea contigo también, honra de Galilea. Feliz es el día que guía los pies del Santo para que entren en la casa de un verdadero israelita. Entra, Señor. Voy a avisar al punto José. Está haciendo los últimos trabajos porque durante el mes triste de etamín las tardes siempre están ocupados.»

«Déjalo que siga su trabajo. Nos quedaremos hasta mañana.»

«Un gran placer para nosotros. Hace tiempo que te esperábamos. Hace algunos días tu hermano José nos pidió noticias tuyas. Mi esposo te lo contará mejor. Mira, aquí puedes quedarte... Te dejo, Señor, porque estoy cociendo el pan. Debe estar pronto antes de que se ponga el sol. Si quieres alguna cosa Juan sabe dónde estoy.»

«Vete tranquila. No necesitamos de otra cosa más que de nos hospedes.»

Se quedan solos por un poco de tiempo. Luego una carita morena se asoma por detrás de la cortina que separa la habitación de un corredor y curiosea temerosa.

«¿Quién es ese niño?» pregunta Jesús a Juan.

«No lo sé, Señor. Antes no estaba. Para decir verdad, desde que estoy contigo no he vuelto con mi padre a aquí. Ven aquí, niño.»

El niño se acerca con sus pasitos.

«¿Quién eres?»

«No te lo digo.»

«¿Por qué?»

«No quiero oir que me digan palabras feas. Si las dices te respondo y a José no le gusta.»

«Esto sí que es raro, Maestro, ¿qué piensas?» Juan se echa a reir con el razonamiento del pequeñuelo.

También Jesús se sonríe. Levanta su mano para atraer hacía Sí al niño y lo mira fijamente: «¿Sabes quién soy yo?»

«Sí que lo sé. Eres el Mesías. De quien será todo el mundo y entonces no se dirán más palabras feas a los niños, como a mí.»

«¿No eres israelita, verdad?»

«Estoy circuncidado... y me dolió mucho. Pero... pero también el hambre era un tormento... y no tener mamá... y a nadie... Pero todavía es más doloroso sentir que se... que nos...» llora sin la valentía que poco hace tenía.

«Debe ser algún huérfano extranjero, Juan. Es probable que José lo haya recogido por piedad y hecho circuncidar...» explica Jesús a Juan extrañado de las razones y del llanto. Jesús toma al niño y lo pone sobre sus rodillas.

«Como te llamas. Te quiero mucho. Jesús quiere a todos los niños y sobre todo a los huérfanos. Tengo uno conmigo que se llama Marziam y que...»

«También yo soy así, porque también yo (la vocecita se convierte en un delicado murmullo) soy romano...»

«Te lo había dicho. Eres huérfano ¿verdad?»

«Sí... No recuerdo a mi papá, pero a mi mamá, sí. Se murió cuando ya era mayor... y me quedé solo. Nadie me quería. Desde Cesarea me vine a pie detrás de los viajeros, después de que el patrón regresó. Mucha hambre. Si decía mi nombre, golpes... Porque todos colegían quien era por mi nombre. Vine acá durante una fiesta. Tenía hambre. Entré en los establos con una caravana y me escondí en la paja para comer de la cebada y de las algarrobas de los asnos. Un borrico me mordió y grité. Corrieron y querían pegarme, pero José dijo: "No. El lo hizo y dice que hará lo que El hace. Tomo al niño y lo haré un israelita". Me tomó consigo y ha tenido cuidado de mí junto con María y me puso otro nombre diverso del mío... Mi mamá me llamaba Marcial...» las lágrimas corren por sus mejillas.

«También Yo te llamaré Marcial como la mamá. Es una cosa buena lo que ha hecho José. Debes quererlo mucho.»

«Sí, pero menos que a Ti. El dice siempre: "Si un día encontrares a Jesús de Nazaret, al Mesías, ámalo con todo tu ser, porque gracias a El fuiste salvado del error". María dijo desde allá a la criada que en casa estaba el Mesías y vine a ver a quien me había salvado.»

«No sabía que José hubiese hecho esto. Era así... avaro... Nunca hubiera pensado que hubiera podido... ¡Pobre José! Avaro e infeliz con sus hijos. No respetaron sus canas.»

«Lo sé. ¿Pero ves? Probablemente gracias a este niño vuelve a ser otro... y olvida. Dios le recompensa de todo lo que ha hecho para con este niño. ¿Cómo te llamas ahora?»

«Tengo un nombre feo. No me gusta porque empieza como el mío. Me llamo Manasés... Pero María que comprende, me llama "Man".» Y el niño dice esto con una carita tan desconsolada que Jesús y Juan no pueden menos de sonreir.

Jesús para consolarlo le dice: «Manasés es un nombre que tiene un significado muy tierno para nosotros. Quiere decir: El Señor me ha hecho olvidar todos los dolores [2]. José te lo puso pensando que tú le harías olvidar todos sus dolores. Y lo harás por gratitud. Tú mismo, con el nuevo nombre, anuncias que el Señor te ha querido tanto que te ha dado un padre, una madre y una casa. ¿No es verdad?»

«Sí. De esta manera explicado, está bien... Pero José dice que debo olvidar aun mi casa. ¡Yo no quiero olvidarme de mi mamá!»

Jesús mira a Juan, y éste al Maestro, y sobre la cabecita morena del pequeñuelo hay un diálogo de miradas...

«A la mamá no se le puede olvidar, pequeñín. José no se ha explicado bien, o mejor dicho, no lo entendiste correctamente. No hay duda que él quiso decir que debes olvidar todo el dolor pasado, el dolor que tuviste en tu casa, porque ahora tienes ésta y debes sentirte feliz.»

«¡Bueno, si es así, está bien! María es buena y me contenta en todo. Ahorita me está haciendo mis tortas. Voy a ver si están cocidas y te traigo una» y se baja de entre las rodillas de Jesús corriendo fuera de la habitación. El rumor de los pasitos se pierde en el largo corredor.

«Siempre esta inclinación dura aun entre los mejores de los nuestros. ¡Pretender lo imposible! ¡Son más severos que Dios, los hijos de su pueblo! ¡ Pobre niño! ¿Se puede pedir a un niño que olvide a su madre porque fue circuncidado? Se lo diré a José.»

«No sabía en realidad que hubiese hecho esto. Mi padre, como muchos galileos, baja a Jerusalén, y no me contó ni una palabra de esto... Me parece oir la voz de José...»

Jesús se pone de pie, Juan lo imita, prontos a saludar con el debido respeto al dueño de casa que entra y que a su vez se inclina con profundos saludos, terminando por arrodillarse a los pies de Jesús.

«Levántate, José. Ya he venido. Lo ves.»

«Perdóname que te haya hecho esperar. El viernes es siempre un gran día. ¿Cómo estás, Juan? ¿Tienes noticias de tu padre?»

«No. Desde los Tabernáculos [3] no lo veo.»

«Entonces sabe que está bien, lo mismo que Salomé. Noticias re-

[2] Cfr. Gén. 41, 51.
[3] Cfr. Ex. 23, 14-17.

cientes. De esta mañana. Con la última carga de pescado. También puedo decirte, a Ti, Maestro, que tus familiares están bien en Nazaret. Al día siguiente del sábado regreserá el que vino. Si queréis mandar algún recado... ¿Estáis solos?»

«No. Dentro de poco vedrán los otros...»

«¡Bien! Hay lugar para todos. Es una casa fiel. Me desagrada que María esté ocupada con el pan y yo con las ventas. Y vosotros solos... Hemos faltado por no honrarte y hacerte compañía como se merece un huésped, y un ¡*gran* huésped!»

«Un hijo de Dios como tú, José. Los que siguen la ley de Dios todos son iguales.»

«¡Eh, no! Tú eres Tú. No soy un necio como estos judíos. Tú eres el Mesías.»

«Por voluntad de Dios. Pero por mi voluntad y obligación soy como tú, un hijo de la ley.»

«¡Eh! Los que te calumnian no saben ni decir ni hacer lo que acabas de decir y lo que siempre haces.»

«Pero tú haces mucho más de lo que enseño. Ya vi al niño, José...»

«¿Lo has visto? ¡Vino! Sabe que no me habría gustado. Por Ti... sí. Pero podía acaecer que no fueses Tú...»

«¿Y entonces? ¿Hubiera sucedido algo?»

«Es que no me gusta. No hay otra razón.»

«¿Cuál, José? ¿Para que no se te alabe? Tu pensar es digno de encomio. Pero el niño puede pensar que te avergüenzas de presentarlo a los demás...»

«¡Es verdad!»

«¿Es verdad? ¿Por qué? Explicámelo.»

«Mira. El niño no es un hebreo nacido de padres hebreos, ni de prosélitos, ni de madre hebrea y padre gentil. Es hijo de dos romanos, libertos de un romano que vivía en Cesarea marítima. Tuvo consigo al niño mientras vivió en dicha ciudad. Pero al irse no pensó más en él y se quedó solo el niño. Los hebreos, claro está, no lo recogieron. Los romanos... Tú sabes lo que son ellos... ¡Y luego *ésos* de Cesarea! El niño, andaba pidiendo limosna...»

«Lo sé. Llegó aquí y tú lo acogiste. Dios ha escrito este acto tuyo en el cielo [4].»

«¡Lo he hecho circuncidar! Y le cambié el nombre. ¡Un nombre pagano! ¡Idólatra! Pero no quiero que se muestre a los demás y que recuerde su pasado.»

«¿Por qué, José?» pregunta dulcemente Jesús y prosigue: «El niño por esto sufre. Recuerda a su madre. ¡Se comprende!»

«Se comprende también mi deseo de no ser criticado por haber

[4] Cfr. vol. 2°, pág. 644, not. 3.

acogido a un...»

«Un inocente. No más que eso, José. ¿Por qué temes el juicio de los hombres, cuando un juicio más alto, el divino, sanciona tu acción como santa? ¿Te avergüenzas de una acción buena por respeto humano o por temor a represalias? ¿Por qué quieres dar al niño un ejemplo de doblez como es la que se ve al haberle cambiado nombre y querer que ahogue su pasado, por temor de que te venga algún daño? ¿Por qué quieres inculcar en el niño el desprecio a su padre y madre? Mira, José, hiciste una cosa digna de alabanza, pero la cubres de polvo con esas... ideas imperfectas. Has imitado una de mis acciones. Has acogido mis palabras. Eso está bien. ¿Por qué, ya que me imitaste, no haces que tu acción sea perfecta? ¿Por qué no dices: "Sí. El niño es romano, pero yo no siento repugnancia por él porque es hijo del Creador como vosotros lo sois. Sólo he querido que viva en nuestra ley, y lo hice circuncidar?" La verdadera circuncisión está por llegar y se verificará en el corazón de los hombres, del que se arrancará el triple anillo de la concupiscencia que ahoga [5], y por esto si aun cuando el niño hubiera permanecido inocente hasta ese tiempo... Pero no quiero reprocharte esto. Hiciste bien en hacerlo hebreo, pues lo eres. Pero déjale su nombre. En lo porvenir cuántos Marciales, Cayos, Felices, Cornelios, Claudios, etc., serán del Mesías y del cielo. Puede suceder también que el niño, que no sabe nada de los hebreos o gentiles, llegará a ser mayor de edad cuando venga la verdadera y nueva ley que se establecerá en el nuevo templo y con nuevos sacerdotes, y no como crees sino que Dios lo examinará y lo encontrará digno de su nuevo templo. Déjale el nombre que su madre le dió. Sigue siendo para él una caricia maternal. Comprendo lo que quisiste hacer con darle el nombre de Manasés. Pero déjale el suyo de Marcial. Y a quien te preguntare, respóndele: "Sí. Es Marcial. Como aquel discípulo del Mesías a quien le puso nombre su Madre María". Ten valor en hacer el bien, José. Serás grande, muy grande.»

«Maestro, como Tú quieras. No quiero darte disgusto. ¿Crees que... he hecho bien aun como hombre?»

«Sí. Tu dolor te ha hecho bueno, por eso está bien lo que hiciste. Y esta acción tuya es buena.»

Toquidos a la puerta que da a la calle interrumpen la conversación.

[5] Cfr. Gén. 17; Deut. 10, 12-22; 30, 1-14; Jer. 3, 1-4, 4; 9, 24-25; Ez. 44, 4-9; Hech. 7, 51-53; Rom. 2, 25-29; 1 Cor. 7, 17-24; Gál. 5-6; Col. 2, 11-13; 3, 9-11; 1 Ju. 2, 16-17.

206. El viejo sacerdote Matán (o Natán)

(Escrito el 8 de octubre de 1946)

Pedro entra y tiene el mismo aire de abatimiento que tenía en el Jordán cuando pasaron Betabara. Se deja caer como exhausto sobre el primer asiento que encuentra con la cabeza entre las manos. Los demás no están tan abatidos, pero sí preocupados, pálidos, diría yo, que todos se ven como perdidos, quien más, quién menos. Los hijos de Alfeo, Santiago de Zebedeo y Andrés casi non responden al saludo de José de Séforis y de su mujer que entra con una vieja criada con pan caliente y otros alimentos.

En los ojos de Marziam se notan señales de llanto. Isaac acude cerca de Jesús, le toma la mano, se la acaricia diciendo: «Siempre como aquella noche de la matanza... Y salvo otra vez. ¡Oh, Señor mio! ¿Hasta cuándo? ¿Hasta cuándo te podrás salvar?»

Este grido abre las bocas y todos sin orden hablan, contando las injurias, los malos tratos, el miedo por...

Otro toquido a la puerta.

«¡Ay de mí! ¿Nos habrán seguido? Yo había propuesto que viniéramos con pequeños grupos...» dice Iscariote.

«Fue mejor así. Siempre los tenemos pegados al calcañal. Pero ya qué...» dice Bartolomé.

José, aunque sin ganas, va a la celosía a mirar, mientras su mujer dice: «Desde la terraza podéis bajar al establo y de allí al huerto que está detrás. Os lo mostraré...» Y está para irse, cuando su marido exclama: «José el Anciano. ¡Qué honor!» y abre la puerta dejando entrar a José de Arimatea.

«La paz sea contigo, Maestro. Estuve y vi... Mannaén me encontró cuando salía del Templo, con el alma entristecida. Y no poder intervenir, no poderlo hacer, para seguirte siendo más útil y... Oh, ¿estás aquí también tú, Judas de Keriot? Habrías podido hacerlo, tú, que eres amigo de tantos. ¿No te sientes obligado, tú que eres su apóstol?»

«Tú eres discípulo suyo...»

«No. Si lo fuera lo seguiría como los demás. Soy un amigo suyo.»

«Es la misma cosa.»

«No. También Lázaro es su amigo, pero no vas a decir que sea su discípulo...»

«En su interior, sí.»

«Los que no son discípulos de Satanás, lo son de su palabra porque reconocen que es palabra de la Sabiduría»

El breve encuentro entre José y Judas de Keriot se agota, mientras que José de Séforis, al oir que ha sucedido algo desgradable, pregunta a éste y a aquél con gran interés y con muestras de aflicción. «Esto tiene que decirse a José de Alfeo. Se le dirá. Mandaré un mensaje... ¿Qué se te ofrece, José?» pregunta volviéndose el Anciano que le toca la espalda para preguntarle.

«Nada. Quería solo congratularme contigo por tu buen aspecto. Este es un buen israelita. Fiel y justo en todo. ¡Eh, soy el único que lo sabe! Se puede decir de él que Dios lo ha probado y que lo conoce...»

Otra llamada a la puerta. Los dos José se dirigen a abrir, y veo que José de Arimatea se inclina para decir algo al oído de su compañero que muestra una viva sorpresa y por un instante se vuelve a mirar a los apóstoles. Luego abre la puerta.

Entran Nicodemo y Mannaén. Les siguen todos los pastores-discípulos que hay en Jerusalén, esto es, Jonatás y los que fueron discípulos del Bautista. Viene con ellos, Juan el sacerdote con otro de mayor edad, y Nicolás. Y en último lugar Nique con la jovencita que le confió y Analía con su madre. Se levantan el velo que les cubre el rostro y se ve en sus caras honda preocupación.

«Maestro, ¿qué te pasó? Supe... Antes por la gente que por Mannaén... La ciudad parece un avispero. Los que te aman corren a buscarte donde suponen que estás. Han ido hasta tu casa, José... Yo misma fui a la casa de Lázaro... ¡Es demasiado! ¿Cómo te salvaste?»

«La Providencia que siempre vela por Mí. No lloren las discípulas, sino más bien bendigan al Eterno y robustezcan su corazón. Y que sobre todos vosotros desciendan gracias y bendiciones. En Israel no ha muerto del todo el amor ni la justicia, lo que me llena de consuelo.»

«Cierto. Pero no debes ir más al Templo, Maestro. ¡Por mucho tiempo no debes subir, no debes subir!» Todos están conformes en esto y sus voces resuenan en las gruesas paredes de la vieja casa, como eco de un aviso suplicante.

El pequeño Marcial, que no se sabe dónde estaba escondido, oye estas palabras y curioso saca su cabecita entre los pliegues de la cortina. Al ver a María, va con ella refugiándose entre sus brazos por temor de que José de Séforis lo vaya a reprender, pero éste está demasiado ocupado en preguntar, aconsejar y aprobar para reparar en el niño y sólo cae en la cuenta cuando después de que María le dijo algo, va con Jesús y lo besa echándole los brazos al cuello. Jesús lo estrecha con un brazo trayéndolo hacia Sí, mientras responde a muchos que le dicen lo que piensan qué es lo mejor que deba hacerse.

«No. No me muevo de aquí. Id a decir a Lázaro que me espera, que no puedo [1] ir. Yo, galileo y amigo desde hace años de la familia,

[1] Cfr. vol. 1°, pág. 539, not. 2.

me quedo aquí hasta el crepúscolo de mañana. Y luego... ya veré a donde ir...»

«Siempre dices lo mismo, y luego regresas allá. Pero no te dejaremos ir más. Al menos yo. Creí en realidad que estabas perdido...» dice Pedro, y dos lágrimas corren de sus ojos.

«Jamás se ha visto cosa semejante. Basta. Está decidido. Si no me rechazas... Soy muy viejo para el altar, pero para morir por Ti, tengo todavía fuerzas. Moriré, si es necesario, entre el vestíbulo y el altar como el sabio Zacarías [2] o bien como Onías defensor del Templo y del tesoro [3], moriré fuera del sagrado recinto al que he consagrado toda mi vida. ¡Pero tú me abrirás un lugar más santo! ¡Oh, no puedo ver más la abominación! ¿Por qué mis viejos ojos tienen que ver estas cosas? La abominación que vio el Profeta [4] está ya dentro de los muros, y sube, sube como el agua de una avenida que va a sumergir una ciudad. Sube, sube. Invade los patios y pórticos. Sube ya las gradas, penetra hasta más adentro. ¡Sube, sube! ¡Ya choca contra el Santo! ¡La onda de fango lame las piedras que embaldosan el lugar sagrado [5]! ¡Las piedras preciosas pierden su color! ¡Se ensucia el pie del Sacerdote! ¡Se moja su túnica! ¡Se mancha el Efod! ¡Se cubren con un velo las piedras del Racional y no se pueden leer las palabras [6]! ¡Oh, oh, las ondas de la abominación suben hasta la cara del Sumo Sacerdote, y la manchan! La santidad del Señor está bajo un costra de fango, y la tiara es como una tela que hubiera caído en una acequia fangosa. ¡Fango, fango! ¿Pero sube por afuera o de la cima del Moria se desparrama sobre la ciudad y sobre todo Israel? ¡Pobre Abraham, pobre Abraham! ¿No quisiste encender allí el fuego del sacrificio para que brillase el holocausto de tu corazón fiel [7]? ¡Ahora bulle el fango donde debía haber fuego! Isaac está entre nosotros, y el pueblo lo inmola. Pero si la Víctima es pura... si es pura ella... los sacrificadores son unos seres inmundos. ¡Anatema sobre nosotros! ¡El Señor verá sobre el monte la abominación de su pueblo!... ¡Ah!» y el anciano que está con el sacerdote Juan se tira al suelo, cubriéndose el rostro con llanto desgarrador.

«Lo he traído... Hace tiempo que quería... Pero hoy, después de lo que vio, nadie pudo contenerlo... El viejo Matán (o Natán) se ve con frecuencia revestido del espíritu profético, y si sus pupilas no ven ya, la mirada de su espíritu cada vez es más clara. Acepta a mi amigo, Señor» dice el sacerdote Juan.

[2] Cfr. 2 Par. 24, 17-22; Mt. 23, 35.
[3] Cfr. 1 Mac. 12, 1-23; 2 Mac. 3, 1 - 4, 38; 15, 6-16.
[4] Cfr. Dan. 9, 27; 11, 31; 12, 11.
[5] Cfr. pág. 476, not. 2.
[6] Cfr. Ex. 28; 39, 1-31.
[7] Gén. 22.

«No rechazo a nadie. Levántate, sacerdote, y levanta el espíritu. En lo alto no hay fango. Y a quien sabe estar en alto, el fango no lo toca.»

El viejo antes de levantarse, lleno de reverencia, toma la punta del vestido de Jesús y la besa.

Las mujeres, sobre todo Analía, que todavía lloraban bajo su velo, al oir las palabras del anciano, lloran con mayor fuerza. Jesús las llama a Sí. Salen de su rincón con la cabeza inclinada y se acercan al Maestro. Si Nique y la madre de Analía logran dominar su llanto, la joven discípula solloza, sin poder controlar sus sentimientos.

«Perdónala, Maestro. Te debe la vida y te ama. No puede pensar que te hagan mal. Y luego se ha quedado así... sola... triste después que...» dice la madre de Analía.

«¡Oh, no es eso! ¡No es eso, Señor! ¡Maestro! ¡Salvador mío! Yo... yo...» Analía no logra hablar, parte por los sollozos, parte por vergüenza, o por otro motivo.

«Tiene miedo de las represalias, porque es discípula. Esto será. Muchos se van por el mismo motivo...» dice Iscariote.

«¡Oh, no! ¡Mucho menos esto! Tú no comprendes nada, o quieres que otros piensen como tú. Pero Tú, Señor, sabes por qué lloro. Tuve miedo de que te hubieran matado y de que no te hubieras acordado de la promesa...»

Jesús le responde: «Jamás olvido algo. No tengas miedo. Vete tranquila a tu casa, a esperar la hora de mi triunfo y de tu paz. Vete. El sol va a ponerse. Retiraos, y la paz vaya con vosotras.»

«Señor, no quisiera dejarte...» dice Nique.

«La obediencia es amor.»

«Es verdad, Maestro, pero ¿por qué no puedo, como puede Elisa?»

«Porque me eres útil aquí, como ella en Nobe. ¡Vete, Nique, vete!» Que algunos las acompañen para que nadie vaya a molestarlas.

Mannaén y Jonatás se apresuran a obedecer, pero Jesús detiene a Jonatás preguntándole: «¿Regresas, pues, a Galilea?»

«Sí, Maestro. Al día siguiente del sábado. Me manda mi patrón.»

«¿Tienes lugar en tu carro?»

«Voy solo, Maestro.»

«Entonces llévate a Marziam y a Isaac. Tú, Isaac, sabes lo que hay que hacer; también tú, Marziam.»

«Sí, Maestro» responden ambos. Isaac con su dulce sonrisa, Marziam con un tembloricillo de llanto en su voz y labios.

Jesús lo acaricia y Marziam, olvidando toda compostura, se le echa sobre el pecho diciendo: «¡Dejarte... ahora que te persiguen todos! ¡Oh, Maestro mío, no volveré a verte!... ¡Eres todo mi Bien! ¡En

Ti todo lo he encontrado!... ¿Por qué me mandas? Déjame morir contigo! Qué me puede importar la vida, sino te tengo a Ti.»

«Te digo a ti también lo que acabo de decir a Nique. La obediencia es amor.»

«Voy. ¡Bendíceme, Jesús!»

Jonatás se va con Mannaén, Nique y las otras tres mujeres. También los otros discípulos se van en grupos pequeños.

Y sólo cuando la habitación queda casi vacía es cuando se nota la ausencia de Judas de Kariot. Muchos se sorprenden porque hacía poco que estaba allí, y ha salido sin haber recibido orden alguna.

«Habrá ido a hacer algunas compras para nosotros» dice Jesús para impedir comentarios y continúa hablando a José de Arimatea y a Nicodemo, que se habían quedado, además de los once apóstoles y Marziam que está cerca de Jesús y que quiere aprovechar los últimos momentos que le quedan. Jesús, pues, está entre el jovencillo Marziam y Marcial, el niño moreno. Ambos flacuchos, infelices en su niñez y que dos buenos israelitas los han acogido en nombre de Jesús.

José de Séforis y su mujer se han retirado prudentemente para dejar en libertad al Maestro.

Nicodemo pregunta: «¿Quién es ese niño?»

«Es Marcial. Un niño que José ha adoptado por hijo.»

«No lo sabía.»

«Nadie, o casi nadie lo sabe.»

«Es muy humilde este hombre. Otro cualquiera lo hubiera publicado» observa José.

«¿Lo crees?... Vete, Marcial. Lleva a Marziam a ver la casa...» dice Jesús. Y luego que se han ido, Jesús continúa diciendo: «Estás equivocado, José. ¡Cuán difícil es juzgar con rectitud!»

«¡Pero Señor! Acoger a un huérfano, porque sin duda lo es, y no vanagloriarse de ello, es sin duda humildad.»

«El niño no es de Israel, como su nombre lo dice...»

«¡Ah, comprendo! Entonces está bien que quede oculto.»

«Ya se le circuncidó...»

«No importa. Tú sabes... También Juan de Endor lo era... Pero tú no lo aprobaste. José, galileo por añadidura, puede tener dificultades, pese a la circuncisión. Hay tantos huérfanos en Israel... Claro que con ese nombre... y con esa cara...»

«¡Cómo se ve que todos sois "Israel", aun los mejores! ¡Cómo se ve que aun en hacer el bien no comprendéis y no sabéis ser perfectos! ¿No comprendéis todavía que Uno solo es el Padre de los cielos, y que toda criatura es hijo suyo? ¿No comprendéis todavía que el hombre puede tener un único premio o un único castigo, que en realidad sea premio o castigo? ¿Por qué haceros esclavos de los hombres por temor? Pero esto es el fruto de la corrupción de la ley divina, que se ve oprimida con tantas leyecitas humanas, que oscurecen y entorpecen el modo de pensar del justo que las practica. En la ley mosaica, y por tanto, divina, en la anterior a Moisés, y la única moral, o que nació por inspiración divina, ¿acaso se dijo que quien no fuese de Israel no podía formar parte de él? ¿No se lee en el Génesis: "Ocho días después de nacido, el varoncito que haya entre vosotros sea circuncidado, tanto el nacido en vuestra casa como el comprado, *aunque no sea de vuestra estirpe*" [8]? Esto fue lo que se mandó. Cualquier otra añadidura es vuestra. Se lo dije a José y os lo digo a vosotros. Dentro de poco no tendrá importancia más la antigua circuncisión. Una nueva y de mayor importancia se pondrá en la parte más noble. Pero mientras la vuestra dura y por fidelidad al Señor la ejecutáis en el varoncido que os nazca o adoptéis, no os avergoncéis de hacerlo en el que no partenezca a vuestra raza. La carne es para el sepulcro, el alma para Dios. Se circuncida la carne, porque no se puede circuncidar lo que es espiritual. Pero la santa señal brilla en su espíritu, y el espíritu es del Padre de todos los hombres. Pensad en esto.»

Silencio. Luego José de Arimatea se levanta y dice: «Me voy, Maestro. Ven, mañana, a mi casa.»

«No. Es mejor que no vaya.»

«Entonces a la mía que está cerca del camino de los Olivos que lleva a Betania. Está todo tranquilo y...»

«Tampoco. Iré al Olivete pero para orar... Mi corazón busca la soledad. Os ruego que me disculpéis.»

«Como quieras, Maestro. Y... no vayas al Templo. La paz sea contigo.»

«También con vosotros.»

Los dos se van...

«¡Quisiera saber a dónde se ha ido Judas!» exclama Santiago de Zebedeo. «Podría decir que se fue a donde hay pobres, pero aquí está la bolsa.»

«No os preocupéis... Ya vendrá...»

Entra María, esposa de José, con lámparas porque la luz no atraviesa ya la delgada lámina de mica colocada en la ventana. Entran también los dos muchachos.

«Estoy contento de dejarte con uno que casi tiene mi mismo nombre. Cuando lo llames, te acordarás de mí, ¿verdad?» pregunta Marziam.

Jesús lo atrae hacia Sí.

Vuelve a entrar Judas al que abrió la sirvienta. Gallardo, sonriente, franco.

«Maestro, quise ir a ver... La tempestad está calmada. Acompañé

[8] Cfr. Gén. 17, 12-13.

a las mujeres... ¡Tan miedosas esas doncellas! No te dije nada porque me lo hubieras prohibido, pero yo quería comprobar por mí mismo si hay algún peligro. Nadie piensa más en lo que pasó. El sábado vacía las calles.»

«Está bien. Ahora estemos aquí y mañana...»

«¡Cuidado con ir al Templo!» gritan los apóstoles.

«No. Iré a nuestra sinagoga, a la de los fieles galileos.»

207. La curación del ciego de nacimiento [1]

(Escrito el 10 de octubre de 1946)

Jesús sale junto con sus apóstoles y José de Séforis en dirección a la sinagoga. El cielo límpido y sereno, como promesa de primavera, después de varios días de ventarrones fríos y nubes, alegra la tierra. Se ve, pues, a muchos jerosolimitanos por las calles. Algunos van a las sinagogas, otras regresan ya de ellas o de otros lugares; algunos con sus familias que piensan salir de la ciudad para recrearse con el sol y con la campiña. Se ve que sale gente por la puerta de Herodes, que se divisa desde la casa de José de Séforis, y que se dirige más allá de las murallas para dar un paseo por el verde y espacioso campo, fuera de las estrechas casas sumergidas en medio de altos edificios. Me imagino que la especie de parque que había alrededor de Jerusalén lo hicieron por propia iniciativa los ciudadanos, que quisieron juntar el precepto del sábado con su deseo de aire y sol, y no tan sólo en las terrazas de sus casas.

Jesús no se dirige a la puerta de Herodes; más bien dándole las espaldas, hacia el centro de la ciudad. No ha dado más que unos cuantos pasos en la calle más larga, en la que viene parar la callejuela donde está la casa de José de Séforis, que Judas de Keriot le llama la atención para que vea a un joven que avanza en dirección suya, tocando las murallas con un bastón, levantando su cara sin ojos hacia lo alto, a la manera como suelen hacerlo los ciegos. Sus vestidos son pobres, pero limpios. Debe ser muy conocido en Jerusalén porque muchos le dicen desde lejos y otros hasta se le acercan para decirle: «Oye. Hoy equivocaste el camino. Los caminos del Moria están ya detrás. Estás ahora en Bezeta.»

«No pido hoy limosna de dinero» responde con una sonrisa, y continúa siempre con esa sonrisa hacia el norte de la ciudad.

«Míralo, Maestro, tiene los párpados pegados. Creo que ni siquiera los tuviera. La frente se une con las mejillas sin hueco algu-

[1] Cfr. Ju. 9, 1-34.

no, y parece que debajo ellas no estuvieran los globos de los ojos. Ha nacido infeliz, y así morirá sin haber visto ni siquiera una vez la luz del día, ni la cara de un hombre. Dime, pues, Maestro. Si nació así, ¿no habrá, pecado? Pero, ¿cómo pudo haber pecado antes de nacer? ¿Habrán pecado acaso sus padres y Dios los castigó haciendo que él naciese ciego?»

Los demás apóstoles, Isaac y Marziam se estrechan a Jesús para oir su respuesta. Y acelerando el paso, como atraídos por la altura de Jesús, que sobresale, corren dos jerosolimitanos que no visten lujosamente y que han seguido al ciego. Con ellos viene José de Arimatea que no se acerca, sino que aproximándose a un portón de dos gradas, vuelve su mirada tratando de observar a todos.

Jesús responde. Sus palabras repercuten claras en el silencio que le rodea: «Ni él ni sus padres pecaron más de lo que cualquiera peca, o quizás menos. La pobreza frecuentemente es un freno en el pecar. Si él nació así es para que una vez más se muestren en él el poder y las obras de Dios. Yo soy la Luz que vino al mundo para que los que han olvidado a Dios, o perdido su efigie espiritual, la vean y recuerden; y para que los que buscan a Dios, o pertenecen ya a El, se confirmen en la fe y en el amor. El Padre me envió para que, en el día que todavía se concede a Israel, logre Yo completar el conocimiento de Dios tanto en él como en todo el mundo. Esta es la razón por la que debo realizar las obras que me ordenó, para dar testimonio de que puedo hacer lo que El puede, porque soy Uno solo con El. Que el mundo sepa y vea que el Hijo no es desemejante al Padre y crea en Mí por lo que soy. Después vendrá la noche en la que no se puede trabajar, las tinieblas, y quien no tuviere grabadas en sí mi señal y no tuviere la fe en Mí no podrá hacerlo en las tinieblas y en la confusión, dolor, desolación y destrucción que curbrirán estos lugares y los corazones de los hombres quedarán como entorpecidos con la angustia. Pero mientras esté en el mundo, soy su Luz y testimonio, Palabra, Vida, Sabiduría, Poder y Misericordia. Ve y tráeme al ciego aquí.»

«Ve tú, Andrés. Prefiero quedarme aquí y ver lo que hace el Maestro» dice Judas, señalando a Jesús que se ha inclinado sobre el camino polvoriento, ha escupido sobre un puñado de tierra y con el dedo está mezclando su saliva, formando así una bolita de lodo. Mientras Andrés siempre condescendiente se va a traer al ciego que está para dar vuelta en la callejuela por donde está la casa de José de Séforis, Jesús se la coloca en los indices. Judas se retira de su lugar diciendo a Mateo y Pedro: «Venid aquí, vosotros que sois de poca estatura y veréis mejor.» Se pone detrás de todos, como ocultándose detrás de los hijos de Alfeo y de Bartolomé que son altos.

Andrés regresa trayendo de la mano al ciego que no cesa de decir:

«No quiero dinero. Déjame ir. Sé dónde está a quien llaman Jesús. Voy a pedirle...»

«Este es Jesús, el que está delante de ti» dice Andrés deteniéndose ante el Maestro.

Contrariamente a lo que suele hacer, Jesús no le pregunta nada al ciego. Le pone inmediatamente el poco de lodo que tiene entre los dedos sobre los párpados cerrados y le dice: «Ahora ve lo más pronto que puedes a la cisterna de Siloé, sin detenerte a hablar con nadie.»

El ciego, con los párpados enlodados, se queda por un instante perplejo y abre sus labios como para decir algo, pero los cierra y obedece. Sus primeros pasos son lentos, como los de quien se siente dudoso o desilusionado. Luego se da prisa, tocando con su bastón el muro. Cada vez va más rápido, como lo puede hacer un ciego, tal vez hasta más, como si sintiese que alguien lo guiara...

Los dos jerosolimitanos sarcásticamente se echan a reir sacudiendo su cabeza, y se van. José de Arimatea — y me sorprende lo que hace — los sigue sin saludar siquiera al Maestro, volviendo sobre sus pasos, esto es, en dirección al Templo, de donde había venido. De este modo tanto el ciego como los dos y José de Arimatea se dirigen hacia el sur de la ciudad. Jesús da vuelta hacia el occidente y lo pierdo de vista, porque es voluntad del Señor que siga al ciego y a los que lo siguen.

Pasada Bezeta todos entran en el valle que está entre el monte Moria y Sión — me parece haber oído otras veces que le llaman Tiropeo — lo siguen hasta Ofel, le dan vuelta, salen por el camino que va a la fuente de Siloé y siempre en este orden: primero el ciego a quien muy probablemente todos los de esta parte conocen, luego los otros, finalmente y a cierta distancia, José de Arimatea.

Este se detiene cerca de una pobre casucha, semioculto por un grupo de bojes que rodea el huertecillo de la casucha. Los dos siguen hasta la fuente y miran que el ciego se acerca cauteloso al vasto estanque, y tocando la pared húmeda tiende una mano hacia dentro y la saca con agua. Se lava los ojos, una, dos, tres veces. A la última aprieta su cara también con la otra mano, dejando caer el bastón y echando un grito como de dolor. Luego aparta lentamente las manos y su grito anterior de dolor se transforma en uno de alegría: «¡Oh, Altísimo! ¡Yo veo!» y se echa a tierra como vencido de la emoción, con las manos apretadas a sus sienes, para que sus ojos, que tienen ansias de ver, no se muevan, ni tampoco sufran al contacto de la luz. Grita: «¡Veo, veo! ¡Esta es, pues, la tierra! ¡Esta la luz! ¡Esta la hierba que conocía sólo por su frescura...» Se pone de pie, e inclinado como uno que lleva un peso, su peso de alegría, va al arroyuelo que arrastra lo demás de agua, lo mira correr parlachín, alegre, y murmura: «¡Y esta es el agua!... Así la sentía, entre los dedos (mete la mano) fría, que no puede apresarse, pero no la conocía... ¡Qué bella, qué bella! ¡Qué bello es todo!» Levanta su cara y ve un árbol... se acerca, lo toca, extiende una mano, toma una ramita, la mira y ríe, ríe. Se pone la mano sobre la frente y mira el firmamento, el sol, y dos lágrimas bajan por sus virginales párpados abiertos para contemplar el mundo... Baja los ojos a la hierba donde se balancea un tallo, se ve a sí mismo reflejado en el agua del arroyuelo, se mira y dice: «¡Así soy!» y admirado contempla una tórtola que ha venido a beber un poco más allá, una cabra que arranca las últimas hojas de un rosal silvestre y a una mujer que viene a la fuente con su hijito en el pecho. Aquella mujer le recuerda a su madre, su madre cuya cara no ha conocido, y levantando los brazos al cielo grita: «Te bendigo, ¡oh Altísimo!, por la luz, por mi madre, y por Jesús» y corre, dejando en tierra su bastón que ya no necesita...

Los dos no han esperado a ver todo esto. Apenas visto que el joven ve, ligeros se fueron a la ciudad.

José por su parte se queda hasta el fin, y cuando el ciego, que ya no lo está, pasa rápido delante de él y entra en el dédalo de callejuelas del suburbio de Ofel, deja su lugar y vuelve sobre sus pasos, dirigiéndose a la ciudad, pensativo...

El suburbio de Ofel, siempre lleno de ruido, está ahora en efervescencia. Quién corre a la derecha, quién a la izquierda. Preguntas, respuestas.

«Os habréis equivocado con otro...»

«No. Que te lo digo. Le hablé diciéndole: "¿Eres tú en realidad Sidonia, llamado Bartolomai?" y él me contestó: "Lo soy". Quería preguntarle que qué le había pasado, pero se fue a la carrera.»

«¿Dónde está ahora?»

«En casa de su madre con seguridad.»

«¿Quién? ¿Quién lo ha visto?» preguntan otros que llegan.

«¡Yo, yo!» responden varios.

«¿Cómo sucedió?»

«...Lo he visto correr sin bastón con dos ojos en la cara y me dije: "Mira, así sería Bartolmai si..."»

«Te digo que todavía tiemblo de emoción. Al entrar gritó: "¡Madre, te veo!"»

«Una gran alegría para sus padres. Ahora podrá ayudar a su padre a ganar el sustento diario...»

«¡Pobre de su madre! Se sintió mal del júbilo. ¡Espera, espera! Había yo ido a que me diese un poco de sal y...»

«Vamos a oírlo...»

José de Arimatea se encuentra en medio de toda esta algazara, y no sé si por curiosidad o por espíritu de imitación, sigue la corriente y va a dar a una vereda cerrada, que de continuar llevaría al Cedrón, donde la gente se amontona apagando con sus voces el rumor de las aguas que arrastra el torrente, y que aumentaron con las lluvias otoñales.

José llega cuando, por otro vericueto que desemboca en éste, vienen los dos de antes con otros tres: un escriba, un sacerdote y otro que no puedo identificar por su vestido. Se abren paso con garbo y tratan de entrar en la casa rodeada de gente. La casa consta de una cocina amplia y negra como el carbón. Un ángulo está separado por madera rústica. Más allá hay un lecho y una puerta que da a otra habitación con un lecho más grande. Se ve una puerta abierta en la pared de enfrente y a través de ella un huertecillo de cuantos metros cuadrados. Eso es todo.

El ciego apoyado sobre la mesa responde a quien le pregunta, a toda la gente pore como él, al pueblo insignificante de Jerusalén, al que vive en este barrio, que tal vez es el más pobre de todos. Su madre, de pie junto a él, lo mira y llora secándose las lágrimas con su velo. Su padre, un hombre acabado en el trabajo, se restrega la barba con mano temblorosa.

Es imposible entrar dentro, aun para la autoridad judía. Debe escuchar las respuestas desde fuera.

«¿Que cómo se me abrieron los ojos? Ese hombre que se llama Jesús me embadurnó los ojos con tierra mojada y me dijo: "Ve a lavarte en la fuente de Siloé". Fui, me lavé, se me abrieron los ojos y vi.»

«¿Pero cómo hiciste para encontrar al Rabí? Siempre andabas diciendo que eras un infeliz porque nunca lo encontrabas, ni siquiera cuando pasaba por aquí para ir de la casa de Jonás a Getsemaní. Y hoy, ahora que nadie sabe dónde esté...»

«¡Eh! ayer por la tarde vino un discípulo suyo y me dió dos monedas diciéndome: "¿Por qué no tratas de ver?" Le respondí: "He tratado, pero no encuentro nunca a Jesús que hace los milagros. Lo ando buscando desde que curó a Analía, que es del mismo barrio. Cuando voy a buscarlo, El ya no está..." y él me dijo: "Yo soy un apóstol suyo y hace lo que yo digo. Ven mañana a Bezeta y busca la casa de José el galileo, el que vende pescado seco, José de Séforis, cerca de la puerta de Herodes y el arco de la plaza, de la parte oriental, y sabrás que antes o después El pasará de allá o entrará en casa y yo te señaláré al Maestro". Dije: "Pero mañana es sábado". Quería yo decir que El no haría nada en sábado. El replicó: "Si quieres curarte, es la oportunidad, porque después abandona la ciudad y no lo encontrarás más". Volví a decir: "Sé que lo persiguen. Lo oí en las puertas de la muralla del Templo, a donde suelo ir a mendigar,. y por esto digo que ahora que lo persiguen así, mucho menos me querrá curar en sábado para no ser perseguido". Y él insistió:"Haz lo que te digo y en sábado verás el sol". Yo fui. ¿Quién no hubiera ido? ¡Si lo decía un apóstol suyo! También me dijo: "Yo soy al que más hace caso y he venido a propósito porque me das compasión y porque quiero que brilla su poder ahora que lo han despreciado. Tú, ciego de nacimiento, lo harás brillar. Sé lo que me digo. Ven mañana y verás". Fui, pues, y todavía no había llegado a la casa de José, cuando un hombre me tomó por la mano, pero no era la voz del que me había hablado el día anterior. Me dijo: "Ven conmigo, hermano" y yo no quería ir, creía que me quería dar pan y dinero, tal vez algunos vestidos. Le decía que me dejara ir en paz porque sabía yo dónde encontraría a quien llaman Jesús. El me dijo: "Este es Jesús. Estás delante de El". Yo no vi nada, porque era ciego. Sentí dos dedos que me tocaban y me ponían tierra mojada aquí y aquí, y oí una voz que me decía: "Ve presto a Siloé y lávate y no hables con nadie". Así lo hice. Pero sentí desconsuelo porque esperaba ver inmediatamente. Casi llegué a creer que se trataba de una burla de jóvenes sin corazón, y ya no quería ir, pero oí dentro algo así como una voz que me decía: "Ten paciencia y obedece". Fui, pues, a la fuente, me lavé y vi.» El joven se detiene extático al volver a recordar la alegría que experimentó cuando por vez primera vio...

«Decid a ese hombre que salga. Queremos interrogarlo» gritan los cinco.

El joven se abre paso y sale al umbral.

«¿Dónde está el que te curó?»

«No lo sé» dice el joven al que un amigo en voz baja le ha dicho: «Son escribas y sacerdotes.»

«¿Cómo que no lo sabe? Decías hace unos instantes que sabías. ¡No mientas a los doctores de la ley y al sacerdote! ¡Ay de quien trata de engañar a los magistrados del pueblo!»

«No engaño a nadie. Aquel discípulo me había dicho: "Está en esa casa" y era verdad porque no estaba lejos de ella cuando me tomaron y me llevaron a donde estaba. Pero en dónde esté ahora, no lo sé. El discípulo me había dicho que partirían. Puede ser que haya salido ya por las puertas.»

«¿A dónde se dirigía?»

«¡Yo qué me sé! Se irá a Galilea... pues de la manera como lo tratan aquí...»

«¡Tonto e irrespetuoso! ¡Ten cuidado en hablar así, hez del pueblo! Te pregunté que por qué camino se iba.»

«¿Y cómo queréis que lo sepa si estaba yo ciego? ¿Puede un ciego decir a dónde va alguien?»

«Está bien. Síguenos.»

«¿A dónde me queréis llevar?»

«A donde los fariseos principales.»

«¿Por qué? ¿Qué tienen ver ellos conmigo? ¿Acaso me curaron para que les vaya a dar las gracias? Cuando era ciego y pedía limosna, jamás mis manos supieron lo que eran sus monedas; jamás mis oídos oyeron una palabra suya de piedad y mi corazón nunca experimentó la menor prueba de su amor. ¿Que debo decirles? No tengo a nadie otro que darle las "gracias" después de mi padre y madre que por muchos años me han amado a mí que era infeliz, sino a Jesús que me curó, que me ha amado con su corazón, como mis padres lo han hecho. Yo no voy a donde están los fariseos. Me quedo con mi madre y padre. Quiero gozar en ver sus caras, y ellos en ver mis ojos que acaban de nacer, después de aquella primavera de hace muchos años en que nací, pero en que no vi la luz.»

«Déjate de charlatanerías. Ven y síguenos.»

«¡Que no voy! ¡Que no voy! ¿Acaso alguno de vosotros secó una lágrima o una gota de sudor de mi madre que se moría por mi desgracia, o de mi padre que moría de cansancio? Ahora puedo hacerlo con mi presencia, ¿y voy a dejarlos para seguiros?»

«Te lo ordenamos. No eres tú quien mandas, sino el Templo y los jefes del pueblo. Si la soberbia de haber sido curado ofusca tu inteligencia para no recordar que somos los que mandamos, te lo recordamos nosotros. ¡Adelante! ¡Camina!»

«¿Pero por qué debo ir? ¿Qué queréis de mí?»

«Que des testimonio de lo que pasó. Es sábado [2]. Se ha hecho algo en sábado. Se le considera como pecado. Pecado tuyo y de ese satanás.»

«¡Vosotros sois los satanases! ¡Vosotros sois pecado! ¿Debo ir a acusar al que me curó? ¡Estáis borrachos! Iré al Templo a bendecir al Señor, y no a otra cosa. Por tantos años he vivido en la oscuridad de la ceguera. Mis cerrados párpados no hacían más que sombra a mis ojos. Pero mi inteligencia ha estado siempre en la luz, en la gracia de Dios y ella me dice que no debo hacer daño al Unico Santo que hay en Israel.»

«¡Basta! ¿No sabes que hay castigos para quienes resisten a los magistrados?»

«Yo no sé nada. Aquí estoy y aquí me quedo. No os conviene hacerme daño. Ved que todo Ofel está de mi parte.»

«¡Sí, sí! ¡Dejadlo, chacales! Dios lo protege. ¡No lo toquéis! ¡Dios está con los pobres! ¡Dios está con nosotros, vosotros que matáis a otros de hambre, vosotros hipócritas!» La gente aúlla y amenaza con una de esas espontáneas manifestaciones populares que son la explosión de ira de los humildes contra sus opresores, o de amor para su protector. Grita: «¡Ay de vosotros si hacéis mal a nuestro Salvador! Al Amigo de los pobres. Al Mesías tres veces Santo. ¡Ay de vosotros! No hemos tenido miedo a la rabia de Herodes, ni a la de los Jefes extranjeros, cuando ha sido necesario. No tenemos

[2] Cfr. vol. 1°, pág. 513, not. 1.

miedo a la vuestra, hienas viejas, hienas desdentadas! ¡Chacales de uñas corvas! Roma no quiere tumultos y no oprime al Rabí porque El es paz. Os conoce. ¡Largaos! ¡Largaos de los lugares que oprimís con diezmos pesadísimos para sus fuerzas. Y los queréis para saciar vuestra hambre y hacer negocios sucios. ¡Descendientes de Jasón! ¡De Simón! Verdugos de los verdaderos Eleazares, de los santos Onías [3]. ¡Vosotros que aplastáis a los profetas! ¡Largo, largo de aquí!» La gritería comienza a subir de punto.

José de Arimatea, apoyado sobre una pared no muy alta, hasta ahora ha sido un atento pero inactivo espectador de los hechos. Con agilidad maravillosa para su edad, y pese a tantos vestidos y mantos como lleva, sube sobre la pared y grita: «Silencio, ciudadanos. ¡Escuchad a José el Anciano!»

Una, dos, diez cabezas se vuelven en dirección a la voz. Ven a José. Gritan su nombre. Debe ser muy conocido, y el pueblo lo ha de querer, porque los gritos de ira se cambian en gritos de júbilo: «¡Es José el Anciano! ¡Viva! ¡Paz y larga vida al justo! ¡Paz y bendición al bienhechor de los miserables! ¡Silencio que va a hablar! ¡Silencio!»

El silencio llega despacio. Por algunos minutos se oye el ruido del Cedrón más allá del suburbio. Todas las cabezas están vueltas hacia José, olvidadas de los cinco mal afortunados e imprudentes que sucitaron el tumulto.

«Ciudadanos de Jerusalén, hombres de Ofel, ¿por qué queréis dejaros cegar de la sospecha y de la ira? ¿Por qué faltar al respeto y a las costumbres, vosotros que siempre habéis sido fieles a las leyes de los padres? ¿A quién teméis? ¿Teméis acaso que el Templo sea un Moloc [4] que no devuelva lo que llega a él? ¿Acaso que vuestros jueces sean todos unos ciegos, más que vuestro amigo, ciegos en el corazón y sordos a la justicia? ¿No ha sido costumbre que un hecho prodigioso sea declarado, escrito y conservado por quien tiene obligación de cuidar de las Crónicas de Israel? Aun por amor al Rabí que amáis, dejad que vaya el que ha sido favorecido con el milagro a declarar lo que El hizo. ¿Dudáis todavía? Pues bien, yo salgo garante de que ningún mal acaecerá a Bartolmai. Sabéis que no miento. Lo acompañaré como a un hijo hasta allá arriba y lo os traeré después aquí. Tened confianza en mí. Y no hagáis del sábado un día de pecado al rebelaros contra vuestros jefes.»

«Tiene razón. No se debe. Podemos creerle. El es un hombre recto. En las deliberaciones buenas del Sanedrín siempre está su voz.» La gente se intercambia pareceres y termina gritando: «A ti sí te

[3] Cfr. 2 Mac. 4-6.

[4] Cfr. con respecto de este ídolo: Lev. 18, 21; 20, 1-5; 3 Rey. 11; 4 Rey. 23, 4-14; Jer. 32, 28-35.

creemos. Te confiamos a nuestro amigo.» Y se vuelve al joven: «¡Ve! No tengas miedo. Puedes estar seguro con José de Arimatea como si fuese tu padre o más» y se abre paso para que el joven pueda ir a donde está José que ha bajado del pequeño muro y mientras pasa le dicen: «También nosotros vamos. ¡No tengas miedo!»

José, con sus elegantes vestidos, pone una mano sobre la espalda de joven y se ponen en camino. La túnica gris y pobre del joven, su pequeño manto, contrastan con la rica vestidura roja y el elegante manto de color oscuro de viejo sanedrista. Detrás de ellos vienen los cinco, y detrás muchos y muchos de Ofel...

Han llegado al Templo, después de que atravesaron las calles principales llamando la atención de muchos que señalan al ciego diciendo: «¡Ese es el ciego que mendigaba! ¡Ahora ya ve! ¡Tal vez sea uno que se le parezca! No. Es él y lo llevan al Templo. Vamos a oir» y la fila aumenta cada vez más.

José guía al joven a una sala, no al Sanedrín, donde hay muchos fariseos y escribas. José entra y con él Bartolmai y los cinco. A los de Ofel les echan las puertas sobre las narices.

«Aquí está. Yo mismo lo he traído. Yo asistí a su encuentro con el Rabí y a su curación. Os puedo afirmar que fue del todo casual por parte del Rabí. Como oiréis de él mismo, fue llevado, o mejor, invitado a ir a donde estaba el Rabí por Judas de Keriot, a quien conocéis. Yo escuché, y también estos dos porque estaban presentes, cómo fue Judas el que tentó Jesús de Nazaret a hacer el milagro. Ahora yo declaro aquí que si hay alguien que deba castigarse, no lo será ni el ciego, ni el Rabí, sino el hombre de Keriot, que — Dios sabe que no miento al decir lo que imagino — es el único responsable del hecho, porque él a propósito lo buscó. Eso es todo.»

«Tus palabras no quitan la culpa al Rabí. Si un discípulo suyo pecó no debería pecar El. Pero pecó curando en sábado. Hizo una obra servil.»

«Escupir en tierra no es hacer una obra servil. Tocar los ojos de otro no lo es tampoco. Yo también toco a un hombre y no creo haber cometido un pecado.»

«El realizó un milagro en sábado. En esto está el pecado.»

«Honrar el sábado con un milagro es gracia de Dios y de su bondad. Es su día. ¿No podrá el Omnipotente celebrarlo con un milagro que haga brillar su poder?»

«No estamos aquí para escucharte. Tú no eres el acusado. A éste queremos interrogar. Responde, tú, ¿cómo obtuviste la vista?»

«Ya lo dije. Estos me escucharon. El discípulo de aquel Jesús ayer me dijo: ''Ven y haré que te cure''. Fui, pues. Sentí que me ponían lodo aquí y oí una voz que me ordenaba que fuera a Siloé a lavarme. Lo hice y veo.»

«¿Pero sabes quién te curó?»

«¡Claro que lo sé! Fue Jesús. Ya lo he dicho.»

«¿Sabes exactamente quién es Jesús?»

«Yo no sé nada. Soy un pobre y un ignorante. Hasta hace poco fui un ciego. Esto es lo que sé. Sé que El me ha curado. Si lo ha podido hacer, no cabe duda que Dios esté con El.»

«¡No blasfemes! Dios no puede estar con quien no observa el sábado» gritan algunos.

José, los fariseos Eleazar, Juan y Joaquín hacen notar: «Tampoco un pecador puede hacer tales prodigios.»

«¿También vosotros os habéis dejado engañar por ese poseso?»

«No. Somos justos. Y decimos que si Dios no puede estar con quien obra en sábado, tampoco puede el hombre sin Dios hacer que un ciego de nacimiento vea» dice con calma Eleazar, y los demás asienten a sus palabras.

«¿Y dónde metéis el demonio?» objetan airados y de mal talante.

«No puedo creer, ni tampoco vosotros lo creéis, que el demonio pueda hacer obras con las que se alaba al Señor» replica Juan el fariseo.

«¿Y quién lo alaba?»

«El joven, sus padres, todo Ofel y yo con ellos y conmigo todos los que son justos y santamente temen a Dios» objeta José.

Los contrarios, que no encuentran ya más argumentos, se dirigen a Sidonia, llamado Bartolmai: «¿Tú qué dices del que te abrió los ojos?»

«Para mí es un profeta. Más grande que Elías que resucitó al hijo de la viuda de Sarepta [5]. Porque Elías hizo volver el alma al cuerpo del niño. Pero este Jesús me ha dado lo que yo nunca había perdido, porque nunca lo había tenido: la vista. Si me ha hecho los ojos en un instante sin nada, fuera de un poco de lodo, mientras en nueve meses mi madre con carne y sangre no logró hacérmelos, debe ser grande como Dios que con el lodo hizo al hombre [6].»

«¡Lárgate, lárgate! ¡Blasfemo! ¡Mentiroso!» y echan fuera al joven como si fuese un condenado.

«El hombre miente. No puede ser verdadero. Todos están de acuerdo que quien nace ciego, no puede curarse. Será uno que se asemeje a Bartolmai, y que el Nazareno preparó... o bien... Bartolmai nunca lo ha estado.»

Ante esta sorprendente afirmación, José de Arimatea protesta: «Que el odio ciegue a uno, es cosa que se sabe desde Caín. Pero que haga estúpidos es cosa que no se había visto. ¿Os parece que alguien llegue a la flor de la juventud fingiéndose ciego para... esperar un posible suceso que meta ruido y un suceso muy futuro? ¿O

[5] Cfr. 3 Rey. 17, 17-24.
[6] Cfr. Gén. 2, 7.

que los padres de Bartolmai no conozcan a su hijo o se presten a una patraña igual?»

«El dinero lo puede todo. Ellos son pobres.»

«El Nazareno es más que ellos.»

«¡Mientes! Sumas de sátrapa pasan por sus manos.»

«Pero no se detienen ni un instante en ellas. Esas sumas de dinero son para los pobres. Las emplea para hacer el bien, no para urdir mentiras.»

«¡Cómo lo defiendes! ¡Y eres uno de los Ancianos!»

«José tiene razón. La verdad hay que decirla, cualquiera que sea el cargo que uno tenga» dice Eleazar.

«Corred a llamar al ciego. Traedlo nuevamente aquí. Que vayan otros a la casa de sus padres y que los traigan aquí» aúlla Elquías, abriendo la puerta y ordenando a algunos que estaban esperando afuera. De su boca corre espuma de ira que lo ahoga.

Se le obedece. El primero que regresa es Sidonia llamado Bartolmai, sorprendido y de mal humor. Le ordenan que se quede en un ángulo y lo miran como una jauría de perros mirara su presa...

Después de algún tiempo, llegan los padres rodeados de gente.

«Pasad. Los demás que se queden fuera.»

Los dos entran espantados y ven a su hijo en el rincón, sano, pero como si estuviera arrestado. La madre gime: «¡Hijo mío! ¡Hoy debería ser un día de fiesta para nosotros!»

«Escuchadnos. ¿Es vuestro hijo ese joven?» les pregunta ásperamente un fariseo.

«¡Claro que es nuestro hijo! ¿Y quién queréis que sea sino él?»

«¿Estáis seguros de ello?»

El padre y la madre están tan atolondrados con la pregunta que se miran antes de responder.

«¡Responded!»

«Noble fariseo, ¿puedes pensar que un padre y una madre se engañen acerca de su hijo?» contesta con humildad el padre.

«Pero... podéis jurar que... Sí, que por ninguna suma de dinero se os pidió que dijeseis que este es vuestro hijo, cuando no es sino uno que se le asemeja?»

«¿Que nos hayan pedido? ¿Y quién? ¿Jurar? ¡Mil veces y por el altar y por el Nombre de Dios, si te place!» Es tan clara la afirmación capaz de convencer aun al más obstinado.

Pero los fariseos no quieren dar su brazo a torcer. Preguntan: «¿No nació ciego vuestro hijo?»

«Sí. Así nació. Con los párpados cerrados y dentro nada...»

«¿Y cómo es entonces que ahora ve, que tiene sus ojos y que sus párpados están abiertos? ¡No vais a querer afirmar que los ojos puedan nacer así, como flores en primavera, y que un párpado se abra como se abre el cáliz de una flor!...» dice otro fariseo y ríe sarcástico.

«Sabemos que este es verdaderamente nuestro hijo desde hace casi treinta años, que nació ciego. Cómo vea ahora, no lo sabemos, ni sabemos quién le haya abierto los ojos. Por otra parte, preguntádselo a él. No es ni un tonto, ni un niño. Ya tiene sus años. Preguntadle a él y os responderá.»

«Mentís. El, en vuestra casa, os contó cómo fue curado y quién lo curó. ¿Por qué habéis dicho que no sabéis?» grita uno de los dos que siempre habían seguido al ciego.

«Estábamos tan atolondrados con la sorpresa que no caímos bien en la cuenta» se excusan ambos.

Los fariseos se vuelven a Sidonia, llamado Bartolmai: «Acércate y ¡da gloria a Dios si puedes! ¿No sabes que quien te tocó los ojos es un pecador? ¿No lo sabías? Te lo decimos para que lo tengas en cuenta.»

«¡Bueno! Será como decís. Yo no sé si es pecador o no. Lo único que sé es que antes estaba yo ciego y que ahora veo, y muy claro.»

«¿Qué cosa te hizo! ¿Cómo te abrió los ojos?»

«Ya os lo he dicho y me escuchasteis. ¿Queréis oírlo nuevamente? ¿Para qué? ¿Tal vez queréis haceros sus discípulos?»

«¡Bruto! Sé tú discípulo de ese hombre. Nosotros lo somos de Moisés. Y sabemos todo referirte de Moisés y cómo Dios le habló. Pero de este hombre no sabemos nada, ni de dónde venga, ni quién sea, y ningún prodigio del cielo nos lo señala por profeta.»

«¡En esto está lo maravilloso! Que no sabéis de dónde sea y decís que ningún prodigio os lo señala como a un hombre justo. El me abrió los ojos y ningún israelita de entre nosotros lo ha hecho jamás, ni siquiera el amor de una madre y los sacrificios de mi padre. Pero todos sabemos una cosa, tanto yo como vosotros, y es que Dios no escucha al pecador sino al que le teme y hace su voluntad. Jamás se ha sabido que alguien en cualquier parte del mundo haya abierto los ojos de un ciego de nacimiento, fuera de este Jesús que sí lo hizo. Si El no fuese de Dios, no lo hubiera podido haber hecho.»

«Naciste sumido en el pecado, deforme en el espíritu, mucho más de lo que fuiste en tu cuerpo, ¿y pretendes enseñarnos a nosotros? ¡Lárgate, maldito aborto! Hazte satanás con el que te seduce. ¡Fuera, fuera, plebe estúpida y pecadora!» y arrojan afuera al joven, a sus padres, como si fueran tres leprosos.

Estos se van ligeros, seguidos de sus amigos. Llegados fuera de la muralla Sidonia se vuelve y dice: «Decid lo que se os ocurra. ¡A mí que me importa! La verdad es que veo y alabo por ello a Dios. Vosotros sois unos satanases, y no el Bueno que me ha curado.»

«¡Cállate, hijo! ¡Cállate! ¡No nos vayan a hacer algún mal!...» suplica su madre.

«¡Oh, mamita mía! ¿Te envenenó el alma el aire de esta sala, tú que cuando yo sufría me enseñaste a alabar a Dios, y ahora que te has encontrado con la alegría no sabes darle gracias? ¿Temes a los hombres? Si Dios me ha amado tanto y te ha amado que nos concedió un milagro, ¿no podrá defendernos de un puñado de hombres?»

«Tiene razón él, mujer. Vamos a nuestra sinagoga a alabar al Señor, porque de este Templo nos han arrojado. Vámonos aprisa antes de que termine el sábado...»

Y apresurando el paso se pierden entre las callejuelas del valle.

208. Jesús en Nobe. Judas de Keriot miente

(Escrito el 11 de octubre de 1946)

Jesús está en Nobe. Y debe de haber llegado hace poco, porque está dividendo a sus apóstoles en tres grupos de a cuatro para que vayan a las casas. Con El se quedan Pedro, Juan, Judas Iscariote y Simón Zelote. Con Santiago de Zebedeo, que hace de cabeza, van Mateo, Judas de Alfeo y Felipe. En el tercero en que Bartolomé es el jefe, están Santiago de Alfeo, Andrés y Tomás.

«Id después de la cena a donde os prometieron hospedaros y mañana regresaréis aquí, y os diré lo que tendréis que hacer. Estaremos juntos a la hora de las comidas. Acordaos de lo que muchas veces os he dicho: *que debéis predicar mi doctrina hasta con vuestro modo de vivir y convivir entre vosotros y con quien os acoge. Sed, pues, sobrios, pacientes, honestos en vuestras palabras, en vuestras acciones, en vuestras miradas, de modo que de vosotros se respire como perfume vuestra rectitud. Sabéis cómo el mundo tiene sus ojos puestos sobre nosotros para calumniarnos u observarnos, y también para venerarnos. Los que hacen esto último son muy pocos. Pero de estos pocos debemos tener mucho cuidado porque sobre su fe se apoya lo que el mundo quiere saber de nosotros para hacerla vacilar. El se aprovecha de todas las armas para destruir el amor que los buenos me tienen y por lo tanto que os tienen. No ayudéis pues al mundo con un modo de vivir que no es santo. No hagáis pesada la carga de los que deben defender su fe de las asechanzas de mis adversarios, siéndoles causa de escándalo. El escándalo introduce la duda en las almas, las aleja, las debilita. ¡Ay del apóstol que es escándalo para las almas! Peca contra su Maestro y contra su prójimo, contra Dios y contra el rebaño de Dios.* Pongo mi confianza en vosotros. No añadáis a mi dolor, que ya es mucho, otro dolor que venga de vosotros.»

«No te preocupes, Maestro. De nosotros no recibirás ningún dolor, a no ser que Satanás nos revuelque a todos» dice Bartolomé.

Entra Anastásica que ayuda en la cocina a Elisa y dice: «La cena está pronta, Maestro. Baja mientras está caliente. Te hará mucho bien.»

«Vamos.»

Jesús se levanta siguiendo a la mujer por la escalera que de las habitaciones superiores, donde están preparados los lechos, lleva al pequeño huerto. Y de éste entra a la cocina que alegra un buen fuego.

Está el viejo Juan cerca del fuego y Elisa que se deshace en preparar los alimentos. Al ver entrar a Jesús le dirige una sonrisa maternal y se da prisa a echar en un gran tazón el trigo o cebada cocido en leche, como lo hizo María de Alfeo en Nazaret, cuando partían Juan y Síntica.

«Mira. Me acordé de que María Cleofás me había dicho que te gustaba. Había estado guardando la mejor miel para hacer esto y darle también a Marziam... Me desagrada que él no está aquí...»

«Está en casa de Nique con Isaac, porque mañana al amanecer parte y ella quiere usar el carruaje hasta Jericó para hacer el encargo que sabes...»

«¿Qué encargo, Maestro?» pregunta con interés Iscariote.

«Una misión muy femenina. Criar a un niño. Sólo que éste no necesita leche, sino fe, porque es pequeno en el espíritu. Pero la mujer siempre es madre y sabe hacer estas cosas. ¡Cuando ella comprende esto!... El hombre tiene fuerzas... Pero mucho más las caricias maternales...»

«¡Qué bueno eres con nosotras, Maestro!» dice Elisa acariciándolo con su mirada.

«Digo sólo la verdad, Elisa. Nosotros los de Israel, y no sólo nosotros, estamos acostumbrados a ver en la mujer a un ser inferior. Y no está bien. Si está sujeta al hombre, como se debe, si ha sido castigada más por el pecado de Eva [1], si su misión consiste en que se desenvuelva entre velos y penumbras, sin hechos y acciones vistosas, si todo en su ser parece estar cubierto como de un gran velo, no por esto es menos fuerte y menos capaz que los varones. Aun sin traer a la memoria el nombre de las grandes mujeres de Israel, os aseguro que en el corazón de la mujer existe una gran fuerza. En su corazón, como los varones la tienen en su mente. Os aseguro también que la posición de la mujer va a cambiar como cambiarán otras muchas cosas. Y será justo, porque así como Yo por todos los hombres obtendré gracia y redención, así también una Mujer las obtendrá para ellas de modo especial.»

«¿Una mujer? ¿Y cómo quieres que redima una mujer?» pregunta Iscariote riéndose.

[1] Cfr. Gén. 3, 16; Miq. 5, 9-10; Ap. 12, 2.

«En verdad te digo que ella también está redimiendo. ¿Sabes lo que es redimir?»

«¡Que si lo sé! Es librar del pecado.»

«Así es. Pero librar del pecado no serviría mucho porque el adversario es eterno y volvería a poner asechanzas. Se oyó una voz en el paraíso terrenal, era la voz de Dios que decía: "Pondré enemistades entre ti y la Mujer... Tú tratarás de morderle el carcañal, porque Ella te aplastará la cabeza" [2]. No se tratará más que de un intento, porque la Mujer tendrá, y tiene en sí, lo que vence al Adversario. Y por lo tanto redime desde que existe. Una redención que se realiza, aunque oculta; pero pronto se dejará ver a los ojos del mundo y las mujeres cobrarán fuerzas en Ella [3].»

«Que Tú redimas... está bien. Pero que una mujer lo pueda... no lo acepto, Maestro.»

«¿No recuerdas a Tobías? ¿No recuerdas su cántico [4]?»

«Sí. Pero habla de Jerusalén.»

«¿Existe acaso en Jerusalén un tabernáculo en que esté Dios? ¿Puede Dios desde su gloria presenciar los pecados que se cometen entre las murallas del Templo? Era necesario otro tabernáculo, que fuese santo, que fuese estrella que conduce de nuevo al Altísimo a los extraviados. Y esto se realiza en la Corredentora que por los siglos se alegrará con ser la Madre de los redimidos. "Brillarás con una luz resplandeciente. Todos los pueblos de la tierra se postrarán ante ti. Las naciones desde lejos vendrán a ti trayéndote dones y en ti adorarán al Señor... Invocarán tu gran nombre... Los que no te escucharen se contarán entre los maldecidos, y serán benditos los que se estrecharán a ti... Serás dichosa en tus hijos porque serán los benditos que estarán reunidos junto al Señor" [5]. El verdadero cántico de la Corredentora [6]. Y lo cantan ya en el cielo los ángeles que la ven... La nueva y celestial Jerusalén tiene principio en Ella. ¡Oh, es verdad! El mundo lo ignora. La ignoran los rabinos ignorantes de Israel...» Jesús se sumerge en sus pensamientos...

«¿De quién está hablando?» pregunta Iscariote a Felipe que lo tiene cerca.

Antes de que pueda responder, Elisa, que está poniendo en la mesa queso y aceitunas negras, dice con un cierto tono de dureza: «Habla de su Madre. ¿No lo comprendes?»

«No había sabido nunca que los profetas la hubieran señalado como a mártir... Hablan sólo del Redentor y...»

«¿Y piensas que sólo se puede ser mártir en el cuerpo? ¿No sabes

[2] Cfr. Gén. 3, 15.
[3] Cfr. Gén. 3, 1-13; Eccli. 25, 33; 2 Cor. 11, 3; 1 Tim. 2, 11-14; y también pág. 653, not. 10.
[4] Cfr. Tob. 13.
[5] Cfr. nota anterior.
[6] Cfr. Lc. 2, 33-35.

que esto no es nada para una madre cuando ve morir a su hijo? ¿Tu inteligencia — no me refiero a tu corazón en el que no sé qué haya — tu inteligencia, de la que te glorías, no te ha enseñado que una madre se sujetaría mil veces a la tortura y a la muerte con tal de no oir ni un suspiro de su hijo? Oye, tú eres un hombre que sabes mucho. Yo no sé otra cosa más que ser mujer y madre. Pero te aseguro que eres más ignorante que yo, porque no conoces ni siquiera el corazón de tu madre...»

«¡Me ofendes!»

«No. Soy vieja y te aconsejo. Haz que tu corazón sea inteligente y te evitará lágrimas y castigos. Procura hacerlo.»

Los apóstoles, sobre todo Judas de Alfeo, Santiago de Zebedeo, Bartolomé y Zelote, se cruzan miradas furtivas y bajan la cabeza para ocultar la sonrisilla que despunta en sus labios por las palabras francas de Elisa dichas a Judas que se cree perfecto. Jesús, que continúa sumergido en sus pensamientos, no oye nada.

Elisa se vuelve a Anastásica y le dice: «Vente. Mientras comen, vamos a preparar otras dos camas porque tres no bastan» y salen.

«¡Elisa no vayáis a ceder los vuestros!» grita Pedro. «No está bien. Yo y Juan podemos dormir sobre las tablas. Estamos acostumbrados.»

«No, Simón. Hay esteras. Las vamos a poner sobre los bancos.» Y se va con Anastásica.

Los apóstoles, cansados, casi están cabeceando al calor de la cocina. Jesús piensa con el codo apoyado en la mesa y la cabeza sobre su mano.

Se oye un golpe a la puerta. Tomás, que está más cerca, se levante para abrir y exclama: «¿Tú, José? ¿Y con Nicodemo? ¡Entrad, entrad!»

«La paz sea contigo, Maestro, y con los que estén en esta casa. Vamos a Rama, Maestro. Nicodemo me invitó a ir allá. Al pasar por acá dijimos: "Detengámonos un momento a saludar al Maestro". Queríamos saber si... te seguían molestando, porque sabemos que fueron a buscarte en casa de José. Te han buscado por todas partes, luego que curaste al ciego. Es verdad que no han ido más allá de las murallas. No se atrevieron a mover una sola silla para no profanar el sábado, y con esto creen que son puros. Pero para buscarte, para seguir a Bartolmai, ¡oh, han caminado más de lo permetido!»

«¿Y cómo lo supieron si el Maestro no ha hecho nada en el camino?» pregunta Mateo.

«Tampoco nosotros sabíamos si se había curado. Fuimos a la sinagoga y luego a saludar a Nique, Isaac y Marziam que están con ella. Luego, al bajar del sol, nos vinimos prestos aquí» dice Pedro.

«Vosotros lo ignorabais, pero los enviados de los fariseos lo supieron. Vosotros no lo visteis, pero yo sí lo vi. Dos de ellos estuvieron presentes cuando el Maestro tocó los ojos al ciego. Hacía horas que estaban en espera.»

«¿Cómo es posible eso?» pregunta Judas de Keriot con aire de inocente.

«¿Me lo preguntas a mí?»

«Porque es algo raro, te lo pregunto.»

«Lo más raro es que, desde hace tiempo, donde quiera que esté el Maestro haya espías.»

«Los buitres vuelan a donde está la presa, y los lobos a donde está el ganado.»

«Y los ladrones a donde el cómplice les dice que está la caravana. Dijiste bien.»

«¿Qué quieres insinuar?»

«Nada. Tan sólo completo tu proverbio aplicándolo a los hombres. Pues Jesús es hombre [7], y hombres son los que le acechan.»

«Cuenta José, cuenta...» dicen varios.

«Si el Maestro quiere. Para eso he venido.»

«Habla» dice Jesús.

José refiere minuciosamente todo lo que vio, omitiendo el hecho de que Judas fue el que dijo al ciego dónde estaba Jesús. Las explicaciones son muchas: unas de ira, otras de dolor, según los corazones. Judas de Keriot es el que está (según apariencias) más afligido e irritado contra todos, sobre todo contra el ciego imprudente que vino a atravesarse por el camino de Jesús, en día de sábado, confiando en la bondad del Maestro...

«¡Tú fuiste quien se lo indicó! Estaba yo cerca de ti y te oí» dice sorprendido Felipe.

«Indicar no quiere decir hacer alguna cosa.»

«¡Oh, eso sí lo creo! Pues no me imagino que hubieras tenido la osadía de haber dado órdenes al Maestro para que obrara...» interviene Tadeo.

«¿Yo? Todo al contrario. Se lo señalé para pedir explicación.»

«Está bien. Pero algunas veces indicar es también inclinar a hacer algo. Y esto fue que hiciste» replica Tadeo.

«Tú lo has dicho, pero no es verdad» asegura descaradamente Judas.

«¿No es verdad? ¿Estás seguro? ¿Seguro como vives, de que nunca dijiste cosa alguna al ciego acerca de Jesús? ¿De que no le aconsejaste que se dirigiese a El? ¿Y mucho menos de haber insistido en que lo hiciera, antes de que Jesús dejase la ciudad?» pregunta José de Arimatea.

«No es verdad. ¿Quién ha podido hablar con ese hombre? Cierta-

[7] Además de Dios. De su divinidad en esta Obra se habla frecuentemente.

mente yo no. Día y noche estoy con el Maestro, y si no con El, con los compañeros...»

«Pensaba que lo habías hecho ayer, cuando fuiste con las mujeres» dice Bartolomé.

«¡Ayer! No empleé más de lo que emplea una golondrina en ir y volver. ¿Cómo podía haber ido a buscar al ciego, encontrarlo y hablarle en tan poco tiempo?»

«Pudo ser que lo hubieras encontrado...»

«¡Jamás lo he visto!»

«Entonces ese hombre es un mentiroso porque afirmó que tú le dijiste que viniese y le señalaste el lugar, y lo que tenía que hacer. Le diste tu palabra de que Jesús te haría caso y...» recalca José de Arimatea.

Judas fuera de sí lo interrumpe: «¡Basta! ¡Basta! Merece que nuevamente quede ciego por todas las mentiras que dice. Yo lo puedo jurar por el Santo [8], que no lo conozco sino de vista, y que jamás le he hablado.»

«No te preocupes. Que tu corazón esté tranquilo, Judas de Keriot. Tú que no temes a Dios porque sabes que tus acciones son santas. Feliz de ti que no temes nada» le dice José, mirandolo severamente con unos ojos que quieren atravesarlo.

«No tengo miedo alguno porque estoy sin pecado.»

«Todos pecamos [9], Judas. Y ojalá sepamos arrepentirnos después de los primeros pecados y no aumentarlos ni en número, ni en perversidad» dice Nicodemo que hasta ahora no había hablado. Luego se dirige al Maestro y le dice: «Lo que más triste es que José de Séforis fue amenazado con la expulsión de la sinagoga si vuele a hospedarte y que Bartolmai fue echado fuera de ella. Había ido con sus padres, pero los fariseos lo estaban esperando en la sinagoga, no lo dejaron entrar y le lanzaron el anatema.»

«¡Eso es demasiado! ¿Hasta cuando, Señor!...» gritan muchos.

«¡Paz, paz! No hay nada. Bartolmai está en el camino del Reino. ¿Qué perdió, pues? Está en la Luz. ¿No es acaso hijo de Dios más que antes? ¡Oh, no confundáis los valores! ¡Paz, paz! No iremos más a la casa de José... Me deságrada que Isaac tenga instrucciones de que lleve allá a mi Madre y a María de Alfeo... Hubiera sido sólo por unas cuantas horas, porque ya se han tomado las providencias.» Se vuelve a Juan de Nobe: «Padre, ¿tienes miedo del Sanedrín? Estás viendo lo que cuesta hospedar al Hijo del hombre... Eres viejo. Eres un fiel israelita. Se te podría arrojar de la sinagoga en tus últimos sábados. ¿Podrías soportarlo? Habla sinceramente, y Yo, si tienes miedo, me voy. Habrá una cueva

[8] Cfr. pág. 476, not. 2.

[9] Cfr. Prov. 20, 9; 1 Ju. 1, 8 - 2, 2.

todavía en los montes de Israel para el Hijo de Dios...»
«¿Yo, Señor? ¿ De quién quieres que tenga miedo sino de Dios? No temo al sepulcro que se me está abriendo, antes bien lo considero como un amigo, ¿y quieres que tema yo a los hombres? Temería el juicio de Dios, si por temor a los hombres, te arrojase a Ti, el Mesías de Dios.»
«Está bien. Eres un justo... Me quedaré aquí cuando esté en las ciudades vecinas, como pienso hacerlo alguna vez más.»
«Ven a Rama. Ven a mi casa, Señor» dice Nicodemo.
«¿Y si te viene algún mal?»
«¿No te invitan acaso los fariseos con mala intención? ¿No podría yo hacerlo para conocer mejor tu corazón?»
«Sí, Maestro. Vamos a Rama. Mi padre se sentirá feliz, si es que está en casa, y si no, como sucede frecuentemente, encontrará tu bendición cuando regrese» suplica Tomás.
«Iremos primero a Rama. Mañana...»
«Maestro, te dejamos. Afuera tenemos nuestros animales y esperamos llegar a Rama antes de que termine la segunda vigilia [10]. La luna alumbra los caminos como un pequeño farol. Adiós, Maestro. La paz sea contigo» dice Nicodemo.
«La paz sea contigo, Maestro... y escucha un buen consejo de José el Anciano. *Sé un poco astuto. Mira a tu alrededor. Abre los ojos y cierra los labios. Haz lo que vas a hacer, y nunca lo digas antes*... No vengas a Jerusalén por algún tiempo. Y si vinieres no te estés en el Templo más de lo necesario para orar. ¿Me entiendes? Adiós, Maestro. La paz sea contigo» José ha puesto énfasis en las palabras que subrayé y mientras las decía miró fijamente a Jesús. Su mirada fue un aviso.
Salen al huertecillo que la luna tiñe de blanco. Desatan dos fuertes asnos del tronco de un nogal. Suben sobre sus sillas y parten por el camino solitario y lleno de luna...
Jesús entra en la cocina con los suyos.
«¿Qué habrá querido decir en realidad?»
«¿Y cómo lograron saberlo?»
«¿Qué harán a José de Séforis?»
«Nada. Palabras. No más que palabras. No penséis más en ello. Cosas que pasan sin consecuencia alguna. ¡Ea! Digamos la oración y separémonos para ir a dormir. "Padre nuestro..."»
Los bendice, los mira que se van. Luego con los cuatro que se quedan con El sube a la habitación en que están las camas.

[10] Cfr. pág. 322, not. 4.

209. Jesús en las ruinas de una ciudad destruida

(Escrito el 12 de octubre de 1946)

No sé en qué lugar esté Jesús, pero no cabe duda que entre montes y en un lugar abandonado o porque lo destruyó un cataclismo o la guerra. Me inclinaría a decir que fue ésta porque entre las ruinas de las casas se ven señales de fuego, aun donde llega el agua y donde la hiedra y otras hierbas trepadoras o parásitas nacen. Las hojas largas y peludas de una planta, cuyo nombre ignoro, pero que he visto en Italia, cubren las ruinas de algo que parece una colina derrumbada. Más allá se ve una pared, la única que quedó para contemplar las ruinas sobre las que se extiende una alcaparra y parietaria, y del parapeto, que en un tiempo formó parte de una terraza, balancea una clemátide al aire sus ramas como una cabellera suelta. En el centro se ve una casa derrumbada, pero con sus paredes en pie. Parece un gigantesco florero en el que en lugar de pétalos hay árboles que nacieron donde antes hubo habitaciones. Otra casa cuyas gradas se ven parece más bien un altar preparado para alguna ceremonia religiosa, la que adorna el verdor. En la cima de las ruinas se ve un álamo, seco, derecho como un puñal, parece como si preguntara al cielo el porqué de tal desgracia. Y entre casa y casa, entre ruinas y ruinas, crecen plantas de frutos selváticos que avanzan sobre las demás. Plantas nacidas sin plano fijo. Nacen ya de alguna pared, ya de un pozo seco. Dan la impresión de algo como embrujado. Los pajarillos y las palomas que salen de las hendiduras de las ruinas con ansias se echan sobre lo que un tiempo fueron campos arados y que ahora son un nudo de algarrobas duras que el sol ha secado; que se abren para que caiga la semilla y luego en primavera vuelven a nacer, así como la cizania y los bollicos. Las palomas espantan con violentos golpes de sus alas a los pajarillos que buscan algún granillo de mijo o de mostaza que por muchos años ha habido allí y crecido sin cultivo especial. Los pajarillos no hacen otra cosa que arrancar de las espigas el mijo, llevárselo a sus nidos revoloteando hasta cansarse.

Con Jesús no están sólo los apóstoles sino también un buen grupo de discípulos entre los que están Cleofás y Hermas de Emmaús, hijos del viejo sinagogo Cleofás, y Esteban. Hay también hombres y mujeres que parece como si hubieran venido de algún poblado a invitar a Jesús a que vaya a su ciudad, o bien, como si lo siguiesen después de que El estuvo con ellos. Jesús, al atravesar el lugar en ruinas, casi a cada paso se detiene a mirar, especialmente cuando llega a un lugar alto desde el que se domina todo aquel montón de ruinas, de plantas, en donde la vida la representan los palomos, un tiempo domesticados, pero que ahora se han vuelto salvajes. Jesús contempla con los brazos cruzados sobre el pecho, la cabeza vuelta hacia aquel paraje, y cuanto más lo hace, tanto más aparece preocupado y triste.

«¿Por qué te has parado aquí, Maestro? Se ve que el paraje te causa aflicción. No lo mires. Siento haberte hecho pasar por aquí, pero es el camino más corto» dice Cleofás de Emmaús.

«¡Oh, no miro lo que estáis viendo!»

«¿Qué ves, Señor? ¿Acaso vuelves a ver lo pasado? No cabe duda que fue muy dolorosa. Este es el sistema de Roma...» dice el otro de Emmaús.

«Y esto debería hacer reflexionar a uno. Ved, todos vosotros. Esto fue antes una ciudad, no muy grande, pero sí bella. Abundó más en casas ricas que en pobres. De los ricos fueron estos lugares ahora cubiertos de breñas. Ricos fueron estos campos que ahora las zarzas, los ballicos y las ortigas tapizan. En aquellos días fueron campos fértiles, cargados de mieses. Sus casas fueron bellas. Y los jardines estaban llenos de flores. En sus fuentes se bañaban los palomos y jugaban sus niños. Sus habitantes eran felices. Pero la felicidad no los hizo justos. Se olvidaron del Señor y de sus palabras... Esta es la razón.

No más casas, ni flores, ni fuentes, ni mieses, ni frutas. No quedan más que los palomos, que no son más felices que antes. Hubo días que sus buches estuvieron llenos del rubio trigo y del comino, pero ahora pelean por unas pocas de alverjas secas, de ballicos amargos. Y fiesta celebran cuando encuentran un grano de cebada entre las espinas... Y al mirar, no veo ya palomos. Veo caras y caras... Muchas de las cuales no han nacido... y veo ruinas, ruinas, zarzas y labruscas, hierbas selváticas que cubren las tierras de mi Patria... Y esto porque no se ha querido acoger al Señor. Oigo los gemidos apagados de los niños, más infelices que esos pajarillos a los que Dios ayuda para vivir aun, mientras esos pequeñuelos no la tendrán porque sujetos al castigo general, desmayados sobre el seco pecho materno, mueren de hambre y de dolor, de terror jamás imaginado. Oigo los lamentos de las esposas que buscan su esposo, de las doncellas capturadas para servir de placer al vencedor, de hombres que arrastran las cadenas después que probaron y saborearon lo amargo de la guerra, de los viejos que vivieron para ver cumplida la profecía de Daniel [1]. Oigo la voz incansable de Isaías en medio del silbido de este viento que sopla entre las ruinas, en las quejas de los palomos: "El Señor hablará con lenguaje de bárbaros, con lenguas extrañas a este pueblo, a quien he dicho: aquí está mi descanso. Dad reposo al cansado. Esto es mi alivio" [2].»

[1] Cfr. Dan. 9.
[2] Cfr. Is. 28, 11-12.

Pero no han querido escuchar. No. No han querido y el Señor no puede encontrar reposo entre su pueblo. El cansado, quien se ha fatigado en recorrer sus calles para enseñar, curar, convertir, consolar, no encuentra reposo, sino persecución, no encuentra alivio, sino asechanzas y traición. El Hijo con el Padre es una sola cosa. Si la Verdad os ha enseñado que un vaso de agua dado a cualquier tendrá recompensa, porque cualquier acto misericordioso que se hace al hermano se hace a Dios mismo, ¿cuál no será el castigo para los que quitan la piedra del camino para que no sirva de almohada a la cabeza del Hijo del hombre, y le estorban para que uno beba de las aguas que dejó el Creador, le quitan las frutas que se quedaron en las ramas y las espigas de trigo que se dan a los palomos, y tienen ya presto el hazo para arrebatarle la vida? ¡Pobre Israel que has perdido en ti la justicia y la misericordia de Dios!

Oíd, oíd nuevamente la voz de Isaías en el viento de la tarde. Una voz más terrible que el grito del ave de la muerte, horrible como la que resonó en el paraíso terrestre cuando se sentenció a los dos culpables, y — ¡cosa horrible! — esta voz del profeta no lleva en sí el perdón como entonces [3]. No. No hay perdón para los que se burlan de Dios, para los que dicen: "Hemos hecho alianza con la muerte, hemos celebrado un pacto con el infierno. Cuando llegue el azote, no caerá sobre nosotros porque hemos puesto nuestras esperanzas en la mentira y ella, poderosa como es, nos protegerá [4]". Ved que Isaías vuelve a repetir lo que oyó del Señor: "Mirad que en Sión pondré como fundamento una piedra, una piedra a propósito, una piedra buena... Y juzgaré y sentenciaré según la rectitud. El granizo destruirá la esperanza fincada en la mentira, y los ríos acabarán con los diques, y vuestra alianza con la muerte será destruída y vuestro pacto con el infierno dejará de existir. Cuando pase el flagelo envuelto en tempestad os arrastrará consigo, y os arrastrará cada vez más. Sólo entonces los castigos os harán comprender la lección [5]".

¡Desgraciado de ti, Israel! Así como estos campos, en los que ha quedado solo la seca alverja, el amargo billaco y en los que no hay más trigo, así será Israel, y la tierra que no quiso al Señor no tendrá pan para sus hijos, y los hijo suyos que no quisieron acoger al cansado, serán perseguidos, atrapados, llevados como galeotes al remo, como esclavos serán tratados por los que desprecian como a inferiores. Dios arrasará este pueblo soberbio bajo el peso de su justicia y lo sofocará con la fuerza de su juicio...

Esto es lo que estoy viendo en estas ruinas. ¡Ruinas, ruinas! Al

[3] Cfr. Gén. 3, 8-24.
[4] Cfr. Is. 28, 15.
[5] Cfr. Ib. 28, 16-19.

norte, al sur, a oriente y poniente, y sobre todo en el centro, en el corazón donde su ciudad culpable se convertirá en fosa pestilente...»

Lentas lágrimas corren por el rostro pálido de Jesús que levanta el manto para cubrírselo, dejando sólo descubiertos sus ojos espantados ante la horribile visión.

Se pone en camino y con El los que le acompañan que en voz baja hablan, helados de espanto...

210. Jesús habla en Emmaús de la montaña

(Escrito el 14 de octubre de 1946)

La plaza de Emmaús está llena de gente. En el centro está Jesús que apenas si puede moverse, oprimido por la multitud, en medio del hijo del sinagogo y de otro discípulo, y como para protegerlo en caso de que lo fuesen a atacar, los apóstoles y discípulos lo rodean, entre ellos han logrado llegar hasta El niños y niños.

Es maravilloso el atractivo que Jesús ejerce sobre los pequeñuelos. No hay lugar, conocido o desconocido, donde al punto no le rodeen, felices con pegarse a sus vestidos, y todavía más si los llega a acariciar aunque sea levemente; pero mucho más felices, si sentado El, donde quiera que sea, sobre una silla, sobre una valla, sobre una piedra, sobre un tronco o aun sobre la hierba misma, al estar casi a su altura, poder abrazarlo, recostar su cabecita sobre su espalda o sobre sus rodillas, metérsele bajo el manto para estar cerca de sus brazos cual polluelos que han encontrado la protección más amorosa. Siempre Jesús los defiende contra los adultos, que piensan que le faltan de este modo al respeto, cuando son ellos por otros motivos más serios los que le faltan, y quieren alejarlos del Maestro...

Las acostumbradas palabras de Jesús vuelven a escucharse en favor de su amiguitos: «¡Dejadlos en paz! ¡Oh, no me molestan! ¡No son éstos los que me causan amargura y aflicción!»

Jesús se inclina hacia ellos con una sonrisa que le rejuvenece y hace aparecer como hermano mayor, benigno siempre con ellos aun en sus travesuras. Les dice: «Estad quietos, callados, callados, de otro modo os echan fuera. Estaos silenciosos, ya que estamos juntos.»

«¿Nos dices alguna hermosa parábola?» dice el más... atrevido.

«Sí. La diré y será para vosotros. Luego hablaré a vuestros padres. Escuchad todos lo que sirve a pequeñuelos como a grandes.

Un día, un hombre oyó que un gran rey le hablaba de este modo:

"He sabido que eres digno de un premio. Eres sabio y honras a tu ciudad con tu trabajo y con tu saber. No te daré, pues, esto o aquello, sino que te conduciré a la sala de mis tesoros y lo que escogieres será tuyo. De este modo también me convenceré si eres digno de la fama que te circunda".

Dicho esto, se asomó por la terraza de su palacio, echó una mirada por la plaza que tenía ante sus ojos y vio pasar a un pequeñuelo desarrapado, a un pequeñuelo de familia paupérrima, tal vez un huérfano, tal vez un mendigo. Volvióse a sus siervos y les dijo: "Id a traerme a ese pequeñuelo".

Fueron los siervos y trajeron al pequeñuelo que temblaba de miedo al ver al rey, aun cuando los dignitarios de la corte le decían: "Inclínate, saluda, di: 'Honra y gloria a ti, rey mío. Doblo ante ti mi rodilla, poderoso que la tierra alaba como al ser más grande que sobre ella exista' ", pero el niño no quiso arrodillarse, ni repetir esas palabras. Los dignatarios sorprendidos lo sacudían duramente y dijeron: "¡Oh rey, este muchacho zafio y sucio es una vergüenza para tu palacio. Vamos a echarlo afuera, a la calle. Si deseas tener un niño a tu lado, iremos a buscarlo entre los ricos de la ciudad, si es que estás cansado de los nuestros, y te lo traeremos. ¡Pero no este zafio que no sabe ni siquiera saludar!...".

El hombre rico y sabio que se había deshecho en profundas inclinaciones serviles, como si estuviese ante un altar, dijo: "Tus dignatarios tienen razón. Por la majestad de tu corona no debes permitir que no se tribute a tu persona el homenaje debido" y al decir estas palabras se postró a besar el pie del rey.

Este replicó: "No. Yo quiero a este niño. Y no sólo esto, sino que quiero llevarlo también al lugar de mis tesoros para que escoja lo que quiera y se lo daré. ¿Acaso no puedo, pues soy rey, hacer feliz a un pobre rapazuelo? ¿No es acaso mi súbdito como los sois vosotros? ¿Tiene acaso culpa de haber nacido en el estado en que vive? No. ¡Vive Dios que quiero darle contento, por lo menos una vez! Ven, niño, y no me tengas miedo". Le extendió la mano que el niño tomó sin mucha ceremonia y a la que dio un beso espontáneo. El rey sonrió. Entre dos hileras de dignatarios, que se inclinaban a cada momento, sobre alfombras de púrpura con adornos de oro, se dirigió a la sala de los tesoros. A su derecha iba el hombre rico y sabio, a su izquierda el pequeño, ignorante y pobre. El manto real contrastaba con los harapos y pies descalzos del pequeñín.

Entraron a la sala del tesoro, cuyas puertas dos grandes de la corte habían abierto. La sala era grande, redonda, sin ventanas. La luz se filtraba por el techo a través de una enorme placa de mica. Una luz dulce que hacía brillar las chapas de oro de los cofres y las cintas purpurinas de tantos rollos como había sobre facistoles, que estaban adornados con precioso cuero y cuyos cierres las engalanaban piedras preciosas. Obras rarísimas que sólo un rey podía poseer. Como olvidado, había sobre un facistol un rollo de aspecto ordinario, oscuro, amarrado con un hilo corriente, lleno de polvo.

El rey dijo señalando las paredes: "Aquí están todos los tesoros de la tierra y otros mayores que los terrestres, porque aquí están todas las obras del ingenio humano. Están también las obras que vienen de fuentes sobrehumanas. Tomad lo que os guste". Se puso en medio de la sala con los brazos cruzados para observar.

El hombre sabio y rico se fue primero a los cofres, levantó sus tapas con ansia cada vez más febril. Oro en lingotes, oro en collares, plata, perlas, zafiros, rubíes, esmeraldas, ópalos... De todas partes resplandores salían... gritos de admiración al levantarse cada tapa... Luego se dirigió a los facistoles. Y al leer los títulos de los rollos, nuevos gritos de admiración salieron de sus labios. Finalmente repleto de entusiasmo, le dijo al rey: "Posees un tesoro sin igual. Las piedras rivalizan en valor con los rollos y éstos con ellas. ¿Puedo en realidad escoger lo que me plazca?"

"Lo he prometido. Como si todo fuese tuyo".

El hombre se postró en el suelo diciendo: "Te adoro, ¡oh gran rey!" Se levantó. Corrió primero a los cofres, luego a los facistoles. Y tomó lo que mejor le pareció.

El rey, entre cuya barba se había vislumbrado una sonrisa al ver el ansia con que el hombre corría de cofre en cofre, cuando se echó por tierra adorándolo, y por tercera vez al ver la ambición con que escogía piedras preciosas y libros, se volvió al niño que no se había movido de su lado y le preguntó: "¿No vas a escoger las mejores piedras y los rollos de más valor?"

El niño movió su cabeza para decir que no.

"¿Por qué?"

"Porque no sé leer los rollos y en cuanto a las piedras no conozco su valor. Para mí no son más que unas piedrecillas".

"Te harían rico..."

"No tengo padre, ni madre, ni hermanos. ¿De qué me sirve ir con ellas a mi refugio?"

"Podrías comprarte una casa..."

"Viviré yo solo".

"Podrías comprarte vestidos".

"Tendría frío porque me falta el amor de mis padres".

"Alimentos".

"No me podrían llenar como los besos de mi madre, que no pueden comprarse a ningún precio".

"Podrías tener maestros que te enseñasen a leer..."

"Esto me gustaría más. Pero leer ¿qué cosa?"

"Obras de poetas, filósofos, sabios... los escritos antiguos, la historia de los pueblos".

"Cosas inútiles, vanas y ya pasadas... No merecen la pena".

"¡Qué niño más necio!" exclamó el sabio cuyos brazos estaban cargados de rollos y sobre su cintura la túnica abultada y llena de piedras preciosas.

Una nueva sonrisa apareció entre los bigotes del rey. Tomó al niño del brazo, lo llevó a los cofres y metió su mano en las perlas, en los rubíes, topacios, amatistas, haciéndolos caer como lluvia brillante.

"No quiero, ¡oh rey!, nada. Quisiera otra cosa..."

El rey lo llevó a los facistoles y le leyó estrofas de poetas, episodios de héroes, decripciones de tierras desconocidas.

"¡Oh, leer es más bello! Pero no es esto lo que quisiera leer..."

"¿Qué cosa? Dímela y te la daré".

"No creo que lo puedas hacer, pese a tu poder. No es algo de acá abajo".

"¡Ah, quieres obras que no son de la tierra! Entonces mira; aquí están las obras que Dios dictó a sus siervos. Escucha" y le leyó trozos inspirados.

"Esto es mucho más bello. Para entenderlo hay que conocer primero muy bien el lenguaje de Dios. ¿No hay algún libro que lo enseñe, que nos haga entender qué es Dios?"

El rey hizo un gesto de sorpresa y su sonrisa desapareció. Estrechó al niño contra sí.

El sabio con burlona sonrisa dijo: "¿Ni los más sabios saben lo que es Dios, y tú, muchacho ignorante, quieres saberlo? ¡Si quieres hacerte rico con ello!..."

El rey le lanzó una mirada dura, mientras respondía el niño: "No busco riquezas, busco amor, y me dijeron un día que Dios es Amor".

El rey tomó del facistol el rollo que estaba ligado con un hilo ordinario, lo desenrolló y leyó las primeras líneas: "Quien es pequeño venga a Mí y yo, Dios, le enseñaré la ciencia del amor [1]. En este libro está ella, y Yo..."

"¡Oh, esto es lo que quiero! Si conozco a Dios, tendré todo, pues que lo tengo a El. Dame este rollo, oh rey, y seré feliz".

"¡Pero no vale nada! ¡Ese muchacho de veras que es un tonto! No sabe leer y escoge un libro. No es sabio y no se quiere instruir. Es pobre y no toma riquezas".

"Yo me esforzaré en poseer el amor, y este libro me lo enseñará. ¡Bendito seas, rey, que haces que no me sienta más huérfano ni pobre!"

"Por lo menos adóralo como he hecho yo, si crees que gracias a él eres muy feliz".

[1] Puntos de contacto con Prov. 9, 1-12.

"Yo no adoro al hombre, sino a Dios que lo ha hecho tan bueno".

"Este niño es el verdadero sabio en mi reino, óyelo bien tú que usurpas la fama de sabio. Te has embriagado de orgullo y de ambición hasta el punto de que adoras a la criatura, en lugar de ofrecer tu adoración a Dios. Y esto porque un hombre te regalaba piedras y obras humanas. Dios las creó. La inteligencia que Dios entregó al hombre escribió esas cosas en los rollos raros que escogiste. Este pequeñuelo que tiene hambre y frío, que está solo, sobre quien los dolores se han encarnizado, que se le perdonaría si se embriagase de la ambición de las riquezas, ha sabido dar gracias a Dios por haber hecho bueno mi corazón, y no busca sino la única cosa necesaria: amar a Dios, conocer el amor para tener las verdaderas riquezas acá en la tierra y más allá. Te prometí que te habría dado lo que escogieres. La palabra de rey es cosa sagrada. Vete, pues, con tus piedras y tus rollos: que son piedrecitas de colores y... paja del pensamiento humano. Tu vida conocerá el temor de los ladrones y la preocupación de la polilla. Que los fatuos resplandores de las joyas te desilusionen y el sabor de la ciencia humana, que solo es sabor, pero no alimento, te llene de disgusto. Vete. Este niño se quedará conmigo, y juntos nos esforzaremos en leer el libro que es amor, esto es, Dios. No tendremos los resplandores fatuos de las piedras sin calor, ni el sabor dulzón de paja de las obras del saber humano. Las llamas del Espíritu Eterno nos darán desde acá el éxtasis del paraíso y poseeremos la sabiduría que da más fuerzas que el vino, y que es más nutritiva que la miel. Ven, niño, a quien la sabiduría ha mostrado su rostro para que la deseases cual esposa veraz".

El hombre sabio fue echado fuera y se quedó el niño, a quien instruyó en la tierra, y un ciudadano del Reino de Dios en la otra vida.

Esta es la parábola que prometí a los pequeñuelos que también es para los adultos.

¿Recordáis a Baruc? Dice: "Por qué razón, oh Israel, estás en tierra enemiga, envejeces en país extranjero, te contaminas entre cadáveres y eres contado entre los que bajan al sepulcro?" Y responde: "Porque has abandonado la fuente de la sabiduría. Si hubieras caminado por los caminos de Dios habrías vivido en paz y para siempre" [2].

Escuchad, vosotros que os quejáis con frecuencia de estar en el destierro, aun cuando estáis en la patria, que a decir verdad no es nuestra, sino del dominador. Os quejáis de esto y no sabéis que respecto a lo que os espera en lo futuro, es semejante a una gota de posca en comparación del cáliz embriagador que se da a los condenados, y que es amarguísimo, como lo sabéis [3]. El pueblo de Dios

[2] Cfr. Bar. 3, 9 - 4, 4.
[3] Cfr. Sal. 68, 22; Mt. 27, 34 y 48; Mc. 15, 23; Lc. 23, 36; Ju. 19, 28-30.

sufre porque ha abandonado la Sabiduría. ¿Cómo podéis poseer prudencia, fuerza, inteligencia; cómo podéis siquiera llegar a saber dónde se encuentran, para poder como consecuencia conocer las cosas menores, si no bebéis más en las fuentes de la sabiduría?

Su Reino no es de esta tierra, pero la misericordia de Dios os la concede. Ella está en Dios. Es Dios mismo. Dios abre su pecho para que descienda a vosotros. Israel, que con necia soberbia cree tener prodigios que ha despilfarrado o que se cree todavía rico y exige respeto creyéndose tal, cuando no es más digno que de compasión y burla, ¿tiene todavía el único tesoro, fuera de las riquezas, conquistas, honores que tuvo o tiene? No. Y pierde los que tiene porque quien pierde la sabiduría, pierde la capacidad de ser grande. Cae de error en error quien no conoce la sabiduría. Israel conoce muchas cosas, aun demasiadas, pero no la Sabiduría.

Dice bien Baruc: "Los jóvenes de este pueblo vieron la luz, habitaron en la tierra, pero no han conocido los caminos de la sabiduría ni sus senderos. Sus hijos no la han aceptado, y ella se fue lejos" [4].

¡Lejos de ellos! ¡Los hijos no la acogieron! ¡Palabras proféticas! Yo soy la Sabiduría que os habla. Tres cuartas partes de Israel no me acogen. La Sabiduría se aleja y se alejará cada vez más, dejándolo solo... ¿Y qué harán los que se creen gigantes, y por lo tanto capaces de forzar al Señor a que los ayude, a que les sirva? ¿Serán gigantes útiles a Dios para que funde su Reino? No. Yo con Baruc [5] digo: "Para que Dios funde el verdadero Reino, no escogerá a estos soberbios, sino que los dejará que mueran en su necedad" fuera de sus caminos. Porque para subir al cielo con el espíritu y comprender las lecciones de la sabiduría es menester un espíritu humilde, obediente y sobre todo"*amor*" porque la Sabiduría habla con su lenguaje, esto es, el lenguaje del amor, porque ella es Amor. Para conocer sus senderos en menester una mirada limpia y humilde, libre de la triple concupiscencia. Para poseer la sabiduría es menester comprarla con dinero viviente: las virtudes.

Esto no tenía Israel y Yo vine a explicar la sabiduría [6], para llevaros a su camino, para sembrar en vuestro corazón las virtudes. Porque Yo todo lo conozco y todo lo sé, y he venido a enseñar esto a Jacob, mi siervo, y a Israel, mi amado. He venido a la tierra a conversar con los hombres, Yo, Palabra del Padre, a tomar de la mano a los hombres, Yo, el Hijo de Dios y del hombre, Yo, Camino de Vida. Vine a introduciros en la sala de los tesoros eternos. Yo, a quien

[4] Cfr. Bar. 3, 20-21.

[5] Ib. 3, 26-27.

[6] Para comprender el resto de este discurso, sus alusiones y sustrato, además de Baruc 3, 32 -4, 4; cfr. Cant. especialmente 1, 4; 2, 4; 5, 1-8; 8, 2; Is. 54, 4-10; 62, 1-9; Jer. 2-6 (esponsalicios, traición, castigos, conversión); Os. sobre todo 2; Mt. 9, 14-17; 25, 1-13; Mc. 2, 18-22; Lc. 5, 33-39; Ju. 3, 25-30; 2 Cor. 11, 1-6; Ef. 5, 21-33; Ap. 19, 1-10; 21, 1-4.

el Padre ha dado todo. He venido, Yo, Amante eterno, a tomar mi esposa, la Humanidad, a quien quiero elevar hasta mi trono para que estéconmigo en el cielo y para introducir en las salas del vino para que se embriague con la verdadera Vid de la que los racimos absorben la Vida. Pero Israel es la esposa holgazana y no se levanta del lecho para abrir al que ha llegado. Y el Esposo se va. Pasará. Está por pasar. Israel después lo buscará en vano, y no encontrará la caridad misericordiosa de su Salvador, sino los carros de guerra de los dominadores y será aplastado con su soberbia y extinguida su vida, después que quiso aplastar aun el misericordioso querer de Dios.

¡Oh, Israel, Israel que pierdes la verdadera Vida por conservar una ilusión mentirosa de poder! ¡Oh, Israel que crees salvarte y quieres salvarte por caminos que no son de la sabiduría y te pierdes vendiéndote a la mentira y al delito. ¡Israel náufrago que no te aferras al sólido salvamento que se te arroja, sino a restos de tu quebrantado pasado, y la tempestad te arrastra a otras partes, lejos, a un mar espantoso y tenebroso. Oh, Israel, ¿de qué te vale salvar tu vida, o presumir de salvarla por una hora, un año, diez años o varios decenios, a costa de un crimen, para luego perecer para siempre? ¿Qué son la vida, la gloria, el poder? Burbuja de agua sucia en la superficie de un desagüe de lavadero, iridescente, no porque haya sido hecha de piedras preciosas, sino de la grasa sucia que con el nitro [7] se infla en espuma destinada a reventar, sin que nada quede, fuera de una mancha de agua puerca. Una sola cosa es necesaria, Israel: poseer la sabiduría, aun a costo de la vida. Porque la vida no es la cosa más preciosa. Vale más perder cien vidas que perder la propia alma.»

Jesús ha terminado en medio de un silencio de admiración. Trata de abrirse paso y de irse... Pero los niños le piden que les dé el beso de despedida. Y los adultos le dicen que los bendiga. Después de esto, se va acompañado de Cleofás y Hermas de Emmaús.

[7] Referente a esta sustancia detergente, cfr. Prov. 25, 20; Jer. 2, 22.

211. En Beterón

(Escrito el 17 de octubre de 1946)

Jesús está todavía entre los montes. Además de los apóstoles y discípulos le siguen otras personas, entre ellas los discípulos ex-pastores, que probablemente encontró en algún poblado por donde pasó. Jesús sube de un valle hacia un monte, por un camino que sigue zigzagueando la pendiente y que debe ser un camino romano, por su pavimentación, por su buen estado, características propias de los caminos romanos. Se ve gente que camina y que se dirige al valle, o del valle al grupo de montes sobre los que se ven poblados y ciudades. Alguien al ver a Jesús y después de saber quién es, le sigue; otros sólo lo miran, otros mueven su cabeza y sonríen maliciosamente.

Un piquete de soldados romanos lo alcanza con su pesado caminar y su golpeteo de armas y corazas. Se vuelven a mirar a Jesús, que dejando el camino romano, toma un camino... judío que lleva a la cima donde hay un poblado. Un camino lleno de piedras y lodo, donde o el pie tropieza, o se hunde en alguno que otro bache. Los soldados que se dirigen a la misma población, después de haber hecho un alto, vuelven a ponerse en camino y la gente se ve obligada a hacerse a un lado, pues el camino es estrecho. Se oye algún silbido, pero la disciplina de ir en formación impide a los soldados a responder en igual forma.

Han alcanzado nuevamente a Jesús, que se ha hecho a un lado para dejarlos pasar y que los mira con sus dulces ojos que parecen bendecirlos y acariciarlos con las luces de sus brillantes zafiros. Las rígidas caras de los soldados se esclarecen con una especie de sonrisa, que no es ironía, sino más bien señal de un saludo respetuoso.

Pasan. La gente se mete otra vez en el camino, detrás del Rabí que va delante de todos. Un joven se separa del grupo y alcanzando al Maestro lo saluda con respeto. Jesús le devuelve el saludo.

«Quiero hacerte una pregunta, Maestro.»

«Hazla.»

«Fue una mañana después de la pascua cuando te oí cerca de un monte cercano a los desfiladeros de Carit. Y desde entonces he estado pensando que... también podría ser de los que llamas. Pero antes de hacerlo quiero saber con mayor precisión lo que es necesario hacer y lo que no debe hacerse. He preguntado a tus discípulos cada vez que los he encontrado. Unos me han dicho que esto, otros que aquello. No he sabido qué hacer. Me he quedado como espantado. Todos estuvieron de acuerdo en una cosa, unos con mayor, otros con menor intransigencia, y fue la obligación de ser perfectos. Yo... soy un pobre hombre, Señor, y la perfección sólo es de Dios... Volví a escucharte y en ese entonces dijiste: "Sed perfectos". Me he desilusionado. Por tercera vez te oí y esto fue hace unos cuantos días en el Templo. Y aunque fuiste severo sin embargo me parece que no es imposible llegarlo a ser porque... ni yo mismo lo comprendo, ni puedo explicármelo, ni explicártelo. Me pareció que si era algo imposible, o peligroso desear llegar a ser como dices, Tú, que nos quieres salvar, no nos lo propondrías, pues la presunción es pecado. El querer ser dioses fue el pecado de Lucifer [1]. Pero tal vez debe

[1] Cfr. vol. 2°, pág. 962, not. 3.

haber una manera para llegarlo a ser [2], para obtenerlo sin pecar, y es siguiendo tu doctrina salvadora. ¿Digo bien?»

«Muy bien. ¿Y luego?»

«He seguido preguntando a éste y a aquél. Ayer supe que estabas en Rama y vine a verte. Con permiso de mi padre te he seguido. Y siempre quisiera venir...»

«¡Ven, pues! ¿De qué tienes miedo?»

«No lo sé... ni siquiera yo mismo... pregunto, pregunto... pero cuando te escucho me parece siempre fácil y me decido en venir; después volviéndolo a pensar, o peor, preguntando a éste o a aquél, me parece muy difícil.»

«Te voy a decir lo que te pasa: es una tentación del demonio para estarbarte a que vengas. Te atemoriza con fantasmas, te perturba, te hace que preguntes a quien tiene como tú necesidad de luz... ¿Por qué no viniste a Mí directamente?»

«Porque tenía... miedo no, pero... Nuestros sacerdotes y rabinos ¡tan duros y soberbios! Y Tú... no me atrevía a acercárteme. Pero ayer en Emmaús... ¡Oh, creo que comprendí que no había que tener uno miedo! Y ahora estoy aquí a preguntarte lo que quisiera saber. Hace poco un apóstol tuyo me dijo: "Ve y no tengas miedo. Es bueno para con los pecadores". Otro me dijo: "Lo harás feliz si le muestras confianza. Quien confía en El, encuentra que es más dulce que la madre propia". Y otro añadió: "No sé si me equivoco, pero te dirá que la perfección radica en el amor" [3]. Esto dijeron tus apóstoles, por lo menos algunos de los que parecen mejores. De entre los discípulos, algunos parecen ser eco de tu voz. De entre los apóstoles hay algunos que... atemorizan a un pobre como yo. Uno me dijo con una sonrisa maligna: "¿Quieres llegar a ser perfecto? No lo somos nosotros que somos sus apóstoles ¿y quieres serlo tú? Es imposible". Si no hubieran hablado los otros, hubiera huído desconsolado. Pero hago la última prueba... si también Tú me dijeses que es imposible...»

«Hijo mío, ¿quieres que haya venido a proponer cosas imposibles a los hombres? ¿Quién crees que fue el que te puso en el corazón este deseo de llegar a ser perfecto? ¿Tu mismo corazón?»

«No, Señor. Me imagino que Tú, con tus palabras.»

«No estás lejos de la verdad. Respóndeme. ¿Ante tus ojos que son mis palabras?»

«Muy rectas.»

«Está bien. Pero quiero decir: ¿palabras de hombre o más que de hombre?»

«Tú hablas como la Sabiduría y más dulce y más claro. Por esto

[2] Cfr. pag. 207, not. 3.

[3] Cfr. Deut. 6, 1-13; Lev. 19, 18; Rom. 13, 8-10; 1 Cor. 13; Gal. 5, 13-26.

digo que tus palabras son más que las de un hombre. No creo equivocarme, si es que comprendí bien lo que dijiste en el Templo. Pues me pareció que dijiste que eres la misma Palabra de Dios y que por esto hablas como de parte de Dios.»

«Comprendiste bien y lo dijiste bien. ¿Entonces quién te puso en el corazón el deseo de perfección?»

«Dios, por medio de su Palabra.»

«Fue, pues, Dios. Ahora piensa: si Dios, que conoce la capacidad de los hombres, les dice: "Venid a Mí. Sed perfectos", señal es que sabe que el hombre, si quiere, puede llegar a serlo. Es una voz que habla desde hace mucho. La oyó por primera vez Abraham como una revelación, como una orden, una invitación: "Yo soy el Dios Omnipotente. Camina en mi presencia. Sé perfecto" [4]. Dios se manifestó para que el Patriarca no tuviese dudas de la santidad de la orden, y de la verdad de la invitación. Ordenó caminar en su presencia, porque quien camina en la vida, convencido de hacerlo bajo la mirada de Dios, no comete acciones malas. Por lo tanto se pone en condición de poder llegar a ser perfecto como Dios invita a serlo.»

«¡Es verdad! ¡Es la misma verdad! Si Dios lo ha dicho es porque puede hacerse. ¡Oh, Maestro, qué bien se comprende todo cuando Tú hablas! Pero, ¿por qué tus discípulos, y también aquel apóstol, hacen que esta idea de la santidad... se revista de temor? ¿No creen acaso en las palabras que Dios dijo y en las tuyas? ¿O no saben caminar en la presencia de El?»

«No pienses en ello. No juzgues. Mira hijo, puede ser que su mismo deseo de ser perfectos y su humildad les dice que nunca lo lograrán.»

«¿Entonces el deseo de perfección y la humildad son obstáculo para ser perfectos?»

«No, hijo, el deseo y la humildad no son obstáculos. Antes bien es necesario tenerlos muy arraigados, pero ordenados. Lo son cuando no tienen prisas imprudentes, abatimientos sin razón, dudas y desconfianzas como son las de creer que, dada la imperfección del ser, el hombre no pueda llegar a ser perfecto. Todas las virtudes son necesarias, como también lo es un vivo deseo de llegar a la justicia»

«Sí. Esto mismo me dijeron a quienes les pregunté. Me dijeron que es necesario poseer las virtudes. Unos me dijeron que ésta, otros que aquélla. Todos eran del parecer que era necesario poseer aquélla, como virtud indispensable para ser santos. Esto me llenaba de miedo porque, ¿cómo se pueden tener todas las virtudes en modo perfecto, hacer que nazcan justamente como un manojo de diversas flores? Se necesita tiempo... ¡y la vida es tan breve! Ma-

[4] Cfr. Gén. 17, 1.

estro, explícame, ¿cuál es la virtud indispensable?»

«La caridad. Si amas serás santo porque del amor al Altísimo y al prójimo brotan todas las virtudes y todas las buenas obras [5].»

«¿Sí? De este modo es más fácil. Luego la santidad es amor. Si yo tengo la caridad, tengo todo... La santidad consta de ella.»

«De ella y de las otras virtudes, porque la santidad no consiste en sólo ser humildes, prudentes, castos y así sucesivamente, sino en ser virtuosos. ¿Has visto, hijo mío, que cuando un rico piensa dar un banquete, mande acaso que se prepare un solo plato? O también, cuando alguien quiere ofrecer un manojo de flores, ¿acaso presenta una sola flor? ¿Verdad que no? Porque si a la mesa se pusiesen decenas de platos de la misma comida, los comensales criticarían a su anfitrión. Mostraría él, tal vez, sus riquezas con la abundancia, pero no mostraría su delicadeza en el gusto. Los comensales se saciarían con la variedad de platos, lo que haría un buen anfitrión. Lo mismo dígase del manojo de flores. Una sola flor, por más grande que sea, no hace un manojo. Pero muchas flores sí lo forman. Y la diversidad de colores y perfumes sacian la mirada y el olfato y hacen que se alabe al Señor. La santidad, que debemos considerar como un manojo de flores que se ofrece al Señor, debe formarse de todas las virtudes. En un espíritu predominará la humildad, en otro la fortaleza, en otro la continencia, en el de más allá la paciencia, en el de acá el espíritu de sacrificio o de penitencia, todas las virtudes nacidas bajo la sombra de la planta real y perfumadísima del amor, cuyas flores predominarán siempre en el manojo, pero todas las virtudes componen la santidad.»

«¿Cuál debe cultivarse con mayor cuidado?»

«La caridad. Te lo dije.»

«¿Y luego?»

«No existe un método, hijo mío. Si tú amas al Señor, El te dará sus dones, esto es se comunicará a ti, y entonces las virtudes que tratas de hacer crecer robustas, crecerán bajo el sol de la gracia.»

«En otras palabras, ¿en el alma que ama a Dios está El, quien obra de una manera prodigiosa?»

«Sí, hijo. Es Dios quien obra prodigiosamente, dejando que el hombre ponga de suyo su libre voluntad de tender a la perfección, sus esfuerzos por rechazar las tentaciones para mantenerse fiel a su propósito, sus luchas contra la carne, el mundo, el demonio, cuando lo asaltan. Y esto para que su hijo tenga el mérito de su santidad [6].»

«¡Ah, entendido! Entonces es muy puesto en razón decir que el

[5] Cfr. por ej. Deut. 6, 1-13; Lev. 19, 18; Rom. 13, 8-10; 1 Cor. 13; Gal. 5, 13-26.
[6] Cfr. vol. 3°, pág. 621, not. 4.

hombre ha sido hecho para ser perfecto como Dios quiere. Gracias, Maestro. Ahora he comprendido. Voy a ponerlo en práctica. Ruega por mí.»

«Te llevaré en mi corazón. Vete y no temas de que Dios te vaya a dejar sin ayuda.»

El joven contento se separa de Jesús...

Están ya cerca del poblado. Bartolomé con Esteban alcanza a Jesús para decirle que mientras hablaba con el joven, uno de Elquías el fariseo había venido a pedirle que lo llevase lo más pronto posible porque su mujer estaba agonizando.

«Vamos. Después hablaré. ¿Sabéis dónde está?»

«Dejó con nosotros un siervo suyo. Viene detrás con los demás.»

«Tráelo y apresuremos el paso.»

El siervo acude. Un viejo robusto consternado. Saluda y mira a Jesús, que le sonríe y le pregunta: «¿De qué está muriendo tu patrona?»

«De... Tenía que dar a luz un niño. Pero se le murió en el vientre y su sangre se ha corrompido. Delira como una loca y está agonizando. Le han abierto las venas para que baje la calentura, pero toda la sangre está envenenada y debe morir. La han bajado a la cisterna para calmar el ardor. Este disminuye mientras está en el agua helada, luego y más que antes tose, y tose... ¡se morirá!»

«¡Y cómo no! ¡Con ciertos remedios!»

«¿Desde cuándo está enferma?»

El siervo va a responder cuando llega corriendo por la bajada el jefe del manípulo romano. Se detiene ante Jesús.

«¡Salve! ¿Eres Tú el Nazareno?»

«Lo soy. ¿Qué se te ofrece?»

Los seguidores de Jesús acuden, pensando en quien sabe qué cosa...

«Un día nuestro caballo mató a un niño hebreo y Tú lo curaste para impedir que los hebreos armasen alboroto contra nosotros. Ahora las piedras hebreas han hecho caer a un soldato y él está tendido con la pierna rota. No puedo detenerme. Estoy en servicio. Nadie lo quiere en el poblado. No puede caminar. No puedo llevarlo conmigo con la pierna rota. Sé que no nos desprecias como hacen todos los demás hebreos...»

«¿Quieres que te cure al soldado?»

«Sí. Curaste también al siervo del centurión y a la niña de Valeria. Salvaste a Alejandro de la ira de tus compatriotas. Estas cosas se saben entre los de arriba y entre los de abajo.»

«Vayamos a donde está el soldado.»

«¿Y mi patrona?» pregunta el siervo un poco descontento.

«Después.» Jesús camina detrás del oficial que a paso largo sin estorbo de vestido alguno parece como si corriera. Pero aun así caminando, delante de todos, encuentra el modo de decir a Jesús que le precede: «Un tiempo estuve con Alejandro. El te... Hablaba de Ti. La casualidad me pone ahora cerca de Ti.»

«¿La casualidad? ¿Por qué no dices: Dios? ¿El verdadero Dios [7]?»

El oficial por unos instantes guarda silencio, luego dice de modo que sólo sea Jesús quien lo oiga: «El verdadero Dios sería el de los hebreos... Pero no se hace amar, ¡si es como los hebréos! Ni siquiera tiene compasión de un herido...»

«El verdadero Dios es el Dios de los hebreos, de los romanos, griegos, árabes, partos, escitas, iberos, galos, celtas, libios, hiperbóreos. ¡No hay más que un solo Dios! Pero muchos no lo conocen. Otros lo conocen mal. Si lo conociesen bien, todos se tratarían como hermanos, y no habría vejaciones, ni odios, ni calumnias, ni venganzas, ni lujurias, ni robos, homicidios, adulterios y mentiras. Yo conozco al Dios verdadero y vine para darlo a conocer.»

«Se dice... Nosotros debemos siempre tener preparados a dar cuenta a los centuriones y éstos al Procónsul. Se dice que Tú eres Dios. ¿Es verdad?» El soldado... está preocupado... al decir estas palabras. Mira a Jesús de debajo de la sombra de su yelmo y parece que tuviese temor.

«Lo soy.»

«¡Por Júpiter! ¿Es pues verdad que los dioses bajan a hablar con los hombres? ¡Después de haber recorrido el mundo tras de las insignias y venir aquí, ahora ya viejo, a encontrar a un dios!»

«A Dios. Al Unico. No a un dios» le corrige Jesús.

El soldado se siente anonadado al ver que lleva delante a un dios... No habla más... Piensa. Piensa hasta la entrada del poblado donde encuentran el manípulo alrededor del herido que, tirado en tierra, se lamenta.

«¡Aquí lo tienes!» dice el oficial.

Jesús se abre paso. Se acerca. La pierna ha sufrido un duro golpe. El pie lo tiene revés. Está hinchada y amarillenta. El soldado debe sufrir mucho. Al ver a Jesús que alarga su mano, suplica: «¡No me vayas a hacer mucho mal!»

Jesús sonríe. Apenas toca con la punta de sus dedos donde se ve el moretón de la fractura. Dice: «¡Levántate!»

«Tiene otra rotura más arriba, en la cadera» dice el oficial, como queriendo decir: «¿No tocas ésa?»

En ese momento uno de Beterón se acerca y dice: «Maestro, Maestro, pierdes el tiempo con los paganos y mi mujer se muere.»

«Ve a traérmela.»

«No puedo. ¡Está loca!»

«Ve a traérmela si tienes fe en Mí.»

[7] Cfr. vol. 1°, pág. 353, not. 2.

«Maestro, no se puede. Está desnuda y no se puede vestir. Está loca y rasga los vestidos. Está agonizando. No puede más.»

«Ve a traérmela, si es que no eres inferior en la fe a estos gentiles.»

El hombre se va de mala gana.

Jesús mira al romano extendido a sus pies: «¿Puedes tener fe?»

«Yo sí. ¿Qué quieres que haga?»

«Que te levantes.»

«Ten cuidado, Camilo, que...» dice el oficial. Pero el soldado está ya de pie, ágil, curado del todo.

Los israelitas no lanzan sus hosannas. No es un hebreo el que ha sido curado. Parece como que estuviesen descontentos o por lo menos, en su mirada, se refleja una crítica contra Jesús. No así los soldados. Desenvainan sus cortas y anchas dagas, las levantan, después de golpearlas sobre los escudos, como si se tratase de una fiesta. Jesús está en medio del círculo de espadas.

El oficial lo mira. No sabe qué hacer, qué decir, él, un pagano que está cerca de Dios... Piensa y cree que debe tributar a Dios lo que tributaría al César. Da órdenes que se le dé el saludo militar dado al emperador (por lo menos así lo creo porque oigo que de los labios sale un «¡Ave!» fuerte mientras que las hojas de las espadas brillan al ponerse como horizontales sobre el brazo derecho). No contento con esto el oficial dice en voz baja: «No te preocupes si viajas de noche. Los caminos... están vigilados. Hay auxilio contra los ladrones. Puedes estar tranquilo. Yo...» Se calla. No sabe qué más decir.

Jesús le sonríe diciendo: «Gracias. Vete y sé bueno. Aun con los ladrones sé bueno. Sé fiel en tu servicio, pero sin crueldad. Son infelices. Y deberán dar cuenta de sus acciones ante Dios.»

«Haré como dices. ¡Salve! ¡Quisiera volverte a ver otra vez!...»

Jesús lo mira fijamente. Luego agrega: «Nos volveremos a ver, sobre otro monte.» Y repite: «Sed buenos. Adiós.»

Los soldados se ponen en marcha. Jesús entra en el poblado. Pocos metros adelante les salen al paso varias personas que se deshacen en comentarios. Del grupo salen un hombre y una mujer. El hombre es el que estuvo antes. Se inclinan ante Jesús. La mujer se pone de rodillas, el hombre no.

«Alzaos y alabad al Señor. Debo decirte a ti — el esposo — que tu conciencia no está limpia. Viniste a Mí por mero egoísmo, no porque me ames, ni porque creas en Mí. Dudaste de mi palabra. ¡Sabes quién soy! Después abrigaste un prejuicio, porque me detuve primero a curar a un gentil, así como todo el poblado que rehusó hospedar al herido. Por un exceso de misericordia y por tratar de que tu corazón sea bueno, curé a tu esposa sin haber ido a tu casa. No lo merecías. Lo hice para mostrarte que no era necesario presentarme allí. Basta que Yo lo quiera. Pero en verdad te digo, y digo a todos vosotros, que a quienes despreciáis son mejores de vosotros y saben creer mejor que vosotros en mi poder. Levántate, mujer. No eres culpable, porque no eras capaz de pensar. Vete y procura creer de hoy en adelante en gratitud de lo recibido del Señor.»

La expresión de los habitantes del poblado es fría. Reacciona solo cuando Jesús los reprende. Lo siguen con poco entusiasmo hasta la plaza donde se detiene a hablar, porque el sinagogo no lo invita a entrar en ella, ni tampoco alguna casa le abre sus puertas.

«Cuando Dios está con los hombres, éstos pueden todo contra la desgracia, cualquiera que sea su nombre. Cuando Dios, por el contrario, no está con ellos, no pueden nada contra desgracia alguna. En las crónicas de la ciudad se puede ver lo que ha sucedido en ella. Dios estuvo con Josué y éste derrotó a los reyes cananeos, y por este camino lo ayudó a destruir a los enemigos de Israel "mandando sobre ellos granizos como piedras, y murieron más los que mató el granizo que los que mató la espada", se lee en el libro de Josué [8]. Dios estaba con Judas Macabeo, que se parapetó en estos montes con su pequeño ejército a esperar el poderoso de Cerón, jefe le los ejércitos sirios, y Dios premió las palabras del jefe de Israel con una gran victoria. Pero la condición necesaria para tener a Dios de nuestra parte es obrar por un motivo de justicia. "En las batallas la victoria no depende del número sino de la ayuda que viene del cielo" dijo Macabeo [9]. En todas las cosas de la vida el bien no nace de la ascendencia del poder o de otra causa, sino de la ayuda que viene del cielo. Y llega porque se le pide para cosas buenas. Por nuestras vidas y por nuestras leyes, dijo el Macabeo [10]. Pero cuando se acude a Dios por fines malos o no puros, es en vano invocar su ayuda. Dios no responderá o si responde lo hará con castigos en lugar de bendiciones.

Esta es una verdad que ha olvidado Israel. Se busca la ayuda de Dios y se le invoca por fines buenos. No se practican las virtudes y no se observan, como se debería, los mandamientos. Si se observa es para ser visto y los demás lo alaben. Pero muy distinto es lo que hay detrás de las apariencias.

Os vine a decir que seáis sinceros en vuestras acciones porque Dios ve todas las cosas, y los sacrificios son inútiles, vanas las plegarias que se hacen por mera ostentación de culto, cuando el corazón está lleno de pecados, de odio, de perversos deseos.

Beterón, no permitas que tus habitantes hagan lo que Abdías dice de Edom [11]. Este pueblo, creyéndose seguro, creía que le era

[8] Cfr. Jos. 10.
[9] Cfr. 1 Mac. 3, 13-24.
[10] Cfr. Ib. 3, 21.
[11] Lea todo el pequeño libro de Ab., sobre todo vv. 10-15.

lícito oprimir a Jacob y regocijarse en sus derrotas. No te portes así, ciudad sacerdotal. Toma en tus manos y medita el rollo de Abdías. Medita. Cambia de derrotero. Sigue la justicia si no quieres conocer días horrorosos. Entonces no te salvará el que estés sobre una cima, ni el que estés, aparentemente, lejos de los caminos donde se oye el estrépito militar. Veo que hay en ti muchos que no tienen a Dios consigo, que ni lo quieren. ¿Murmuráis? Os digo la verdad. Subí para decírosla, para salvaros porque todavía hay tiempo.

¿No era acaso vuestro nombre uno sólo? ¿Y no era Israel un sólo pueblo? ¿Por qué, pues, se dividió y tomó dos nombres? ¡Oh, esto me trae a la mente el matrimonio de Oseas con la prostituta y los hijos que nacieron de la forniación! Pero ¿qué dijo el profeta? "El número de los hijos de Israel será como la arena del mar... Y en vez de decirles: 'No sois mi pueblo', les será dicho: 'Sois hijos del Dios viviente'. Y los hijos de Judá e Israel se juntarán y elegirán un solo jefe y subirán de la tierra porque grande es el día de Yezrael" [12]. Oh, ¿por qué entonces criticáis al que debe reunir todo y hacer un solo pueblo, un solo gran pueblo, único, como único es Dios, amar a todos los hombres porque todos son hijos de Dios y hacer que todos sean hijos del Dios vivo aun cuando al presente parezcan muertos? ¿Podéis juzgar mis acciones, el corazón de ellos y el vuestro? ¿De dónde os viene la luz? La luz viene sólo de Dios. Si Dios me mandó con el encargo de riunir a todos bajo un solo cetro, ¿cómo podéis tener una luz, que sea verdaderamente divina, que os muestra las cosas contrariamente a como las ve Dios? Y con todo, vosotros veis al revés de Dios.

No murmuréis. Es la verdad. Estáis fuera de la justicia. Pero mucho más lo están, los que os seducen conduciéndoos a la injusticia. Su castigo será doble. Me acusáis de que tengo amistades con el enemigo, con el dominador. Lo estoy leyendo en vuestros corazones. Pero vosotros, ¿no os hacéis amigos de Satanás al haceros secuaces de los que atacan al Hijo del hombre, al Enviado de Dios? Vosotros me odiáis. Pero Yo conozco la cara de quien os inspira el odio. Como se lee en Oseas [13]. He venido con las manos llenas de dones y con el corazón lleno de amor. He tratado de atraeros con todos los modos más delicados para que me amaseis. He hablado a mi pueblo como el esposo a su esposa, ofreciéndole un amor eterno, paz, justicia, misericordia. Queda todavía una hora para evitar que mi pueblo me rechaze, que los jefes que sublevan el pueblo — los conozco — queden sin rey ni príncipe, sin sacrificio, ni altar. Cerca de la madriguera, donde el odio es mayor y donde el castigo

[12] Lea todo el cap. 1 de Os.

[13] Cfr. Os. por ej. 2 y 3 y 11.

será más terrible, ved que se procura comprar las conciencias para encaminarlas al crimen. ¡Oh, los que descarrían y engañan las conciencias serán juzgados siete veces más severamente que los engañados!

Vámonos. He venido, hice un milagro y os he dicho la verdad para persuadiros de que Yo soy. Ahora me voy. Si hay alguno entre vosotros que sea justo, que me siga, porque triste es el futuro de este lugar donde anidan las sierpes para engañar y traicionar.»

Jesús se vuelve para tomar el camino por donde vino.

«¿Por qué, Rabí, has hablado de este modo? Te odiarán» le dicen los apóstoles.

«No trato de conquistar el amor con compromisos, con mentiras.»

«En ese caso hubiera sido mejor no haber venido.»

«No. Era necesario no dejar duda alguna.»

«¿Y a quién convenciste?»

«A nadie. Por ahora a nadie. Pero pronto alguien dirá: "No podemos maldecir a nadie porque se nos avisó y no lo hicimos". Y si echasen en cara a Dios que los castiga, su reproche sería como una blasfemia.»

«¿A quién aludías al decir...?»

«Preguntádselo a Judas de Keriot. Conoce a muchos de este lugar y todos sus ardides.»

Todos los apóstoles miran a Judas.

«Es así. El lugar es casi propiedad de Elquías. Pero... no creo que Elquías...» las palabras mueren en los labios de Judas que al levantar sus ojos de la cintura, que se estaba ajustando como para darse tono, encuentra la mirada de Jesús. Una mirada tan penetrante que parece como si fuera magnética. Baja la cabeza y concluye diciendo: «Ciertamente que es una población soberbia y odiosa, digna de quien se ha apoderado de ella. Cada quien tiene lo que se merece. Ellos tienen a Elquías, nosotros a Jesús. El Maestro ha hecho muy bien hacerles notar que sabe todo. Muy bien.»

«Pero que si son malos. ¿Habéis visto? ¡Ni siquiera un saludo después del milagro! ¡Ni siquiera una limosna! ¡Nada!» observa Felipe.

«Me preocupo muchísimo cuando el Maestro los desenmascara así» suspira Andrés.

«Que lo haga o que no lo haga da lo mismo. De todos modos lo odian. Quisiera regresar a Galilea» dice Juan.

«¡A Galilea! ¡Qué bueno sería!» suspira Pedro y baja pensativo su cabeza.

Los que siguen a Jesús y que no lo dejan, hacen comentarios y más comentarios junto con los discípulos.

212. Hacia Gabaón

(Escrito el 18 de octubre de 1946)

Jesús no dispone de mucho tiempo para quedarse con sus pensamientos. Juan y su primo Santiago, después Pedro y Simón Zelote, lo alcanzan y llaman su atención sobre el panorama que se ve desde lo alto del monte. Es inútil su intento, porque se ve a las claras que está triste. Le recuerdan lo que sucedió en esos lugares. El viaje a Ascalon... la casa de los campesinos de la llanura de Sarón donde Jesús devolvió la vista al viejo padre de Gamala y Jacob... el retiro al Carmelo de Jesús y Santiago... Cesarea marítima y la niña Aurea Gala... el encuentro con Síntica... los gentiles de Jope... los ladrones cerca de Modín... el milagro de la mies en casa de José de Arimatea... la vieja espigadora... Se trata de cosas cada una de las cuales es capaz de infundir alegría... pero en las que, para todos o para El solo, hay un mezcla de tristeza, el recuerdo de un dolor. Caen en la cuenta los mismos apóstoles y murmuran: «Verdaderamente que en todas las cosas de la tierra se encuentra el dolor. Es un lugar de expiación...»

A tiempo observa Andrés que se ha juntado al grupo con Santiago de Zebedeo: «Ley justa para nosotros los pecadores. Pero, ¿por qué debe El sufrir tanto?»

Se prende una discusión amigable y sigue así aun cuando los demás se acercan al oir sus voces. Menos Judas Iscariote que está ocupadísimo con la gente a la que enseña, imitando al Maestro en la voz, modos, ideas. Pero es una imitación teatral, pomposa, falta del calor de la convinción. Los que lo escuchan se lo dicen sin rodeos, lo que lo pone nervioso. El les echa en cara que sean unos necios y que por eso no comprendan nada. Les dice que los deja porque «no es justo arrojar las perlas de la sabiduría a los cerdos.» Pero se queda porque la gente sencilla le ruega que los compadezca, pues declaran que son «inferiores a él como un animal lo es a un hombre.»

Jesús está distraído con lo que dicen los once que le rodean para escuchar lo que dice Judas, que cierto no le dará ningún placer... Suspira y se queda callado hasta que Bartolomé directamente le llama la atención señalándole los diversos puntos de vista de por qué, El que es inocente de todo pecado, deba sufrir.

Le dice: «Sostengo que esto sucede porque el hombre odia a quien es bueno. Me refiero al hombre culpable, esto es, a la mayoría. Y ésta comprende que al compararse con quien no tiene pecado, resalta su culpabilidad, como sus vicios, y se venga haciendo sufrir al bueno.»

«A mí me parece que sufres por el contraste entre tu perfección y nuestra miseria. Aun cuando nadie te despreciase en nada, igualmente sufrirías porque tu perfección debe padecer una gran repulsión por los pecados de los hombres» dice Judas Tadeo.

«Yo al contrario sostengo que Tú, que eres como nosotros, sufres por el esfuerzo que haces al contener con tu parte sobrenatural la oposición de tu humanidad contra tus enemigos» dice Mateo.

«Yo, seguro estoy de equivocarme por ser un tonto, afirmo que sufres porque tu amor es rechazado. No sufres porque no puedas castigar como tu humanidad lo pediría, *sino que sufres por no poder hacer el bien como quisieras*» dice Andrés.

«Bueno. Yo aseguro que sufres porque debes sufrir todo el dolor posible para redimirlo. En Ti no predomina una u otra Naturaleza, sino que son iguales en Ti, fundidas, en un perfecto equilibrio, para formar la Víctima perfecta. Tan sobrenatural una que puede ser capaz de resarcir la ofensa hecha a la Divinidad, tan humana la otra que puede representar al linaje humano y llevarlo de nuevo al estado inmaculado del primer Adán para anular el pasado y engendrar una nueva raza humana. Volver a crear una nueva raza según el pensamiento de Dios, esto es, un linaje humano en que exista realmente la imagen y semejanza de Dios [1] y el destino del hombre, que es poder aspirar a la posesión de Dios en su Reino. Debes sufrir sobrenaturalmente, y sufres, por lo que ves que se hace y por lo que te rodea. Podría decir: porque se ofende siempre a Dios. Debes sufrir humanamente, y sufres, para arrancar las inclinaciones perversas de nuestra carne que envenenó Satanás. Con el sufrimiento completo de tus dos naturalezas perfectas borrarás completamente la Ofensa hecha a Dios, la culpa del hombre» dice Zelote.

Los otros callan. Jesús pregunta: «¿Y vosotros no decís nada? ¿Cuál es según vosotros la mejor opinión?»

Unos dicen que ésta, otros que aquélla. Santiago de Alfeo y Juan no dicen nada.

«¿Y vosotros dos? ¿No os gustó ninguna?» dice Jesús para hacerlos hablar.

«Sí. En cada una de ellos encontramos algo de verdad. Mejor dicho, mucho de verdad. Pero nos parece que todavía falta que se diga la verdad completa.»

«¿Y no podéis encontrarla?»

«Tal vez Juan y yo la hemos encontrado. Nos parece como si fuera una blasfemia decirla... Somos de los israelitas buenos y tenemos tanto miedo de Dios que no nos atrevemos a pronunciar su Nombre. Nos parece que es una blasfemia pensar que, si los hijos del pueblo elegido, el hijo de Dios, casi no se atreve a pronunciar el

[1] Cfr. Gén. 1, 26-28.

Nombre bendito y para eso ha creado sustitutos [2], pueda Satanás atraverse a hacer daño a Dios. Y con todo vemos que siempre sufres más, porque eres Dios y Satanás te odia. Te odia más que a ningún otro. Te topas con el odio, hermano mío, porque eres Dios» dice Santiago.

«Sí, te topas con el odio porque eres el Amor [3]. No son los fariseos, ni los rabinos, ni esto o aquello, los que te causan dolor. Es el Odio que que se apodera de los hombres y los lanza ciegos de ira contra de Ti, porque con tu amor le arrancas muchas presas» dice Juan.

«Falta todavía algo más. Buscad la razón verdadera por la que soy...» dice Jesús insistiendo.

Pero nadie encuentra algo más que añadir. Piensan y piensan. Se rinden diciendo: «No encontramos nada más...»

«Es muy sencillo. Está ante los ojos. Resuena en las palabras de nuestros libros, en las figuras de nuestras narraciones... ¡Ea, buscad! En todo lo que habéis dicho hay algo de verdad, pero falta la razón principal. Buscadla no en el momento actual, sino en el pasado, más allá de los profetas, más allá de los patriarcas, más allá de la creación del Universo...»

Los apóstoles piensan, pero... no encuentran.

Jesús sonríe. Añade: «Si os acordarais de mis palabras, encontraríais la razón. Pero no podéis hacerlo por ahora. Un día las recordaréis [4]. Escuchad. Atravesemos la corriente de los siglos, más allá de los límites del tiempo. Quién fue el que echó a perder el corazón del hombre, lo sabéis. Fue Satanás, la Serpiente, el Adversario, el Enemigo, el Odio. Llamadlo como queráis. Pero, ¿por qué lo echó a perder? Por ser muy envidioso [5]: no pudo soportar que el hombre fuese destinado al cielo del que había sido él arrojado.

[2] Por ej., por Shaddaï (= El Omnipotente, o mejor: El que habita en las montañas: Gén. 17, 1; 28, 3; 35, 11; 43, 14; 48, 3; 49, 25; Ex. 6, 3. Por Elyôn (= El Altísimo): Gén. 14, 18 y 22; muchos Salmos (por ej.: el sal. 90); muchos capítulos del Eccli. (por ej.: 38). Por Yahwé (= El que es): Ex. 3, 13-15; 6, 3; Is. 42, 8; 45, 21; Ju, 8, 24; Ap. 1, 4 y 8; 11, 17; 16, 5. Por Dios del *Cielo*: 1 Esd. 1, 2. Por cielo: 1 Mac. 2, 21; Mt. 3, 2; 4, 17. Por El Bendito: Mc. 14, 61. Por El Santo: Is. 6, 3; 40, 25. Por La Potencia: Mt. 26, 64; Mc. 14, 62. Por El Nombre: 3 Rey. 8, 16. Por El Señor: se encuentra en todos los libros sagrados.

[3] Cfr. Is. 54, 4-10; 1 Ju. 4, 7-16.

[4] Alusión a la sobreabundante efusión del Espíritu Santo y a sus admirables efectos, entre los cuales está el de traer a la memoria las palabras de Jesús. Cfr. Ju. 14, 25-26; 16, 12-15.

[5] Cfr. Sab. 2, 23-24, y el Himno en honor de los Angeles Custodios en el *Breviario Romano:*

«Custodes hominum psallimus Angelos,
Naturae fragili quos Pater addidit
Caelestis comites, insidiantibus
Ne succumberet hostibus.
Nam, quod corruerit proditor angelus,
Concessis merito pulsus honoribus,
Ardens invidia pellere nititur
Quos caelo Deus advocat...»

Quiere que el hombre participe del destierro al que ha sido condenado. ¿Por qué fue arrojado? Por haberse rebelado contra Dios. Lo sabéis. ¿En qué se rebeló? No obedeciendo. En el principio del dolor hay una desobediencia. ¿No es pues lógico que, para restablecer el orden, que es siempre alegría, deba exister una obediencia perfecta [6]? Es difícil obedecer, sobre todo en cosas de monta. Lo difícil causa dolor a quien lo cumple. Pensad pues si Yo, a quien el Amor pidió si quería devolver el gozo a los hijos de Dios, no debo sufrir infinitamente para cumplir la obediencia al Plan de Dios. Debo, pues, sufrir, para *borrar* no uno o mil pecados, sino el mismo *pecado por excelencia* que, en el espíritu angélico de Lucifer o en el que animaba a Adán, fue y será siempre, hasta el último ser viviente, pecado de desobediencia a Dios. Vosotros debéis obedecer en cierto límite eso poco — que os parece mucho, pero no lo es — que Dios os pide. Os pide, teniendo en cuenta su justicia, lo que podéis dar. Vosotros de la voluntad de Dios conocéis sólo lo que podéis realizar. *Pero Yo conozco todo su Pensamiento,* en los sucesos grandes o pequeños. *No se me han impuesto límites en conocer y en ejecutar lo que sé. El Sacrificador amoroso, el Abraham divino* [7], *no perdona su Víctima y su Hijo. Es el Amor insatisfecho y ofendido que exige reparación y ofrenda. Si viviese miles y miles de años, nada sería, sino consumiese el Hombre hasta la última fibra, así como nada hubiera sido si ab aeterno no hubiese dicho Yo "Sí" a mi Padre, disponiéndome a obedecer como Dios Hijo y como Hombre, en el momento que mi Padre juzgó ser el oportuno. La obediencia es dolor y es gloria. La obediencia, como el espíritu, jamás muere. En verdad os digo que los verdaderos obedientes serán como dioses* [8], *pero después de una lucha continua contra sí mismos, contra el mundo, contra Satanás. La obediencia es luz: cuando más se es obediente, tanto más hay luz y se ve mejor. La obediencia es paciencia: cuanto más se es obediente, tanto más se soportan las cosas y las personas. La obediencia es humildad: cuanto más se es obediente, tanto más se es humilde para con nuestro prójimo. La obediencia es caridad, porque es un acto de amor: cuanto más obediente se es, tanto más los actos son numerosos y perfectos. La obediencia es heroicidad. Y el héroe del espíritu es el santo, el ciudadano de los cielos, el hombre divinizado. Si la caridad es la virtud en que se encuentra de nuevo al Dios Uno y Trino,* la obediencia es la virtud en que me encuentro Yo, vuestro Maestro. Haced que el mundo os reconozca como a mis discípulos por una obediencia absoluta a todo lo que es santo. Llamad a Judas. Tengo que decir algo

[6] Cfr. Flp. 2, 5-11.
[7] Cfr. Gén. 22.
[8] Cfr. pág. 207, not. 3.

también para él...»

Judas acude. Jesús señala el panorama que se empequeñece, cuanto más se desciende. Dice: «Os voy a proponer una breve parábola, a vosotros, futuros maestros del espíritu. *Tanto más veréis cuanto más subáis por el camino de la perfección, que es arduo y penoso.* Veíamos antes las dos llanuras: la filistea y la de Sarón con muchos poblados, campos y huertas, y lográbamos ver allá en la lejanía algo azul que es el gran mar, también veíamos allá en el fondo el verte Carmelo. Ahora vemos menos. El horizonte se ha reducido y se reducirá hasta desaparecer cuando lleguemos a la llanura. *Lo mismo sucede con quien baja en el espíritu, en vez de subir. Su virtud y saber se hacen cada vez más limitados, lo mismo que su modo de juzgar, hasta que desaparecen. Entonces la vida de un maestro de espíritu ha muerto para su misión. No es capaz de descernir, como tampoco de guiar. Es un cadáver y puede corromper, así como está ya corrupto. El bajar algunas veces anima, mejor dicho, casi siempre, porque en el fondo hay satisfacción de los sentidos.* También nosotros bajamos a la llanura para encontrar descanso y comida. Pero si esto es necesario para nuestro cuerpo, *no es necesario satisfacer el apetito del sentido y la pereza del espíritu con bajar a los valles del sensualismo moral y espiritual. Solo es permetido tocar un valle: el de la humildad. Y es porque hasta él desciende Dios para tomar el espíritu humilde y llevarlo arriba consigo. Quien se humilla será exaltado. Cualquier otro valle es letal porque aleja del cielo.*»

«¿Para esto me llamaste, Maestro?»

«Para esto. Has hablado mucho con los que te hacían preguntas.»

«Sí, pero no vale la pena. Son más duros de cabeza que unos mulos.»

«Y Yo he querido depositar un pensamiento donde no queda nada. Para que puedas nutrir tu espíritu.»

Judas lo mira cortado. No sabe si es una alabanza o un regaño. Los demás que no habían oído lo que Judas decía a los seguían a Jesús, no comprenden que echa en cara a Judas su soberbia.

Judas piensa que es mejor desviar la conversación por otros caminos. Pregunta: «Maestro, ¿qué piensas? Esos romanos, como el hombre de Petra, ¿podrán algún día comprender tu doctrina, pues por tan poco tiempo han estado en contacto contigo? ¿Y aquel Alejandro? Se fue... no lo volveremos a ver. También éstos. Se puede decir que en ellos existe un instinto por buscar la verdad, pero están sumergidos hasta el cuello en su paganismo. ¿Lograrán llegar a decidirse por alguna cosa buena?»

«¿Quieres decir que encuentren la verdad?»

«Eso es Maestro.»

«¿Y por qué no podrán lograrlo?»

«Porque son pecadores.»
«¿Sólo ellos lo son? ¿No los hay entre nosotros?»
«Ciertamente, muchos. Por esto digo que si nosotros, alimentados con la sabiduría y verdad seculares, somos pecadores y no logramos llegar a ser justos y seguidores de la Verdad que representas, ¿cómo lo podrán lograr ellos, repletos de inmundicias como están?»
«Cualquier hombre puede llegar a poseer la verdad, esto es, a Dios. Cualquiera que sea el punto del que parta. *Mientras no haya soberbia en la inteligencia y perversión en la carne, sino una búsqueda sincera de la verdad y de la luz, pureza de fin y anhelo por Dios, cualquier hombre está ya en los caminos de Dios.*»
«Soberbia en la mente... depravación en la carne... Maestro... entonces...»
«Continúa lo que estás diciendo. Está bien...»
Judas tergiversa todo, y concluye: «Luego ellos no podrán llegar a Dios porque son depravados.»
«No era esto lo que querías decir, Judas. ¿Por qué has tergiversado tu pensamiento y tu conciencia? ¡Oh, cuán difícil es que el hombre suba a Dios! El obstáculo se encuentra en sí mismo, que no quiere confesar y reflexionar sobre sí mismo y sus defectos. Es verdad también que muchas veces se calumnia a Satanás, echando sobre él la culpa de cualquier ruina espiritual. Y mucho más calumniado lo es Dios a quien se achaca todo lo que sucede. Dios no viola la libertad del hombre. Satanás no puede vencer una voluntad firme en el bien. *En verdad os digo que setenta veces por ciento el hombre peca por su voluntad* [9]. Y — no se le tiene en cuenta, más las cosas son así — *no se levanta del pecado porque evita examinarse; y aun cuando la conciencia, con un movimiento imprevisto, se yerga ante él y le grite la verdad que no ha querido meditar, el hombre sofoca ese grito, borra esa figura enérgica y afligida que se yergue ante su inteligencia, altera con esfuerzos su pensamiento al que había llegado la voz acusadora y rehusa decir, por ejemplo: "Entonces nosotros, yo, no podemos llegar a la verdad porque tenemos soberbia en la inteligencia y corrupción en la carne". Así es. Y la verdad es que si no avanzamos hacia el camino de Dios es porque en nosotros hay soberbia de inteligencia y corrupción en la carne. Una soberbia verdaderamente rival de la satánica, en tal forma que los actos de Dios se les juzga o se les pone obstáculo, cuando son contrarios a los intereses de los hombres y de los partidos.* Y este pecado hará que muchos de Israel se condenen.»
«Pero no todos somos así.»
«Es verdad. Hay corazones buenos todavía, y en todas las clases

[9] Cfr. vol. 3°, pág. 621, not. 4.

sociales. Más numerosos los hay entre la gente humilde del pueblo que entre los doctos y ricos. Pero sí los hay. ¿Cuántos? ¿Cuántos, teniendo en cuenta este pueblo de Palestina al que ya hace casi tres años que evangelizo y hago bien y por el cual muero? Se ven estrellas en un cielo nublado que no corazones en Israel deseosos de venir a mi reino.»

«¿Y los gentiles, *esos* gentiles entrarán?»

«No todos, pero sí muchos. También entre mis discípulos no todos perseverarán hasta el fin. Pero no nos preocupemos de la fruta podrida que cae de las ramas. *Procuremos con dulzura, firmeza, reprehensiones y perdón, con paciencia y caridad, que no se echen a perder. Cuando digan "no" a Dios y a sus hermanos que los quieren salvar, y se echen en brazos de la muerte, de Satanás, muriendo impenitentes* [10]*, bajemos la cabeza y ofrezcamos a Dios nuestro dolor por no haberle dado el gozo de haber salvado esa alma. Cualquier maestro conoce estas derrotas. Y sirven también para tener mortificado el orgullo de maestro de las almas y para probar su constancia en el ministerio. El mal éxito no debe detener la voluntad del educador de espíritu, antes bien espolearlo a hacer en lo futuro más y mejor.*»

«¿Por qué dijiste al decurión que lo volverías a ver sobre un monte? ¿Cómo haces para saberlo?»

Jesús mira a Judas fijamente de una manera extraña. Esa mirada está envuelta parte en alegría parte en tristeza. Responde: «Porque será uno de los que estarán presentes a cuando esté arriba y dirá al gran doctor de Israel [11] unas palabras severas pero verdaderas. Y desde ese momento tomará su camino que lo llevará a la Luz. Ved allí a Gabaón. Que vaya Pedro con otros siete a anunciarme. Inmediatamente hablaré para despedir a la gente que me sigue de los poblados cercanos. Los otros se quedarán conmigo hasta el sábado, esto es, tú, Judas, Mateo, Simón y Bartolomé.»

(Entre los soldados que estuvieron en la crucifixión no reconocí al decurión. Pero debo añadir que dado que estaba atentísima en Jesús, no puse la atención en todos. Para mí no eran más que un grupo de soldados que cumplían con su deber. No otra cosa. Por otra parte cuando hubiera podido haberlos notado mejor "porque todo estaba consumado", era una luz tan pálida que sólo los rostros más conocidos podían reconocerse.

[10] Cfr. vol. 1°, pág. 303, not.2; pág. 578, not. 3; pág. 672, not. 3; pág. 786, not. 9; pág. 789, not. 10; pág. 804, not. 3; vol. 2°, pág. 310, not. 6; vol. 3°, pág. 313, not. 2.

[11] Esto es, Gamaliel, como se desprende de lo que se lee más abajo. Respecto a este gran doctor y maestro de S. Pablo, cfr. Hech. 5, 34-39; 22, 3. Según esta Obra, Gamaliel fue maestro también de S. Esteban. El *Martirologio Romano,* recuerda el 3 de agosto a S. Esteban con Gamaliel y da a ambos el título de santo: «Hierosolymis inventio beatissimi Stephani Protomartyris, et Sanctorum Gamalielis..., sicut... divinitus revelatum est, Honorii principis tempore.»

Por las palabras de Jesús, pienso que haya sido aquel soldado que dijo a Gamaliel algunas palabras que no recuerdo y que no puedo comprobar porque estoy sola y no hay quien me dé el cuaderno de la Pasión.)

213. En Gabaón

(Escrito el 22 de octubre de 1946)

En primavera, verano y otoño, Gabaón situada sobre la cima de una colina en medio de una fertilisima llanura, debe ser una ciudad atractiva, aireada y con un bellísimo panorama. Sus blancas casas están escondidas entre el follaje de los árboles que no lo pierden, entremezclados con otros que no tienen ni una hoja por ahora, pero que en la estación propicia transformarán la colina en una nube de ligeros pétalos y más tarde en un triunfo de frutos. Ahora en el invierno, se ven por sus pendientes vides sin hojas, olivos grises, o bien salpicadas de huertos en que sólo se ven oscuros troncos. Y con todo es hermosa y bien aireada. La vista descansa por la pendiente de la colina y en la llanura arada.

Jesús va a una gran cisterna o pozo que me trae a la memoria el de la Samaritana o el de En Rogel, y mucho más, los depósitos cerca de Hebrón.

Hay mucha gente allí, unos se apresuran a sacar agua suficiente, porque el sábado está cercano; otros se dan prisa por terminar sus últimos quehaceres, y otros que, terminadas sus labores, se entregan al descanso sabático.

En medio de ellos están los ocho apóstoles que anuncian al Maestro y que han tenido éxito porque veo que se reunen en torno a ellos enfermos, mendigos y gente que sale de las casas.

Cuando Jesús llega a donde está la cisterna, se oye un murmullo que se transforma en un grito unánime: «¡Hosanna, hosanna! ¡Entre nosotros está el Hijo de David! ¡Bendita la Sabiduría que llega a donde fue invocada!»

«Benditos vosotros que sabéis acogerla. ¡Paz, paz y bendición!» E inmediatamente se dirige a los enfermos y los paralíticos por alguna desgracia o por enfermedad, a los ciegos que nunca faltan o que pronto cegarán, y los cura.

Qué hermoso es el milagro que se realiza en un niño mudo que su madre presenta a Jesús y que lo cura al darle un beso en la boca, y después el niño repite los bellos nombre de: «¡Jesús! ¡María!» Y desde los brazos en que lo tenía su madre se echa en los de Jesús, apretándosele al cuello, hasta que Jesús lo devuelve a su feliz madre que dice a Jesús, que este primogénito, destinado ya en su corazón y en el de su marido antes de que naciera para ser levita, podrá serlo ahora que no tiene ya defecto alguno: «Mi esposo Joaquín y yo no lo pedimos al Señor para nosotros, sino para que le sirviese a El. Y no pedí para él el uso de la palabra para que me llame madre y me diga que me ama. Sus ojos y sus besos me lo decían ya. Pedí el milagro para que cual cordero sin mancha, pudiera ser ofrecido al Señor y alabase su Nombre.»

Jesús le responde: «El Señor oía las palabras de tu corazón, porque El, cual una madre, los sentimientos los hace palabras y realidad. Bueno fue tu deseo y el Altísimo lo acogió. Ahora procura que tu hijo se instruya en la alabanza perfecta para que sea perfecto cuando sirve al Señor.»

«Sí, Rabí. ¿Pero qué debo hacer?»

«Haz que ame al Señor Dios con todo su ser y espontáneamente florecerá en su corazón la alabanza perfecta y será perfecto en el servicio de su Dios.»

«Has dicho bien, Rabí. La sabiduría está en tus labios. Háblanos a todos nosotros, te lo ruego» dice un gabaonita de aspecto majestuoso que se ha abierto paso hasta donde está Jesús y a quien invita para que vaya a la sinagoga. Es el sinagogo.

Jesús, seguido de todos, se dirige al lugar, pero como a la gente de la población se ha unido también la que lo sigue, no hay lugar en la sinagoga para todos. Por eso, Jesús, siguiendo el consejo del sinagogo, habla desde la terraza de su casa, que está contigua a la sinagoga. Es una casa amplia y baja, que cubre por dos lados un cercado de verdes jazmines.

La voz fuerte y armoniosa de Jesús atraviesa el aire tranquilo de la tarde que desciende, se propaga por la plaza, llega a las tres calles que en ella desembocan. Un pequeño mar de cabezas atento lo escucha.

«La mujer, conciudadana vuestra, que pidió que su hijo hablase, no por el deseo de oir de sus labios dulces palabras, sino para que pudiese entrar al servicio de Dios, me recuerda otra palabra, muy lejana, que salió de los labios de un gran hombre que tuvo esta ciudad. Dios escuchó aquella petición como la de esta mujer, porque en ambas encontró que su petición era algo justo, cosa que debería de haber en todas las plegarias para que Dios las acoja y las conceda. ¿Qué cosa es necesaria, durante la vida, para obtener después el premio eterno, la verdadera Vida eterna y feliz? Ante todo, amar al Señor con todo el ser y al prójimo como a uno mismo. Esto es lo más necesario para tener a Dios como amigo, y para alcanzar de El gracias y bendiciones. Cuando Salomón se convirtió en rey, después de la muerte de David, vino a esta ciudad donde ofreció sacrificios. En aquella noche el Altísimo se le apareció diciéndole: "Pídeme lo que desees" [1]. Una benignidad inmensa de parte de Dios. Y una gran prueba de parte del hombre. *Porque corresponde una gran responsabilidad al que recibe un don, responsabilidad tanto más grande, cuanto mayor es el don. Y es una prueba para saber a qué grado de formación ha llegado el espíritu. Si un espíritu que ha recibido de Dios un don, en lugar de perfeccionarse, baja a la materialidad, cae en la prueba y así muestra que no está formado, que su formación es parcial. Dos cosas son índice del valor espiritual del hombre: su modo de comportarse en la alegría y en el dolor. Solo el que está formado rectamente sabe ser humilde en la gloria, fiel en la alegría, agradecido y constante aun después de haber recibido algo, aun cuando no desee más. Y solo el que sabe ser paciente y perseverante en su amor para con Dios, aun cuando las penas se encarnicen contra de él, es realmente un santo.*»

«Maestro, ¿puedo hacerte una pregunta?» dice uno de Gabaón.

«Habla.»

«Es verdad todo lo que has dicho. Y si he entendido bien, quisiste decir que Salomón superó felizmente la prueba. Pero luego pecó. Respóndeme ahora: ¿por qué Dios le hizo ese bien, si luego pecaría [2]? Ciertamente el Señor conocía el futuro pecado del rey. Y entonces, ¿por qué le dijo: "Pídeme lo que quieras"? ¿Fue un bien o un mal?»

«Fue siempre un bien, porque Dios no comete cosas malas.»

«Pero acabas de decir que a cada don toca una responsabilidad. Ahora al haber Salomón pedido y alcanzado la sabiduría...»

«Tenía la responsabilidad de haber sido sabio y no lo fue, quieres decir. Tienes razón. Yo te digo que por haber faltado a la sabiduría no dejó de ser castigado justamente. Pero la acción de Dios de haberle concedido la sabiduría fue cosa buena. Como también fue bueno que Salomón hubiera pedido sabiduría y no cosas materiales. Y como Dios es Padre y es justo, en el momento del error, se le perdonó mucho de éste, porque tuvo presente que el pecador había amado un tiempo más la Sabiduría que cualquier otra cosa o criatura. Una acción habrá disminuido la otra. La acción buena hecha con anterioridad al pecado permanece y sirve para el perdón, *con la condición de que el pecador después de su falta, se arrepienta* [3]. Por esto os digo que no dejéis pasar ocasión de hacer acciones buenas, que sirvan como de moneda para descontar vuestros pecados, quando por gracia de Dios, os arrepentís de ellos.

[1] Cfr. 2 Par. 1, 1-12; y también 3 Rey. 3, 4-15; Sab. 8, 17 - 9, 18.
[2] Cfr. 3 Rey. 11.
[3] Asersión profunda y clara, como lo es todo este maravilloso discurso.

Las buenas acciones, aun cuando parezca que ya pasaron, y erróneamente se pueda pensar que no estimulan en nosotros nuevos incentivos y fuerzas para las cosas buenas, son siempre activas, aun cuando no sea más que por el recuerdo que surge del fondo de un alma abatida, y provoca un pesar por el tiempo en que fue uno bueno. El pesar es con frecuencia el primer paso hacia el camino de regreso a la Justicia. He dicho que aun un vaso de agua que se da con amor a un sediento, no queda sin premio. Un sorbo de agua no es nada, como valor material, pero lo hace grande la caridad. Y no queda sin premio. Algunas veces el premio puede significar regreso al bien que se forma con el recuerdo de aquella acción, de las palabras del hermano sediento, de los sentimientos del corazón que se tuvieron en aquel entonces, del corazón que ofrecía de beber en nombre de Dios y por amor. Y sucede entonces que Dios, como consecuencia de los recuerdos, torna como un sol que sale después de la negra noche, a brillar en el horizonte de un pobre corazón que lo perdió y que, fascinado por su inefable presencia, se humilla y grita: "¡Padre, he pecado! Perdóname. Nuevamente te amo".

Amar a Dios es sabiduría. Es la más grande sabiduría porque quien ama conoce todo, posee todo. Mientras la tarde está para caer, y el viento frío hace que os estremezcáis y agita las antorchas que tenéis encendidas, Yo no vengo a deciros lo que ya sabéis, esto es, los puntos del Libro sapiencial donde se describe cómo obtuvo Salomón la sabiduría y la plegaria que pronunció para alcanzarla. Pero como recuerdo mío, como un sendero seguro, como luz que sirve de guía, os exhorto a que meditéis con el vuestro sinagogo esas palabras. El libro de la Sabiduría debería ser un manual de la vida espiritual. Cual mano materna os debería guiar e introducir en el perfecto conocimiento de las virtudes y de mi doctrina. Porque la Sabiduría me prepara los caminos y hace de los hombres "seres de corta vida e incapaces de comprender los juicios y las leyes, siervos e hijos de las esclavas de Dios" [4], dioses del paraíso divino.

Buscad ante todo la Sabiduría para honrar al Señor y oir que os diga en el día eterno: "Ya que amaste sobre todo esto y no las riquezas, bienes, gloria, vida larga, triunfo sobre tus enemigos, que se te conceda la Sabiduría" [5], esto es, Dios mismo, porque el Espíritu de Sabiduría es el Espíritu de Dios. Buscad ante todo la Sabiduría santa y, Yo os lo digo, se os darán todas las demás cosas de tal forma que ninguno de los grandes del mundo podrá conseguirla. Amad a Dios. Vuestra ocupación sola sea el amarlo. Amad al prójimo para honrar a Dios. Consagrados a su servicio, a su

[4] Cfr. Sab. 8, 17 - 9, 18, y pág. 207, not. 3.
[5] Cfr. 2 Par. 1, 11-12.

triunfo en los corazones. Convertid al Señor quien no es su amigo. Sed santos. Acumulad obras santas como defensa vuestra contra las posibles debilidades del hombre. Sed fieles al Señor. No critiquéis ni a vivos ni a muertos. Más bien esforzaos en imitar a los buenos, y no por alegría vuestra terrena, sino por alegría de Dios, pedidle gracias, que se os darán.

Vámonos. Mañana oraremos juntos y Dios estará con nosotros.»

Jesús los bendice y se despide de ellos.

214. Volviendo a Jerusalén

(Escrito el 24 de octubre de 1946)

El viento húmedo y frío peina los árboles de la colina y juguetea en el cielo con nubes semiamarillentas. Jesús, los doce y Esteban, envueltos en sus mantos, descienden de Gabaón por el camino que lleva a la planicie. Conversan entre sí, mientras Jesús, absorto en uno de sus silencios, está lejos de lo que lo rodea. Y sigue así hasta que llegados a un cruce a la mitad de la pendiente, mejor dicho, casi a los pies, dice: «Tomemos por acá y vayamos a Nobe.»

«¿Cómo? ¿No regresas a Jerusalén?» pregunta Iscariote.

«Nobe y Jerusalén son casi una misma cosa para el que está acostumbrado a caminar. Prefiero estar en Nobe. ¿Te desagrada?»

«¡No, Maestro! Me da lo mismo... Más bien me desagrada que Tú, en un lugar tan favorable, hayas hecho tan poca figura. Hablaste más en Beterón que ciertamente no te ama. Deberías, según mi parecer, hacer al contrario. Procurar traerte cada vez más a Ti las ciudades que ves que te quieren, hacer que te sirvan... de contraarma con las ciudades que dominan quienes son enemigos tuyos. ¿Comprendes el valor que tienen las ciudades cercanas a Jerusalén si están de tu parte? Jerusalén no es todo. También los otros lugares pueden tener valor y hacer presión, con su valer, en las determinaciones de Jerusalén. Generalmente los reyes son proclamados, en las ciudades que les son más fieles, y una vez proclamados, las otras no tienen más que resignarse...»

«Cuando no se rebelan, que si lo hacen, vienen las luchas fratricidas. No creo que el Mesías quiera iniciar su Reino con una guerra intestina» dice Felipe.

«Yo querría una cosa, y es que ese Reino empezase en vuestros corazones con un juicio recto de las cosas. Pero todavía no sois capaces de verlas en su justo punto... ¿Cuándo comprenderéis?»

Presintiendo que lo que está por llegar sea un reproche, Iscariote vuelve a preguntar: «¿Por qué, pues, acá en Gabaón hablaste tan poco?»

«Preferí escuchar y descansar. ¿No comprendéis que también Yo tengo necesidad de descanso?»

«Pudimos detenernos y darles gusto. ¿Si estabas tan cansado para qué te has puesto otra vez en camino?» pregunta Bartolomé afligido.

«No estoy cansado en el cuerpo. No necesito descansar para darle alivio. Es mi corazón que está cansado, el que tiene necesidad de reposo, y este lo encuentro dónde hay amor. ¿Creéis que sea insensible al rencor? ¿Que no me duela cuando se me arroja? ¿Creéis que las conjuras que se traman contra Mí, me dejan insensible? ¿Que las traiciones de quien se finge ser amigo mío, pero no es más que un espía de mis enemigos, que pusieron a mi lado para...»

«¡Esto jamás será, Señor! Ni siquiera debes sospecharlo. Al hablar así nos ofendes» protesta Iscariote con un enojo afligido, major que el de todos los demás, que también protestan diciendo: «Maestro, nos apenas con estas palabras. ¡Dudas de nosotros!» El impulsivo Santiago de Zebedeo exclama: «Hasta la vista, Maestro, regreso a Cafarnaúm con el corazón despedezado, pero me voy. Y si no hasta Cafarnaúm, me iré con los pescadores de Tiro y Sidón, me iré a Cintium, me iré a donde pueda, lo más lejos posible, de modo que no puedas pensar que yo te traiciono. ¡Bendíceme por última vez!»

Jesús lo abraza diciendo: «Cálmate, apóstol mío. Son muchos los que se llaman mis amigos. No sois vosotros los únicos. Te causaron dolor mis palabras lo mismo que a vosotros. ¿Pero en qué corazones debo depositar mis aflicciones y buscar consuelo sino en los de mis amados apóstoles y discípulos fieles? Busco en vosotros una parte de la unión que dejé para unir a los hombres: la unión con mi Padre en el cielo [1]; y una gota del amor que dejé por amor de los hombres: el amor de mi Madre. Los busco para que me ayuden. ¡Oh, la amarga onda, el peso inhumano desbordan mi corazón, oprimen el corazón del Hijo del hombre!... Mi Pasión, mi hora [2], cada vez más se acerca... Ayudadme a soportarla, a realizarla... ¡porque es muy dolorosa!»

Los apóstoles se miran conmovidos ante el dolor profundo que respiran las palabras del Maestro y no saben hacer otra cosa más que estrecharse a El, acariciarlo, besarlo... El beso que le dan Judas a la derecha y Juan a la izquierda es simultáneo. Jesús baja sus párpados, velando sus ojos...

Siguen caminando, y Jesús puede terminar ahora su pensamien-

[1] Cfr. vol. 3°, pág. 593, not. 5.
[2] Cfr. pág. 213, not. 7.

to que le interrumpieron: «En medio de tantas angustias mi corazón busca lugares donde encontrar amor y descanso. Donde, en lugar de hablar a piedras secas, a engañosas serpientes o mariposas caprichudas, pueda escuchar las palabras de otros corazones y consolarse al sentir que son sinceras, amorosas, rectas. Gabaón es uno de tales lugares. Nunca había venido. Pero me encontré con un campo arado en el que sembraron óptimos operarios de Dios. ¡El sinagogo! Vino a la Luz, pero era ya un espíritu iluminado. ¡Lo que puede hacer un buen siervo de Dios! Gabaón no está fuera de los ardides de quien me odia. También allí se tratará de seducir, de corromper. Pero en ella hay un buen sinagogo y el veneno del mal no tiene su fuerza en ella. ¿Creéis acaso que me guste estar siempre corrigiendo, censurando, reprendiendo? Mucho más dulce es decir: "Has comprendido la Sabiduría. Sigue tu camino y sé santo", como dije al sinagogo de Gabaón.»

«¿Volveremos entonces?»

«Cuando el Padre me permite que encuentre un lugar de paz, me alegro y bendigo a mi Padre. Pero no he venido para esto. Vino para convertir al Señor los lugares culpables y alejados de El. Pensad que podría estar en Betania y no estoy.»

«Para no causar daño a Lázaro, también.»

«No, Judas de Simón. Hasta las piedras saben que Lázaro es mi amigo. Por esto sería inútil que pusiese frenos a mi deseo de consuelo. Es por...»

«Por las hermanas de Lázaro, sobre todo por María.»

«Tampoco, Judas de Simón. Hasta las piedras saben que no me turba la lujuria de la carne. Ten en cuenta que entre las muchas acusaciones que se me han hecho, la primera que cayó fue ésta, porque aun mis enemigos más encarnizados han comprendido que defenderla, era lo mismo que desenmascarar su costumbre de decir mentiras. Ninguno entre las personas de buen sentido puede creer que sea Yo un sensual. *Solamente pueden sentir atractivo por la sensualidad los que no se alimentan de lo sobrenatural y aborrecen el sacrificio. ¿Pero qué atracción puede ejercer el placer de una hora para quién se ha entregado al sacrificio, para quién es víctima? Todo el placer de las almas víctimas está en el espíritu, y si tienen un cuerpo, no es más que un vestido.* ¿Crees que los vestidos que traemos encima, tengan sentimientos? *De igual modo es la carne para los que viven del espíritu: un vestido*, no más [3]. *El hombre espiritual es el verdadero superhombre porque no es esclavo de los*

[3] Modo metafórico y místico, que no excluye que el cuerpo sea en realidad más que un *vestido*, pero también un componente de la naturaleza humana, considerada específica e individualmente. S. Pablo al exhortar a sus destinatarios de sus cartas a que se revistiesen de Cristo, o al afirmar que lo estaban ya, aseguraba que los bautizados formaban ya *una sola cosa* en Cristo. Cfr. Rom. 13, 11-14; Gál. 3, 23-29; Ef. 4, 17-24; Col. 3, 5-15.

sentidos, pero el hombre material es un ser que no vale — teniendo en cuenta la dignidad humana — porque tiene en común con los animales muchos apetitos y es aun inferior a ellos porque les supera al convertir su instinto en un vicio degradante.»

Conturbado, Judas se muerde los labios. Después dice: «Es verdad. Por otra parte qué daño puedes hacer a Lázaro. Dentro de poco la muerte lo habrá arrancado de todo peligro de venganza... ¿Por qué entonces no vas a Betania más frecuentemente?»

«Porque no vine a gozar, sino a convertir. Ya te lo he dicho...»

«Bueno... ¿No es verdad que sientes gusto en estar con tus hermanos?»

«Sí, pero también es verdad que no soy parcial con ellos. Cuando hay que repartirse en las casas, generalmente no se quedan conmigo, sino vosotros. *Y esto para demostraros que a los ojos y al corazón de quien se ha entregado a la redención, la carne y la sangre no tienen valor, sino solo la formación de los corazones y su redención.* Ahora iremos a Nobe y volveremos a dividirnos para el descanso. Conmigo os quedaréis tú, Mateo, Felipe y Bartolomé.»

«¿Somos acaso los menos formados? ¿Sobre todo yo, a quien siempre tienes cerca de Ti?»

«Lo has dicho, Judas de Simón.»

«Gracias, Maestro. Ya lo había entendido» replica con enojo mal reprimido Iscariote.

«¿Y si lo has comprendido por qué no te esfuerzas en formarte? ¿Crees acaso que pueda mentir para no mortificarte? Del resto estamos entre hermanos y por esto las faltas de uno no deben ser objeto de burla, como tampoco de abatimiento el que se le reprenda a otro ante los demás, porque mutuamente se conocen. Nadie es perfecto, os lo aseguro. Pero aun las imperfecciones recíprocas que causan aflicción al verse y soportarse, deben ser motivo para mejoramiento de uno mismo, para no aumentar la mutua desavenencia. Créeme, Judas, que si Yo te trato por lo que eres, nadie, ni siquiera tu misma madre, te ama como Yo, ni se esfuerza en hacerte bueno como tu Jesús.»

«Pero entre tanto me regañas y me humillas y hasta en la presencia de un discípulo.»

«¿Es la primera vez que te llamo al recto camino?» Judas se calla. «¡Respóndeme!» dice Jesús con imperio.

«No.»

«¿Y cuántas veces lo he hecho en público? ¿Puedes asegurar que te he puesto en vergüenza? ¿Más bien no te he encubierto y defendido? Habla.»

«Me has defendido. Es la verdad. Pero ahora...»

«Pero ahora es por tu bien. Dice el proverbio: quien acaricia a un hijo culpable, deberá vendarle después las heridas. Y otro: el caballo no domado, se hace intratable; y el hijo abandonado a sí mismo, se hace testarudo [4].»

«Pero ¿acaso soy tu hijo?» pregunta Judas mostrando en su cara el arrepentimiento.

«Si te hubiese engendrado, no lo serías más. Me haría arrancar las entrañas para darte mi corazón y para hacer como yo querría...»

Judas tiene uno de sus impulsos... sinceros, verdaderamente sinceros. Se echa en los brazos de Jesús gritando: «¡Ah, no soy digno de Ti! ¡Soy un demonio [5] y no te merezco! ¡Eres muy bueno! ¡Sálvame, Jesús!» y llora, llora realmente. Lágrimas que provoca su corazón conturbado de cosas no buenas, y por el remordimiento de haber causado dolor a quien lo ama.

[4] Cfr. Eccli. 30, 7-8.
[5] Cfr. pág. 419, not. 6.

215. «Yo soy el Buen Pastor» [1]

(Escrito el 25 de octubre de 1946)

Jesús que entró en la ciudad por la puerta de Herodes, la atraviesa dirigiéndose hacia el Tiropeo y suburbio de Ofel.

«¿Vamos al Templo?» pregunta Iscariote.

«Sí.»

«Ten cuidado con lo que haces» le advierten muchos.

«No me detendré sino el tiempo necesario para orar.»

«Te entretendrán.»

«No. Entraremos por las puertas del norte y saldremos por las del sur, de modo que no tendrán tiempo para hacerme mal alguno, a no ser que haya siempre detrás de mis espaldas quien me vigile y lo diga.»

Nadie replica, y Jesús sigue al Templo que se ve allá, en la cima de la colina, como fantasma a la luz verde-amarillenta de un amanecer plomizo invernal, en que el sol naciente no es más que un recuerdo que trata de abrirse paso a través de la gruesa niebla. Pero en vano. El alegre amanecer no es más que un reflejo envuelto en un color amarillo irreal, no uniforme, sino en manchas, mezcladas con matices de color verde-plomizo. Y bajo esta luz, el mármol del Templo, su oro parece muerto, triste, diría yo, lúgubre cual ruinas

[1] El tema del buen pastor por sí mismo y en oposición a los malos pastores, siempre en sentido sobrenatural, aparece mucho en la Biblia. Cfr. por ej.: Sal. 22; Is. 40, 9-11; 49, 9-11; 56, 9-12; Jer. 23, 1-4; Ez. 34; Zac. 11, 4-17; 1 Pe. 5, 1-4.

que se levantasen en una región desierta.

Jesús lo mira fijamente al subir hacia la muralla. Mira las caras de los viajeros, que en general son gente humilde: hortelanos, pastores con sus animales que llevan al matadero, siervos o amas de casa que van a los mercados. Todos caminan en silencio, envueltos en sus mantos, un poco inclinados para defenderse del aire que sopla en la mañana. Hasta sus caras parecen más pálidas que de costumbre. Se debe a la luz verdosa que les da ese tinte casi perlino en las bordaduras de sus mantos de color verde, morado subido, amarillo intenso, que no proyectan el tinte rosado sobre sus caras. No falta quien salude al Maestro sin detenerse. No se ven todavía los mendigos que llenen el cielo con sus lamentos en las encrucijadas o en los recodos de las calles. La hora y la estación ayudan a Jesús para andar sin obstáculo.

Han llegado a la muralla. Entran. Caminan al atrio de los israelitas. Oran, mientras el sonido de trompetas, tal vez de plata por su timbre, anuncia algo importante. Se esparce por la colina. Perfume de incienso se extiende lentamente imponiéndose a todo otro olor menos agradable que pueda aspirarse en la cima del Moria, esto es, el olor natural de los animales que son degollados y cuyas carnes se queman al fuego, el olor de harina quemada, de grasa ardiente que gotea de los continuos holocaustos.

Los primeros que acuden al Templo, que trabajan en él, los cambistas y vendidores que empiezan a armar sus bancos son los primeros en notarlos. Pero son muy pocos, y su sorpresa es tal que no saben qué hacer. Se intercambian palabras de admiración:

«¡Ha regresado!»

«No fue a Galilea como decían.»

«¿Dónde se habrá escondido, que no lo encontraron?»

«Quiere desafiarlos.»

«¡Qué necio!»

«¡Qué santo!» y así, según el corazón de cada uno.

Jesús está fuera del Templo y baja por el camino que lleva a Ofel, cuando, en el cruze de las calles que van a Sión, se encuentra con el ciego que hace poco curó, cargado de cestas llenas de olorosas manzanas. Alegre va, chanceándose con otros jóvenes coetáneos suyos, cargados también, y que van en dirección contraria.

Tal vez para el joven, que nunca ha visto el rostro de Jesús, hubiera pasado inadvertido el encuentro, pero Jesús conoce su cara. Lo llama. Sidonia, llamado Bartolmai, se vuelve y mira interrogativamente al hombre alto y majestuoso, pese a su humilde vestidura, que lo llama por su nombre.

«Ven aquí» le ordena Jesús.

El joven se acerca sin poner en el suelo su carga, mira a Jesús, pensando que quiere comprarle manzanas. Le dice: «Mi amo ya las vendió. Pero tengo todavía, si quieres. Son bellas y sabrosas. Llegaron ayer de las huertas de Sarón. Si compras muchas, podrás tal vez tener un descuento, porque...»

Jesús sonríe levantado su mano para indicar al joven que no hable tanto. Le dice: «No te ha llamado porque quiera comprar manzanas, sino para alegrarme contigo y bendecir contigo al Altísimo que tuvo misericordia contigo.»

«¡Es verdad! A cada momento lo hago, y porque veo la luz, y porque puedo trabajar, ayudando de este modo a mis padres. He encontrado a un buen patrón. No es hebreo, pero es bueno. Los hebreos no me quisieron... porque saben que me han echado fuera de la sinagoga» dice el joven poniendo sobre el suelo sus cestas.

«¿Te echaron fuera? ¿Por qué? ¿Qué hiciste?»

«Yo nada. Te lo aseguro. El Señor lo hizo. En sábado me hizo encontrar a ese hombre que dicen que es el Mesías [2], y El me curó, como ves. Por esto me han echado fuera.»

«Entonces el que te curó no te hizo un buen favor del todo» dice Jesús para probarlo.

«No hables así, ¡blasfemas! Primero me demostró que Dios me ama, pues me dio la vista... Tú no sabes qué cosa sea "ver" porque siempre has visto, pero quien nunca ha visto... ¡Oh!... Significa... Con la vista se tienen todas las cosas... Te aseguro que ciando vi, allí cerca de Siloé, me eché a reir y a llorar, pero de alegría ¿eh? Lloré como nunca había llorado en mi desventura. Porque comprendí cuán grande había sido ella y cuán bueno era conmigo el Altísimo. Puedo ahora ganarme la vida y con un trabajo honrado. Además... — y es lo que más espero que me conceda el milagro que recibí — espero poder encontrar al hombre que es llamado Mesías y al discípulo suyo que me...»

«¿Y qué harías?»

«Lo bendeciría. A El y a su discípulo. Y diría al Maestro que ha venido de Dios, y le rogaría que me tomare por su siervo.»

«¿Cómo? Por su causa estás condenado al anatema, difícilmente encontraste trabajo. Todavía se te puede castigar y ¿quieres estar a su servicio? ¿No sabes que se persigue a todos los que siguen al que te curó?»

«¡Lo sé! Se dice entre nosotros que El es el Hijo de Dios. Aun cuando los de allá arriba (y señala el Templo) no quieren que se diga esto. ¿Y por servirle, no vale la pena dejar todo?»

«¿Crees, pues, en el Hijo de Dios y que está en Palestina?»

«Creo. Quisiera conocerlo para creer en El no sólo por lo que sé, sino con todo mi ser. Si sabes quién sea y dónde se encuentre, dímelo, para que vaya a donde está, lo vea, crea completamente en

[2] Cfr. vol. 1°, pág. 468, not. 1.

El y le sirva.»

«Lo has visto ya y no hay necesidad de que vayas a donde está. El que en estos momentos te habla y ves, ese es el Hijo de Dios.»

No puedo asegurarlo del todo, pero me parece que cuando Jesús dijo estas palabras como que se transfiguró, haciéndose bellísimo, algo así como resplandeciente. Creo que para premiar al humilde joven que en El cree y confirmarlo en su fe, le haya, por un instante, descubierto su futura belleza, esto es, la que tendrá después de su Resurrección, y que conservará en el cielo. Belleza de un ser humano glorificado, de un cuerpo glorificado y unido con la inenarrable belleza de su Perfección que le es propia. Un instante, digo. El rincón semi-oscuro, donde hablan, bajo la corniz del callejón, se ilumina con una luz que se desprende de Jesús, y que, repito, lo hace bellísimo.

Pasado el momento, todo sigue como antes, menos el joven que está en tierra, con la cara en el polvo y que adora a Jesús diciendo: «Creo, Señor, Dios mío.»

«Levántate. He venido al mundo para traer la luz, para que conozcan a Dios y para probar a los hombres y juzgarlos. Este tiempo en que estoy es para escoger, elegir, seleccionar. He venido para que los puros de corazón e intención, los humildes, mansos, amantes de la justicia, de la misericordia, de la paz, los que lloran y los que saben dar a las riquezas su propio valor y que prefieren las riquezas espirituales a las materiales, encuentren lo que su corazón anhela; y los que eran ciegos, porque los hombres han levantado gruesas murallas para no ver la Luz, esto es, para no conocer a Dios, vean, y los que creen ver, cieguen.»

«Entonces odias a gran parte de los hombres y no eres bueno como afirmas serlo. Si lo fueras tratarías de que todos viesen, y que el que ve, no cegase» interrumpen algunos fariseos que acababan de llegar por calle principal y que sin hacer ruido se habían acercado por detrás de los apóstoles.

Jesús se vuelve y los mira. ¡No tiene esa belleza de transfigurado! Es un Jesús duro que mira fijamente con sus ojos de zafiro a sus perseguidores. Su voz no tiene la Hermosa nota de alegría, sino que es seca, como si fuera de bronce; es cortante y enérgica. Dice: «No soy el que no quiera que no vean la verdad los que actualmente la combaten, sino que son ellos los que levantan obstáculos ante sus ojos para no ver. Se hacen ciegos por propia voluntad. El Padre me ha enviado para que acaezca esta división, y se sepa quiénes son verdaderamente hijos de la Luz y quienes de las tinieblas. Los primeros son los que quieren ver y los segundos los que quieren cegar.»

«¿Nos encontramos acaso entre estos ciegos?»

«Si lo fuerais y trataseis de ver, no tendríais ninguna culpa. Pero la tenéis porque decís: "Nosotros vemos", y no queréis ver. Vuestro pecado queda, porque no tratáis de ver, pese a que seáis ciegos.»

«¿Y qué debemos ver?»

«El Camino, la Verdad, la Vida. Un ciego de nacimiento, como era éste, puede siempre con su bastoncito encontrar la puerta de su casa y dar vueltas por ella, porque la conoce. Pero si se le lleva a otros lugares no podría entrar por la puerta de la nueva casa porque no sabe dónde está y se toparía contra las paredes.

Ha llegado el tiempo de la nueva ley. Todo se renueva y surge un nuevo mundo, un nuevo pueblo, un nuevo reino. Los del tiempo pasado no conocen esto. Conocen *su* tiempo. Son como los ciegos que se les lleva a un país nuevo donde está la casa real del Padre, pero que no saben con precisión dónde esté.

He venido para llevarlos e introducirlos en ella y para que vean. Yo mismo soy la Puerta por la que se llega a la casa paterna, al reino de Dios, a la Luz, al Camino, a la Verdad, a la Vida. Soy también el que ha venido a reunir la grey que se ha quedado sin guía y a llevarla a un ovil nuevo: el del Padre. Yo soy la Puerta del Redil, porque soy juntamente Puerta y Pastor. Entro y salgo de él como y cuando quiero. Entro y salgo por la puerta, porque soy el verdadero Pastor.

Cuando alguien viene a dar a las ovejas de Dios otras indicaciones, o quiere extraviarlas, llevándolas a otros rediles, o por otros caminos, no es el buen Pastor, sino un pastor falso. Igualmente quien no entra por la puerta del redil, sino que quiere entrar por otra parte, brincando la valla, no es el pastor, sino un ladrón y un asesino que entra con intención de robar y matar, para que los corderos robados no levanten su lamento y no llamen la atención de los que vigilan y la del pastor. También entre las ovejas de la grey de Israel falsos pastores tratan de introducirse para llevarlas a otros pastizales, lejos del verdadero Pastor. Y entran dispuestos aun a sacarlas a la fuerza del redil, y si fuere necesario, no temen matarlas, golpearlas, para que no denuncien al Pastor sus astucios, ni con gritos pidan a Dios que las proteja contra sus enemigos y enemigos del Pastor.

Yo soy el buen Pastor. Mis ovejas me conocen y me conocen los perpetuos porteros del verdadero redil. Ellos me han conocido, me han descrito, preparado mis senderos, y cuando se oyó mi voz, entonces el último de ellos me abrió la puerta diciendo a la grey que esperaba al verdadero Pastor, a la grey que estaba bajo su cayado: "¡Vedlo! Este es de quien os dije que vendría detrás de Mí. Es uno que me precede porque existe antes de mí. No le conocía. Pero para que estéis prontos a recibirlo, vine a bautizar con agua, a fin de que sea conocido en Israel". Las buenas ovejas han oído mi voz y cuando las llamé por su nombre, corrieron, y las he traído conmigo, así como hace un verdadero pastor al que conocen sus ovejas, y lo reconocen por su voz y lo siguen a dondequiera que vaya. Cuando las saca, va delante de todas. Ellas vienen detrás porque aman la voz de su pastor. Pero no van detrás de un extraño. Huyen de él porque no lo conocen y le temen. También Yo voy delante de mis ovejas para enseñarles el camino y para ser el primero en afrontar los peligros y señalarlos a las que quiero llevar a mi Reino.»

«¿Acaso Israel no es más el Reino de Dios?»

«Israel es el lugar de donde el pueblo de Dios debe levantarse para ir a la verdadera Jerusalén y al Reino de Dios.»

«¿Entonces qué decir del Mesías? ¿No es el Mesías, que aseguras ser Tú, quien deba hacer a Israel triunfante, glorioso, dueño del mundo, sometiendo bajo su cetro a todos los pueblos y que se vengue, ¡sí! que se vengue de todos los que lo han esclavizado desde que empezó a existir como pueblo? ¿Nada de esto es verdad? ¿Niegas los profetas? ¿Puedes llamar necios a nuestros rabinos? Tú...»

«El Reino del Mesías no es de este mundo. Es el Reino de Dios, fundado sobre el Amor. No otra cosa. El Mesías no es rey de pueblos y ejércitos, sino de corazones. El Mesías saldrá del pueblo elegido, de la estirpe real, pero sobre todo de Dios que lo ha engendrado y enviado. La fundación del Reino de Dios ha tenido principio en Israel, así como la promulgación de la ley de amor, el anuncio de la Buena Nueva de la que habla el Profeta [3]. Pero el Mesías será Rey del mundo, Rey de reyes, y su Reino no tendrá ni límites ni fronteras, tanto en el tiempo como en el espacio. Abrid los ojos y aceptad la verdad.»

«No hemos entendido nada de lo que deliras. Dices palabras sin sentido. Habla y responde sin parábolas. ¿Eres o no el Mesías?»

«¿Y no lo habéis todavía comprendido? Os acabo de decir que por esto soy Puerta y Pastor. Hasta ahora nadie ha podido entrar en el Reino de Dios porque estaba amurallado y sin salidas. Pero ahora he venido y se ha abierto la puerta para entrar en él.»

«¡Oh, otros se dijeron ser el Mesías! Después se les reconoció como a ladrones y rebeldes. La justicia humana castigó su rebeldía [4]. ¿Quién nos asegura que no seas como uno de ellos? ¡Estamos cansados de sufrir y de hacer sufrir al pueblo el rigor de Roma, gracias a esos mentirosos que se han llamado reyes y que han soliviantado a las masas!»

«No es exacto lo que decís. Que no queráis sufrir es verdad. Pero

[3] Cfr. Is. 61, 1-3.

[4] Tal vez se aluda a Judas Galileo y a Teoda de los que se hace mención en Hech. 5, 34-39.

no es verdad que os duela que el pueblo sufra. Tanto es así que juntáis al rigor del que nos domina el vuestro, oprimiendo con odiosos diezmos [5] y con otras cosas al pueblo débil. ¿Que quién os asegura que no sea Yo un malandrín? Mis acciones. No soy Yo el que haga que la mano de Roma se sienta pesada. Antes bien trato de aligerarla, aconsejando a dominadores y dominados paciencia y humildad. Al menos estas cosas.»

Mucha gente que se ha reunido estorbando el paso por la calle y que sigue llegando todavía, al oir las palabras de Jesús que retumban de hueco en hueco, grita: «¡Bien dicho por lo de los diezmos! ¡Es verdad! El nos aconseja a nosotros sumisión y a los romanos piedad.»

Los fariseos, como de costumbre, se enfurecen cuando la gente aprueba, y la rabia les muerde las entrañas al dirigirse a Jesús. «Responde sin muchas palabras y demuestra que eres el Mesías.»

«En verdad, en verdad os digo que lo soy. Yo, Yo solo soy la Puerta del Redil de los cielos. Quien no pasa por Mí, no puede entrar. Es verdad que ha habido otros falsos Mesías y que los habrá. *Pero el único y verdadero Mesías soy Yo.* Todos los que han venido, diciendo ser tales, no eran sino ladrones y bandidos. Y no solo los pocos que se hicieron llamar "Mesías" por los de su misma calaña, sino otros también que sin atribuirse tal nombre exigen adoración que ni siquiera se da al verdadero Mesías. Quien pueda entender que entienda. Pero ved que las ovejas no han dado oídos ni a los falsos Mesías, ni a los falsos pastores y maestros, porque su espíritu percibió la falsedad de sus voces que trataba de ser dulce, pero era cruel. Sólo los cabrones los siguieron por ser sus compañeros en las pillerías. Cabrones salvajes, indómitos, que no quieren entrar en el Redil de Dios, que no quieren estar bajo el cetro del verdadero Rey Pastor, porque ahora esto sucede en Israel, que el que es Rey de reyes se convierte en Pastor de la Grey, mientras en otro tiempo el que era pastor de ovejas se convirtió en rey, el Uno y el otro proceden de una sola raíz, de la de Isaí, como está dicho en las promesas y profecías [6]. Los falsos pastores no han tenido palabras sinceras, ni han tratado de consolar. No han hecho más que dispersar y torturar a las ovejas, o las han abandonado a los lobos, o las han matado para sacar provecho de ellas al venderlas y así asegurar su vida, o las han echado fuera de los pastizales para convertirlos en lugares de placer y en bosquecillos para los ídolos.

¿Sabéis cuáles sean los lobos? Las malas pasiones, los vicios que los falsos pastores han enseñado a sus ovejas, practicándolos ellos

[5] Cfr. Gén. 14, 17-24; Lev. 27, 30-34; Núm. 18, 20-32; Deut. 14, 22-29; 26, 12-15; Heb. 7, 4-10.
[6] Alusión a David. Cfr. 1 Rey. 16, 14 - 17, 31; 2 Rey. 2, 1-4; y también vol. 1°, pág. 468, not. 1.

primiero. ¿Sabéis cuáles sean los bosquecillos de los ídolos? Los propios egoísmos ante los que muchos queman su incienso. No es menester explicar las otras dos cosas porque son muy claras de entenderse. Pero que los falsos pastores así se comporten, es lógico. No son sino ladrones que se llegan a robar, matar, destruir, para llevar fuera del redil a las ovejas a pastizales peligrosos, o para llevarlas a rediles que no son más que mataderos. Pero los que vienen a Mí, están seguros y pueden ir a mis pastizales, o volver a entrar para descansar y hacerse fuertes, robustos con cosas santas y sanas. Para esto he venido. Para que mi pueblo, para que mis ovejillas, que hasta ahora han estado flacas y adoloridas, tengan vida, y una vida en abundancia, de paz y alegría. Y tanto lo deseo que he venido a dar mi vida para que mis ovejas tengan la Vida completa y abundante de los hijos de Dios.

Yo soy el buen Pastor, Y un pastor cuando es bueno da su vida por defender a su grey de los lobos y ladrones; mientras el mercenario, que no ama las ovejas sino el dinero que obtiene por llevarlas al pastizal, no se preocupa sino de salvarse a sí mismo y el bolsillo de dinero que tiene en su seno. Cuando ve que se acerca el lobo o el ladrón huye. Y no regresa sino para agarrar alguna oveja que el lobo dejó maltrecha, y la que el ladrón espantó; y matar la primera antes para comérsela, o vender como suya la otra, para aumentar el dinero de su bolsillo, y decir luego al patrón con lágrimas de cocodrilo, que ninguna de las ovejas quedó viva. ¿Qué le importa al mercenario que el lobo dé dentelladas y disperse a las ovejas, las que el ladrón pilla para llevarlas al carnicero? ¿Acaso se fatigó para alimentarlas y para que creciesen robustas? Pero el que es el dueño y sabe cuánto cuesta una oveja, cuántas horas de fatiga, cuántas horas de vigilia, cuántos sacrificios, las ama y tiene cuidado de ellas porque son su propiedad. Yo soy más que el dueño. Soy el Salvador de mi grey, sé cuánto me cuesta la salvación de una sola alma, y por esto estoy dispuesto a todo por salvar una de ellas, que el Padre me ha confiado. Todas las almas me las encomendó y he recibido la orden de salvar el mayor número posible. Cuantas más logre arrancar de la muerte espiritual, tanta mayor será la gloria de mi Padre. Esta es la razón por la que lucho para librarlas de sus enemigos, esto es, de su propio egoísmo, del mundo, de la carne, del demonio y de mis enemigos que me las disputan para afligirme. Lo hago, pues, porque conozco el Pensamiento de mi Padre. Mi Padre me ha enviado a hacerlo, porque conoce cuánto le amo y cuánto amo las almas. También las ovejas de mi grey me conocen, y conocen cuánto las amo. Saben que estoy pronto a dar mi vida para darles el gozo.

Tengo otras ovejas que no son de este redil. Por esto no saben lo que soy, ni quién soy. Ovejillas que a muchos parece que fueran peores que cabras salvajes, que se les tiene por indignas de conocer la verdad y de poseer la vida y el reino. Sin embargo no es así. Mi padre también las ama. Por esto debo hacer que se acerquen. Debo darme a conocer, debo dar a conocer la Buena Nueva, llevarlas a mis pastizales, juntarlas. También ellas escucharán mi voz y acabarán por amarla. Se formará un solo Redil bajo un solo Pastor, y el Reino de Dios se formará sobre la tiera, listo para que se le lleve y se la acoja en el cielo, bajo mi cetro, bajo mi bandera y mi verdadero Nombre.

¡Mi verdadero Nombre! Solo yo lo conozco. Pero cuando el número de los elegidos se haya completado, y entre himnos de regocijo se sienten a la gran cena de las nupcias del Esposo y Esposa [7], entonces mis elegidos que por fidelidad a mi Nombre se santificaron, lo conocerán, aun cuando no conocieron la grandeza y profundidad de lo que significaba ser signados con El y premiados por haberlo amado, ni podían imaginar cuál fuese el premio... Esto es lo que quiero dar a mis ovejas fieles. Lo que es mi misma alegría...»

En los ojos de Jesús hay una lágrima de éxtasis que sus oyentes le ven. Una sonrisa tiembla en sus labios. Una sonrisa tan espiritualizada en ese rostro espiritual que la gente se estremece, pues intuye el rapto de Jesús en una visión beatífica y su deseo de amor porque ve que se realiza. Vuelve en Sí. Cierra por un instante sus ojos para ocultar el misterio que su mente ve y que su mirada podría manifestar. Continúa:

«Esta es la razón por la que mi Padre, ¡oh pueblo mío!, ¡oh grey mía!, me ama. Por ti, por tu bien eterno doy mi vida. Después la volveré a tomar. Pero antes la daré para que tengas la vida y tu Salvador sea vida para ti. La daré de modo que te alimentes de ella, convirtiéndome de Pastor en pastizal y en fuente que darán alimento y bebida [8], no por cuarenta años como se dio a los hebreos en el desierto [9], sino por todo el tiempo que dure el destierro en los desiertos de la tierra. Nadie, en realidad, me arrebata la vida. Ni los que amándome con todo su ser merecen que me inmole por ellos, ni los que me la arrebatarán llevados de un odio desmesurado y de un miedo necio. Nadie me la podría arrebatar si no consintiese Yo en darla, y si mi Padre no lo permitiese, pues ambos somos presa de un amor, como de delirio, por el linaje humano culpable. Yo la doy porque yo quiero. Y tengo el poder de volver a tomarla cuando quiera, pues no es razonable que la muerte pueda prevalecer sobre la Vida. Por esto el Padre me ha dado este poder, más bien El mismo me ha mandado que lo haga. Por mi vida ofrecida y consumada, los pueblos todos serán uno solo: el mío, el pueblo ce-

[7] Cfr. pág. 653, not. 10. Especialmente Ap. 19, 5-10; 21, 9-14.
[8] Alusión a la Eucaristía.
[9] Cfr. Ex. 16; Núm. 11, 4-9; Deut. 8; Sab. 16, 15-29; Ju. 6, 22-65; Hebr. 9, 1-5.

lestial de los hijos de Dios. Los cabrones serán separados de las ovejas, las cuales seguirán a su Pastor al Reino de la vida eterna.»

Jesús, que ha estado hablando en voz muy alta, se dirige en voz baja a Sidonia, llamado Bartolmai, que no se ha movido de su lugar, con sus cestas de manzanas olorosas, y le dice: «Te has olvidado de todo por Mí. Ahora te van a castigar y perderás tu trabajo. ¿Lo ves? Siempre te acarreo algún dolor. Por causa mía perdiste la sinagoga y ahora perderás al amo...»

«¿Y qué me importa todo esto, si te tengo a Ti? Para mí Tú solo vales. Dejo todo por seguirte, si me lo permites. Permíteme sólo que lleve esta fruta a quien la compró ya, y luego estoy contigo.»

«Vamos juntos. Luego iremos a ver a tu padre, porque lo tienes todavía y debes honrarlo pidiéndole su bendición.»

«Sí, Señor. Todo lo que quieras. Pero enséñame mucho porque no sé nada, ni siquiera leer y escribir porque era ciego.»

«No te preocupes por esto. La buena voluntad será tu escuela.»

Y se encamina para tomar la calle principal entre tanto que la multitud comenta, discute, y hasta litiga sin saber qué parecer seguir: ¿es Jesús de Nazaret un poseído del demonio o un santo? La multitud, que no puede ponerse de acuerdo, sigue disputando, mientras Jesús se aleja.

216. En camino a la casa de Lázaro en Betania

(Escrito el 28 de octubre de 1946)

Jesús manda que regresen los discípulos Leví, José, Matías y Juan, que no sé dónde los encontró y les confía a Sidonia, llamado Bartolmai, el nuevo discípulo. Esto sucede en las primeras casas de Betania. Los discípulos pastores se van con Sidonia y con los otros siete que habían venido con ellos. Jesús los mira irse. Luego se vuelve a sus apóstoles y les dice: «Ahora vamos a esperar aquí a Judas de Simón...»

«¡Ah! ¿Habías caído en la cuenta de que se había ido?» preguntan sorprendidos. «Creíamos que no te habías fijado en ello. Había mucha gente y has estado hablando siempre, primero con el joven, luego con los pastores y...»

«Lo noté desde el primer momento en que se fue. Nada se me oculta. Por esto entré en las casas amigas y les dije que enviasen a Judas a Betania, si es que me buscaba...»

«Dios quiera que no» refunfuña entre dientes el otros Judas.

Jesús lo mira, pero muestra no haber dado importancia a sus palabras. Al ver que todos son del parecer de Tadeo — sus caras hablan mejor que sus palabras — dice: «Nos hará bien descansar en espera de su regreso. Nos hacía falta. Luego iremos a Tecua. Hace frío, pese al sol. Iré a hablar en aquella ciudad y luego volveremos a subir pasando por Jericó e iremos a la otra ribera. Los pastores me dijeron que muchos enfermos me buscan y les mandé a decir que no se pongan en viaje, sino que me esperen en esos lugares.»

«Vamos pues» dice Pedro con un cierto tono.

«¿No estás contento de ir a casa de Lázaro?» pregunta Tomás.

«Lo estoy.»

«Lo dices en cierta forma.»

«No lo digo por Lázaro, sino por Judas...»

«Eres un pecador, Pedro» le advierte Jesús.

«Lo soy. Pero... él, Judas de Keriot, que se va... es un descarado, un tormento, ¿o acaso no?» pregunta encolerizado Pedro.

«Sí. Pero si lo es, no debes serlo tú. Ninguno de nosotros debe serlo. Acordaos que Dios nos pedirá cuenta: *nos pedirá*, porque antes que a vosotros, a Mí, me lo ha confiado y nos pedirá cuenta de lo que hicimos por redimirlo.»

«¿Y crees que lo lograrás, hermano? No puedo creerlo. Sí creo que conozcas lo pasado, el presente, lo futuro. Y por esto no puedes engañarte respecto a él. Y... es mejor que no diga lo demás.»

«El saber callar es una gran virtud. Pero ten en cuenta que *prever más o menos exactamente lo futuro de un corazón, no libra a nadie de perseverar hasta el fin para arrancar un corazón de la ruina.* No caigas también tú en el fatalismo de los fariseos que sostienen que lo que está destinado se debe cumplir y que nada puede impedir su realización. Con este razonamiento avalan sus culpas, y avalarán incluso su última manifestación de odio contra de Mí. *Muchas veces Dios acepta el sacrificio de un corazón que se sobrepone a la náusea que experimenta, a sus rencores, antipatías, aun justificadas, para sacar un alma del pantano en que está sumergida.* Os lo digo. Es verdad. *Muchas veces Dios, el Omnipotente, el Todo, espera que una criatura, un nada, haga o no haga un sacrificio, diga o no una plegaria para firmar o no la condenación de un alma. Jamás es tarde. Jamás lo es para buscar y esperar salvar un alma.* Las pruebas os las daré. Aun en el umbral mismo de la muerte, cuando tanto el pecador como el justo que por él se preocupa, están cercanos a dejar la tierra para ir al primer juicio de Dios, se puede siempre salvar, y ser salvado uno. Entre la copa y los labios, dice el proverbio, hay siempre lugar para la muerte. Yo os digo al contrario: entre la última agonía y el morir hay siempre tiempo de obtener perdón, para uno mismo o para los que quieran ser perdonados.»

Nadie replica.

Jesús, que ha llegado al cancel, llama a un siervo que le abra. Entra. Pregunta por Lázaro.

«Oh, Señor, ¿ves? Acabo de regresar de haber ido a cortar hojas de laurel y alcanfor y bayas de ciprés y otras hojas y frutos olorosos para hervirlos con vino y resinas y preparar el baño para mi amo. La carne se le cae a pedazos y no se aguanta el hedor. No sé si te dejarán pasar...» Por temor de que aun el aire pudiera escuchar, en voz bajísima añade: «Ahora que no se puede ocultar que tiene llagas, las amas no admiten a nadie... por temor... Sabes... Pocos aman verdaderamente a Lázaro... Y muchos, muchísimos se alegrarían de... ¡Oh, no me hagas pensar en lo que es el terror de este hogar!»

«Hacen bien ellas. Pero no tengáis miedo. No sucederá ninguna desgracia.»

«¿Podrá curarse? Un milagro tuyo...»

«No se curará. Pero esto servirá para glorificar al Señor.»

El siervo queda desilusionado... Jesús que cura a todos pero aquí en Betania no hace nada. Sólo un suspiro es la muestra de lo que piensa. Dice: «Voy a anunciarte a las amas.»

Los apóstoles rodean a Jesús, deseosos de saber el estado de Lázaro, y se quedan horrorizados al saberlo. Las dos hermanas ya vienen. Su juventud y su diferente hermosura parece nublada por el dolor y fatiga de las vigilias prolongadas. Pálidas, abatidas, demacradas, con grandes ojeras en aquellos ojos que un tiempo brillaban, sin anillos, ni brazaletes, vestidas de color ceniza oscuro, parecen más bien esclavas que dueñas. Se arrodillan a cierta distancia ante Jesús, ofreciéndole sólo el llanto. Un llanto resignado, mudo, que como si descendiese de una fuente, no puede detenerse.

Jesús se acerca. Marta extiende sus manos susurrando: «Apártate, Señor. En verdad que creemos ser pecadoras contra la ley que habla de la lepra [1]. Pero no podemos. ¡Oh Dios, no podemos provocar un decreto semejante contra nuestro Lázaro! Tú no te acerques, porque somos inmundas al no tocar otra cosa que llagas. Nosotras dos. No dejamos que algún otro lo haga. Todo se pone en el umbral, y nosotros lo tomamos, lavamos, quemamos, en la sala contigua a la de él. Mira nuestras manos. La cal viva que usamos en los vasos que devolvemos a los siervos, nos las ha corroído. Pensamos que así somos menos culpables» y llora.

María Magdalena que ha estado callada, entre lágrimas dice: «Deberíamos llamar al sacerdote. Pero... Yo, yo soy la más culpable porque me opongo a ello, pues sostengo que no es la enfermedad maldita en Israel. ¡No, no lo es! Pero nos odian muchos y en qué forma, lo diría. ¡Tu apóstol Simón, por cosa menor, fue declarado leproso!»

[1] Cfr. vol. 1°, pág. 326, not. 1.

«No eres ni sacerdote, ni médico, María» solloza Marta.

«No lo soy. Pero sabes lo que he hecho para asegurarme de lo que dije. Señor he ido y recorrido todo el valle de Innón, todo Siloán, todos los sepulcros que hay cerca de En Rogel, vestida de esclava, con el velo, a la luz de la aurora, con víveres y aguas medicinales, vendas y vestidos. Todo lo di, todo lo di. Decía que era un voto por un ser a quien amaba yo. Es la verdad. Pedía que se me mostrasen sólo las llagas de los leprosos. Debieron haberme tomada por loca... ¿Quién ha querido ver horrores tales? Pero, poniendo en los límites lo que llevaba, pedía que me las mostrasen. Ellos más arriba, yo más abajo; ellos sorprendidos, yo con náuseas; ellos llorando, también yo. ¡Miré, miré, miré! Miré esos cuerpos cubiertos de escamas, de costras, de llagas. Vi caras corroídas, cabellos blancos y duros cual espinas, ojos, cuevas de pus, mejillas en que se ven sólo los dientes, calaveras que se mueven en cuerpos vivientes, manos reducidas a tendones monstruosos, pies como ramas nudosas. Vi el horror, el hedor, la podredumbre. Si pequé adorando la carne, si gocé con los ojos, con el olfato, con el oído, con el tacto, gozando de lo que era bello, perfumado, armonioso, muelle y delicado, ¡oh!, te aseguro que los sentidos se purificaron ya con la mortificación de esto que vi [2]. Mis ojos se han olvidado de la belleza seductora del hombre, al contemplar esos monstruos. Mis orejas han expiado el gozo que tuve al oir voces varoniles con aquellas feas y roncas voces, que no son humanas. Mi cuerpo todo se ha estremecido, mi asco ha sido indescriptible... todo lo que pudiera quedar de culto a mi misma ha muerto, porque he visto lo que somos después de la muerte... Pero traje conmigo esta certeza: Lázaro no es leproso. Su voz no está cascada, sus cabellos y todo el resto de su piel está intacto. Sus llagas son diferentes. ¡No, no está leproso! Y Marta me aflige porque no cree, porque no anima a Lázaro a no creerse inmundo. ¿Sabes? No quiere verte, ahora que sabe que has llegado, para no contaminarte. ¡Los necios temores de mi hermana lo privan aun de tu consuelo!...»

Su vehemente genio la arrastra a la ira. Pero al ver que su hermana estalla en un llanto desolado, su vehemencia desaparece inmediatamente, la abraza, la besa diciéndole: «Marta, ¡perdón, perdón! ¡El dolor me hace ser injusta! ¡Es el amor que tengo por Lázaro y por ti el que quisiera convenceros! ¡Pobre hermana mía! ¡Pobres mujeres que somos!»

[2] La enfermedad cruel, horrenda y fétida que iba destruyendo a Lázaro, hasta reducirlo al estado de un cadáver, no era lepra, sino unas várices ulceradas y por tanto con llagas grandes y profundas, llenas de gangrena. Quien haya visto semejantes casos, dará la razón a María Magdalena, que — según esta Obra — afirma que el espectáculo de aquellos horrores habían extinguido en ella las malas inclinaciones y le habían ayudado a expiar y reparar las culpas de una desenfrenada sensualidad.

«¡Ea, no lloréis así! Tenéis necesidad de tranquilidad y de mutua compasión. Os aseguro que Lázaro no está leproso.»

«¡Oh, ven a donde está, Señor! ¿Quién mejor que Tú puede juzgar que no está leproso?» suplica Marta.

«¿No te lo acabo de decir que no lo está?»

«Sí. ¿Pero cómo puedes afirmarlo si no lo ves?»

«¡Oh, Marta, Marta! Dios te perdona porque sufres y eres como alguien que delira. Me das compasión. Voy a ver a Lázaro y le veré las llagas y...»

«...¡se las curarás!» grita Marta poniéndose de pie.

«Varias veces te he dicho que no puedo [3] hacerlo... Pero quiero que estéis tranquilas con lo que se refiere a la ley de la lepra. Vamos...»

Se adelanta. A los apóstoles les hace señal de que no lo sigan.

María corre, abre una puerta, corre por un corredor, abre otra que da a un pequeño patio interior. Da unos cuantos pasos y entra en una habitación semioscura, llena de aljofainas, vasos, jarras, vendas... Se siente mezcla de aromas y de descomposición. En frente hay otra puerta. María la abre gritando con una voz que quisiera envolverse en luminosa alegría: «Hermano, mira al Maestro. Viene a decirte que yo tengo razón. Alégrate que entra quien nos ama, quien nos trae la paz.» Se inclina sobre su hermano, lo endereza sobre los almohadones, lo besa, sin preocuparse del hedor que, pese a todo paliativo, se siente que sale de su cuerpo hecho llaga. Todavía sigue arreglándolo, cuando el dulce saludo de Jesús resuena en la habitación, que parece iluminarse con la presencia del Señor.

«¡Maestro, no tienes miedo!... Estoy...»

«Enfermo. No más. Lázaro, como medida de prudencia se dieron normas muy grandes y estrictas. Es mejor exagerar por prudencia que por imprudencia en casos en que puede haber contagio. Pero tú no eres contagioso, amigo mío. No eres inmundo, tanto que no creo faltar a la prudencia, para con los hermanos, si te abrazo y beso así» y lo besa, tomando entre sus brazos el cuerpo enflaquecido.

«¡En realidad eres la Paz! Pero todavía no has visto. María te va a hacer ver. Soy yo un muerto, Señor. No sé cómo mis hermanas pueden resistir...»

Tampoco lo sé yo. Tan feas y repugnantes son las llagas varicosas que tiene en las piernas. Las hermosas y suaves manos de María pasan por encima de ellas con su voz maravillosa, que responde: «Tu enfermedad son rosas para tus hermanas. Rosas que tienen espinas sólo porque tú sufres. Mira, Maestro. ¡La lepra no es así!»

[3] La razón es que la voluntad de Jesús jamás discrepaba de la del Padre que había establecido que Lázaro se restableciese, no curándolo, sino resucitándolo. Cfr. Ju. 11.

«No lo es. Es una dura enfermedad, te consume, pero no es de peligro. ¡Créele a tu Maestro! Cúbrelo, María. Ya las vi.»

«¿No quieres tocarlas?» suspira Marta, obstinada en esperar.

«No es necesario. No lo hago, no por asco, sino para no causarle dolor.»

Marta se inclina, sin resistir más, sobre una palangana donde hay vino y vinagre aromatizados, y mete piezas de lino que pasa a su hermana. Lágrimas mudas caen en el líquido de color rojizo...

María envuelve las piernas y extiende las cobijas sobre los inertes y amarillentos pies, como los de un muerto.

«¿Viniste solo?»

«No. Con todos, menos con Judas de Keriot que se quedó en Jerusalén. Vendrá... Pero si ya me hubiere ido, lo enviaréis a Betabara. Iré allá. Que allí me espere.»

«Te vas pronto...»

«Y pronto regresaré. Dentro poco es la Dedicación. Estaré contigo unos cuantos días.»

«No podré hacerte los honores para las Encenias [4]...»

«Estaré en Belén ese día. Quiero volver a ver el lugar donde nací.»

«Estás triste... Sé... ¡Oh, y no poder hacer nada!»

«No estoy triste. Soy el Redentor... Pero tú estás cansado. No luches contra el sueño, amigo mío.»

«Era para honrarte...»

«Duérmete, duérmete. Nos veremos después...» y Jesús se retira sin hacer ruido.

«¿Ya viste, Maestro?» pregunta Marta, afuera, en el patio.

«Ya vi. Pobres discípulas mías... Os compadezco y lloro con vosotras... Pero os puedo decir en secreto que mi corazón está mucho más llagado que vuestro hermano. Está rojo del dolor...» Y las mira con una tristeza tan viva que las dos olvidan *su* dolor. No pudiendo abrazarlo, por ser mujeres, se limitan a besarle las manos, el vestido y a querer honrarlo cual cariñosas hermanas. Le sirven en una sala pequeña y lo rodean de cariño.

Al otro lado del patio se oyen las fuertes voces de los apóstoles... Se oyen todas, menos la del discípulo malo. Jesús escucha y suspira... Suspira esperando pacientemente al apóstol que no regresa.

[4] Cfr. vol. 2°, pág. 424, not. 6.

217. En el camino a Tecua. El viejo Eliana

(Escrito el 29 de octubre de 1946)

De nuevo son los once los que vuelven a emprender el camino. Once caras pensativas, mohinas en torno al rostro triste de Jesús que se despide de las hermanas, y que en un momento de reflexión, antes de que se cierre el cancel, dice a Simón Zelote y a Bartolomé: «Quedaos aquí. Me alcanzaréis en Tecua, en casa de Simón, o bien en la casa de Nique, cerca de Jericó o en Betabara. Si él viene. Y... sed caritativos. ¿Me habéis entendido?»

«Vete en paz, Maestro. De ningún modo ofenderemos el amor del prójimo» afirma Bartolomé.

«A cualquiera hora que llegue, partid inmediatamente.»

«Así lo haremos, Maestro. Y... gracias por la confianza depositada en nosotros» dice Zelote.

Se despiden con el beso de costumbre. Un siervo cierra el cancel. Jesús se aleja. Los dos que se han quedado se dirigen a la casa junto con las dos hermanas.

Jesús va delante, solo. Después Pedro entre Mateo y Santiago de Alfeo; luego Felipe con Andrés, Juan y Santiago de Zebedeo. En último lugar vienen, silenciosos también, Tomás y Judas Tadeo. Pero he dicho mal. Pedro tampoco habla. Sus dos compañeros se intercambian alguna que otra palabra, pero él, que camina entre el uno y el otro, no habla. Viene taciturno, la cabeza inclinada, parece como si estuviese en conversación con las piedras y la hierba que pisa.

También los dos últimos traen igual actitud. Solo que mientras Tomás parece sumergido en la contemplación de una ramita de sauce cuyas hojas se van cayendo una después de la otra, y mira detenidamente la hoja, como si estudiase su color verde pálido de una parte y plateado de la otra, o las estrías, Judas Tadeo mira fijamente hacia adelante. No sé si mira el horizonte que, después de pasar una cima, desemboca en una claridad vaporosa matinal que envuelve la llanura, o únicamente la cabeza rubia de Jesús que se ha echado atrás la punta del manto como para que su cabeza goce mejor del sol de diciembre. Como si se hubiesen puesto de acuerdo ambos discípulos vuelven en sí. Judas baja sus ojos, se vuelve a mirar a su compañero, que, con la ramita en las manos reducida a un palito sin nada, levanta sus ojos para verlo. Es una mirada, incisiva, pero al mismo tiempo buena y triste, que encuentra otra igual.

«¡Así es amigo! ¡Así es!» dice Tomás como si concluyese un razonamiento.

«Así es. Sufro mucho... También porque es mi pariente...»

«Comprendo. Pero... En tu corazón hay aflicción porque lo amas. Pero en el mío hay un remordimiento que me atormenta. Y es peor aún.»

«¿Un remordimiento tuyo? Jamás has tenido motivo de ello. Eres bueno y fiel. Jesús está contento contigo, y nosotros no hemos recibido de ti ningún escándalo. ¿ Qué razón hay de que tengas remordimiento?»

«Un recuerdo. El recuerdo del día en que decidí seguir al nuevo Rabí que se había dejado ver en el Templo... Yo y Judas estábamos cerca. Admiramos el gesto y las palabras del Maestro. Se decidió que lo buscaríamos... Yo estaba más decidido que Judas, y como que lo arrastré. El se oponía, pero... Mi remordimiento es haber insistido en que hubiese venido... Traje a Jesús un dolor continuo. Yo sabía que muchos querían a Judas y pensé que podía ser útil. Fui un necio como todos los demás que piensan en un rey superior a David y Salomón, pero siempre un rey... un rey, como El dice, que jamás lo será, había luchado porque entre sus discípulos estuviese éste que podía serle de ayuda... Así lo esperé. Pero ahora comprendo, y cada vez mejor, el recto modo de obrar de Jesús que no quiso recibirlo inmediatamente, hasta más bien le prohibió que lo buscase... ¡Un remordimiento, te lo aseguro! ¡Un remordimiento! Judas no es bueno.»

«No lo es. Pero no debes crearte remordimientos. No lo hiciste con malicia y por lo tanto no hay culpa. Te lo aseguro.»

«¿De veras? ¿O lo dices por consolarme?»

«Lo digo porque es verdad. No pienses más en el pasado, Tomás. No puedes borrarlo...»

«¡Dices bien! ¡Pero mira! Si por causa mía, el Maestro sufriese algo... Tengo en el corazón ansias y sospechas. Hago mal porque juzgo al compañero, y no con caridad. Soy un pecador porque debería creer a las palabras del Maestro... El excusa a Judas... Tú... ¿crees a tu hermano?»

«En todo, menos en esto. Pero no te aflijas. Todos pensamos lo mismo. También Pedro, que se muere de dolor, se esfuerza en pensar siempre bien de él; lo mismo Andrés, que es más suave que un cordero; dígase de Mateo, el único de nosotros que no siente ninguna repugnancia por algún pecador o pecadora. Juan, el buen Juan, que no ha conocido el mal ni el vicio, que está lleno de caridad y de pureza, lo mismo piensa. También abriga igual pensamiento mi hermano. Digo, Jesús. No cabe duda que tiene otros pensamientos además de éste, por que ve la necesidad de tener a Judas... hasta cuando todos sus intentos de que se haga bueno, se acaben.»

«Está bien esto. Pero ¿cuándo terminarán? El tiene muchas... No tiene... En una palabra, tú me comprendes lo que quiero decir. ¿A qué punto llegará?»

«No lo sé... puede ser que se separe de nosotros... Tal vez se quede para ver quién es más fuerte en esta lucha trabada entre Jesús y el mundo hebreo...»

«¿No pensará en otra cosa? ¿No crees que sirve ya desde ahora a dos patrones?»

«Esto es seguro.»

«¿No crees que se incline por los más numerosos, de modo que pueda hacer un gran daño al Maestro?»

«No. No lo amo a él, pero no puedo pensar que... Por lo menos ahora, no. Lo temería si llegase el momento en que las multitudes abandonasen al Maestro. Mas si una aclamación popular lo consagrase como rey y jefe nuestro, estoy seguro que Judas abandonaría a todos por El. Es un aprovechado... Dios lo detenga, y proteja a Jesús a y a todos nosotros...»

Los dos caen en la cuenta de que han venido caminando muy despacio y que se han separado de sus compañeros y, sin hablar, más ligeros se dan a alcanzarlos.

«¿Qué veníais diciendo?» pregunta Mateo. «El Maestro os necesitaba... »

Tomás y Tadeo se apresuran a acercarse al Maestro.

«¡De qué veníais hablando?» pregunta Jesús, mirándolos a la cara.

Los dos se miran. ¿Confesar? ¿No hacerlo? Gana la sinceridad. «De Judas» dicen juntamente.

«Lo sabía. Pero quise conocer vuestra sinceridad. Me hubierais causado un dolor si hubieseis mentido... No volváis a hacerlo, sobre todo *así*. Hay tantas cosas buenas de las que se puede hablar. ¿Por qué hay que descender siempre a considerar cosas muy materiales? Isaías dice: "Retiraos del hombre cuya vida es un soplo"[1]. Yo os digo que dejéis de pensar en él y que os preocupéis de su espíritu. Lo animal que hay en él, su monstruo, no debe llamar vuestra atención y vuestros juicios. Amadlo, amad con compasión y con fuerza su corazón. Libradlo del monstruo que lo oprime. No sabéis.»...

Se vuelve a llamar a los otros siete: «Venid aquí todos, que a todos servirá lo que voy a decir, pues todos pensáis lo mismo... *¿No sabéis que aprendéis más por medio de Judas que por medio de cualquier otra persona?* Encontraréis muchos Judas, y poquísimos Jesús(es) en vuestro ministerio apostólico. Los Jesús(es) serán buenos, delicados, puros, fieles, obedientes, prudentes, no ambiciosos. Serán muy pocos... Pero ¡cuántos, *cuántos Judas de Keriot encontraréis vosotros y los que os sigan por los caminos del mundo! Para ser maestros y aprender, debéis pasar por esta escuela... Con sus defectos os muestra lo que es el hombre; Yo os muestro lo que debería ser el hombre. Dos ejemplos igualmente necesarios. Vosotros, conociendo bien al uno y al otro, deberéis de tratar de que el primero se cambie en el segundo... Que mi paciencia sea vuestra norma.*»

«Señor, fui un gran pecador y no cabe duda que seré también un ejemplo. Pero yo quisiera que Judas, que no es un pecador como lo

[1] Cfr. Is. 2, 22.

fui yo, fuese un convertido como lo soy. ¿Es soberbia decirlo?»

«No, Mateo, no lo es. Das honor a dos verdades al decirlo. La primera es que lo que suele decirse: "La buena voluntad del hombre obra milagros" [2] es real. La segunda es que Dios te ha amado infinitamente, aun antes de que tú lo hubieras imaginado, y lo hizo porque no desconocía tu capacidad de heroísmo. Eres el fruto de dos fuerzas: tu voluntad y el amor de Dios. Pongo en primer lugar tu voluntad, porque sin ella, vano habría sido el amor de Dios. Vano, inerte...»

«¿No podría Dios convertir sin nuestra voluntad?» pregunta Santiago de Alfeo.

«Sí. Pero siempre sería necesaria la voluntad del hombre para persistir en la conversión que milagrosamente se obtuvo.»

«Entonces en Judas nunca ha existido ni existe esta voluntad; ni siquiera antes de conocerte, ni ahora...» dice impetuosamente Felipe. Unos se ríen, otros se callan apesadumbrados.

Jesús es el único que defiende al apóstol ausente: «¡No digáis eso! La tuvo y la tiene. Pero la mala ley de la carne se sobrepone a ella en determinados momentos [3]. Es un enfermo... Un pobre hermano enfermo. En cualquier familia existe el débil, el enfermo, el que causa pena, aflicción, que es carga para ella. ¿Y no es acaso al debilucho a quien más ama la madre? ¿No es el hermano infeliz al quien cuidan más sus hermanos? ¿No es aquel a quien el padre da un bocado, que antes tomó del plato y probó para alegrarlo, para hacerle entender que no es un peso, y para no hacerle pesada su enfermedad?»

«Es verdad. Así es. Mi hermana gemela era débil de pequeña. Yo le había robado toda la robustez. Pero el amor de todos la sostuvo, tanto es así que ahora es esposa fuerte y también madre» dice Tomás.

«Pues bien, haced con vuestro hermano espiritualmente débil lo que haríais con un hermano carnal enfermo. No diré ni una sola palabra de reproche: no sois más que Yo. Vuestro amor perseverante será el reproche más fuerte que podáis hacerle y contra el que no podrá reaccionar. Dejaré en Tecua a Mateo y a Felipe para que esperen a Judas... El primero que se acuerde de que fue un pecador y el segundo de que es padre...»

«Sí, Maestro. Lo recordaremos.»

«Si todavía no nos hubiera alcanzado, dejaré en Jericó a Andrés y a Juan, y que se acuerden ellos que no todos han recibido de Dios en igual medida los mismos dones... Pero id a ver a ese pobre men-

[2] Afirmaciones que se comprenden con lo que más abajo se dice. Cfr. también Mt. 13, 58; vol. 3°, pág. 621, not. 4.

[3] Cfr. Rom. 7, 14-25; Sant. 1, 13-15.

digo que no sabe por dónde va el camino. La ciudad está a la vista. Con el óbolo podrá procurarse pan.»

«Señor, no podemos hacerlo porque Judas se fue con la bolsa...» dice Pedro. «Y las hermanas no nos dieron nada.»

«Tienes razón, Simón. Están aturdidas del dolor y también nosotros. No importa. Tenemos un poco de pan. Somos fuertes y jóvenes. Démoslo al viejo para que no se caiga por el camino.»

Buscan en las bolsas. Sacan unos pedazos de pan, se los dan al viejecillo que los mira sorprendido.

«¡Come, come!» le dice Jesús para darle valor. Le dice que beba de su cantimplora, entre tanto que le pregunta que a dónde va.

«A Tecua. Mañana hay gran mercado. Pero desde ayer hace que no comía.»

«¿Estás solo?»

«Peor que si lo fuera... Mi hijo me arrojó...» El corazón se desgarra de dolor al oir la voz del viejo.

«Dios te abrirá las puertas de su Reino si sabes creer en su misericordia»

«Y en la del Mesías. Pero mi hijo no tendrá al Mesías. No puede tenerlo. Lo odia. Y odia a su padre porque ama al Mesías.»

«¿Por eso te echó afuera?»

«Por eso, y para no perder las amistades de algunos que persiguen al Mesías. Quiso demostrar que su odio supera el de aquéllos de modo que ahoga aun la voz de la sangre.»

«¡Horror!» dicen todos.

«Mayor sería si yo tuviese los mismos sentimientos que mi hijo» dice con fuerza el viejo.

«¿Quién es? Por lo que puedo comprender se trata de uno que tiene autoridad y voz...» dice Tomás.

«Oyeme. Un padre no diría el nombre de su hijo culpable para que se le desprecie. Puedo decir que tengo hambre y frío, yo que con mucho trabajo aumenté el patrimonio familiar para que mi hijo fuese feliz. Pero no puedo decir más. Ten en cuenta que soy de Judea, y él también, y que somos iguales por raza, pero diversos en el pensamiento. Lo demás no sirve para nada.»

«¿No pides a Dios algo, tú que eres un justo?» le pregunta dulcemente Jesús.

«Que toque el corazón de mi hijo para que pueda creer en lo que yo creo.»

«¿Pero para ti en especial nada pides?»

«Sólo encontrar al que para mí es el Hijo de Dios. Venerarlo y luego morir.»

«Pero si te mueres no lo podrás ver. Estarás en el Limbo...»

«Por poco tiempo. Tú eres un rabí, ¿no es verdad? Veo muy poco... La edad... las lágrimas... el hambre... Pero distingo los flecos de tu cintura [4]... si eres un buen rabino, lo que me parece, debes comprender que el tiempo ha llegado, el tiempo, quiero decir, del que habló Isaías [5]. Está por llegar la hora en que el Cordero tomará sobre Sí todos los pecados del mundo, cargará con todos nuestros males y dolores, y por esto será muerto e inmolado para que seamos sanados y en paz con el Eterno. Entonces habrá también paz para los espíritus... Lo espero confiando en la misericordia de Dios.»

«¿Has visto alguna vez al Maestro?»

«No. Lo oí hablar en el Templo, durante las fiestas. Soy pequeño de estadura y más me hace la edad. Veo poco, como ya dije. Por esto si voy entre la gente no veo nada, porque los de adelante me estorban, y si me quedo lejos, igualmente. ¡Oh, pero quisiera verlo! ¡Por lo menos una vez!»

«Lo verás, padre. Dios te dará gusto. ¿Tienes a donde ir en Tecua?»

«No. Me quedaré bajo un pórtico o en un portón. Ya me acostumbré.»

«Ven conmigo. Conozco a un buen israelita. Te acogerá en el nombre de Jesús, el Maestro galileo.»

«Tú también eres galileo. Se conoce por tu modo de hablar.»

«Sí... ¿Estás cansado? Ya casi llegamos a las primeras casas. Pronto descansarás.»

Jesús se inclina a decir alguna cosa a Pedro que se separa y transmite a los demás lo que Jesús le dijo, pero que no oí. Luego con los hijos de Alfeo y Juan apresura el paso para entrar a la ciudad. Jesús lo sigue con los demás, llevando el mismo paso que el pobre viejo que no habla más, y por lo agotado que está termina con quedarse detrás de Andrés y Mateo.

La ciudad parece vacía. Es el mediodía y casi todos están en casa almorzando. Después de unos cuantos metros aparece Pedro: «Arreglado, Señor. Simón lo hospeda porque Tú lo traes, y te da las gracias de que te hubieras acordado de él.»

«¡Bendigamos al Señor! Todavía hay justos en Israel. Este anciano es uno de ellos, y Simón el otro. Sí. Todavía hay buenos, misericordiosos, fieles al Señor. Esto nos paga las muchas amarguras. Y nos hace confiar que la justicia divina se ablandará por estos justos [6].»

«¡Pero... que un hijo arroje a su padre de la casa para no perder la amistad de algún fariseo poderoso!...»

«¡A tanto llega el odio que te tienen! ¡Me siento irritado!» dice Felipe.

[4] Cfr. pág. 268, not. 8.
[5] Cfr. Is. 52, 13 - 53, 12; vol. 1°, pág. 468, not. 1.
[6] Cfr. Gén. 18, 16-33; Jer. 5, 1; Ez. 22, 30 (léase todo el capítulo).

«¡Veréis cosas mucho peores» responde Jesús.

«¿Más? ¿Y qué cosa peor que un padre que es arrojado porque no te odia? El pecado de ese hombre es grande...»

«Más grande será el pecado de un pueblo contra su Dios... Pero esperemos al viejo...»

«¿Quién será su hijo?»

«¡Un fariseo!»

«¡Un sanedrista!»

«¡Un rabino!» Los pareceres son diversos.

«Un desgraciado. No investiguéis. Hoy le pegó a su padre. Mañana me pegará a Mí. Veis, pues, que el pecado de Judas, al separarse así como un hijo díscolo, no es nada en su comparación. Sin embargo Yo rogaré por este hijo ingrato, por este hebreo que ofende a Dios, para que se arrepienta. Haced lo mismo vosotros... Ven padre. ¿Cómo te llamas?»

«Eliana. ¡Jamás he sido un hombre feliz! Mi padre murió antes de que hubiera yo nacido y mi madre al parirme... Mi abuela, que me crió, me puso el nombre de mi padre y de mi madre juntos.»

«En realidad que eres un Elí. Y tu hijo es semejante a Finnes [7]» dice Felipe que no puede comprender un pecado semejante.

«No lo quiera Dios. Finnes murío pecador, y murió cuando el arca fue hecha prisionera. Sería una desgracia para su alma y para todo Israel eso» responde el anciano.

«Oyeme, en esta casa tengo amigos y hacen lo que yo quiera. Es de un hombre llamado Simón, hombre justo ante la presencia de Dios y de los hombres. El te hospedará por amor a Mí, si es que quieres» dice Jesús antes de llamar a la puerta.

«¿Podré tener libertad en todo? Invocaré sobre quien me dará pan y refugio por caridad las bendiciones del cielo, pero yo quiero trabajar. No es vergüenza ser un criado. Vergüenza es cometer pecado...»

«Lo diremos a Simón» dice Jesús con una sonrisa de compasión, mirando al anciano reducido a nada por los esfuerzos y por el dolor moral.

Se abre la puerta. «Entra, Maestro. La paz sea contigo y con quien viene contigo. ¿Dónde está el hermano que me traes? Que pueda darle el beso de paz y de bienvenida» dice un hombre como de cincuenta años.

«Es éste. El Señor te lo pague.»

«Sí que me recompensa al tenerte por mi huésped. Quien te recibe, recibe a Dios. No te esperaba y no puedo honrarte como quisiera, pero sé que piensas estarte unos cuantos días. Siempre estaré pronto a hospedarte como conviene.»

[7] Cfr. 1 Rey. 2, 11-36.

Entran en una sala donde están prontas las aljofainas de agua caliente para las abluciones. El viejecillo está junto a la puerta cohibido, pero el dueño de la casa lo toma de la mano, lo lleva a que se siente, quiere quitarle las sandalias por sí mismo, servirle como si fuese un rey, y luego ponerle sandalias nuevas, pero él objeta: «¿Por qué? ¿Pero por qué? Vine a servir, ¿y tú me sirves? No es justo.»

«Lo es. No puedo seguir al Rabí porque debo estar aquí, pero como el último discípulo del Maestro santo me industrio en poner en práctica sus palabras.»

«Tú lo conoces bien. Verdaderamente lo conoces, porque eres bueno. Muchos lo conocen en Israel, pero ¿con qué? Con los ojos y con el odio. Por esto no lo conocen. Se conoce solo a una mujer cuando sobre ella se sabe todo y se la posee totalmente [8]. Lo mismo es con Jesús de Nazaret. No lo conozco con los ojos, pero lo conozco mejor que otros, porque creo que en El está la Sabiduría. Tú sí lo conoces de vista y por su doctrina.»

El hombre mira a Jesús, pero no dice nada.

El viejecillo continúa: «A este rabí le dije que quiero trabajar...»

«Así se hará. Te buscaremos trabajo. Por ahora ven a la mesa. Maestro, dentro de poco vendrán tus discípulos. ¿Podemos sentarnos a la mesa o quieres esperarlos?»

«Quisiera esperarlos. Pero si tienes algún trabajo...»

«¡Oh, Maestro, bien sabes que obedecer al menor de tus deseos me causa alegría!»

El viejecillo al oir esto tiene la primer sospecha de quién sea el Hombre que lo socorrió por el camino. Lo mira, lo mira y luego mira a sus compañeros... atentamente... mira a su alrededor... Entran los hijos de Alfeo con Juan. Jesús los llama por su nombre.

«¡Oh, Dios Altísimo! ¡Entonces... Tú eres Tú!» exclama el viejecillo y se arroja a tierra respetuoso.

Su admiración no es inferior a las de los otros. ¡Es muy extraño el modo de reconocer al Maestro! Tanto que Pedro le pregunta: «¿Qué cosa hay de especial en estos nombres tan comunes en Israel, para hacerte comprender que estás enfrente al Mesías?»

«Porque conozco a Judas. Siempre va a la casa de mi hijo y...» el viejecillo se detiene embarazado por haber nombrado a su hijo.

«Pero yo nunca te había visto» dice Tadeo, poniéndosele por delante, inclinándose para que le mire a la cara.

«Tampoco yo te conozco, pero un tal Judas, discípulo del Mesías, frecuentemente va a la casa de mi hijo y he oído hablar de un tal Juan, de un tal Santiago, de un Simón, amigo de Lázaro de Betania

[8] Cfr. Gén. 4, 1 y 17 y 25; 19, 5 y 8; 38, 26; Núm. 31, 35; Jue. 21, 11; 1 Rey. 1, 19; 3 Rey. 1, 4; Jdt. 16, 26; Mt. 1, 25; Lc. 1, 34.

y de otras muchas cosas... ¡Oir tres nombres que son los de los discípulos más íntimos del Maestro! ¡El, tan bueno!... ¡He comprendido! ¿Dónde está el otro Judas?»

«No está. Es verdad. Has comprendido. Soy Yo. Padre, el Señor es bueno. Deseabas verme y me has visto. Bendigamos las misericordias de Dios... No te retires, Eliana. Estabas cerca de Mí, cuando era para ti un Viajero y no más. ¿Por qué quieres separarte de Mí ahora que sabes soy la Meta [9]? ¡No sabes cuánto consuelo me ha dado tu corazón! No puedes imaginarlo. Soy Yo, no tú, el que más ha recibido... Cuando tres cuartas partes de Israel y más me odian hasta el crimen, cuando los débiles se alejan de mi camino, cuando los cardos de la ingratitud, del rencor, de la calumnia me hieren por todas partes, cuando no puedo encontrar alivio en el pensamiento de que mi Sacrificio será salvación para Israel, encontrar a uno como tú, ¡oh padre!, es alcanzar una recompensa en el dolor... No sabes... Ninguno de vosotros sabe las tristezas cada vez más profundas del Hijo del hombre. Tengo sed de amor... y muchos corazones son manantiales secos a los que inútilmente me acerco... Pero esperemos...»

Y llevando junto a Sí al anciano, entra en la sala donde las mesas están ya preparadas...

[9] Cfr. Is. 41, 4; 44, 6; Ap. 1, 8 y 17; 21, 6; 22, 13.

218. Jesús habla en Tecua

(Escrito el 31 de octubre de 1946)

La parte posterior de la casa de Simón de Tecua es una plaza de forma rectangular. La llamo plaza porque en los días de mercado, como el que estoy viendo, se abre en tres lugares el grueso cancel que separa de una plaza pública y grande. Muchos vendedores entran con sus mostradores y llenan los portales que hay en los tres lados de la casa. Ahora comprendo que su utilidad es... financiera, porque Simón, como buen hebreo, pasa pidiendo de cada mercader el alquiler del lugar que ocupa. Trae consigo al viejecillo, vestido decentemente, y al que presenta: «Ved, de hoy en adelante pagaréis a éste la cantidad determinada.» Luego que termina los tres pórticos, dice a Eliana: «Este es tu trabajo. Aquí adentro, con el albergue y los establos. No es difícil, ni penoso, pero muestra la estima que te tengo. He despedido a tres, uno después del otro, porque no fueron honrados. Pero tú me gustas. Además El te trajo. Y el Maestro conoce los corazones. Vamos a donde está a decirle que, si quiere, la hora es propicia para que hable.» Y se van.

La gente cada vez más aumenta en la plaza, y el ruido es mayor. Mujeres de compras; mercaderes de animales; compradores de bueyes para el arado o de otros animales; campesinos encorvados bajo el peso de sus cestos y anunciando en voz alta su mercancía; cuchilleros, con todo lo que puede cortar, y que han puesto sobre los tapetes, muestran a todos sus hachas golpeando en leños para que vean la finura de la cuchilla; o con un martillo pegan sobre los dientes de las hoces para que todos se convenzan de lo bueno del metal; o que levantan arados y con las dos manos los meten en el suelo, que se abre, y con lo que dicen que son buenos y que ningún terreno puede resistir; caldereros que venden jarras y cántaros, sartenes y lámparas que golpean hasta sentirse uno sordo, y eso para mostrar lo sonoro del metal, para hacer ver que es grueso, o bien gritan con todos sus pulmones ofreciendo lámparas de una o más llamas para las próximas fiestas de casleu; y dominando sobre todos estos gritos, el de los mendigos que han ocupado los lugares estratégicos del mercado.

Jesús sale de la casa con Pedro y Santiago de Zebedeo. No veo a los demás. Me imagino que andarán por la ciudad anunciando al Maestro, porque veo que la multitud lo reconoce al punto y que muchos corren entre tanto que el vocerío y ruido disminuyen. Jesús ordena que se de el óbulo a algunos mendigos y se detiene a saludar a dos hombres, que seguidos por siervos estaban a punto de salir del mercado, después de hechas sus compras. También ellos se detienen a oir al Maestro. Jesús empieza a hablar, tomando por argumento lo que tiene ante sus ojos:

«Cada cosa a su tiempo, cada cosa en su lugar. No se hace mercado en sábado, ni se comercia en las sinagogas, ni siquiera se trabaja en las noches, sino en el día. Sólo el que es pecador comercia en el día del Señor, o profana los lugares destinados a la plegaria con comercios humanos, o roba en la noche y comete otros delitos. De igual modo, el que comercia honradamente procura mostrar a sus compradores lo bueno de sus mercancías, lo sólido de sus instrumentos, y el que los compra se va contento porque ha hecho una buena adquisición. Pero si, por ejemplo, el vendedor lograse engañar con astucia al que compra, y el utensilio o mercancía resultasen no ser buenos, inferiores al precio pagado, ¿no recurriría el comprador a tomar medidas para defenderse, medidas que pueden ser de desacreditar al vendedor, o bien de ir al juez para exigir su dinero? Esto pasaría, y no dejaría de ser justo.

Sin embargo, ¿no vemos en Israel que se engaña al pueblo con la venta de objetos dañados, y se denigra al que vende buena mercancía, siendo Israel el justo del Señor? Todos lo vemos. Ayer por la tarde, muchos de vosotros vinisteis a referir las mañas de los malos vendedores y os dije: "Dejadlos. Mantened rectos vuestros corazones que Dios proveerá".

Los que venden cosas no útiles ¿a quién ofenden? ¿A vosotros? ¿A Mí? No. A Dios mismo [1]. No recibe tanto daño el que es engañado, como el que engaña. El pecado no es tanto contra el hombre, como contra Dios, al tratar de vender cosas que no son útiles, y de que el comprador no adquiera cosas buenas. Y no os aconsejo que os venguéis, ni que reaccionéis. Estas palabras nunca saldrán de Mí. Sólo os digo: escuchad atentamente, observad bien a la luz clara los gestos de quien os habla; probad el primer bocado o dad el primer sorbo que se os ofrezca, y si sentís algo de aspereza, si las maneras de los otros son raras, si el sabor que os queda en lo interior no os llena, no aceptéis lo que se has ofrecido como cosa buena. La sabiduría, la justicia, la caridad [2] no son jamás cosas ásperas, peturbadoras y amantes de obrar en la sombra.

Sé que me precedieron algunos discípulos míos, y os dejo dos apóstoles míos. Además, ayer por la tarde con las acciones más que con las palabras, di testimonio de dónde he venido y con qué misión. No son necesarios discursos largos para atraeros a mi camino. Pensad y tratad de quedaros en él. Imitad a los fundadores de esta ciudad, que se encuentra en los límites del desierto. Pensad siempre que fuera de mi doctrina no hay más que sequedad de desierto, mientras que en ella hay manantiales de vida. Pasare lo que pasare no os turbéis, ni os escandalicéis. Recordad las palabras del Señor en Isaías [3]. Mi mano nunca se acortará ni se hará pequeña en hacer bien a los que siguen mis caminos, así como no empequeñecerá la mano del Altísimo para castigar a los que Mí — a Mí que vine y que he encontrado a muy pocos que me reciban, a Mí que llamé a todos y pocos me han respondido — ofenden y causan dolor. Porque, así como el que me honra, honra al Padre que me ha enviado, de igual modo, el que me desprecia al que me envió. Y según la ley antigua del talión [4], el que me repudia, será repudiado.

Pero vosotros que habéis acogido mi palabra, no tengáis miedo a las ofensas de los hombres, ni tembléis ante sus ultrajes, pues antes de que os los hicieran a vosotros que me amáis, a Mí me los hicieron. Aun cuando me veáis siempre perseguido y ofendido, os consolaré y protegeré. No tengáis miedo. No temáis al mortal que hoy es mañana no es sino recuerdo, no más que polvo. Temed al Señor, temed con santo amor, no con pavor. Temed no saberlo amar proporcionadamente a su amor infinito. Yo no os digo: haced esto

[1] Cfr. vol. 2°, pág. 689, not.3.
[2] Cfr. 1 Cor. 13.
[3] Cfr. Is. 50, 1-3; 59, 1-4.
[4] Cfr. Ex. 21, 22-25; Lev. 24, 18-22; Deut. 19, 21.

o aquello. Lo que hay que hacer, lo sabéis. Os digo: amad. Amad a Dios y a su Mesías. Amad a vuestro prójimo como os he enseñado. Y lograréis hacer todo, si sabéis amar.

Os bendigo, ciudadanos de Tecua, ciudad a la orilla del desierto, pero oasis de paz para el perseguido Hijo del hombre. Quede mi bendición en vuestros corazones, en vuestras casas, ahora y siempre.»

«¡Quédate, Maestro! Quédate con nosotros. El desierto siempre fue bueno para con los santos de Israel.»

«No puedo [5]. Hay otros que me están esperando. Vosotros estáis en Mí, Yo en vosotros, porque nos amamos.»

Jesús difícilmente se abre paso entre la gente que lo sigue, olvidada de sus comercios y de todo lo demás. Enfermos curados lo bendicen, corazones consolados le dan las gracias, mendigos lo despiden con: «Viviente Manná de Dios»... El viejecillo está a su lado y lo sigue hasta los límites de la ciudad. Sólo cuando Jesús bendice a Mateo y Felipe que se quedan en Tecua, se decide por dejar a su Salvador, besándole los desnudos pies, con lágrimas y palabras de agradecimiento.

«Levántate, Eliana. Te voy a dar el beso: un beso de hijo a padre y que te compense de todo. A ti te aplico las palabras del profeta: "Tú que lloras, no llorarás más, porque el Misericordioso ha tenido piedad de ti" [6]. No tendrás muchas comodidades. No he podido hacer más. Si uno solo a ti te echó afuera, a Mí todos los potentes de un pueblo me arrojan, y es mucho si encuentro qué comer y refugio para Mí y para mis apóstoles. Pero tus ojos han visto lo que deseabas. Tus oídos han percibido mis palabras, así como tu corazón siente ahora mi amor. Vete y quédate en paz, porque eres un mártir de la justicia, uno de los precursores de todos aquellos que serán perseguidos por mi causa. ¡No llores, padre!» Y lo besa en su blanca cabeza.

El viejecillo le devuelve el beso en la mejilla y en su oído le murmura: «Desconfía del otro Judas, Señor mío. No quiero ensuciar mi lengua... pero, desconfía. No trae buenas intenciones de parte de mi hijo...»

«Está bien, pero no piensas más en el pasado. Pronto todo se acabará y nadie podrá hacerte más daño. Adiós, Eliana. El Señor esté contigo.»

Se separan...

«Maestro, ¿qué te dijo el viejo en voz baja?» pregunta Pedro que camina fatigosamente al lado de Jesús, porque no puede seguir su paso corto el largo de Jesús.

[5] Cfr. vol. 1°, pág. 539, not. 2.
[6] Cfr. Is. 30, 19-20; vol. 1°, pág. 539, not. 2.

«¡Pobre viejo! ¿Qué quieres que me haya dicho, que no supiera Yo?» le responde Jesús eludiendo una respuesta clara.

«Te dijo algo de su hijo, ¿no es verdad? ¿Te dijo quién es?»

«No, Pedro. Te lo aseguro. Se reservó el nombre.»

«¿Pero Tú lo conoces?»

«Lo conozco. Pero no te lo diré.»

Un largo silencio. Luego, intranquila es la pregunta de Pedro y su confesión: «Maestro, ¿qué va a hacer Iscariote a la casa de un hombre tan malo, como lo es el hijo de Eliana? ¡Tengo miedo, Maestro! Ese no tiene buenos amigos. No es franco. En él no hay la fuerza de resistir al mal. Tengo miedo, Maestro. ¿Por qué, por qué Judas va a las casas de ésos y a escondidas?» En la cara de Pedro se dibuja una preocupación angustiosa.

Jesús lo mira, pero no responde. ¿En realidad, qué puede responder? ¿Qué puede decir para no mentir y para no lanzar al fiel Pedro contra el infiel Judas? Prefiere que Pedro siga hablando.

«¿No respondes? Desde que ayer el viejo creyó reconocer entre nosotros a Judas, no tengo paz. Me pasa lo mismo que aquel día en que hablaste con la mujer del saduceo. ¿Recuerdas? ¿Recuerdas mis sospechas?»

«Recuerdo. ¿Y recuerdas las palabras que te dije?»

«Sí, Maestro.»

«No hay más que añadir, Simón. Las acciones del hombre tienen apariencia diversa de la realidad. Pero Yo estoy contento de haber provisto a las necesidades del anciano. Es como si Ananías hubiera regresado. Y en verdad que si Simón de Tecua no lo hubiese acogido, lo habría llevado a la casucha de Salomón para que allí tuviese siempre a un padre que nos esperase. Pero Elí está mejor así. Simón es bueno. Tiene muchos nietos. Elí ama a los niños... Y los niños hacen olvidar muchas penas...»

Con su habitual destreza en llevar a su interlocutor a otros temas, cuando no cree conveniente responder a preguntas peligrosas, Jesús ha apartado de Pedro el pensamiento de Judas. Continúa hablándole de los niños, que hasta ahora han conocido, y recuerdan a Marziam que probablemente a estas horas está sacando las redes, después de haber pescado en el hermoso lago de Genezaret.

Pedro, lejos del recuerdo de Elí y de Judas, sonriente pregunta: «Pero después de la pascua iremos, ¿no es verdad? Es tan bello. ¡Oh, mucho más que acá! Para los de Judea, nosotros los galileos somos pescadores... ¡Pero vivir aquí! ¡Oh, misericordia eterna! Si fuésemos castigados, ciertamente aquí no sería un premio.»

Jesús llama a los que vienen detrás y se aleja con ellos por el camino que el sol de diciembre ha templado.

219. En Jericó

(Escrito el 1° de noviembre de 1946)

Gente y más gente por los campos próximos a Jericó está esperando a Jesús y apenas un vigía que está en la cima de un alto nogal, grita: «Llega ya el Cordero de Dios», que la gente acude a El, en medio de la primera neblina crepuscular.

«¡Maestro, Maestro, hace tanto tiempo que te estábamos esperando! ¡Nuestros enfermos! ¡Nuestros niños! ¡Tu bendición! ¡Los viejos te esperan antes de dormirse en paz! Si nos bendices, Señor, nos veremos libres de toda desgracia» hablan todos al mismo tiempo, mientras Jesús levanta su mano como para bendecir, y repite: «¡Paz, paz, paz a todos vosotros!» Los apóstoles que vienen con él se pierden entre la multitud que los separa de Jesús, que apenas si puede caminar en medio de una manifestación tan cariñosa.

El pobre de Zaqueo lucha como puede para llegar a Jesús, para decirle algo, al menos para que lo vea. Pero como es muy bajo de estatura, y no es ni ágil ni fuerte, nuevas oleadas de gente lo rechazan, y sus gritos se pierden en medio de la confusión, del mar de cabezas, de brazos que se mueven. Zaqueo se pierde en medio de ella. Inútiles son sus quejas, inútiles sus protestas. La gente es siempre egoísta con lo que le da satisfacción y es cruel con los más débiles. El pobre Zaqueo, agotado por tantos esfuerzos, se convence de que no puede más y pierde su voluntad de seguir luchando y se resigna. Y en realidad, ¿cómo se las podría arreglar, si de cada bocacalle sale un río de gente que va a desembocar en la que viene Jesús? Y estas nuevas oleadas empujan cada vez más afuera al pobre de Zaqueo.

Tadeo lo ve y trata de abrirse paso para sacarlo de un ángulo del camino a donde la gente lo ha arrojado y lo tiene inmóvil. Pero Tadeo tampoco puede, porque es la gente la que lo empuja más allá. Tomás, haciendo uso de sus fuerzas y vozarrón, grita: «¡Abrid paso!» pero su tentativo también falla. La multitud es como una muralla de roca y de goma al mismo tiempo. Se puede doblar y flexionar, pero romperse, ¡imposible! Tomás también tiene que resignarse.

Zaqueo pierde toda esperanza porque Dídimo es el último de los apóstoles a los que arrastra la multitud. Esta pasa finalmente... Trozos de tela, de fimbrias, de franjas, horquillas de mujeres, broches de vestidos quedan esparcidos por el suelo como testimonio de la violencia de la multitud. Hasta se ve una sandalia de un pequeñín, aplastada, y parece como si estuviera esperando a que regrese el piececito... Zaqueo camina el último, triste lleva el corazón, como triste se queda la sandalia arrancada del piececito de su dueño.

Jesús ni por asomos se ve. Un recodo de la calle lo ha escondido a los ojos del pobre Zaqueo... Pero cuando llega a la plaza donde un tiempo tuvo su negocio, ve que la gente se ha detenido dando voces, rogando, suplicando. Ve que Jesús, subido sobre una grada de una casa, hace señales con la cabeza y con los brazos de que no. Dice algo que no puede oírse en medio del estruendo de la gente. Finalmente ve que Jesús, que baja con dificultad, torna a caminar y da vuelta precisamente por donde está su casa. Entonces Zaqueo saca fuerzas de flaqueza. La gente es mucha, pero la plaza es ancha, y por lo tanto la multitud es menos compacta y puede ser... que la atraviese con suerte y maña. Zaqueo se convierte en cuña, catapulta, ariete. Da empujones embiste, se cuela, distribuye y recibe manazos en la cara y codazos en el estómago y patadas en las pantorrillas; pero se abre paso, avanza... Ha llegado a la otra parte... Pero se encuentra ante la muralla impenetrable porque hay una calle. Pocos pasos lo separan de Jesús que ha parado cerca de su casa. Si lo separasen desiertos y ríos, podría tener esperanza de alcansarlo. Pierde el control de sí, grita, se impone: «¡Debo ir a mi casa! ¡Dejadme pasar! ¿No estáis viendo que quiere ir a allí?»

¡Jamás lo hubiese dicho! Esto excita a la gente que querría que el Maestro fuese a otras casas. Quién se burla del pobre Zaqueo, quien le responde de mala manera. Nadie se compadece de él. Más bien se ponen a gritar y a moverse para que el Maestro no vea y no oiga a Zaqueo. Algunos gritan: «Ya lo tuviste mucho tiempo, ¡viejo pecador!» Creo que esta mala voluntad se deba también al recuerdo de antiguas exacciones y vejaciones... El hombre, aun cuando se sienta atraído por lo sobrenatural, en el fondo siempre guarda un cierto amorcillo por su dinero y no olvida fácilmente si se le quitó algo...

La hora de prueba de Zaqueo ha pasado. Jesús premia su constancia. Grita con todas sus fuerzas: «¡Zaqueo, acércate a Mí! Dejadlo pasar que quiero entrar en su casa.»

Hay que obedecer. La multitud se apretuja para dejar pasar a Zaqueo, que avanza, rojo de la fatiga, rojo de alegría. Trata de componerse los cabellos despeinados, el vestido desabotonado, el cinturón que con sus flecos lo trae por delante. Busca el manto... ¡Quien sabe dónde esté!... No importa. Está ante Jesús, semiinclinado en signo de reverencia. No puede hacer más porque no hay espacio.

«La paz sea contigo, Zaqueo. Acércate para que te dé el beso de paz. Lo has merecido» dice Jesús sonriente, con esa sonrisa que lo hace rejuvenecer, con una sonrisa que respira alegría.

«¡Oh, sí, Señor! Bien que me lo he merecido. ¡Qué dificil es llegar hasta Ti, Señor!» responde irguiéndose para que Jesús pueda darle el beso de paz, y al hacerlo se ve que en su mejilla derecha hay un rasguño por el que corre un poco de sangre, y se ve también que tiene un ojo morado por algún codazo o puñetazo que le regalaron.

Jesús lo besa y agrega: «No te premio por esta fatiga, sino por las otras que los demás ignoran, y que Yo conozco. Tienes razón. Es difícil llegar a Mí, pero no es la multitud el único obstáculo, ni siquiera el más insuperable.

¡Oh, pueblo que me has traído en triunfo! El obstáculo más difícil, el más compacto, el más duro de romperse o de superarse, es el propio "*yo*". Parecía como que Yo no veía, pero no era así. Todo lo vi. ¿Qué cosa? He visto a un pecador convertido, a uno que fue duro de corazón, que fue amante de comodidades, soberbio, vanidoso, lujurioso y avaro. Y lo he visto despojarse de su antiguo "*yo*" aun en las cosas menores, y tomar modales y afectos como los que le empujaron a correr hacia su Salvador, que le dieron ánimos para llegarse a El, *suplicar humildemente, oir pullas y aceptar los reproches con paciencia, que sufrió en su cuerpo los golpes de la gente, en el corazón el verse rechazado y arrojado de todos, sin poder conseguir siquiera una mirada mía.* Otras cosas vi en él. Cosas que también vosotros conocéis, pero que no queréis contar con ellas, para encontrar consuelo.

Diréis: "¿Y cómo las conoces Tú que no vives entre nosotros?" Os respondo: pues que leo en el corazón de los hombres, por eso no ignoro sus acciones y sé ser justo y premiar en proporción del camino hecho para llegar a Mí, de los esfuerzos para quitar la maleza que cubría su corazón, arrancar todo árbol que no sea bueno y ponerlo como rey en el "*yo*", rodearlo de plantas de virtudes para que esté adornado, vigilando que ningún animal inmundo, rastrero, ávido de corrupción, lascivo, vicioso — las diversas malas pasiones — ponga su nido entre el follaje, sino que sólo habite en él este espíritu vuestro, lo que es bueno y capaz de alabar al Señor, esto es, los afectos sobrenaturales: cual avecillas canoras y mansos corderillos dispuestos a ser inmolados, dispuestos para la alabanza perfecta por amor de Dios.

Y como no ignoraba las obras de Zaqueo, sus pensamientos, sus fatigas, así no ignoraba que en muchos de esta cuidad, que me habían aclamado, había más bien un amor sensible que espiritual. Si me hubierais amado rectamente, hubierais sido compasivos con vuestro conciudadano; no lo habríais mortificado recordándole su pasado, ese pasado que él ha borrado, *y que Dios ya no recuerda* [1], *porque el perdón no se pierde a no ser que la criatura vuelva a pecar. Y si lo juzga otra vez es por el nuevo pecado, no por el que ya ha sido perdonado.* Ahora os digo, y procurad meditarlo en las horas de la noche, que el amarme en verdad no consiste en aclamar-

[1] En el sendido de Ez. 18, 22; 33, 16. Léanse los caps. 18 y 33, 10-20.

me, sino en hacer lo que Yo hago y enseño, en practicar el amor mutuo, en ser humildes y misericordiosos, recordando que sois de un mismo lodo en lo que se refiere a la parte material, que el polvo se puede convertir en pantano, y que por lo tanto, si hasta ahora lo que en vosotros os ha preservado de serlo y el espíritu no ha sufrido derrotas — es cosa imposible porque el hombre es pecador y solo Dios es sin pecado — el día de mañana podría conocerlas en número y alcance peor que las de aquel viejo pecador que había renacido a la gracia, y cual un recién nacido, con la humildad que le llega del recuerdo de haber sido pecador, con la voluntad decidida de hacer todo el bien posible en los días que le queden y reparar todo el mal que hubiera podido haber hecho.

Mañana os hablaré. Por ahora basta. Id con mi advertencia y bendecid a Dios que os manda al Médico que amputa vuestra sensualidad oculta bajo un velo de salud espiritual, como enfermedades escondidas que corroen la vida bajo un velo de aparente salud... Ven, Zaqueo...»

«Sí, Señor mío. No tengo más que a un viejo criado, y yo mismo abro la puerta y con él mi corazón emocionado, ¡Oh y que si lo está!, por tu infinita bondad.»

Abierto el cancel hace que pasen Jesús y los apóstoles y los guía a las habitaciones, pasando por el jardín que ahora es hortaliza... La casa está limpia de todo lo superfluo. Zaqueo prende una lámpara y llama al siervo.

«El Maestro está aquí. Cena aquí y duerme aquí con los suyos. ¿Has preparado todo como te había dicho?»

«Sí, menos las verduras, que voy a echar ahora al agua hirviente, todo está preparado.»

«Entonces cámbiate de vestido y ve a decir a los que sabes que está aquí, que vengan.»

«Voy, patrón. ¡Bendito Tú, Maestro, porque puedo morir contento!» Se va.

«Es el siervo que tenía mi padre y que se ha quedado conmigo. A todos los demás los licencié. Lo quiero mucho. Fue la voz que jamás calló, cuando yo pecaba, y por esto lo maltrataba yo. Ahora, después de Ti, es al que más amo... Venid, amigos. Allí hay fuego y cuanto puede dar descanso a vuestros cansados y helados cuerpos. Tú, Maestro, en mi misma habitación...» y lo guía a una recámara en el fondo de un corredor.

Entra, cierra la puerta, echa agua hirviente en una jarra, quita las sandalias a Jesús y le sirve el agua. Antes de volverle a poner las sandalias, besa su pie desnudo, se lo pone sobre el cuello diciendo: «¡Así! ¡Para que arrojes los restos del viejo Zaqueo!» Se levanta, mira a Jesús con una sonrisa que tiembla en sus labios, una sonrisa humilde, con lagrimas en los ojos. Hace un gesto como para señalar todo el ambiente. Dice: «¡Tanto que pequé aquí adentro! Pero he cambiado todo, para que nada me trajese al recuerdo el antiguo sabor... Los recuerdos... Soy débil...He dejado que sobreviviese el recuerdo de mi conversión en estas paredes solas, en este lecho duro... Lo demás... lo he vendido porque me había quedado sin dinero y quería hacer el bien. Siéntate, Maestro...»

Jesús se sienta sobre un banco de madera y Zaqueo en tierra, a sus pies, medio sentado, medio arrodillado. Continúa hablando.

«No sé si he hecho bien, si puedes aprobar lo que hice. Tal vez empecé por donde debía haber terminado. Pero también *ellos son*. Sólo un viejo publicano no puede tener repugnancia de *ellos* en Israel. No. He dicho mal. No sólo un viejo publicano, sino más bien Tú me enseñaste a amarlos verdaderamente. Antes eran mis cómplices en el vicio, pero no los amaba. Ahora los reprendo y los amo. Tú y yo. El que es todo Santo, el pecador convertido. Tú porque jamás has pecado y quieres darnos tu alegría de Hombre sin culpa. Yo porque pequé mucho, y sé cuán dulce sea la paz que viene del hecho de ser perdonados, redimidos, renovados... Esto lo quise para ellos. Los busqué. ¡Oh, al principio fue una cosa dura! Quería hacerlos buenos, y tenía que ser yo primero bueno... ¡Qué fatigas! ¡Estar en guardia, para que otros no me vigilasen! Hubiera bastado cualquier cosa para alejarlos... Y luego... Muchos pecaban por necesidad, por razón de su trabajo. Vendí todo para tener dinero y mantenerlos hasta que no encontrasen otras ocupaciones, menos fructíferas, más fatigosas, pero honradas. Y siempre hay alguno de *ésos* que viene, parte por curiosidad, parte porque quiere ser hombre y no solo animal. Los debo hospedar hasta que acepten el nuovo yugo. Muchos se han circuncidado. El primer paso hacia el verdadero Dios. Pero no los obligo. Extiendo mis brazos al abrazar las miserias, yo, que de ellas no puedo tener asco. Quisiera dar a todos ellos lo que Tú querrías dar: la alegría de no tener remordimientos, la alegria de no haber pecado nunca como Tú. Dime ahora, Señor mío, si me he atrevido a mucho.»

«Has hecho bien, Zaqueo. Das a ellos más de lo que esperas y de lo que piensas que quiera Yo dar a los hombres. No solamente la alegría de ser perdonados, de estar sin remordimientos, sino la de ser presto ciudadanos de mi Reino celestial. No ignoraba tus obras. Te seguía por el camino arduo, pero glorioso, de la caridad; porque esto es caridad, y muy digna de alabanza. Tú has comprendido la palabra del Reino. Pocos lo han logrado porque sobrevive en ellos la antigua concepción y convicción de ser ya santos y doctos. Tú, después de haber arrancado de tu corazón el pasado, quedaste vacío y has podido, mejor, has *querido* poner dentro de ti las palabras nuevas, lo futuro, lo eterno. Continúa así, Zaqueo, y serás el exactor de tu Señor Jesús» concluye Jesús sonriente y pone su mano sobre la cabeza de Zaqueo.

«¿Apruebas todo, Señor?»

«Todo, Zaqueo. Se lo dije también a Nique que me habló de ti. Nique te comprende. Es abierta a la piedad universal.»

«Nique me ayudó mucho. Ahora la veo cada luna nueva... Hubiera querido seguirla, pero Jericó se presta a mi nuevo trabajo...»

«Por largo tiempo no va a estar en Jerusalén... Harías un viaje inútil. Nique volverá después aquí...»

«¿Después de cuánto tiempo, Señor?»

«Después de que mi Reino sea proclamado.»

«Tu Reino... Tengo miedo de ese momento. Los que ahora se dicen ser tus fieles, ¿lo serán entonces? Porque habrá a no dudarlo motines y lucha entre los que te aman y los que te odian... ¿Sabes, Señor, que tus enemigos asueldan hasta ladrones, la hez del pueblo, para tener secuaces prontos para infundir miedo e imponerse sobre los demás? Lo supe por uno de mis pobres hermanos... ¡Oh, entre quien roba abusando de la ley, entre quien roba el honor y quien despoja a un viajero, hay mucha diferencia! También yo robé legalmente hasta que Tú me salvaste, pero ni siquiera entonces hubiera yo secundado a quien te odia... Se trata de un joven. Es un ladrón, para qué negarlo. Una tarde que había ido yo por Adomín a esperar a tres iguales a mí, que venían de Efraín con animales comprados a menor precio, lo encontré que estaba esperando en un desfiladero. Le hablé... Yo nunca he tenido familia, y sin embargo pienso que si hubiera tenido hijos, les habría hablado en tal forma para persuadirlos a que cambiasen vida. Me explicó el cómo y el por qué se había hecho ladrón... ¡Eh, cuántas veces los verdaderos culpables son los que parece que no cometen nungún mal!... Le dije: "No robes más. Si tienes hambre, pan no te faltará. Te buscaré un trabajo honrado. Como todavía no has cometido ningún homicidio, deténte, sálvate". Lo persuadí. Me dijo que se había quedado solo porque los otros habían sido *comprados* con mucho dinero por los que te odian, y que están ahora prontos a fomentar motines y a decirse partidarios tuyos para escandalizar al pueblo; que están escondidos en las grutas de Cedrón, en los sepulcros, hacia Faselo, en las cavernas que hay al norte de la ciudad, entre las tumbas de los reyes y de los juces, por todas partes...¿Qué intentan hacer, Señor?»

«Josué pudo detenir el sol [2], pero éstos, no obstante todos los medios que pongan, no podrán detener jamás la voluntad de Dios.»

«¡Tienen dinero, Señor! El Templo es rico y no es corbán [3] para ellos el oro que se ofrece en el Templo, si sirve para su triunfo.»

[2] Cfr. Jos. 10, 10-15; Eccli. 46, 1-8.

[3] Esta palabra de origen arameo, significa «ofrenda», y especialmente, «ofrenda hecha a Dios». Cfr. Mt. 15, 6; Mc. 7, 11.

«No tienen nada. La fuerza es mía. Su edificio caerá como hojas secas otoñales con las que un niño ha construido su castillo. No tengas miedo, Zaqueo, Tu Jesús será Jesús [4].»
«¡Dios lo quiera, Señor!... Nos llaman. Vamos.»...

[4] Esto es, Salvador. De hecho, Jesús, en hebreo significa: «Dios salva» (Yehoshua). Cfr. Mt. 1, 20-21; Hech. 4, 12.

220. Predicación en Jericó [1]

(Escrito el 2 de noviembre de 1946)

La mañana ya está avanzada cuando Jesús sale de la casa de Zaqueo, con él, con Pedro y Santiago de Alfeo. Tal vez los otros apóstoles se han esparcido por la campiña para anunciar que Jesús está en la ciudad.

Detrás del grupo de Jesús, se ve otro muy... variado por sus fisonomías, edades, vestidos. No es difícil asegurar que estos hombres pertenecen a razas diversas, tal vez antogónicas entre sí. Pero la casualidad de la vida los ha traído a esta ciudad palestinense y los ha reunido para que de su profundidad suban hacia la luz. Unos tienen caras arrugadas, tal vez por el modo con que han vivido, ojos cansados; otros, esa mirada adquirida en los largos años de desempeñar el mismo oficio, ojos de... rapiña fiscal o de imposición brutal. Una mirada rapaz, dura, que de cuando en cuando se deja ver bajo un velo suelto y colgante que ha puesto su nueva vida. Esto sucede especialmente cuando alguien de Jericó los mira con desprecio y masculla entre dientes alguna insolencia. Luego la mirada se vuelve cansada, abatida, las cabezas se doblan sombrías.

Jesús se vuelve dos veces a mirarlos y al verlos venir detrás, aflojando el paso según se van acercando al lugar de antemano eligido para hablar, y que está lleno de gente, disminuye el suyo y les dice: «Pasad adelante y no tengáis miedo. Habéis desafiado al mundo cuando hacíais el mal; no debéis temerlo ahora que os despojasteis de él. Lo que habéis empleado hasta ahora para dominarlo, la indiferencia del qué dirá el mundo, la única arma que puede hacer que se canse de hablar, volvedla a emplear ahora, y se cansará de ocuparse de vosotros y os absorberá poco a poco, confudiéndoos en la gran masa anónima de este miserable mundo, al que, en verdad, se da tanta importancia.»

[1] Cfr. Lc. 18, 9-14.

Los hombres, que son quince, obedecen y pasan adelante.

«Maestro, los enfermos de la campiña están allí» dice Santiago de Zebedeo al acercarse a Jesús, señalando un rincón que calienta un tibio sol.

«Voy. ¿Dónde están los otros?»

«Entre la gente. Pero ya te vieron y ahora vienen. Con ellos están también Salomón, José de Emmaús, Juan de Efeso, Felipe de Arbela, a cuya casa fueron hombres y mujeres venidos de la costa. Te buscaban, porque no pueden ponerse de acuerdo en dar su juicio sobre una mujer. Hablarán contigo...»

De hecho los otros discípulos rodean a Jesús y lo saludan reverentes. Detrás de ellos los nuevos que siguen la doctrina de Jesús. Pero no está Juan de Efeso y Jesús pregunta el por qué.

«Se detuvo con la mujer y con sus padres en una casa solitaria. No se sabe si la mujer esté endemoniada o sea una profetisa. Dice, según se cuenta, cosas maravillosas. Los escribas que la han escuchado, han dictaminado que es una poseída [2]. Sus padres han llamado a los exorcistas [3] varias veces, pero no han podido arrojar al demonio que en ella habla. Uno de ellos dijo al padre de la mujer — es una viuda virgen que vive en familia —: ''Habla con Jesús el Mesías, acerca de tu hija. El entenderá sus palabras y sabrá de dónde proceden. He tratado de hacer que el espíritu que habla en ella se fuese en nombre de Jesús, llamando el Mesías. Los espíritus tenebrosos siempre han huído cuando he dicho este nombre. Pero esta vez, no. Por lo cual digo que: o es el mismo Belzebú [4], o el mismo Espíritu de Dios, y por esto no teme, pues que es una misma cosa con el Mesías. Más me inclino a esto que a lo otro. Pero para estar seguros sólo el Mesías puede juzgar. El comprenderá las palabras y descubrirá su origen''. Los escribas que estaban allí presentes lo maltrataron, y dijeron que estaba poseído como la mujer y como Tú. Perdona que te lo diga... Los escribas no nos pierden de vista. Y hacen guardia a la mujer porque quieren saber si alguien le advierte de tu llegada, pues ella afirma que conoce tu rostro, tu voz, y que entre miles te reconocería. Ahora bien está comprobado que nunca ha salido de su población, ni de su casa, desde hace quince años, cuando murió su esposo en la noche anterior a las bodas. También está comprobado que nunca has ido ni pasado por ese lugar llamando Betlequi. Los escribas esperan tener esta última prueba para juzgarla como endemoniada. ¿Quieres ir inmediatamente?»

«No. Debo hablar a la gente. Sería muy estrepitoso el encuentro

[2] Cfr. vol. 1°, pág. 804, not. 3.
[3] Cfr. Hech. 19, 11-17.
[4] Cfr. 373, not. 2.

aquí. Ve a decir a Juan de Efeso y a los padres de la mujer, lo mismo que a los escribas, que los espero a todos al atardecer, en los bosques cercanos al río, en el sendero del vado. Vete.»

Una vez ido Salomón, Jesús que ha hablado a todos, va a donde están los enfermos que piden a gritos su curación y los cura. Fueron una mujer anciana, anquilosada del reuma, un paralítico, un joven idiota, una niña que creo que es tísica y dos enfermos de los ojos.

La gente lanza sus gritos de alegría.

Pero no ha terminado la fila de los enfermos. Una madre se adelanta, desgarrada del dolor, sostenida por dos amigas o familiares, se arrodilla diciendo: «Mi hijo está muriendo. No puedo traerlo aquí... ¡Ten piedad de mí!»

«¿Puedes creer sin condición alguna?»

«¡Sí, Señor mío!»

«Entonces regresa a tu casa.»

«¿A mi casa?... ¿Sin Ti?...» La mujer lo mira un momento con ansia, luego, comprende. Su adolorida cara se transforma. Grita: «Voy, Señor. ¡Bendito Tú y el Altísimo que te ha mandado!» Y se va corriendo, más ligera que sus mismas compañeras...

Jesús se vuelve a uno de Jericó, ciudadano importante: «¿Es esa mujer hebrea?»

«No. Por lo menos no de nacimiento. Vino de Mileto. Se casó con uno de los nuestros y desde entonces vive en nuestra fe.»

«Supo creer mejor que muchos hebreos» observa Jesús.

Luego, subiendo a la grada alta de una casa, hace el gesto habitual, abre sus brazos, que significa que va a hablar y quiere que se guarde silencio. Una vez hecho el silencio, recoge los pliegues del manto, que se había abierto al abrir sus brazos, y los detiene con la mano izquierda, mientras que la derecha la baja como cuando alguien va a jurar. Dice: «Escuchad, ciudadanos de Jericó, las parábolas del Señor y cada uno las medite en su corazón y saque lo útil para nutrir su espíritu. Lo podéis hacer porque conocéis la palabra de Dios no desde ayer, ni desde la luna pasada, ni siquiera desde el invierno anterior. Antes de que fuese Yo el Maestro, Juan, mi Precursor, os había preparado para mi llegada, y después que vine, mis discípulos han preparado este terreno innumerables veces y han sembrado toda clase de simiente que les había dado. Por lo tanto podéis comprender las parábolas.

¿Con quién compararé a los que, después de haber sido pecadores, se convierten? Con los enfermos que recobran la salud.

¿Con quién compararé a los otros que públicamente no han pecado, o que, más raros que las perlas negras, no han cometido jamás, ni siquiera en secreto, culpas graves? Los compararé con las personas sanas.

El mundo se compone de estas dos categorías. Bien sea en la del espíritu como en la de carne y sangre. Pero si las comparaciones son iguales, el modo con que el mundo se comporta al tratar a los enfermos curados en su cuerpo, es diverso del que usa con los pecadores convertidos, esto es, con los que estuvieron enfermos del espíritu y que han recobrado la salud.

Vemos que aún cuando un leproso [5], que es el enfermo que se le tiene aislado por ser contagiosa su enfermedad, obtiene la gracia de ser curado, después de que el sacerdote lo examinó y purificó, se le admite nuevamente a que viva con los demás, los de su población le hacen gran fiesta porque ha sido curado, ha resucitado a la vida, a la familia, a los negocios. ¡Qué gran fiesta hay entre los familiares, entre los de la ciudad cuando un leproso ha alcanzado la gracia de su curación! Familiares como ciudadanos compiten en llevarle esto o aquello, y si está solo y sin casa ni mueblario, le ofrecen lecho y lo necesario, diciendo: "Es un amado de Dios. Su dedo lo ha sanado. Honrémoslo pues, y honremos al que lo ha creado y vuelto a crear". Tienen razón en comportarse así. Y cuando por desgracia en alguien se ven las primeras señales de lepra, ¡con qué aflicción, parientes y amigos, lo colman de ternuras, mientras es posible hacerlo, como para darle en un momento el tesoro de sus afectos que le habrían dado en muchos años, para que se los lleve consigo al sepulcro de vivo!

¿Y por qué no se hace lo mismo con los otros enfermos? Un hombre empieza a pecar; lo ven familiares y sobre todo conciudadanos. ¿Por qué entonces no tratan con amor de arrancarlo del pecado? Una madre, un padre, una esposa, una hermana lo hacen. Pero es difícil que lo hagan lo hermanos, y menos se puede esperar de los sobrinos paternos o maternos. Los conciudadanos no saben más que criticar, burlarse, mostrarse orgullosos, escandalizados, exagerar los pecados de ese tal, señalarlo con el dedo, tenerlo separado cual leproso los que son más justos, hacerse sus cómplices, para gozar a sus espaldas, los que no lo son. Pero rarísima vez hay una boca, y sobre todo un corazón, que vaya al infeliz con piedad y firmeza, con paciencia y amor sobrenatural, y se preocupe por detenerlo en la bajada al pecado.

¿Y cómo? ¿No acaso es maś grave, verdaderamente más grave y mortal la enfermedad del espíritu? ¿No priva ella, y para siempre, del Reino de Dios? La primera forma de la caridad para con Dios y para con el prójimo, ¿no debe consistir en sanar a un pecador para bien de su alma y gloria de Dios?

Y cuando un pecador se convierte, ¿por qué obstinarse en seguirlo juzgando, por qué ese pesar de que haya vuelto a la salud es-

[5] Cfr. vol. 1°, pág. 326, not. 1.

piritual? ¿Veis acaso que vuestros pronósticos de que se condenaría un conciudano vuestro, han salido fallidos? Al revés, deberíais sentiros felices, porque el que hace fallar vuestros pronósticos es el Dios misericordioso, que os da una medida de su bontad para que creáis también que se os perdonan vuestras culpas más o menos graves.

¿Por qué se debe persistir en ver sucio, despreciable, digno de separación a quien Dios y su buena voluntad han limpiado, hecho admirable, digno de la estima de sus hermanos?

¡Cuánto os alegráis si un buey, un asno o un camelo vuestro, o la oveja de la grey o el palomo preferido se curan! ¡Cuánto os alegráis de que aun un extranjero, cuyo nombre apenas conocéis y de quien apenas habéis oído hablar, vuelva curado! ¿Por qué entonces no os llenáis de júbilo por estas curaciones del espíritu, por estas victorias de Dios? El cielo se llena de gozo cuando un pecador se convierte. El cielo, esto es, Dios, los ángeles purísimos [6], que no saben lo que es pecar. Y vosotros, vosotros humanos, ¿queréis ser más intransigentes que Dios?

Haced que vuestro corazón sea justo y reconoced al Señor no sólo como presente entre las nubes de incienso y cantos del Templo, el lugar donde solamente está la santidad del Señor, a donde sólo puede entrar [7] el Sumo Sacerdote, lugar que debería ser santo como su nombre lo indica, sino también en el prodigio de estos espíritus resucitados, de estos altares nuevamente consagrados, sobre los que baja el amor de Dios con su fuego para encender al sacrificio [8].»

La mujer de antes interrumpe con gritos de bendición a Jesús y quiere adorarlo. El la escucha, la bendice y le dice que regrese a su casa.

Continúa hablando:

«Si el que en un tiempo fue pecador, y os dio motivo de escándalo, os da ahora motivos de edificación, no queráis escarnecerlo, sino imitarlo. Porque nadie es tan perfecto que no pueda aprender algo más. El bien que se hace es siempre una lección que debe escucharse, aun cuando quien la dé en un tiempo haya sido malo. Imitad. Ayudad. Si obráis de este modo, glorificaréis al Señor y habréis demostrado haber comprendido a su Verbo. No queráis ser como a los que criticáis en vuestros corazones, cuyas acciones no corresponden a sus palabras. Haced que cada acción vuestra sea la corona de cada palabra buena que pronunciéis. Y el Eterno os mi-

[6] Cfr. pág.51, not. 3.

[7] Cfr. pág. 476, not. 2.

[8] Cfr. Lev. 9, 22-24; Jue. 6, 11-24; 3 Rey. 18, 20-40; 1 Par. 21, 18 - 22, 1; 2 Par. 7, 1-10; el Antiguo *Missale Romanum*, feria sexta quatuor temporum Pentecostes, secreta.

rará y os escuchará con benevolencia.

Oíd la siguiente parábola para que comprendáis cuáles son las cosas que tienen valor ante los ojos de Dios. Os enseñará a corregir un pensamiento torcido que hay en muchos corazones. La inmensa mayoría de los hombres se juzgan a sí mismos, y como entre mil hay uno solo que sea realmente humilde, sucede que el hombre cree que es perfecto sólo él, mientras que en su prójimo ve miles de pecados.

Un día dos hombres que habían ido a Jerusalén por negocios, subieron al Templo, como cada buen israelita lo hace y conviene que lo haga cuando pone su pie en la ciudad santa. Uno era fariseo, el otro publicano. El primero había ido a percibir la renta de algunos negocios y hacer cuentas con sus arrendatarios que vivían en las cercanías de la ciudad. El otro para pagar los impuestos percibidos y para interceder por una viuda que no podía pagar la taxa de su barca y redes, porque la pesca, que hacía su hijo mayor, apenas si le alcanzaba para dar de comer a la familia.

Antes de subir al Templo el fariseo había pasado por la casa de uno de los arrendatarios de sus negocios, y echando una ojeada en la tienda, la vio llena de mercancías y de compradores. Lleno de contento llamó al rendatario y le dijo: "Veo que tus negocios van bien".

"Sí, con el favor de Dios. Estoy contento de mi trabajo. He podido aumentar las mercancías y espero seguirán aumentando. He mejorado el lugar, y el año que viene no tendré que hacer los gastos para bancos y alacenas. Tendré, pues, una ganancia".

"¡Bien, bien! ¡Estoy contento! ¿Cuánto me estás pagando por este lugar?"

"Cien didracmas [9] al mes. Es caro pero el lugar es bueno..."

"Lo has dicho. Por lo tanto te doblo la renta".

"¡Pero, señor," — exclamó el negociante — "de este modo no me permites ninguna garancia!"

"Es justo. ¿Debo acaso hacerte rico con lo mío? ¿En mi local? Pronto. O me das dos mil cuatrocientas didracmas, y ahora mismo, o te echo auera y me quedo con la mercancía. El local es mío y puedo disponer de él a mi antojo".

Igual cosa hizo con el segundo, con el tercero de sus arrendatarios, doblándoles la renta y haciéndose sordo a sus súplicas. Y como el tercero, que tenía muchos hijos, se opuso, llamó a las guardias e hizo poner sellos de secuestro, echando afuera al infeliz.

Después en su palacio examinó los registros de los arrendatarios y encontró motivos de castigarlos por flojos. Les secuestró parte de sus haberes que les tocaba por derecho. Uno de ellos tenía un hijo

[9] Cfr. Mt. 17, 24.

gravemente enfermo, y por los gastos hecho, había vendido una parte del aceite para pagar las medicinas. No tenía nada que dar al odioso patrón.

"Ten piedad de mí, amo. Mi pobre hijo está por morir y luego trabajaré como pueda para reembolsarte lo que te pareciere justo. Pero ahora como tú lo ves, no puedo".

"¿Que no puedes? Te voy a demostrar que puedes". Fue con el pobre arrendatario al molino de aceitunas y le quitó lo que le quedaba de aceite, que el pobre hombre se había reservado para que de él comiese su familia y se alumbrasen en la noche.

El publicano por su parte había ido a sus superiores y entregado los impuestos. Le dijeron: "Aquí faltan trecientos setenta ases [10]. ¿Qué pasó?"

"Te lo voy a decir. En la ciudad hay una viuda con siete hijos. El primero es el único que está en edad para trabajar. Pero no puede ir lejos de la orilla porque no tiene todavía muchas fuerzas en sus brazos para remar y para la vela, y no puede pagar a un trabajador que le ayude. Cerca de la ribera pesca poco y el pescado apenas si basta para matar el hambre de ocho infelices. No tuve corazón de exigirle la taxa".

"Comprendido. Pero la ley es ley. ¡Hay si supiesen que ella tiene piedad! Todos encontrarían razones para no pagar. Que el jovencillo cambie de oficio y que venda la barca, si no pueden pagar".

"Es lo único que les puede dar pan... es un recuerdo de su padre".

"Comprendido. Pero no se puede transigir".

"Está bien. Yo no puedo quitar a ocho personas su pan. Yo te pago los trecientos setenta ases".

Terminados sus negocios, los dos subieron al Templo y pasando cerca del gazofilacio [11], el fariseo sacó una pesada bolsa de su seno y la volteó hasta que cayó el último centésimo. En la bolsa iba el dinero que había tomado de los negociantes, del aceite que había quitado al arrendatario. El publicano por su parte echó un puño de centavos después de haber tomado lo que era necesario para regresar a su casa. Ambos dieron lo que tenían. Aparentemente el más generoso fue el fariseo porque dió hasta el último de sus centavos. Pero hay que pensar que en su palacio tenía más dinero y que tenía créditos con los ricos cambistas.

Fueron ante el Señor. El fariseo se puso delante, junto a los límites del patio de los hebreos, hacia el Santo [12]. El publicano atrás, en el fondo, casi debajo de la bóveda que da al patio de las mujeres, encorvado, avergonzado ante el pensamiento de su mise-

[10] Moneda romana de bronce.
[11] Cfr. vol. 3°, pág. 379, not. 1.
[12] Cfr. pág. 476, not. 2.

ria al comparecer ante la Perfección divina. Ambos se pusieron a orar.

El fariseo, bien derecho, casi con aire insolente, como si fuese el patrón del lugar, come si se dignase hacer una visita, dijo: "Mira que he venido a venerarte en la casa que es nuestra gloria. He venido aun cuando sepa que estás en mí, porque soy justo. Estoy convencido de ello. Pero aun cuando sepa que sólo por mis méritos lo soy, te doy las gracias, como es razonable, por lo que soy. No soy bandido, ni injusto, ni adúltero, ni pecador como ese publicano que junto conmigo echó un puñadillo de céntimos en el tesoro. Yo, Tú lo viste, te di todo lo que traía conmigo. Ese asqueroso, hizo dos partes, y a ti te dio la más pequeña. La otra seguramente que se la guardó para francachelas y mujeres. Pero yo soy puro. No me contamino. Soy puro y justo. Ayuno dos veces a la semana, pago los diezmos [13] de todo lo que tengo. Sí, soy puro, justo y bendito, porque soy santo. Recuérdalo, Señor".

El publicano, desde su lejano ricón, sin atraverse a levantar sus ojos hacia las ricas puertas del hecol [14], golpeándose el pecho oró de este modo: "Señor, no soy digno de estar en este lugar. Pero Tú eres justo y santo, y me lo permites una vez más porque sabes que el hombre es pecador y que si no se acerca a Ti, se hace un demonio. ¡Oh, Señor mío, quisiera honrarte noche y día, pero por muchas horas tengo que ser esclavo de mi trabajo! Trabajo duro que me abate porque causa dolor a mi prójimo que es más infeliz. No tengo más que obedecer a mis superiores, porque así me gano el pan. Concédeme, Dios mío, que sepa yo adaptar mis deberes para con mis superiores a la caridad para con mis pobres hermanos, para que en mi trabajo no encuentre mi condenación. Cualquier trabajo es santo, si se hace con caridad. Procura tener siempre tu caridad ante mi corazón para que yo, miserable cual lo soy, sepa compadecer a los inferiores a mí, como Tú me compadeces a mí, que soy un gran pecador. Hubiera querido honrarte con más, Señor. Tú lo sabes. Pero pensé que tomar del dinero destinado al Templo para ayudar a ocho corazones infelices era mejor que echarle en el gazofilacio y no hacer llorar a ocho seres desgraciados. Si me equivoqué, házmelo comprender, Señor, y te daré hasta el último centésimo y regresaré a mi tierra a pie, pidiendo de limosna el pan. Hazme comprender tu justicia. Ten piedad de mí, ¡oh Señor!, porque soy un gran pecador".

Esta es la parábola. En verdad, en verdad os digo que el fariseo salió del Templo con un nuevo pecado, añadido a los que tenía antes de subir al Moria; el pubblicano salió de allá justificado, y la

[13] Cfr. pág. 560, not. 5.
[14] Palabra hebrea que significa Templo. Cfr. pág. 476, not. 2.

bendición de Dios lo acompañó a su casa y en ella quedó porque había sido humilde y misericordioso. Sus acciones habían sido más santas que sus palabras. Mas el fariseo sólo con las palabras y en apariencia era bueno, mientras que en su corazón era un satanás y hacía cosas satánicas por la soberbia y dureza de su corazón. Por eso Dios lo odiaba [15].

Quien se alaba, siempre, antes o después, será humillado. Si no acá, en otra vida. Quien se humilla será alabado, sobre todo allá arriba en el cielo, donde se valúan en lo que son las acciones de los hombres.

Ven, Zaqueo. Venid vosotros, también vosotros sus compañeros. Vosotros, apóstoles míos. Os hablaré otra vez, pero en privado.»

Y echándose encima el manto vuelve a la casa de Zaqueo.

[15] En el sentido de Sab. 14, 7-11; Eccli. 12, 6-7; Mal. 1, 1-3; Rom. 9.

221. En casa de Zaqueo con los convertidos

(Escrito el 3 de noviembre de 1946)

Están todos en una sala ancha y sin adorno que en un tiempo fue bella. Ahora no. Han traído asientos y lechos del comedor o de la alcoba y se han sentado alrededor del Maestro a quien han hecho que se sentase sobre una especie de poltrona de leño, cubierta con una alfombra de grueso hilo de bramante. Es el mueble más lujoso de la casa.

Zaqueo habla de una quinta de labranza comprada con el dinero con que todos contribuyeron: «¡Debíamos hacer algo! La ociosidad no es buena medicina para evitar el pecado. La quinta no es un lugar fértil, porque se le descuidó, como nosotros, y que como nosotros está lleno de zarza, piedras, hierbas inútiles y otras cosas más. Nique nos ha prestado sus campesinos para que nos enseñen cómo abrir los pozos descuidados, a limpiar los campos, a podar los árboles que había y plantar nuevos. Conocíamos muchas cosas... pero no las santas obras del hombre. En este trabajo que es nuevo para nosotros, encontramos una vida realmente nueva. A nuestro alrededor nada nos recuerda el pasado. Tan sólo la conciencia. Pero está bien... Somos pecadores... ¿Quieres venir a verlos?»

«Cuando salgamos para ir al Jordán me detendré en ese lugar. Me has dicho que está situado sobre el camino que lleva al río...»

«Así es, Maestro. Es feo. La casa está que se cae. No tiene nada de muebles. No tuvimos dinero para tanto... tal vez cuando hayamos reparado nuestros crímenes para con el projimo. Fuera de Demetes, Valiente y Leví, muy viejos para ciertas privaciones, que duermen aquí, los demás se han acostumbrado a dormir en el heno,

Señor.»

«Muchas veces ni eso tengo. También Yo dormiré en el heno, Zaqueo. Dormí en él mis primeros sueños y fueron dulcísimos porque el amor los cubrió. Puedo dormir allí, y no me molestará porque estaré en medio de hombres en quienes ha resucitado la buena voluntad.»

Y mira con unos ojos que son una caricia a estas primeras flores de redimidos de varios países. Ellos lo miran... No son hombres que fácilmente lloren. ¡Quién sabé cuántas lágrimas hicieron derramar! Sus caras son otros tantos libros en que está escrita su pasada conducta. Si su nueva vida ha borrado las palabras escritas, sin embargo se puede intuir y comprender de qué abismos se han levantado a la luz. Con todo, sus caras se esclarecen, se iluminan. Su mirada es franca. Una luz de esperanza sobrenatural, de satisfacción moral resplandece en él al oir que el Maestro les dice palabras alentadoras.

Continúa Zaqueo hablando: «¿Entonces apruebas todo lo hecho? Mira, Maestro. Te había dicho: "Te seguiré" y quería realizarlo. Pero esa misma tarde aquí Demetes por uno de sus... por uno de esos infames negocios que tenía... y necesitaba dinero. Había llegado de Jerusalén... se le llama santa, pero no hay vergüenza que no haya en ella y los primeros que las fomentan son los que después nos lapidan cual leprosos... Bueno. Debo confesar mis pecados y no los de los demás. No tenía yo dinero. Te lo había dado. Todo. Hasta el que todavía quedaba aquí, pero que ya había sido dividido en partes que tenían que dar a quienes había robado con usura. Le dije: "No tengo dinero. Pero tengo algo que vale más que un tesoro". Le conté mi conversión, tus palabras, la paz que tenía yo dentro de mí...Hablé mucho, mucho. Y todavía seguía hablando cuando el alba nos encontró. Qué cosa dije, no recuerdo. Sé que él dio un puñetazo sobre la mesa, en donde nos habíamos sentado y exclamó: "Mercurio ha perdido un secuaz y los sátiros un compañero. Toma también estas monedas que no me alcanzan para cometer el crimen que había meditado, pero sí bastarán para comprar un pan para el que lo necesitare, y tómame contigo. Quiero oler perfume, y no más hedores". Y se quedó. Fuimos a Jerusalén. Yo para vender cosas, él para librarse de todos... sus compromisos. Al regreso — había orado en el Templo, después de mucho tiempo, con el corazón puro y tranquilo de un niño — me dijo: "¿Si me quedo en Jericó donde están mis desgraciados amigos, los publicanos, los tahures, alcahuetes, usureros, después que fueron superintendentes de galeotes y de hombres forzados al remo, de esclavos, de atormentadores de cualquier desventura, soldados sin ley ni compasión, que para olvidar los remordimientos de su conciencia se entregaban a comilonas y que vienen a buscarme para emplear sus malditas ganancias, a proponerme nuevos negocios o a invitarme a banquetes y a otras infames porquerías, esto no será — me dije — seguir al Maestro? La ciudad me desprecia. Los hebreos no dejarán de tenerme como a un pecador. Pero esos no. Son como yo, inmundicia. Pueden tener algo dentro que los empuje al bien, sólo que no encuentran quien les dé una mano para ayudarlos. Les di la mano en el mal. Tal vez pecaron por mis consejos, porque algo les había pedido entonces. Tengo el deber de ayudarlos para que vengan al bien. Así como he restituido a los que hice mal, así como he reparado el mal que hice a mis conciudadanos, así debo buscar cómo poder reparar con ellos''. Y me quedé aquí. Uno después del otro han venido a esta ciudad y han hablado conmigo. No todos han sido como Demetes. Algunos huyeron después de injuriarme. Otros se han andado por las ramas; otros se estuvieron un poco de tiempo, pero luego regresaron a su infierno. Estos se han quedado. Pienso que debo seguirte de este modo, que debemos seguirte luchando contra nosotros mismos, soportando los desprecios del mundo que no sabe perdonarnos. Cuando vemos que él no nos perdona, lágrimas secretas brotan del corazón, así como cuando vuelven los recuerdos... muchos de los cuales nos afligen... En algunos de ellos son...»

«La terrible Némesis que nos echa en cara nuestros crímenes y que nos dice que en ultratumba se vengará de nosotros» dice uno.

«Los lamentos de los que ya desvanecidos golpeé para hacerlos trabajar.»

«Las maldiciones de los que convertí en esclavos, después de haberles arrebatado lo que tenían.»

«Las súplicas de las viudas y huérfanos que no podían pagar y a los que secuestré sus últimas cosas en nombre de la ley.»

«Las horribles cosas cometidas en los países conquistados y aterrorizados después de la batalla.»

«Las lágrimas de mi madre, de mi mujer, de mi hija, muertas de debilidad, mientras yo derrochaba todo en banquetes.»

«Son... ¡Oh, mis crímenes no tienen nombre! Señor, no tengo sangre en mis manos, no he robado dinero, no he impuesto taxas odiosas, ni intereses estranguladores, no he matado a los vencidos, pero sí he disfrutado de todas las miserias, de las inocentes jovenzuelas de los derrotados, de las huérfanas, de las vendidas como mercancía por un pedazo de pan. De todas ellas recogí dinero. He caminado por el mundo buscando estas ocasiones. Detrás de los ejercitos. Allí donde se alzaba la carestía, allí donde un río anegaba todo y destruía las cosechas, allí donde una peste había dejado doncellas sin protección. Y las convertí en mercancía. Mercancía infame, pero inocente. Infame porque de ella saqué dinero, inocente porque no conocía lo que era el horror. Señor, por mis manos pasaron la virginidad de jovenzuelas, la honra de jóvenes esposas, cuando las ciudades eran conquistadas. Mis negocios... mis lupanares eran célebres, Señor... No me maldigas, ahora que sabes...»

Los Apóstoles se apartan involuntariamente del último que acababa de hablar. Jesús se levanta y se le acerca. Le pone la mano en la espalda y le dice: «¡Es verdad! Tu crimen ha sido *grande*. Tienes mucho que reparar. Pero Yo, la Misericordia, te aseguro que aunque fueras el mismo demonio y hubieses cometido todos los crímenes de la tierra, *si tú quieres*, puedes reparar todo y Dios te perdonará. Dios es muy grande, es come un padre. Si tú quieres, une tu voluntad a la mía [1]. También quiero que seas perdonado. Unete a Mí. Dame tu pobre corazón difamado, destruido, plagado de cicatrices y de abatimiemto después de que dejaste el pecado. Lo pondré en mi corazón, donde pongo a los más grandes pecadores, y lo llevaré conmigo al sacrificio redentor. La sangre más santa, la que manará de mi corazón, las últimas gotas de sangre de la Víctima por los hombres, se esparcirá sobre las peores piltrafas humanas y las regenerará. Ten esperanza. Una esperanza mucho mejor que tus grandes crímenes, fundada en la misericordia de Dios, porque es ilimitada para quien en ella sabe confiar [2].»

El pecador siente deseos de tomar y besar la mano que tiene sobre su espalda, una mano pálida y descarnada que toca un vestido negruzco, una espalda robusta. Pero no se atreve. Jesús lo comprende, se la toma diciendole: «Bésame la palma. Ese beso me aliviará de una tortura. Mano besada, mano herida. Besada por amor, herida por amor. ¡Oh, si todos supiesen besar a la gran Víctima, y que Ella muriera cubierta de llagas, sabiendo que en cada una están los besos, está el amor de todos los hombres redimidos!» y empuja su mano contra los labios de quien se la está besando, que me parece ser un romano. Y la conserva así, hasta que el antiguo pecador separa sus labios como saciado de haber bebido la misericordia, de haber apagado sus remordimientos.

Jesús vuelve a su lugar y al pasar pone la mano sobre la cabeza rizada de un joven, que no creo llegue a los veinte años. No ha hablado. Parece ser hebreo. Le pregunta: «Y tú, hijo mío, ¿no tienes nada que decir a tu Salvador?»

El joven levanta la cabeza, lo mira... Su mirada es todo un discurso. Una historia de dolor, de odio, de arrepentimiento, de amor.

Jesús un poco inclinado le mira fijamente. El joven hace lo mismo. Jesús lee una historia muda, añade: «Por esto te he llamado "hijo". No estás más solo. Perdona a *todos* los de tu raza y a extranjeros, como Dios te perdona. Ama el Amor que te ha salva-

[1] Cfr. vol. 3°, pág. 621, not. 4.

[2] Cfr. vol. 1°, pág.672, not.3; pág. 786, not. 9; pág. 789, not.10; vol. 2°, pág. 310, not. 6.

do. Ven un momento conmigo. Quiero decirte una palabra aparte.»

El joven se levanta, lo sigue. Cuando están solos le dice: «Quiero decirte lo siguente, hijo. El Señor te ha amado mucho, aunque no lo parezca a primera vista. La vida te ha probado mucho. Los hombres te han hecho mucho daño. Ambos habrían podido convertirte en una ruina irreparable. Detrás de ellos estaba Satanás envidioso de tu alma, pero sobre ti los ojos de Dios. Y esos ojos benditos han contenido a tus enemigos. Su amor puso a Zaqueo en tu camino; y con él a Mí que te estoy hablando. Ahora te digo que *debes* encontrar en este amor cuanto no lo has tenido, y debes olvidar todo lo que te ha herido. Perdonar, perdonar a tu madre, perdonar al patrón infame, perdonarte a ti mismo. No te odies así, hijo. Odia el tiempo en que estuviste cometiendo pecados, pero no a tu corazón que ha decidido no pecar más. Tus pensamientos sean buenos amigos de tu corazón, y juntos lleguen a la perfección.»

«¡Perfecto, yo!»

«¿Oíste lo que dije a ese hombre? ¡Y también él estuvo en el fondo del abismo!... ¡Gracias, hijo!»

«¿De qué, Señor mío? Soy yo quién debo darte las gracias...»

«De que no hayas querido ir con quien compra hombres para traicionarme.»

«Oh, Señor, ¿crees que lo iba a hacer cuando sé que no desprecias ni siquiera a los ladrones? Estuve entre los que te llevaron el cordero a Carit. Y uno de los nuestros que ahora está en poder de los romanos — al menos así se dice, y lo creo porque desde antes de los Tabernáculos [3] no lo vimos más en nuestras cuevas — me refirió tus palabras en un valle cerca de Modín... En ese tiempo todavía no estaba yo con los ladrones. Me fui con ellos a finales de Adar y los dejé a principio de etaním. Pero no he hecho nada que merezca tu gratitud. Tú eres bueno. También yo quiero serlo. Y avisar a un amigo tuyo... ¿puedo llamar a Zaqueo con este nombre?»

«Lo puedes. Todos los que me aman, son mis amigos. También tú...»

«¡Oh!... Se lo dije para que te protegiese. Pero esto no vale la pena...»

«Te repito, que te doy las gracias porque no te vendiste contra Mí. Esto es lo que vale.»

«¿Y el haber advertido a Zaqueo no vale?»

«Hijo mío, ninguna cosa podrá impedir al odio para que no me ataque. ¿Has visto alguna vez un río fuera de madre?»

«Sí. Una vez cerca de Jabes Galaad. Vi los destrozos del río en avenida antes del Jordán.»

«¿Pudo cosa alguna detener las aguas?»

[3] Cfr. Ex. 23, 14-17.

«No. Todo lo cubrieron y destruyeron. Hasta arrastraron las casas.»

«Así es el odio. Pero no me revolcará. Seré sumergido, pero no destruido. Y en la hora más amarga, el amor de quien no quiso odiar al Inocente, será mi consuelo, mi luz en las tinieblas de horas oscurísimas, mi dulzura en el cáliz del vino mezclado con hiel y mirra [4].»

«Hablas, hablas como de Ti mismo como si... Para los ladrones está destinada esa copa, para los que mueren en la cruz. ¡Pero Tú no eres un ladrón! ¡Tú no eres un criminal! Tú eres...»

«El Redentor. Dame tu beso, hijo.»

Le toma la cabeza entre las manos, le besa en la frente y luego se inclina para recibir el beso del joven. Un beso tímido, que apenas si toca sus mejillas enflaquecidas... El joven se arroja llorando en el pecho de Jesús.

«No llores, hijo mío. El amor me sacrifica. Y siempre es un dulce sacrificio, aun cuando no le gusta a la naturaleza humana.»

Lo tiene entre sus brazos hasta que el llanto cesa. Regresa, teniéndolo por la mano hasta el lugar que antes ocupaba Pedro.

Torna a hablar: «Mientras comíamos, uno de vosotros, que no es de Israel, dijo que quería preguntarme algo. Puede hacerlo ahora, porque luego volveremos a la gente y nos separaremos.»

«Fui yo, pero también otros muchos la desean. Zaqueo no supo explicarlo, y ni siquiera algunos de los nuestros y que tienen tu religión. Hicimos la misma pregunta a tus discípulos cuando pasaron por aquí, pero no nos dieron una respuesta clara.»

«¿De qué se trata?»

«No sabíamos ni siquiera que tuviésemos alma. Esto es... deberíamos haberlo sabido porque nuestros antepasados... Pero no leímos los antiguos. Eramos unos animales... No sabíamos qué cosa era esta alma. Ni siquiera ahora lo sabemos. ¿Qué cosa es el alma? ¿Es acaso nuestra razón? No lo creemos, porque en tal caso estaríamos sin ella, y hemos oído decir que sin alma no hay vida. ¿Qué cosa es el alma, que nos dicen que es incorpórea, inmortal, sino la razón? El pensamiento es incorpóreo. Pero no es inmortal porque cesa con nuestra vida. Aun el más sabio no piensa después de la muerte.»

«El alma no es el pensamiento. El alma es el espíritu, es el principio inmaterial de la vida, el principio impalpable, pero verdadero, que anima a todo hombre y que sobrevive a él. Por esto se le llama inmortal. Es algo tan sublime, que el mismo pensamiento aunque poderoso es nada en su comparación. El pensamiento tiene fin. Pero el alma aunque tiene principio, no tiene fin. Bienaventurada o

[4] Cfr. Sal. 68, 22; Mt. 27, 33-34 y 48; Mc. 15, 22-23.

condenada continúa existiendo. Felices los que saben conservarla pura, o a hacer que sea pura otra vez después de haberla ensuciada, para devolverla a su Creador en el estado en que El la entregó al hombre para animar su ser [5].»

«¿Está en nosotros, o sobre nosotros, como los ojos de Dios?»

«En nosotros.»

«¿Entonces en prisión hasta la muerte? ¿Esclava?»

«No. Reina. En el pensamiento eterno el alma, el espíritu es la cosa que reina en el hombre, en el animal llamado hombre. Ella que vino del Rey y Padre de todos los reyes y padres, su hálito [6] y su imagen, su don y su derecho, tiene por misión hacer del ser llamado hombre, un rey del gran reino eterno, hacer de la criatura llamada hombre un dios [7] después de esta vida, un "viviente" en la morada del sublimísimo y único Dios, es creada reina, con autoridad y con el destino de reina. Sus esclavas son las virtudes y facultades del hombre. Su ministro la buena voluntad, su siervo el pensamiento, siervo y alumno. Este obtiene su fuerza y veracidad del espíritu, de este adquiere justicia y sabiduría, y puede subir a una perfección real. Un pensamiento privado de la luz del espíritu tendrá siempre lagunas y tinieblas; jamás podrá caer en la cuenta de verdades que son más incomprehensibles que los misterios, porque se separó de Dios al haber perdido la realeza de su alma. El pensamiento humano será ciego, será necio, si le falta este punto, este fermento indispensable para comprender, para levantarse, dejando la tierra, y lanzarse a lo alto, al encuentro de la Inteligencia, de la Potencia, de la Divinidad en una palabra. Te hablo de este modo, Demetes, porque no siempre has sido un cambista, y puedes comprender, y explicarlo a los demás.»

«Verdaderamente eres un vidente, Maestro. No he sido siempre un cambista, como lo has dicho... Más bien, esto fue el último peldaño de mi bajada... Dime, Maestro, si el alma es reina, ¿por qué no reina y no frena el mal pensamiento y la carne del hombre?»

«A frenar o domar quitaría la libertad y el mérito. Sería una opresora.»

«Pero el pensamiento y la carne oprimen al alma, me refiero a mí, a nosotros, y la hacen esclava muchas veces. Por esto te preguntaba si en nosotros es una esclava. ¿Cómo puede permitir Dios que

[5] En otros lugares de esta Obra se dice que el alma humana es perfectamente pura en el instante fulmíneo en que Dios la crea. No es posible, pues, que El cree un alma pecadora y con tendencias perversas. Ella *contrae* la culpa original en cuanto y en el instante en que llega a animar un cuerpo que proviene, por descendencia mediata pero verdadera, de Adán el pecador, esto es, de Adán que fue derrotado por Satanás al haber desobedecido a Dios (Gén. 3). Cfr. Apéndice al vol. 1°, pág. 253.

[6] En el sentido de *participación*. Cfr. vol. 2°, pág. 130-131, nots. 2 y 3.

[7] Cfr. pág. 207, not. 3.

una cosa tan sublime — la definiste "hálito [8] de Dios e imagen suya" — se envilezca hasta obedecer lo que le es inferior?»

«El Pensamiento divino quería que el alma no conociese la esclavitud [9]. Mas ten en cuenta del enemigo de Dios y del hombre. Aun vosotros habéis oído hablar de espíritus inferiores.»

«Sí, y todos con crueles deseos. Puedo afirmar que, al recordar lo que fui de niño, solamente puedo atribuir a estos espíritus inferiores que haya llegado a ser lo que fui hasta los umbrales de la vejez. Ahora vuelvo a encontrar al pequeñito que perdió el camino de aquellos años. ¿Podré volverme tan pequeño para regresar a la pureza de entonces? ¿Se puede retroceder en el tiempo?»

«No se puede. Imposible. Tiempo pasado, tiempo que jamás regresa. No puede uno volver a él, mas no es necesario.

Algunos de vosotros sois de lugares donde se conoce la teoría de la escuela pitagórica. Teoría de errores. Las almas, después de su viaje por la tierra, no entran a ningún cuerpo. No regresan al de un animal, porque no es conveniente que una cosa tan sobrenatural, venga a vivir en el cuerpo de un bruto. No regresa al de otro hombre porque ¿cómo podría premiarse al cuerpo unido con un alma en el último juicio, si esa alma tuvo diversos cuerpos, cual vestidos [10]? Se dice, según los seguidores de tal teoría, que el último cuerpo es el que goza, porque por purificaciones sucesivas, en vidas diversas, el alma, sólo en la última reencarnación, llega al estado perfecto para poder ser premiada. ¡Erroy y ofensa! Es un error y ofensa contra Dios, porque se admite que no pudo haber creado sino un limitado número de almas. Error y ofensa contra el hombre, al juzgarlo tan corrompido que difícilmente puede ser premiado. No recibirá el premio inmediatamente; la mayor parte de las veces deberá sufrir una purificacion al final de la vida [11]. Purificación es prepararse al gozo. Por lo tanto el hombre que se purifica es uno que se ha salvado. Y si se salva, gozará, después del último día, con su cuerpo. No podrá tener sino un cuerpo para su alma, sino una vida que compartirá con el cuerpo que le dieron sus padres, y con el alma que el Creador le dio para vivificarlo.

No es posible reencarnarse, así como no es posible retroceder en el tiempo. Pero sí es posible volver uno a crearse a sí mismo con un acto de libre voluntad, y Dios lo bendice y ayuda. Todos lo habéis tenido [12]. Veréis entonces que el pecador, el vicioso, el asqueroso, el delincuente, el ladrón, el corrompido, el corruptor, el homicida, el

[8] Como la not. 6.

[9] El hombre se ha reducido a este estado de esclavitud a sabiendas y por propia voluntad, por haber abusado del don divino de la libertad humana.

[10] Cfr. pág. 552, not. 3.

[11] Cfr. vol. 2°, pág. 533, not. 2.

[12] Cfr. vol. 3°, pág. 621, not. 4.

sacrílego, el adúltero bajo el lavacro del arrepentimiento, renace espiritualmente, destruye la pulpa corrompida del hombre viejo [13], derrota el "*yo*" del pensamiento todavía más corrompido, como si la voluntad de redimirse fuese un ácido que atacase y destruyese la envoltura malsana donde se oculta un tesoro, y se pone al descubierto el espíritu, purificado, sano, revestido con un nuevo pensamiento [14], con un vestido nuevo, puro, bueno, infantil. ¡Oh! un vestido con el que puede acercarse a Dios, con el que puede cubrir dignamente al alma re-creada, protegerla y ayudarla hasta la super-creación de sí misma que es la santidad alcanzada y que el día de mañana — un mañana tal vez lejano, si se le considera a la manera humana; muy cercano, si se le contempla con el pensamiento de la eternidad — será gloriosa en el Reino de Dios.

Todos pueden, si quieren, volver a crear en sí al niño puro de los años infantiles, que era amoroso, humilde, franco, bueno, al que su madre estrechaba contra su pecho, a quien su padre miraba orgullosos a quien el ángel de Dios [15] amaba y a quien Dios miraba con amor. ¡Vuestras madres! Tal vez fueron mujeres virtuosas... Dios no dejará que su virtud no sea premiada. Tratad, pues, de alcanzar iguales virtudes para poder uniros con ellas cuando para todos los virtuosos habrá una sola casa: el Reino de Dios para los buenos. Tal vez ellas pudieron no haber sido buenas y haber contribuido a vuestra ruina, pero si no os amaron, si no conocisteis el amor, si su falta de él os hizo malos, ahora que un Amor divino os ha acogido, sed santos para poder gozar algún día del amor que sobrepuja todo amor.

¿Hay algo más que preguntar?»

«No, Señor. Tenemos que empezar a aprender todo, pero por el momento no tenemos otra cosa...»

«Por algunos días os dejaré a Juan y a Andrés. Después mandaré aquí a discípulos buenos y sabios. Quiero que los potros salvajes conozcan los caminos del Señor y los lugares donde pueden pacer así como los de Israel lo hacen, porque he venido para todos y amo a todos de igual modo. Levantaos y vamos.»

Es el primero en salir al jardín. Le siguen estrechados sus discípulos, que dulcemente se lamentan: «Maestro, has hablado a estos, como raras veces hablas a tus elegidos...»

«¿Y os duele? ¿No sabéis que así se hace aun en el mundo, cuando se quiere conquistar a alguien que nos ame? No hay necesidad de conquistar a los que nos aman con todas sus fuerzas y son por otra parte de nuestra familia. Basta con verse con alegría y paz» dice Je-

[13] Cfr. Rom. 6, 1-11; Ef. 4, 17 - 5, 20; Col. 3, 5-17.

[14] La «metánoia» de la que se habla en el Viejo y Nuevo Testamento trae consigo un «nuevo pensar», un cambio en él. Cfr. 2 Tim. 2, 24-26.

[15] Cfr. pág. 51, not. 3.

sús con una sonrisa divina, verdaderamente divina, llena de júbilo. Los apóstoles no se lamentan más, antes bien lo miran dichosos perdiéndose en esa comunicación de amor.

222. Jesús juzga el caso de Sabea de Betlequi

(Escrito el 5 de noviembre de 1946)

El pobre rancho donde se juntan los diversos y heterogéneos amigos de Zaqueo es muy pobre. Sobre todo ahora que es invierno no sirve para que el corazón se alegre. Pero a ellos les gusta y lo enseñan con orgullo a Jesús. Hay tres campos arados y negruzcos para el trigo, un huerto con pocos árboles frutales y con otros que apenas acaban de plantarse, una hilera de vides delgaduchas, la hortaliza... un establo con una vaquilla y un borriquillo para la noria, un gallinero con unas cuantas gallinas, cinco pares de palomos, seis ovejas, una casucha con su cocina y tres cuartos, un tinglado que hace de leñera, un alpende y el lugar para el heno, un pozo con su brocal semirroto y una cisterna de agua sucia. No más.

«Si resiste la estación...»

«Si los animales tienen crías...»

«Si los árboles pegan...»

Todo está sujeto al «si»... Esperanzas muy precarias...

Alguien se acuerda de que años antes había sucedido algo, esto es, la cosecha prodigiosa que había obtenido Doras porque el Maestro había bendecido sus terrenos para que fuese humano con sus siervos, y dice: «Si Tú bendijeses este lugar... También Doras era un pecador...»

«Tienes razón. Lo que hice, aun sabiendo que no cambiaría de corazón, lo haré con vosotros que lo tenéis cambiado.»

Abre sus brazos. Lo bendice diciendo: «Lo hago inmediatamente porque quiero convenceros de que os amo.»

Continúan su camino hacia el río, por campos arados de terrones gruesos y negros, y de huertos de árboles sin hojas.

En un recodo se ve a unos escribas: «La paz sea contigo, Maestro. Te hemos esperado aquí para... venerarte.»

«No es verdad, para estar seguros que no había alguna trampa. Hicisteis bien. Convenceos de que no he tenido modo alguno de ver a la mujer, ni a ninguno de los que están con ella. Tú y tú estuvisteis de guardia en la casa de Zaqueo y habéis visto que ninguno de nosotros salió. Os adelantasteis a Mí y habéis visto que ninguno de los nuestros ha ido adelante. Vuestro corazón fomenta ciertas condiciones que queréis que acepte cuando me encuentre con esa mu-

jer, y de antemano os digo que las acepto.»
«Pero... si no las conoces...»
«¿No es verdad que me las queréis imponer?»
«Lo es.»
«Así como conozco vuestra intención, que tan sólo conocíais, así también sé lo que me diréis. Y os aseguro que acepto lo que queréis proponerme porque servirá para dar gloria a la verdad. Hablad.»
«¿Sabes cómo están las cosas?»
«Sé que a la mujer se le tiene por endemoniada [1], y que ningún exorcista [2] ha podido arrojarle el demonio. Sé por otra parte que ella no dice palabras venidas del demonio. Así afirman los que la han oído hablar.»
«¿Puedes jurar que jamás la has visto?»
«El justo no jura porque sabe que tiene derecho de que se le crea por su palabra [3]. Yo os digo que jamás la he visto y que jamás he pasado por su poblado, cosa que todos pueden confirmar.»
«Y con todo ella pretende conocer tu rostro y tu voz.»
«De hecho su alma me conoce por voluntad de Dios.»
«Tú dices que por voluntad de Dios. ¿Pero cómo puedes asegurarlo?»
«Se me ha dicho que pronuncia palabras inspiradas.»
«También el demonio habla de Dios.»
«Pero con errores mezclados a propósito para extraviar a los hombres y conducirlos a que piensen erróneamente [4].»
«Pues bien... nosotros quisiéramos que nos permitieseis someter a la mujer a prueba.»
«¿De que modo?»
«¿De veras no la conoces?»
«Os lo he asegurado.»
«Entonces, mira. Enviaremos delante a alguien que vaya gritando: "Aquí está el Señor" y veremos si saluda al que vaya con él, como si lo fueras Tú.»
«¡Pobre mujer! Acepto. Escoged de entre los que me acompañan, a quienes queráis que nos precedan. Os seguiré con otros. Mas si hablare, la debéis dejar para que Yo juzgue sus palabras.»
«Es claro. Pacto es pacto y lo mantendremos lealmente.»
«Que así sea, y que sirva para llamaros al corazón.»
«Maestro, no todos somos enemigos tuyos. Algunos de nosotros están realmente a la espectativa... y tienen deseo sincero de cono-

[1] Cfr. vol. 1°, pág. 804, not. 3.
[2] Cfr. Hech. 19, 11-17.
[3] El mandamiento cristiano de no jurar se encuentra en Mt. 5, 33-37 y en Sant. 5, 12. En esta obra se especifica la razón.
[4] Un buen criterio para distinguir las manifestaciones divinas de las diabólicas. Cfr. Gál. 1, 8-9; 1 Ju. 4, 1-6.

cer la verdad para seguirte» responde un escriba.
«Es cierto. Y Dios ama a tales.»
Los escribas ven atentamente a los apóstoles y se admiran de que falten varios, sobre todo Iscariote. Escogen a Judas Tadeo y a Juan. Toman también al joven ladron, recién convertido, que es de pálido y flacucho, con cabellos semirubios. Escogen, en una palabra, a los que por su edad y fisionomía se parecen al Maestro.
«Nosotros vamos delante con éstos. Tú te quedas con nuestros compañeros y los tuyos. Después de un poco de tiempo nos seguiréis.»
Así hacen.
Allá aparecen los bosques que hay a lo largo del río. Un sol invernal dora las copas de los árboles y derrama una luz amarillenta sobre las personas que están cerca de los árboles.
«Ved, ved que ha llegado el Mesías. ¡Levantaos! ¡Venid a su encuentro!» gritan los escribas que se habían adelantado, desviándose un poco hacia un gigantesco roble cuyas raíces que han salido afuera sirven de asiento a quienes se llegan a él.
El grupo de personas que había, se vuelve, se levanta, se abre, se separa para ir al encuentro de los que vienen. Junto al tronco se quedan sólo lo tres escribas, Juan de Efeso, un hombre y una mujer ancianos, además de otra mujer sentada sobre una gran raíz, con la espalda recargada sobre el tronco, la cabeza inclinada sobre las rodillas con las manos juntas. La cubre un velo de color morado, tan fuerte que parece negro. Parece no poner atención a lo que la rodea. No se mueve ni con el griterío.
Un escriba le toca la espalda: «Sabea, el Maestro está aquí. Levántate y salúdalo.»
No responde. No se mueve.
Los tres escribas se miran, e irónicos sonríen haciendo una señal de inteligencia a los que se acercan. Y como los que estaban en espera, al no ver a Jesús, se habían callado, ellos y sus compinches gritan con todos sus pulmones para que la mujer no caiga en la cuenta del engaño.
«Mujer» dice un escriba a la anciana madre que está con su hija «saluda al menos tú al Maestro y di a tu hija que lo haga.»
La mujer se postra junto con su marido delante de Tadeo, Juan y el ladrón arrepentido. Luego, incorporándose, dice a su hija: «Sabea, el Señor tuyo está aquí. Venéralo.»
La joven no se mueve.
La sonrisa irónica de los escribas se acentúa, y uno, flaco y narigudo, dice con voz nasal y arrastrada: «No te esperabas esta prueba ¿verdad? Tu corazón tiene miedo. Comprendes que tu fama de profetisa está en peligro y no te atreves... Creo que esto es suficiente para declararte mentirosa...»

La mujer levanta su cabeza, se echa atrás el velo y mira con ojos muy grandes, mientras dice: «No miento, escriba. No tengo miedo, porque estoy en la verdad. ¿Dónde está el Señor?»

«¡Cómo! ¿Dices que lo conoces y no lo estás viendo? Lo tienes delante de ti.»

«Ninguno de éstos es el Señor. Por esto no me he movido. Ninguno de éstos.»

«¿Ninguno de éstos? ¿Cómo? ¿Ese galileo rubio no es el Señor? Yo no lo conozco, pero sé que es rubio y con ojos de cielo.»

«No es el Señor.»

«Entonces ese alto y majestuoso. Mira la fisonomía de rey que tiene. El es sin duda.»

«No. Entre ellos no está el Señor» y la mujer baja su cabeza y sigue en la misma actitud de antes.

Pasa un poco de tiempo. Después se ve que Jesús se acerca. Los escribas han hecho señal a la poca gente que guarde silencio. Por esto nadie lanza un hosanna a su llegada.

Jesús viene entre Pedro y Santiago, su primo. Camina despacio... callandito... La tupida hierba absorbe el ruido de sus pasos. Mientras la anciana se seca unas lágrimas con su velo y un escriba la molesta diciendo: «Vuestra hija está loca y es una mentirosa»; mientras su padre suspira y también reprocha a su hija, Jesús llega a los límites del sendero y se detiene.

La joven, que no ha podido oir nada, que tampoco ha visto nada, se pone de pie, se echa atrás el velo, se descubre casi toda la cabeza, extiende sus brazos con un fuerte grito: «Ved que viene a mí, mi Señor. El es el Mesías, ¡oh, vosotros que me habéis querido engañar y humillar! ¡Veo sobre El la luz de Dios que me lo señala y lo honro!» y se echa por tierra, sin retirarse de su lugar, a unos dos metros distante de Jesús. Con la cara en tierra, entre la hierba, grita: «Te saludo, ¡oh Rey de los pueblos!, ¡oh Admirable!, ¡oh Príncipe de la paz!, ¡Padre de los siglos que no conocen fin!, ¡Jefe del nuevo pueblo de Dios! [5]» y sigue postrada bajo su amplio manto de morado oscuro, como su velo. En el momento que se levantó contra el negro tronco — y después de haberse echado atrás el velo, se ha quedado con los brazos extendidos hacia delante, como una estatua — pude notar que bajo el manto lleva un vestido grueso de lana de color que tiende al de marfil, sujetado en el cuello y en la cintura con un cordón. Pero sobre todo pude admirar su belleza femenina de mujer madura. Tendrá unos treinta años, y treinta años en Palestina equivalen por lo menos a cuarenta de los nuestros en general. Si María Santísima es una excepción, las otras mujeres llegan prontamente a la madure, sobre todo las de cabello negro y

[5] Cfr. Is. 9, 6-7.

de rostro y cuerpo hermosos, como ella.

Es el tipo clásico de la mujer hebrea. Me imagino que así habrán sido Raquel, Rut y Judit, célebres por su belleza [6]. Alta, hermosa y esbelta, de piel lisa y de color un poco moreno, boca pequeña, labios un poco gruesos y encarnados, nariz recta, larga, delgada, dos ojos profundos, oscuros, ocultos bajo un arco de pestañas largas y tupidas, frente alta, lisa, majestuosa, cara bien ovalada que alargada, cabellera de brillante ébano como una guirnalda de ónix. No tiene joyeles pero sí un cuerpo de estatua y majestuoso.

Se levanta alargando sus manos largas, morenas, hermosísimas, que se unen al antebrazo por una delgada muñeca. Está de pie, contra el negro tronco. Mira ahora en silencio al Maestro, sacude la cabeza porque los escribas le dicen: «Te has equivocado, Sabea. El no es el Mesías, sino el que viste antes y no reconociste.»

Sacude su cabeza con severidad y no quita sus ojos del Señor. Luego su cara toma una expresión indescriptible de suma alegría o de estático estupor. Creo que ambas cosas, porque parece cambiar de color como quien está a punto de desvanecerse, mientras todas sus fuerzas se concentran en los ojos que se iluminan de una luz de alegría, de triunfo, de amor... No sé. ¿Ríen esos ojos? No, no ríen, pues no se ve sonrisa en su austera boca. Y con todo hay una luz de alegría en los ojos que van adquiriendo una fuerza intensisima que sorprende. Jesús la mira pero un poco triste.

«¿Ves que es una loca?» le dice en voz baja un escriba.

Jesús no le rebate. Con su mano izquierda que le pende al lado, con la derecha que se sostiene el manto recogido sobre el pecho, mira y calla.

La mujer abre su boca, vuelve a extender sus brazos. Parece una gigantesca mariposa de alas moradas y de cuerpo de viejo marfil. Un grito potente sale de sus labios: «¡Oh Adonai [7], Tú eres grande! ¡Tú sólo eres grande, oh Adonai! Eres grande en el cielo, en la tierra, en el tiempo, en los siglos de los siglos, y más allá del tiempo, por siempre y por siempre, ¡oh Señor, Hijo del Señor! Bajo tus pies están tus enemigos y tu trono mantiene el amor de los que te aman.»

La voz aumenta de intensidad, firmeza, fuerza, mientras sus ojos se separan de Jesús y miran en un punto lejano, un poco sobre las cabezas que atentas le rodean, porque de pie contra el tronco del roble, está un poco más alta.

Después de una pausa torna a hablar: «El trono de mi Señor está adornado con las doce piedras de las doce tribus de los justos. En la gran perla que es el trono, el blanco, el precioso y resplandeciente

[6] Cfr. Gén. 29, 15-19; Rt.; Jdt. 10; 11, 18-21; 16, 5-11.
[7] Cfr. Jdt. 16, 15-16.

trono del Santísimo Cordero, están engastados topacios con amatistas, esmeraldas con zafiros, rubíes con sardónices, ágatas, crisólitos con aguamarinas, ónices, jaspes, ópalos [8]. Los que creen, los que esperan, los que aman, los que se arrepienten, los que viven y mueren en la justicia, los que sufren, los que dejan el error por la verdad, los que siendo duros de corazón, se han hecho mansos por su Nombre, los inocentes, los arrepentidos, los que se despojan de toda cosa para poder fácilmente seguir al Señor, los vírgenes cuyo espíritu resplandece cual luz semejante al de un alba del cielo de Dios... ¡Gloria al Señor! ¡Gloria a Adonai! ¡Gloria al Rey sentado sobre su trono!»

Su voz parece el toque de una trompeta. La gente se sacude. La mujer parece que ve realmente lo que va diciendo, como si la dorada nube que navega por un cielo sereno y que parece como seguirla con extática mirada, le sirviese de lente para ver la gloria celestial. Descansa sin cambiar de actitud. Sólo su cara toma un color más pálido y sus ojos se hacen más brillantes.

Vuelve a hablar, bajando su mirada sobre Jesús que la escucha atento, rodeado de escribas que mueven la cabeza escépticos, burlones, y de los apóstoles y seguidores que están pálidos, presa de sacra emoción. El tono de su voz es menos alto: «¡Veo! Veo en el Hombre lo que se oculta en el Hombre. Santo es el Hombre, pero mis rodillas se doblan ante el Santo de los Santos [9] encerrado en el Hombre.»

Su voz cambia ahora de tono. Se hace imperiosa cual si fuera una orden: «¡Mira a tu Rey, oh pueblo de Dios! ¡Conoces su rostro! La belleza de Dios está delante de ti. La Sabiduría de Dios ha tomado una boca para instruirte. No son ya más los profetas, ¡oh pueblo de Israel!, los que te hablan del Inefable [10]. Es El mismo. El, que conoce el misterio que es Dios, que te habla de Dios. El que conoce el Pensamiento de Dios, que te acerca a su pecho, ¡oh pueblo infantil después de tantos siglos!, y te alimenta con la leche de la Sabiduría de Dios para que te hagas adulto. Para obtenerlo se encarnó en un vientre. En el vientre de una mujer de Israel, más grande que cualquier otra mujer ante la presencia de Dios y de los hombres. Ella arrebató el corazón de Dios con sus palpitaciones de paloma [11]. La hermosura de su espíritu sedujo al Altísimo y El la hizo su trono. María de Aarón pecó porque en ella existía el pecado [12]. Débora dictó lo que tenía que hacerse, pero no lo realizó [13]. Yael fue fuerte, pe-

[8] Cfr. Ex. 28, 15-30; 39, 8-21; Ap. 21, para varios puntos de contacto.
[9] Cfr. pág. 476, not. 2.
[10] Cfr. pág. 541, not. 2.
[11] Alusión al Cant. Cfr. por ej., 4, 1-9.
[12] Cfr. Núm. 12.
[13] Cfr. Jue. 4-5.

ro ensució sus manos con sangre [14]. Judit era justa. Temía al Señor, Dios estaba en sus palabras, y le permitió que realizara su propósito para que Israel se salvase, mas por amor a su patria empleó homicida astucia [15]. La Mujer que lo engendró sobrepuja a estas mujeres porque es la Esclava perfecta de Dios y le sirve sin pecar [16]. Toda pura, inocente y bella, es el hermoso Astro de Dios, desde que sale hasta que se pone. Toda bella, resplandeciente y pura para ser Estrella y Luna [17], Luz para los hombres para que encuentren al Señor. No precede ni sigue al Arca santa como María de Aarón, porque ella es el Arca misma [18]. Sobre la turbia onda de la tierra cubierta por el diluvio de las culpas ella camina y salva porque quien se acerca a ella encuentra al Señor. Paloma sin mancha vuela y trae la rama de olivo, olivo de paz a los hombres, porque ella es la oliva sin igual [19]. Está callada, pero con su silencio habla y hace más que Débora, que Yael, que Judit [20]. No aconseja a la guerra, ni incita a matar, ni derrama sangre fuera de la inigualable suya con la que fue hecho su Hijo. ¡Desgraciada Madre! ¡Sublime Madre!... Judit temía al Señor, pero había vivido con un hombre [21]. Esta ha dado al Altísimo su flor inviolable, y el fuego de Dios bajó al cáliz del lirio suave y un seno de mujer encerrado a la Potencia, a la Sabiduría y al Amor de Dios. ¡Gloria a la Mujer! ¡Cantadle alabanzas, oh mujeres de Israel!»

La mujer se calla como si se hubiera cansada. Y en realidad no comprendo cómo puede haber sostenido tono tan alto.

Los escribas dicen: «¡Está loca! ¡Está loca! Hazla callar. Es una posesa [22]. Obliga al espíritu que la posee, que se vaya.»

«No puedo [23]. No es más que el espíritu de Dios, y Dios no se arroja a Sí mismo.»

«No lo haces porque ella te alaba y ha alabado a Tu madre, lo que estimula tu orgullo.»

«Escriba, piensa en lo que sabes de Mí y verás que no conozco el orgullo.»

«Y sin embargo solo un demonio puede hablar en ella para hacer célebre de este modo a una mujer... ¡La mujer! ¡Y qué es en Israel y para Israel la mujer! ¿Qué otra cosa sino pecado a los ojos de Dios?

[14] Cfr. Jue. 4, 17-23; 5, 24-27.
[15] Cfr. Jdt. 8-16.
[16] Aquí empieza a aludir, mejor dicho, a alabar a María, la Madre de Jesús. Cfr. Lc. 1, 38.
[17] Cfr. Ap. 12, 1-6.
[18] Cfr. Núm. 10; Miq. 6, 1-4.
[19] Alusión a Gén. 8, 6-12; Eccli. 24, 18-19.
[20] Cfr. Jue. 4-5; Jdt. 8-16.
[21] Cfr. Jdt. 8, 1-8.
[22] Cfr. vol. 1°, pág. 804, not. 3.
[23] Cfr. pág. 321, not. 3.

¡Seducida y seductora [24]! Si no creyésemos, costaría trabajo creer que en la mujer haya un alma. Le está prohibido acercarse al Santo [25] por su inmundicia. Y ésta dice que Dios ha elegido a ella...» replica otro escriba, escandalizado, al que sus compañeros hacen coro.

Jesús responde sin mirar a nadie, como si hablase consigo mismo: «"La mujer aplastará la cabeza de la Serpiente [26]... La Virgen concebirá y dará a luz un Niño que será llamado Emmanuel [27]... Un retoño saldrá de la raíz de José, una flor nacerá de esta raíz y sobre ella reposará el Espíritu del Señor" [28]. Esta Mujer. Mi Madre. Escriba, por honra propia de tu saber, recuerda y comprende la palabras de los libros sagrados.»

Los escribas no encuentran palabras con qué responder. Miles de veces han leído estas palabras y las han tomado por verdaderas. ¿Pueden ahora negar su valor? Se callan.

Uno da orden de que se prendan hogueras porque se siente el frío cerca de la ribera donde sopla el aire del crepúsculo. Obedecen y fogatas de ramas alumbran al compacto grupo.

La luz del fuego parece sacudir a la mujer que se había callado y que estaba con los ojos cerrados, como recogida en sí. Los abre, se estremece. Mira de nuevo a Jesús y con voz estentórea grita: «¡Adonai! ¡Adonai, Tú eres grande! ¡Cantemos al Divino un cántico nuevo! ¡Shalem, Shalem, Malquiq [29]!... ¡Paz, paz, oh Rey al que nadie resiste!...»

La mujer se calla de pronto. Por primera vez desde que está hablando recorre con sus ojos a los que rodean a Jesús. Mira a los escribas como si los viese por primera vez, y sin motivo aparente descienden en sus grandes ojos lágrimas, su cara se entristece y carece de resplandor. Habla lentamente con voz profunda como quien habla de cosas dolorosas: «¡No! ¡Ay de quien se te opone! ¡Oh pueblo, escucha! Después de mi dolor, ¡oh pueblo de Betlequi!, me has oído hablar. Después de años de silencio y de dolor he sentido y he dicho lo que sentía. No estoy ahora entre los verdes bosques de Betlequi, viuda virgen que encuentra en el Señor su única paz. No tengo sólo alrededor a mis conciudadanos a los que aconsejaría: "Temamos al Señor porque ha llegado la hora de estar prontos a responder a su llamada. Hagamos que la vestidura de nuestro corazón esté limpia para no ser indignos de su presencia. Ciñámonos de fuerza porque la hora del Mesías es hora de prueba. Purifiquémo-

[24] Cfr. Gén. 3, 1-13; Eccli. 25, 33; 2 Cor. 11, 3; 1 Tim. 2, 11-14.
[25] Cfr. pág. 476, not. 2.
[26] Cfr. Gén. 3, 15.
[27] Cfr. Is. 7, 14.
[28] Ib. 11, 1-2.
[29] Estas tres palabras significan: «¡Paz, paz, oh Rey!» Téngase en cuenta que la Escritora no sabía latín, ni griego, ni hebreo.

nos como hostias para altar, para que El que lo manda nos acepte. Quien es buono, hágase mejor. Quien es soberbio, hágase humilde. Quien es lujurioso, castigue su cuerpo para poder seguir al Cordero. Que el avaro se haga bienhechor, porque Dios nos beneficia en su Mesías, y cada uno practique la justicia para poder pertenecer al pueblo del Bendito que llega". Ahora hablo ante El, ante quien cree en El y ante quien no cree y se burla del Santo, y de los que hablan y creen en su Nombre y en El. Pero no tengo miedo. Decís que estoy loca, decís que en mí habla un demonio. Sé que podríais hacerme lapidar por blasfema [30]. Sé que lo que voy a decir os parecerá un insulto, una blasfemia y me odiaréis. Mas no importa. Tal vez, una de las últimas voces que hablan de El antes de su manifestación [31], tendrá probablemente la misma suerte que otras muchas voces. Pero no temo. Largo es el destierro en el frío y en la soledad de la tierra, para el que piensa en el seno de Abraham, en el Reino de Dios que nos abre el Mesías, más santo que el santo seno de Abraham [32]. Sabea de Carmelo de la estirpe de Aarón no teme a la muerte. Teme al Señor. Y habla cuando le hace hablar y así desobedece a su voluntad. Dice la verdad porque habla de Dios con las palabras que Dios le da. No temo la muerte. Aun cuando me llamareis demonio y me lapidareis por blasfema. Aun cuando mis padres y mis hermanos mueran por esta deshonra, no temblare de miedo, ni de compasión. Sé que el demonio no habla en mí, porque apaga toda concupiscencia, y toda Betlequi lo sabe. Sé que las piedras no harían sino apagar por un instante el respiro de mi canto, pero después se le dará uno mucho más amplio en la libertad del más allá. Sé que Dios consolará el dolor de los de mi sangre y será breve su dolor. Pero será eterna la alegría de los padres mártires de una mártir. No temo que me matéis, pero sí temo la muerte que me vendría de Dios sino lo obedeciera. Y hablo. Digo lo que me ordena que diga. ¡Escucha, oh pueblo, escuchad, vosotros escribas de Israel!»

Levanta nuevamente su voz lúgubre: «De lo alto llega a mí una voz, una voz que dentro de mi corazón grita. Dice: "El antiguo pueblo de Dios no puede cantar el nuevo cántico porque no ama a su Salvador. Los salvados de todas las naciones cantarán el cántico nuevo, los del pueblo nuevo del Mesías-Señor, no los que odian a mi Verbo"... ¡Horror! (y da un grito que hace estremecer). ¡La voz da luz; la luz da vista! ¡Horror! ¡Yo veo!» Su grito parece un aullido.

[30] Cfr. Lev. 24, 10-23.

[31] ...Manifestación redentora. Cfr. 2 Tim. 1, 9-11; Tit. 2, 11-14; 3, 4-7. No parece que se trate de la última Manifestación, llamada escatológica.

[32] Idéntica expresión en Lc. 16, 22-23. Significa la sociedad o reunión o limbo de los Patriarcas y otros Padres de la Antigua Ley, esto es, predecesores del Reino de Cristo. Cfr. Gén. 15, 15; 47, 30; Deut. 31, 16; Jue. 2, 10; Mt. 8, 11. Comparar Ju. 1, 18.

Se retuerce como si estuviese viendo un horrible espectáculo que le torturara el corazón y rehusara verlo. De la espalda se le cae el manto. Le queda la vestidura blanca que tiene por fondo el negro tronco. A la luz que lentamente se apaga en el reflejo verde del bosque y en el rojizo y movedizo de las llamas, su cara adquiere un aspecto trágico, imponente. Se ven sus ojos, su nariz, sus labios adornados por la sombra. Parece una cara esculpida del dolor. Se retuerce las manos repitiendo cada vez más quedo: «¡Veo! ¡Veo!» y se bebe sus lágrimas mientras continúa: «Veo los crímines de este pueblo mío. Soy impotente para deternerlos. Veo el corazón de mis compatriotas y no lo puedo cambiar. ¡Horror, horror! Satanás ha abandonado sus lugares y ha venido a vivir en su corazón.»

«Hazla callar» le ordenan a Jesús los escribas.

«Prometisteis que la dejaríais hablar...» contesta.

Continúa la mujer: «Inclínate a la tierra, al lodo, ¡oh Israel que todavía sabes amar al Señor! Cúbrete de ceniza. Vístete de cilicio [33]. ¡Por ti, por ellos! ¡Jerusalén, Jerusalén, sálvate! Veo una ciudad que en tumulto va a cometer un crimen. Oigo, oigo los gritos de los que invocan con odio su sangre sobre sí. Veo levantar la Víctima en la pascua de sangre y que corre esa sangre, y que grita esa sangre más que la sangre de Abel, mientras se abren los cielos, la tierra se sacude y el sol se oscurece. Esa sangre no pide venganza, sino piedad por su pueblo asesino, piedad por nosotros [34]. ¡Jerusalén, conviértete! ¡Esa sangre! ¡Esa sangre! ¡Un río! Un río que lava el mundo curándolo de todos los males, borrando toda culpa... Pero para nosotros, para nosotros de Israel, esa Sangre es fuego, para nosotros es un cincel que escribe sobre los hijos de Jacob [35] el nombre de los deicidas y la maldición de Dios. ¡Jerusalén, ¡ten piedad de ti misma y de nosotros!...»

«¡Hazla callar, te ordenamos!» gritan los escribas, mientras la mujer solloza cubriéndose la cara.

«No puedo [36] imponer silencio a la verdad.»

«Ciertamente es una loca que delira. ¿Qué Maestro eres, si tomas por verdad las palabras de una demente?»

«¿Qué Mesías eres si no sabes hacer callar a una mujer?»

«¿Qué profeta eres si no sabes poner en fuga al demonio? ¡Y otras veces lo has hecho!»

«Lo ha hecho, sí. Pero ahora no le conviene. Es todo un juego preparado para atemorizar a las turbas.»

«¿Habría yo escogido esta hora, este lugar, este puñado de

[33] Alusión probable a Jer. 6, 26.

[34] Alusión a Gén. 4, 10 (cfr. también Hebr. 12, 24). A la Pascua (cfr. vol. 2°, pág 180, not. 6) y cuanto sucedió en el triduo de la Pasión y Muerte de Jesús.

[35] «Hijos de Jacob», esto es, israelitas. Cfr. Gén. 32, 24-29.

[36] Cfr. pág. 321, not. 3.

hombres para hacerlo, cuando podría haberlo hecho en Jericó, cuando me han seguido cinco mil y más de cinco mil personas y me han circundado, cuando el recinto del Templo ha sido estrecho para dar cabida a todos los que querían oirme? ¿Puede el demonio decir palabras sabias? ¿Quién de vosotros con el corazón en la mano puede afirmar que de los labios de ella ha brotado algún error? ¿No resuenan en sus labios femeninos las terribles palabras de los profetas? ¿No percibís el alarido de Jeremías y el llanto de Isaías y de los otros profetas [37]? ¿No percibís la voz de Dios a través de esta mujer, la voz que quiere ser oída para bien vuestro? No me escucháis a Mí. Podéis pensar que hablo en mi favor. Pero esta, que me es desconocida [38], ¿ qué favor puede esperar de estas palabras? No recogerá más que vuestro desprecio, vuestras amenazas, tal vez vuestra venganza. No. ¡Que no le impongo silencio! Antes bien para que estos pocos la oigan, y para que también vosotros podáis así enmendaros , le ordeno: "¡Habla, habla, te lo digo, en nombre del Señor!"»

Es Jesús ahora el que parece majestuoso, es el Mesías de las horas del milagro, con sus grandes ojos magnéticos que una chispa azul despendida de la hoguera, que está entre ella y El, hace más brillantes.

La mujer por el contrario, oprimida del dolor, causa menor impresión. Sigue con la cabeza inclinada, con la cara cubierta con sus manos, sobre las que caen sus negros cabellos, que se han soltado, y que tanto delante como en la espalda le caen como un velo de luto sobre su vestido blanco.

«Habla, te lo ordeno. Tus palabras de dolor no dejan de tener su fruto. Sabea, de la estirpe de Aarón, habla.»

La mujer obedece, pero habla quedo, tanto que todos se acercan más para poder oirla. Parece como si hablase a sí misma, mirando hacia el río que corre a su derecha haciendo ruido. Parece como si hablara al río: «Oh Jordán, sagrado río de nuestros padres [39], de las encrespadas y azules ondas cual un biso precioso, reflejas las estrellas puras y la cándida luna, acaricias los saúces de tus riberas. Eres un río de paz, y conoces muchos dolores. Oh Jordán que en las negras horas de la tempestad, sobre tus hinchadas y negras ondas arrastras las arenas de miles de arroyos, lo que ellos arrebataron, y algunas veces el tierno arbusto en que había un nido lo arrastras vertiginoso hacia el abismo mortal del Mar Salado [40], y no tiene piedad del par de pajarillos que siguen con su vuelo, piando de dolor, su nido, que has destruido. De igual modo verás, ¡oh

[37] Cfr. Is. 7, 14; 11, 1-2; probablemente Jer. 6, 26.
[38] Cfr. vol 1°, pág. 428, not. 15.
[39] Cfr. Jos. 3-4.
[40] Cfr. pág. 429, not. 1.

sagrado Jordán!, azotado por la ira divina, arrancado de sus casas, de su altar, caminar a la ruina, sumergiéndose en la muerte más espantosa, al pueblo que no quiso al Mesías. ¡Pueblo mío, sálvate! ¡Cree en tu Señor! ¡Sigue a tu Mesías! Reconócelo por lo que es. No es rey de pueblos y de ejércitos. Es rey de las almas, *de tus almas, de todas las almas*. Descendió a reunir las almas justas y volverá a subir para conducirlas al Reino eterno. ¡Vosotros que todavía podéis amar, estrechaos al Santo! ¡Vosotros a quienes preocupa el destino de la patria, uníos al Salvador! ¡Que no perezca toda la descendencia de Abraham! Huid de los falsos profetas de bocas mentirosas y de corazones de rapiña que tratan de apartaros de la Salvación. Salid de las tinieblas que se alzan en vuestro derredor. ¡Escuchad la voz de Dios! Los grandes a quienes hoy teméis, son ya polvo en el decreto de Dios. Uno solo es el Viviente. Los lugares donde mandan y desde donde oprimen, son ya ruinas. Uno solo perdura. Jerusalén, ¿dónde están los orgullosos hijos de Sión de los que te glorías? ¡Míralos! Oprimidos, encadenados, caminan hacia el destierro por entre los escombros de tus palacios, entre el hedor de los muertos que degolló la espada, que mató el hambre [41]. El furor de Dios se abate sobre ti, ¡oh Jerusalén!, que rechazas a tu Mesías, le golpeas en el rostro, en el corazón. Toda hermosura que había en ti se ha marchitado. Muerta está para ti toda esperanza. Profanados están el Templo y el altar...»

«¡Hazla callar! ¡Blasfema! Te decimos que la hagas callar.»

«... arrancado de efod [42]. No sirve más...»

«Eres culpable si no le impones silencio.»

«... porque no reina más. Hay otro, Pontífice eterno, es santo. Dios lo ha enviado como Rey-Sacerdote para siempre. Lo envió quien toma las injurias hechas al Mesías por suyas y las venga. Otro Pontífice. El verdadero, el Santo, ungido de Dios y por su sacrificio [43], en lugar de aquel en cuya frente la tiara es una deshonra porque cobija pensamientos criminales...»

«¡Cállate, maldita, cállate o te golpeamos!» Los escribas la maldicen atrozmente. Pero ella parece no oir.

El pueblo se arremolina: «Dejadla hablar, vosotros locuaces. Dice la verdad. Así es. No hay más santidad entre vosotros. Uno solo es el Santo y vosotros lo maltratáis.»

Los escribas opinan que es mejor callarse. La mujer continúa con su voz cansada y dolorosa: «Había venido para traernos la paz, y lo combatiste... La salud, y te burlaste de él... Amor, y lo odiaste... Milagros... y has dicho que eran del demonio... Sus manos curaron

[41] Alusión a la toma y destrucción de Jerusalén por parte de los romanos en el año 70.
[42] Cfr. Ex. 28; 39, 1-31.
[43] Cfr. Puntos de contacto en Hech. 10, 34-43; Heb. 7.

tus enfermos, y tú se las perforaste. Te trajo la luz, y le cubriste con salivazos y con suciedades su rostro. Te trajo la vida, y le diste la muerte. ¡Llora Israel tu error, y no impreques al Señor cuando vayas al destierro que no tendrá fin, como el de otro tiempo. Recorrerás, Israel, toda la tierra como un pueblo vencido y maldito, perseguido por la voz de Dios y con las mismas palabras que se dijeron a Caín [44]. No podrás reconstruir un nido sólido sino hasta cuando reconozcas con los otros pueblos que éste es Jesús, el Mesías, el Señor, Hijo del Señor...» La voz de la mujer se envuelve en el dolor y en la fatiga, cansada como la voz de uno que muere.

Pero aún no ha terminado. Se reanima a una última orden: «¡A tierra, pueblo que todavía sabes amar! Cúbrete de ceniza, vístete de cilicio [45]. El furor de Dios está suspendido sobre nosotros como una nube preñada de granizo y rayos sobre un campo maldito.»

La mujer cae de rodillas, con los brazos extendidos hacia Jesús y grita: «¡Paz, paz, oh Rey de justicia! ¡Paz, oh Adonai grande y poderoso, a quien ni siquiera el Padre resiste! ¡Por tu Nombre, oh Jesús, Salvador y Mesías, Redentor, Rey, Dios tres veces santo [46], alcánzanos la paz!» y se tira, sacudida por los sollozos, con la cara sobre la hierba.

Los escribas rodean a Jesús. Lo llevan aparte lejos de los demás y con palabras amenazadoras uno le dice: «Lo menos que puedes hacer es curarla. Porque si en verdad quieres decir que no esté poseída de un demonio, no puedes negar que sea una enferma. ¡Mujeres!... Y mujeres sacrificadas por el destino... Su vitalidad debe mostrarse por cualquier parte... y divagan... y dicen cosas irreales... sobre todo te ven a Ti que eres joven y bello y... »

«¡Cállate, boca de serpiente! Tú mismo no crees en lo que dices» le ordena Jesús con tal fuerza que le rompe las palabras en los labios de este escriba flaco y narigudo, que al principio se había burlado de la mujer como de una falsa profetisa.

«No ofendamos al Maestro. Lo elegimos por juez de un caso que no podíamos resolver...» dice otro escriba. El que había ido a encontrar a Jesús, el que le había dicho que no todos los escribas eran sus adversarios, pero que algunos lo seguían con buena voluntad para poder dar un juicio sobre El.

«Cállate, Yoel llamado Alamot, hijo de Abdías! Solo un malnacido como tú puede decir esas palabras» le atacan los demás.

El escriba se pone rojo por la ofensa, pero se domina, y con dignidad responde: «Si mi nacimiento no puede aceptarse, eso no quita que mi inteligencia sea clara. Antes bien, el prohibirme muchos

[44] Cfr. Gén. 4, 1-16.
[45] Tal vez alusión a Jer. 6, 26.
[46] Cfr. Is. 6, 1-4; Ez. 10; Ap. 4.

placeres, me ha hecho un hombre de sabiduría. Si fuerais santos no me humillaríais, sino respetaríais al sabio.»

«¡Bueno! Hablemos de lo que nos preocupa. Maestro, tienes la obligación de curarla, porque en medio de su delirio espanta a la gente y ofende al sacerdocio, a los fariseos y a nosotros.»

«Si os hubiere alabado, ¿me diríais que la curase?» pregunta Jesús dulcemente.

«No. Porque haría que la gente nos respetase, este pueblo de cabrones que nos odia en su corazón y se befa de nosotros cuando puede» replica un escriba sin caer en la cuenta de la trampa.

«¿Pero no continuaría siendo una enferma? ¿No debería curarla?» pregunta otra vez con dulzura Jesús. Parece un estudiante que preguntase al profesor lo que debe hacer. Los escribas, cegados por la ira, no comprenden que se están descubriendo...

«En tal caso, no. ¡Más bien, tendrías que dejarla que delirase, que delirase. Hacer todo lo posible porque la gente la creyese profetisa ¡Honrarla! Señalarla...»

«¡¿Y si no fuesen cosas verdaderas?!...»

«¡Oh, Maestro, si se quita lo que dice contra nosotros, lo demás serviría mucho para levantar el orgullo de Israel contra el romano, a sujetar el orgullo del pueblo contra nosotros!»

«Pero no se le podría intimar: "Habla de este modo. Ni tampoco: no digas esto"» replica secamente Jesús.

«¿Y por qué no?»

«Porque el que delira habla sin saber lo que dice.»

«¡Con dinero y alguna que otra amenaza... se podría obtener todo. También así se comportaban los profetas...»

«No veo claro, en verdad...»

«¡Ah, es porque no sabes leer entre líneas y porque no todo se dejó escrito en papel!»

«El espíritu profético no conoce imposición alguna, escriba. Viene de Dios y a Dios no se le compra, ni se le atemoriza» dice Jesús cambiando de tono. Empieza su contraataque.

«Pero ésta no es profetisa. No es ya tiempo de profetas.»

«¿No es ya tiempo de profetas? ¿Y por qué no?»

«Porque no nos lo merecemos. Estamos muy corrompidos.»

«¿De veras? ¿Y lo dices tú? ¿Tú que hace unos cuantos instantes la juzgabas digna de castigo porque afirmaba lo mismo?»

El escriba queda desorientado. Otro viene en su ayuda: «El tiempo de los profetas terminó con Juan. Y no hay necesidad de ellos.»

«¿Cómo es posible?»

«Porque Tú estás para hablarnos de la ley y hablarnos de Dios.»

«También en tiempo de los profetas existía la ley y la Sabiduría hablaba de Dios. Y con todo los había.»

«¿Pero qué profetizaban? Tu venida. Ya estás aquí. No sirven para más.»

«Una y mil veces me habéis preguntado vosotros, como también los sacerdotes y fariseos, si soy Yo el Mesías o no, y porque lo he afirmado, me llamáis blasfemo, loco y habéis tomado piedras para arrojármelas. ¿No acaso eres tú, Sadoc, al que llaman el escriba de oro?» pregunta Jesús señalando al escriba narigudo que maltrató a la mujer porque no le obedeció.

«Lo soy. ¿Y qué?»

«Pues bien. Tú, exactamente tú has sido siempre el primero tanto en Giscala como en el Templo, en volverte violento contra Mí. Te perdono. Te lo recuerdo sólo porque dijiste que no podía ser Yo el Mesías, mientras que ahora lo sostienes. Te recuerdo la apuesta que te hice en Cedes. Dentro de poco verás que se cumple parte de ella. Cuando la luna vuelva a brillar en esta cara con que alumbra el firmamento, te daré la prueba. La primera. La otra la tendrás cuando el grano de trigo, que ahora duerme en la tierra, sacuda sus espigas todavía verdes al soplo de los vientos de Nisán. A los que dicen que los profetas son inútiles, respondo: "¿Quién es el que va a poner límites al Altísimo?" En verdad, en verdad os digo que mientras exista el hombre habrá profetas. Son las teas en medio de las tinieblas del mundo. Son los hornos entre el hielo del mundo. Son las voces que recuerdan a Dios y sus verdades que el tiempo olvida y el descuido arrastra. Los profetas traen directamente al hombre la voz de Dios, provocando sacudimientos de emoción en los olvidadizos, en los apáticos hijos del hombre. Tendrán otros nombres, pero tendrán igual misión e igual suerte en el dolor humano y en el gozo inimaginable. ¡Ay si no existieran estos espíritus que el mundo odiará, pero a quienes Dios amará sobremanera! ¡Ay si no padeciesen y no perdonasen; si no amasen y no trabajasen por obedecer al Señor! El mundo perecería en las tinieblas, en el hielo, en un sapor de muerte, en una idiotez, en una ignorancia salvaja y brutal. Por esto Dios seguirá suscitándolos. ¿Quién podrá decir a Dios que no lo haga? ¿Tú, Sadoc? ¿O tú? ¿O tú? En verdad os digo que ni siquiera los espíritus de Abraham, Jacob y Moisés, de Elías y Eliseo [47] podrían decir a Dios que no lo hiciera y Dios solo sabe cuán santos fueron, y en medio de qué luces eternas se encuentran.»

«¡Entonces no quieres curar a la mujer! ¿Ni siquiera condenarla?»

«No.»

«La consideras como profetisa?»

«Inspirada, sí.»

«Eres un demonio como ella. Vámonos. No nos conviene perder

[47] En lo que se refiere a Abraham y Jacob cfr. Gén.; en lo que toca a Moisés: Ex., Lev., Núm., Deut.; en lo que se refiere a Elías y Eliseo: 3 y 4 Rey.

tiempo con los demonios» dice Sadoc, dando un empujón... de cargador a Jesús, para hacerlo a un lado.

Muchos lo siguen. Otros se quedan. Entre éstos, al que llamaron Yoel Alamot.

«¿Y vosotros no los seguís?» pregunta Jesús señalando a los que se van.

«No, Maestro. Nos vamos porque es ya noche. Pero queremos decirte que aceptamos tu decisión. Dios puede todo. Es verdad. Y puede suscitar almas para nosotros que caemos en muchas culpas, para que nos llamen a la justicia» dice uno de mucha edad.

«Dijiste bien. Y esta humildad tuya es mucho más grande ante los ojos de Dios que tu saber.»

«Entonces acuérdate de mí cuando estés en tu Reino.»

«Sí, Jacob.»

«¿Cómo sabes mi nombre?»

Jesús sonríe, sin responder.

«Maestro, acuérdate también de nosotros» dicen los otros dos. Yoel Alamot añade: «Bendigamos al Señor que nos dio esta hora.»

«¡Bendigamos al Señor!» responde Jesús.

Se saludan. Se separan.

Jesús se reúne con sus apóstoles y con ellos va a donde está la mujer que ha vuelto a tomar su antigua posición: sentada sobre la raíz del árbol.

Sus padres le preguntan con ansias: «¿Tiene nuestra hija un demonio? Eso dijeron aquéllos antes de irse.»

«No. Estad tranquilos. Amadla porque su destino es muy amargo, como todas sus semejantes.»

«Añadieron que ésa había sido tu opinión...»

«Mintieron. Yo no miento. Estad tranquilos.»

Juan de Efeso se acerca con Salomón y otros discípulos: «Maestro, Sadoc ha amenazado a éstos. Te lo aviso.»

«¿A éstos, o a ésta?»

«A éstos y a ella. ¿No es verdad?»

«Sí. Nos dijeron a mí y a mi esposa que si no procuramos hacer callar a nuestra hija, ¡ay de nosotros! A Sabea le han dicho: "Si hablas te denunciaremos al Sanedrín [48]". Preveemos que días negros se cernirán sobre nosotros... Pero estamos tranquilos por lo

[48] El Sanedrín era la asamblea judía suprema. Tenía poder de administrar justicia y de decidir en el campo religioso-político. Se componía del Sumo Sacerdote y de setenta miembros más, distribuidos en tres categorías: Sumo Sacerdote (esto es: el que estaba en el cargo y sus predecesores, etc.), los Ancianos (esto es: representantes de las aristocracia laica), los Escribas (esto es: doctores de la ley). Cfr. 1 Mac. 11, 23; 12, 6; 13, 36; 14, 20 y 28; 2 Mac. 1, 10; 4, 44; 11, 27; Mt. 27, 1 y 41; Mc. 11, 27; 14, 43 y 53; 15, 1; Lc. 20, 1; 24, 20; Ju. 11, 45-53; 18, 19; Hech. 4, 6; 9, 1-2; etc. En cierto modo en Mc. 15, 1 está la descripción del Sanedrín.

que dijiste... y aguantaremos lo que nos venga. Pero por ella... ¿qué podemos hacer? Aconséjanos, Señor.»

Jesús piensa. Luego dice: «¿No tenéis parientes que vivan lejos de Betlequi?»

«No, Maestro.»

... Jesús piensa, levanta su cabeza, mira a José, a Juan de Efeso y a Felipe de Arbela. Da la siguiente orden: «Iréis con éstos hasta Betlequi, y de allá la acompañaréis con sus cosas hasta Aera. Diréis a la madre de Timoneo que le dé hospedaje en mi nombre. Ella sabe lo que es tener un hijo perseguido.»

«Así lo haremos, Señor. Está muy bien así. Aera está lejos y fuera de mano» dicen los tres.

Los padres de Sabea besan las manos al Maestro, le dan las gracias, lo bendicen.

Jesús se inclina sobre la mujer, le toca la cabeza velada, llamándola con dulzura: «¡Sabea, escúchame!»

La mujer levanta la cabeza, lo mira, y cae de rodillas.

Jesús con la mano todavía sobre la cabeza, le dice: «Escucha, Sabea. Vas a ir a donde te envío. Es la casa de una mujer de corazón maternal. Hubiera querido enviarte a la mía, pero no me es permitido. Continúa sirviendo al Señor en justicia y obediencia. Te bendigo, mujer. Quédate en paz.»

«Sí, Señor y Dios mío. ¿Cuando deba hablar, lo podré hacer?...»

«El Espíritu que te ama, te guiará según las circunstancias. No tengas miedo de su amor. Sé humilde, casta, sencilla y sincera y El no te abandonará. Quédate en paz.»

Se reúne con los apóstoles, con Zaqueo y los suyos, que habían estado un poco lejos, impidiendo que se acercasen algunos curiosos.

«Vámonos. Es de noche. No sé como vais a poder regresar a Jericó, los que tenéis que ir allá.»

«Mejor dicho, la mujer y sus padres. Si lo juzgas prudente, nosotros nos quedaremos fuera de la casa y Tú y ellos podréis dormir en ella hasta mañana» propone uno de los amigos de Zaqueo.

«Buena idea. Decid a Sabea que venga con sus padres y con los discípulos. Ellos dormirán dentro, Yo me quedaré con vosotros. Esta noche no hace viento. Encenderemos fuego y esperaremos así el alba, instruyéndoos Yo, escuchándome vosotros.»

Lentamente se pone en camino a los primeros rayos de la luna...

223. En Betabara

(Escrito el 7 de noviembre de 1946)

«¡La paz sea contigo, Maestro!» lo saludan los discípulos pastores que días antes se habían adelantado y que lo esperaban al otro lado del vado con los enfermos que habían juntado, y otras personas que deseaban oírlo.

«La paz sea con vosotros. ¿Hace mucho que estáis esperando?»

«Desde hace tres días.»

«Me detuvieron por el camino. Vamos a donde están los enfermos.»

«Levantamos tiendas para que en ellas se refugiasen y así no tuviésemos que avanzar o retroceder a poblados cercanos. Nuestros amigos pastores nos han proporcionado leche para ellos. Te esperan también» dicen los discípulos mientras conducen a Jesús a un lugar tupido de árboles, que por sí mismo bastaría para ser refugio.

Hay una veintena de pequeñas tiendas ligadas a estacas o entre los troncos. En ellas está el pequeño grupo de enfermos que tristes esperan, y que apenas caen en la cuenta de que ha llegado, levantan el acostumbrado grito: «Jesús, Hijo de David, ten piedad de nosotros.»

Jesús no quiere que esperan más. Se asoma inclinándose, pues por su estatura no puede estar derecho dentro de ellas. Introduce su rostro y su sonrisa es ya una gracia. El sol a sus espaldas proyecta su sombra sobre los lechos, sobre las caras descarnadas, sobre los miembros inertes. No dice sino una frase corta: «Paz a vosotros que creéis» y luego va a la otra tienda.

Le sigue un griterío, un griterío que responde a sus breves palabras, un griterío que se repite de tienda en tienda de donde sale: «Estoy curado. Hosanna al Hijo de David.» El pequeño grupo de curados sale, sigue los pasos del Maestro; un puñado de gente que alegre arroja los bastones, las muletas; que se envuelve en las mantas de sus camillas, que se quita las bendas ahora inútiles y que sobre todo brinca de alegría de verse curados.

Jesús se vuelve a ellos con una sonrisa dulcísima para decirles: «El Señor ha premiado vuestra fe. Bendigamos juntos su bondad» y entona el salmo [1]: «Cantad con alegría a Dios de todas partes, servid al Señor con alegría. Venid a su presencia con júbilo. Comprended que el Señor es Dios, El nos ha hecho, etc.»

La gente lo sigue como puede. Algunos, que tal vez no serán de Israel, siguen el canto con el movimiento de sus labios, pero su corazón entona un himno que se pinta en sus ojos. Dios aceptará ese pobre murmullo mejor que el canto armonizado y seco de alguno que otro fariseo.

Matías dice a Jesús: «Oh, Señor cuando hables a los que esperan tu palabra, acuérdate de nuestro Juan.»

«Lo pensaba hacer, porque este lugar me trae más viva su figura»

[1] Sal. 99.

y rodeado de la gente sube sobre un terreno un poco elevado, cubierto de hierba tierna, y empieza a hablar.

«¿Qué habéis venido a buscar en este lugar? La salud del cuerpo, vosotros que estabais enfermos y se os ha concedido. La palabra que evangeliza y la habéis encontrado. La salud del cuerpo debe ser la preparación a la búsqueda de la salud del espíritu, así como la palabra que evangeliza debe ser la preparación de vuestra voluntad a la justicia. ¡Ay, si la salud del cuerpo se limitase sólo a la alegría que experimenta el cuerpo, permaneciendo inerte para el espíritu!

Os he hecho que alabéis al Señor que os socorrió con la salud. Aunque pase el momento de júbilo, no debe pasar vuestra gratitud para con El. Se manifiesta en la buena voluntad de amarlo. *Cualquier don de Dios es nulo, por más que contenga en sí muchas fuerzas, si falta en el hombre la voluntad de agradecerlo entregando el propio corazón a Dios.*

Estos lugares oyeron la predicación de Juan. Muchos de vosotros la oísteis. Muchos de Israel la oyeron, pero no en todos produjo los mismos resultados, pese a que él dijo a cada uno las mismas palabras. ¿Por qué esa diferencia? ¿Cuál fue la causa? La diversa voluntad de los hombres [2] que oyeron sus palabras. Para algunos sirvieron de verdadera preparación para venir a Mí, y por consiguiente para su santidad. Para otros fueron preparación contra Mí, y por lo tanto para que sean malos. Sus palabras resonaron como el grito de un centinela y el ejército de los espíritus se dividió, pese a que el grito fue uno. Algunos de ellos se prepararon para seguir a su Jefe. Otros se armaron, urdieron planes para combatirme a mí y a mis seguidores. Por esto Israel será vencido, porque un reino dividido entre sí, no puede ser fuerte, y los enemigos se aprovechan de ellos para subyugarlo.

Igual cosa sucede en cada corazón. En cada hombre hay fuerzas buenas y no buenas. La Sabiduría habla a todos, *pero pocos son los que saben hacer que predomine una sola parte: la buena. En querer escoger una sola parte, y hacer que sea la reina, son más capaces los hijos del siglo.* Estos saben ser completamente malos cuando lo quieren, y arrojar lejos de sí las partes buenas que podrían estorbarles.

Por el contrario, los hombres que son del mundo, que sienten el impulso hacia la Luz, no imitan sino con dificultad a los hijos del siglo y no echan lejos de sí, como vestidura inútil, las partes malas que quieren resistir en ellos. He dicho que si un ojo es causa de escándalo, que se le arranque; o que si una mano, que se la corte, por-

[2] Esta Obra con toda razón atribuye grande importancia y eficaz acción a la voluntad humana. Cfr. vol. 3°, pág. 621, not. 4.

que es mejor entrar a la Luz eterna mutilados, que ir a las tinieblas eternas con los dos ojos o con las dos manos.

El Bautista fue contemporáneo nuestro. Muchos de vosotros lo conocisteis. Imitad su ejemplo heroico. El, por amor a su Señor y a su alma, no sólo despreció un ojo o una mano, sino la misma vida para ser fiel a la justicia. Muchos de vosotros tal vez fuisteis sus discípulos y continuaréis amándolo. *Pero recordad que el amor a Dios y a los maestros que conducen a Dios, se demuestra haciendo lo que enseñaron, imitando sus obras rectas, amando a Dios con todas las fuerzas, hasta el heroísmo. Al hacer así los dones de salud y sabiduría que Dios ha concedido no se quedan inactivos ni son objeto de condenación, antes bien sirven de escalera para subir a la morada de mi Padre y vuestro que espera en su Reino.*

Haced para bien vuestro que el sacrificio del Bautista: una vida sacrificada que terminó con el martirio; y que mi sacrificio: una vida sacrificada que termina en un martirio mil veces mayor que el de mi Precursor, no queden inactivos [3].

Sed justos, tened fe, obedeced la palabra del cielo, renovaos en la nueva ley. La Buena Nueva sea para vosotros en realidad buena, haciéndoos buenos y merecedores de poder participar de la Bondad, esto es, del Altísimo Señor en el día eterno. Sabed distinguir los verdaderos pastores de los falsos [4], y seguid a los que os dan palabras de Vida que han aprendido de Mí.

La fiesta de las Luces está cercana, la Dedicación del Templo [5]. Recordad que de nada sirven las luces de muchas lámparas en honor de la fiesta y del Señor, *si vuestro corazón está sin luz. La caridad es la luz y el portalámpara la voluntad de amar al Señor con las buenas obras.* Es una cosa buena recordar la Dedicación del Templo, *pero mucho mayor y mejor y más agradable al Señor dedicarle el propio espíritu y volver a consegnarlo con el amor. Espíritus justos en cuerpos justos, porque el cuerpo es semejante a los muros que rodean el altar, y el espíritu es el altar sobre el que baja la gloria del Señor* [6]. *Dios no puede bajar sobre altares profanados con los pecados propios, o en contacto con cuerpos mordidos por la lujuria y por pensamientos perversos.*

Sed buenos. El trabajo que cuesta serlo en las pruebas de la vida tiene una compensación incalculable en el premio futuro, y ya des-

[3] Cfr. nota anterior.

[4] Cfr. Is. 40, 9-11; Ez. 34; Zac. 11, 4-17. Comparar con Ju. 10; 1 Pe. 5, 1-11.

[5] Cfr. vol. 2°, pág. 424, not. 6.

[6] Por «gloria de Dios» en la Biblia se entiende sobre todo la manifestación de la presencia o majestad u omnipotencia divinas. Cfr. por ej.: Ex. 13, 20-22; 24, 12-18; 40, 36-38; Núm. 9, 15-23; 14, 20-24; Deut.1, 29-33; 3 Rey. 8, 10-13; 2 Par. 5, 11 - 6, 2; Sal. 77, 13-16; 104, 38-39; Mt. 17, 1-8; Mc. 9, 2-8; Lc. 9, 28-36; Ju. 1, 14; 2, 11; 1 Cor. 2, 7-8; 2 Pe. 1, 16-18; etc.

de ahora, por la paz en que abunda el corazón de los justos cuando llega el anochecer, cuando se tiran para descansar y encuentran sus almohadas limpias de remordimientos, que son la pesadilla de los que quieren gozar ilegalmente, y no logran sino entregarse a un frenesí sin paz alguna.

No envidiéis a los ricos, ni odiéis a alguien. No deseáis lo de otros. Contentaos con vuestro estado, pensando que en hacer la Voluntad de Dios en cada cosa está la llave que abre las puertas de la Jerusalén eterna [7].

Os dejo. Muchos de vosotros no me veréis más porque voy a preparar los lugares de mis discípulos... Bendigo especialmente a vuestros niños, a vuestras mujeres que no veré más, y también a vosotros, varones... Sí, quiero bendeciros... Mi bendición servirá para evitar que caigan los más fuertes y para hacer que se levanten los débiles. Sólo para los que me traicionarán odiándome, mi bendición no tendrá valor.»

Los bendice en grupo a los hombres, luego a las mujeres. Besa a los niños y lentamente regresa hacia el vado con los cinco apóstoles que están todavía con El y con los discípulos ex-pastores.

[7] Cfr Is. 65, 17-18; 66, 22; Ap. 21-22; 2 Pe. 3.

224. De regreso a Nobe

(Escrito el 8 de noviembre de 1946)

Están ya en las pendientes del monte de los Olivos y los tres grupos de los apóstoles que se quedaron en Jericó, Tecua y Betania nuevamente se han reunido con el Maestro.

No así Judas de Keriot y los apóstoles hablan de ello en voz baja...

Jesús es presa de una tristeza infinita...

Los apóstoles que lo notan comentan: «Por lo que toca a Lázaro es cierto. Es realmente un hombre acabado... Tanto que sufren sus hermanas... El Maestro no se puede quedar ni siquiera en su casa, tanto es el rencor con que lo persiguen. Hubiera sido un consuelo para el enfermo y sus hermanas y también para el Maestro.»

«No puedo comprender por qué no lo cure» exclama Tomás.

«Seria hasta justo. Un amigo... Tanto que sirve... Un justo...» murmura Bartolomé.

«¡Ah, como justo, justo lo es! En estos días creo que te has convencido...» dice Zelote a Bartolomé.

«Es verdad, y también es lo que quieres dar a entender. No estaba yo muy persuadido de su justicia... Su familiaridad con los gentiles, la educación que recibió de su padre que fue muy, muy... condescendiente con las nuevas formas de vida, diversas de las nuestras...»

«La madre era un ángel» interrumpe cortante Zelote.

«Tal vez por eso son justos... Pasemos por alto el pasado de María. Se ha redimido...» dice Felipe.

«Sí. Pero todo esto me hacía que tuviera yo sospechas. Ahora estoy persuadido y me admiro que el Maestro...»

«Mi hermano sabe estimar en su justo precio a los hombres. Por mucho tiempo nosotros también padecímos celos naturales al ver que deba más bien oídos a los extraños que a los de la familia. Ahora hemos comprendido que estábamos equivocados y que El en lo justo. Interpretamos su modo de obrar como si fuera indiferencia, como si no valuase ni comprendiese lo que valemos. Ahora todo es claro. El prefiere atraerse a los defectuosos, a los que no están formados. Seduce... con medios infinitos, las almas más mezquinas, más alejadas, que se encuentran en mayor peligro. ¿Recordáis la parábola de la oveja perdida? En ella está la verdad, la clave de su modo de obrar. Cuando ve que sus ovejas fieles lo siguen o que están donde El quiere, su corazón descansa. Pero se vale de este descanso para correr detrás de las perdidas. Sabe que lo amamos, que Lázaro y sus hermanas lo aman, que los discípulos y los pastores lo aman, y por esto no pierde su tiempo con nosotros, con especiales pruebas de amor. Siempre nos ama. Nos tiene siempre en su corazón. Nosotros mismos hemos entrado y no queremos salir. Pero los demás... ¡los pecadores, los extraviados!... Debe correr detrás de ellos, debe atraerlos con amor y con los milagros, con su potencia. Y lo hace. Lázaro, María y Marta seguirán amándolo, aún sin milagros...» dice Santiago de Alfeo.

«Es verdad. Pero... ¿qué cosa habrá querido decir con su último saludo? Dijo: "El amor del Señor se manifestará en vosotros en proporción del vuestro. Recordad que el amor tiene dos alas para ser perfecto, dos alas cada vez más ilimitadas, cuanto más perfecto es: la fe y la esperanza"» pregunta Andrés.

«De veras, ¿qué habrá querido dar a entender?» preguntan varios.

Un silencio. Después Tomás con un gran suspiro termina lo que por dentro venía pensando: «... Pero no siempre su buena paciencia consigue redenciones. Hubo un tiempo que sufrí por la predileción que muestra a Judas de Keriot...»

«¿Predilección? No me parece. Lo reprende como a cualquiera de nosotros...» replica Andrés.

«Por justicia, sí, pero ponte a pensar cuán rigorosamente debería ser tratado...»

«Eso es verdad.»

«Bueno, yo sufrí muchas veces. Ahora comprendo que lo hace ciertamente porque... es el menos formado de entre nosotros.»

«¡El más desvergonzado dirás, Tomás! El más desvergonzado. ¿Creéis que esa tristeza (y señala a Jesús que va delante, absorto en su aflicción) se la causen la enfermedad de lázaro y las lágrimas de sus hermanas? Os aseguro que se debe a que Judas no está con nosotros. Esperaba que lo alcanzara en Betabara. Después que a lo menos en Jericó, Tecua o Betania al regreso. Ahora no espera más. Tiene la seguridad de la mala conducta de Judas. Siempre lo he observado... y noté que en su rostro se pintaron los rasgos del abandono completo, cuando tú, Bartolomé, le dijiste: "Judas no llegó"» dice Tadeo.

«El sabe las cosas antes de que sucedan» exclama Juan.

«Muchas. No todas. Me imagino que su Padre le oculte algunas cosas por compasión [1]» dice Zelote.

Los once se dividen en dos partidos. Quienes aceptan esta opinión, quienes la otra, y ambas partes acarrean argumentos para la suya.

Juan exclama: «¡Oh, yo no quiero escuchar, ni a unos, ni a otros, ni a mí mismo! Somos unos pobres hombres, y no vemos lo justo. Voy a preguntárselo a El.»

«No. Podría pensar otra cosa, y con tu pregunta recordarle a Judas haciéndolo sufrir más» objeta Andrés.

«No lo voy a hablar así... No le diré que veníamos hablando de Judas. Diré algo así... sin referencia alguna.»

«¡Ve, ve! Le ayudarás para que se distraiga. ¿No veis cuán afligido va?» dice Pedro empujando a Juan.

«¿Quien viene conmigo?»

«Ve tú solo. Contigo es franco. Y luego nos lo refieres...»

Juan se va.

«¡Maestro!»

«Juan, ¿qué quieres?» El rostro de Jesús se ilumina con una sonrisa al ver a su discípulo predilecto, sobre cuyos hombros pone su mano y caminan así juntos.

«Hablábamos de algo y no supimos decidir. Se trata de saber si conoces todo lo futuro, o una parte se te oculta. Unos decían esto, otros aquello.»

«¿Y tú que dijiste?»

«Dije que lo mejor era preguntártelo a Ti.»

«Y por eso viniste. Hiciste bien. Esto a lo menos nos sirve a Mí y a ti que gocemos de estar juntos... Es tan difícil tener un poco de tranquilidad...»

[1] Para interpretar estas palabras de los apóstoles, según esta Obra, cfr. Mt. 24, 36; Hech. 1, 7.

«¡Es verdad! ¡Qué bellos eran los primeros días!...»

«Sí, como humanos que somos, eran muy bellos; pero por lo que toca al espíritu éstos son mejores. Porque ahora se conoce más la palabra de Dios, y porque sufrimos más. *Cuanto más se sufre, tanto más se redime,* Juan... Por esto, al recordar tiempos serenos, debemos amar con mayor intensidad a los que nos hacen sufrir y que con el sufrimiento nos dan almas [2]. Pero voy a responder a tu pregunta. Escucha. No ignoro como Dios. No ignoro como hombre. Conozco lo futuro porque estoy con el Padre antes de que existiese el tiempo y veo más allá del tiempo. Como hombre exento de imperfecciones y limitaciones derivadas de la culpa y de los pecados, tengo el don de leer en los corazones. Este don no sólo es el del Mesías, sino, en determinada forma, de todos los que habiendo llegado a la santidad, están unidos en tal modo con Dios que puede decirse que no obran por sí, sino con la Perfección que está en ellos [3]. Por esto puedo responderte que como Dios no ignoro lo futuro de los siglos, y no ignoro como un hombre justo el estado de los corazones [4].

Juan reflexiona. No dice nada.

También Jesús por unos momentos. Luego: «Por ejemplo, ahora en ti estoy viendo este pensamiento: "Entonces mi Maestro sabe, conoce exactamente el estado de Judas de Keriot".»

«¡Oh, Maestro!»

«Lo sé. Lo conozco y continúo siendo *su* Maestro, y quisiera que vosotros continuaseis siendo sus hermanos.»

«¡Maestro santo!... ¿Pero de veras conoces todo? Mira, algunas veces decimos que no, porque vas a ciertos lugares donde te topas con tus enemigos. ¿Sabes antes de ir, que te los vas a encontrar y vas para combatirlos con tu amor, para vencerlos al amor, o bien... no lo sabes y conoces a los enemigos sólo cuando los tienes frente a Ti y lees sus corazones? Una vez estabas muy triste y por el mismo

[2] Estas afirmaciones se iluminan teniendo a la vista Lc. 22, 41-44.

[3] La doctrina de la unión íntima, de una cierta ensimismación (no panteísta) entre Dios y quien lo ama se encuentra con frecuencia en ambos Testamentos. Piénsese en las afirmaciones o alusiones a la paternidad y esponsalicios divinos; a nuestra prerrogativa filial y esponsalicia; el ser Cristo, cabeza, «vid», hermano primogénito, y nosotros miembros, «sarmientos», hermanos suyos; a la profunda presencia y vivísima acción del Espíritu Santo en nosotros; a la inhabitación arcana del Padre, del Hijo y del Espíritu Santo en quien con todo su ser corresponde al amor divino (Ju. 14, 23; Ap. 3, 20). Si en estas enseñanzas, corroboradas con citas bíblicas en las notas hechas a esta Obra, se considera al menos la de la fusión entre Jesús y entre quien ardientemente cree y espera en El y lo ama (Rom. 8, 10-11; Gál. 2, 19-20; Fil. 1, 21; Col. 3, 3 y respectivos contextos) se puede creer que también María Valtorta — la enferma Escritora que se inmoló cual víctima a la divina Justicia por el ateísmo y para la Unidad del Redil — estuvo entre los que «están unidos en tal modo con Dios que pueda afirmarse que no obran por sí, sino con la Perfección que está en ellos». Tal vez en esta íntima unión con Dios se encuentre la explicación de la presente Obra.

[4] Cfr. vol, 1°, pág. 356, not. 7 y pág. 428, not. 15; y en este vol. pág. 627, not. 1.

motivo, y me dijiste que estabas como uno que no ve...»

«También he experimentado este martirio del hombre: el tener que avanzar sin ver, fiándome del todo a la Providencia. *Debo conocer todo lo del hombre, menos el pecado. Y esto no porque el Padre haya puesto barrera alguna a mi ser humano, al mundo y al demonio, sino por mi voluntad humana. Soy como vosotros, pero sé querer más que vosotros. Por esto padezco las tentaciones, sin embargo no cedo a ellas. Y en esto reside, como en vosotros, mi mérito.»*

«¡Tentaciones, Tú!... Me parece casi imposible...»

«Porque tú tienes pocas. Eres puro y piensas que siendo Yo más que tú, no deba conocer la tentación. De hecho la carnal es tan débil respecto a mi castidad, que mi "*yo*" ni siquiera la percibe. Es como si un pétalo de flor chocase contra el mármol, al que no le causaría rasguño alguno. Se resbala... Hasta el mismo demonio se cansó de arrojarme estos dardos [5]. Pero, Juan, ¿no piensas en cuantas otras tentaciones hay a mi alrededor?»

«¿A tu alrededor? Tú no ambicionas riquezas, ni honores... ¿Cuáles pueden ser?»

«¿No reparas que tengo una vida, que tengo cariños y también obligaciones para con mi Madre, y que todas estas cosas me tientan a escapar del peligro? La Serpiente lo llama "peligro", pero su verdadero nombre es "Sacrificio". ¿No piensas que también tengo sentimientos? En Mí existe el "*yo*" moral, y sufre con las ofensas, con las befas, con la insinceridad. Oh, Juan mío, ¿no te preguntas cuánto asco me causan la mentira y el mentiroso? ¡No sabes cuántas veces el demonio me tienta para reaccionar contra esas cosas que me causan dolor, olvidando la mansedumbre, y haciéndome duro e intransigente! ¡No sabes cuántas veces me arroja su aliento encendido en soberbia y me dije: "Gloríate de esto o de aquello. Eres grande. El mundo te admira. Los elementos te sirven". ¡*La complacencia de ser santo!* ¡*La más sutil!* ¡*Cuántos pierden la santidad adquirida por esta soberbia!* ¿Con qué cosa Satanás corrompió a Adán? Con la tentación en sus sentidos, en el pensamiento, en su espíritu. ¿No soy el Hombre que debe volver a crear al hombre? De Mí saldrá la nueva raza. Mira que Satanás busca los mismos caminos para destruir, y para siempre, la raza de los hijos de Dios [6]. Vete ahora con tus compañeros y refiéreles lo que te he dicho. Y deja-

[5] De todo lo que se dice en otras partes y *aquí* aparece claramente que las tentaciones *no* nacieron *del interior* de Jesús, sino que las suscitó y desencadenó *desde el exterior* Satanás, la malicia, la ignorancia o debilidad humana: «*padezco* las tentaciones, sin embargo no cedo a ellas... hasta el mismo demonio se cansó de *arrojarme* estos dardos... *a mi alrededor*... el *demonio* me tienta... sopla...» Cfr. 2 Cor. 5, 21; Gál. 3, 13; y sobre todo Heb. 4, 15; y además vol. 1°, pág. 405, not. 4 y pág. 491, not 5.

[6] Cfr. Gén. 3, 1-13; y la nota anterior.

os de pensar que si sé o no sé lo que hace Judas. Piensa en que te amo. ¿No basta este pensamiento para llenar un corazón?» Le da el beso y lo manda atrás.

Solo nuevamente, levanta sus ojos al cielo que se ve entre las ramas de los olivos y gime: «¡Padre mío, concédeme que por lo menos hasta la última hora pueda ocultar el delito, para impedir que mis amados manchen sus manos de sangre! ¡Ten piedad de ellos, Padre mío! ¡Son muy débiles para no reaccionar contra la ofensa! ¡Que no guarden ningún rencor en sus corazones en la hora de la caridad perfecta [7]!» y se seca las lágrimas que sólo ve Dios...

[7] Cuando el fuego del Infinito Amor consume en el altar de la cruz el divino Holocausto. Cfr. Ju. 13, 1; y también en este vol. pág. 213, not. 7.

225. En Nobe. Judas de Keriot quiere obrar por sí

(Escrito el 9 de noviembre de 1946)

«Sí, Maestro, hace muchos días que Judas de Keriot está aquí. Vino un sábado por la tarde. Parecía cansado y extenuado. Dijo que te había perdido por las calles de Jerusalén, que había corrido a buscarte en todas las casas a donde sueles ir. Aquí viene cada tarde. Dentro de poco estará. Por la mañana se va, y dice que va a los lugares cercanos a predicarte.»

«Está bien, Elisa... ¿Y le creíste?»

«Maestro, sabes que ese hombre no me gusta. Si mis hijos hubieran sido así, habría rogado al Altísimo que se los hubiera llevado. No he creído, no, a sus palabras. Pero porque te amo he refrenado mi juicio... Me he portado como una madre para con él. Por lo menos así he obtenido que regrese cada tarde.»

«Hiciste bien.» Jesús la mira fijamente y de improviso le pregunta: «¿Dónde está Anastásica?»

Elisa se pone roja, roja, y con franqueza responde: «En Betsur.»

«Has hecho bien aun en esto. Te ruego que tengas compasión por él.»

«Como lo compadezco quise apagar el incendio antes de que estallase en escándalo, o cuanto menos, que llenase de terror a mi hija.»

«Dios te bendiga, buena mujer...»

«¿Sufres mucho, Maestro?»

«Sí. Es verdad. Puedo decirlo a una madre.»

«Puedes decirlo... Si no fueses, Jesús, el Señor, me gustaría que recargases tu cansada cabeza sobre mí y estrechar tu corazón afligido sobre el mío. Pero Tú eres así santo que una mujer, fuera de tu Madre, no puede tocarte...»

«Elisa, amiga buena de mi Madre y madre buena, a tu Señor muy pronto lo tocarán manos menos santas que las tuyas y lo besarán otros... Oh, después, otras manos [1]... Elisa si se te permitiese tocar el Santo de los Santos [2], ¿con qué espíritu lo harías? ¿Te abstendrías acaso si la voz de Dios entre la nube de los inciensos te pidiese tu amor para que lo acariciases amorosamente en cambio de tantos que se acercan a El sin amarlo?»

«Señor mío, si Dios me lo pidiese, arrodillada iría a cubrir de besos el lugar santo, y sería feliz que Dios se sintiese satisfecho, consolado con mi amor.»

«Entonces, Elisa, buena amiga de mi Madre, fiel y buena discípula de tu afligido Salvador, déja que apoye mi cabeza sobre tu corazón porque el mío está tan afligido que se siente morir [3].»

Jesús, siguiendo sentado donde está, cerca de Elisa que está de pie, apoya realmente su frente contra el pecho de la discípula anciana. Lágrimas silenciosas se deslizan por el vestido oscuro de la mujer que no puede refrenarse de apoyar su mano sobre la cabeza reclinada sobre su pecho, y al sentir las lágrimas en sus pies, calzados con sandalias, se inclina y besa ligeramente los cabellos de Jesús y también ella silenciosamente llora levantado los ojos al cielo en muda plegaria. Parece una Madre dolorosa. No pronuncia una palabra, ni se mueve. Pero su actitud se tan maternal que otra cosa no puede desearse.

Jesús levanta su rostro, la mira. Pálidamente le sonríe: «Dios te bendiga por tu compasión. ¡Oh, cuán necesaria es una madre cuando el dolor supera las fuerzas del hombre!»

Se pone de pie. Mira nuevamente a la discípula y le dice: «Nunca digas nada de esto a nadie. Por esto me adelanté.»

«Sí, Maestro. Pero no puedes estar más solo. Haz venir a tu Madre.»

«Vendrá dentro de dos meses...» e iba a añadir algo cuando abajo, en la cocina, resuena la voz áspera, un poco pedante e irónica, de Judas de Keriot: «¿Todavía clavado en tu trabajo, viejo? ¡Hace frío! Aquí no hay fuego. Tengo hambre. Nada hay preparado. ¿Está dor-

[1] Alusión a la traición de Judas y a lo que después padeció.

[2] Cfr. pág. 476, not. 2.

[3] Aquel por quien el Padre, con Infinito Amor, todo lo creó (Ju. 1, 3; Col. 1, 15-20; Hebr. 1, 2), no desdeñó, antes bien buscó el consuelo de sus criaturas. Jesús, de quien en el «Te Deum» se canta: «Non horruisti Virginis uterum», no rechazó el consuelo angélico (cfr. Lc. 22, 39-46), ni la amistad del Apóstol virgen (cfr. Ju. 13, 21-32); amó castísimamente a Marta, María y Lázaro (cfr. Ju. 11; especialmente 5 y 11 y 35-36), ¿no habría podido reclinar su cabeza sobre el pecho de una mujer buena, que se parecía a su Madre? ¿No es tal vez Jesús el Purísimo, quien inspiró a Pablo (cfr. 1 Cor. 2, 10-11; Gál. 1, 11-12) que todos los que creen en El forman *una sola cosa con El*, sin distinción de nacionalidad, condición y sexo? (cfr. Gál. 3, 26-29). Cfr. también vol. 3°, pág. 167, not. 2; pág. 277, not. 3; pág. 543, not. 2 y pág. 739, not. 1.

mida Elisa? Quiso hacerlo ella. Pero los viejos son lentos y su memoria débil. Ey, ¿no respondes? ¿Estás sordo esta tarde?»

«No. Te dejo hablar porque eres apóstol y no está bien que te regañe» responde el anciano.

«¿Que me regañes? ¿Por qué?»

«Pregúntatelo a ti mismo y lo sabrás.»

«Mi conciencia no me reprocha nada...»

«Señal que es deforme y que la has mutilado.»

«¡Ja, ja, ja!» y Judas tiene que salir de la cocina porque primero se oye que se cierra una puerta y luego pisadas en la escalera.

«Voy a preparar, Maestro.»

«Ve, Elisa.»

Elisa sale de la habitación, se encuentra con Judas que está por poner pie en la terraza.

«Tengo frío y hambre.»

«¡No más que eso! Entonces tienes muy pocas cosas.»

«¿Y qué más debería tener?»

«¡Eh, muchas cosas!...» La voz de Elisa se aleja.

«Son unos viejos tontos. ¡Uff!...» Empuja la puerta y se encuentra cara a cara con Jesús. Da un paso atrás de sorpresa. Reacciona y dice: «¡Maestro, la paz sea contigo!»

«También contigo, Judas.» Jesús recibe el beso del apóstol, pero el no se lo devuelve.

«Maestro, estás... ¿No me das el beso?»

Jesús lo mira sin responder.

«Es verdad. Me equivoqué. Lo menos que puedes hacer es no besarme. Pero no me juzgues muy severamente. Aquel día me tomaron en medio unos que... no te aman y disputé con ellos hasta ponerme ronco. Después... me dije: "¡Quién sabe a dónde habrá ido!" y me vine aquí a esperarte. ¿No es esta tu casa, por lo demás?»

«Mientras me lo permitan.»

«¿Vas a guardarme rencor por esto?»

«No. Quiero que pienses en el ejemplo que has dado a los demás.»

«¡Eh, me parece oir ya sus palabras! Pero sé cómo justificarme con ellos. Contigo ni lo intento, porque sé que ya me has perdonado»

«Es verdad. Te he perdonado.»

Judas, de quien habría que esperar un acto de humildad, de amor por tanta dulzura, exclama con un gesto de rencor: «¡Pero no hay manera de verte irritado! ¿Qué clase de hombre eres?»

Jesús no responde. Judas, de pie, mira a Jesús sentado con la cabeza inclinada y sacude su cabeza con una sonrisa perversa en sus labios. Todo ha pasado ya para él. Se pone a hablar de esto y de aquello como si fuese el que mejor de todos se hubiera portado.

Anochece. Cesan los rumores en la calle.

«Bajemos» ordena Jesús.
Entran a la cocina donde brilla el fuego y arde una lámpara de tres mechas.
Jesús, cansado, se sienta junto al horno y parece descabezar un sueño al sentir el calor...
Llaman a la puerta. El anciano va abrir. Son los apóstoles. Pedro, que es el primero en entrar, ve a Judas y le ataca: «¿Se puede saber dónde has estado?»
«Aquí. Simplemente aquí. ¿Iba yo a ser tan tonto que, después de que desaparecisteis, anduviese por acá y por allá? Me vine acá donde estaba seguro que vendríais.»
«¡Qué modo de obrar!»
«El Maestro no me ha regañado. Por otra parte ten cuenta que no he perdido tiempo. Cada día he evangelizado y hasta he hecho milagros. Lo que es cosa buena.»
«¿Y quién te había autorizado para ello?» pregunta enérgico Bartolomé.
«Nadie. Ni tú, ni nadie. Pero basta con ser de los... de la... En una palabra, la gente está surprendida y murmura y se ríe de nosotros, los apóstoles, que no hacemos nada. Y yo que lo sé, he trabajado por todos. Hice más. Fui a la casa de Elquías y le demostré que no se puede obrar mal cuando uno es santo. Había muchos. Los persuadí. Veréis que por estas partes no nos darán más camorra. Ahora estoy contento.»
Los apóstoles se miran entre sí, miran a Jesús. Su rostro es impenetrable. Parece como cubierto por un gran cansancio físico. Es lo único que puede verse.
«Podías haberlo hecho pero con licencia del Maestro» advierte Santiago de Alfeo. «Hemos estado preocupados por tu causa.»
«¡Oh, bien! Ahora podéis estar tranquilos. Nunca me habría dado permiso. Nos... tiene demasiado bajo tutela, tanto que la gente murmura de que está celoso de nosotros, que tema que se pueda hacer algo más que El, y tambien de que nos tenga castigados. La gente tiene lengua mordaz. Pero la verdad es que El nos ama más que a la pupila de sus ojos. ¿No es verdad, Maestro? Y teme de que nos veamos en peligro o que hagamos... el ridículo. También nosotros, en nuestro interior, pensábamos haber sido castigados y que El estuviese celoso...»
«¡Esto no! ¡Nunca lo he pensado!» le interrumpe Tomás, y con él los otros. Menos Tadeo que planta sus claros y bellísimos ojos en los bellísimos pero huidizos de Judas y lo interpela: «¿Y cómo pudiste obrar milagros? ¿En nombre de quién?»
«¿En nombre de quién? ¿Pero no te acuerdas que nos dio este poder? ¿Acaso lo ha retractado? Que lo sepa yo, no, y por esto...»
«Y por esto nunca me hubiera permitido a hacer algo sin su con-

sentimiento u órdenes.»

«Bueno, ¡y qué! A mí se me antojó hacerlo. Pensaba que no sería capaz de hacerlo. Lo logré. ¡Estoy contento de ello!» y corta la discusión saliendo al huerto oscuro.

Los apóstoles vuelven a mirarse. Están atolondrados de tanta audacia, pero ninguno quiere decir algo que pueda hacer sufrir más a su Maestro, que se le ve sufrir aun en el rostro.

Juan, Andrés y Tomás se quitan de encima las alforjas. Bartolomé, inclinándose para recoger una rama seca caída de un manojo, dice en voz baja a Pedro: «¡Quiera Dios que el demonio no lo haya ayudado!»

Pedro junta sus manos como para decir: «¡Misericordia!» pero no responde. Va a donde está Jesús, le pone una mano sobre la espalda, preguntándole: ¿Estás muy cansado?»

«Mucho, Simón.»

«Está todo listo, Maestro. Ven a cenar. Mejor... quédate ahí junto al horno. Te voy a llevar leche y pan» dice Elisa. Dentro de una bandeja trae un tazón de leche caliente, pan con miel y espera a que ore de pie, ofreciendo los alimentos. Se sienta en tierra, cual una buena y anciana madre, deseosa de consolarlo. Le sonríe invitándolo a comer. Responde a Jesús que dulcemente le dice que no debería haber puesto miel sobre el pan: «Te daría mi sangre para darte fuerzas, Maestro mío. No es más que la pobre miel de mi huerto de Betsur y sirve para fortalecer. Pero mi corazón...»

Los otros comen alrededor de la mesa, con el apetito de quien ha caminado mucho. Judas, tranquilo, petulante, come con ellos y no habla más que de sí.

Todavía está hablando cuando Jesús ordena: «Cada uno vaya a las casas donde los hospedan. La paz sea con vosotros.»

Se quedan con El Judas, Bartolomé, Pedro y Andrés. Jesús manda que todos vayan a descansar. Está fatigado hasta el agotamiento, tanto que no pude ni hablar ni oir hablar, y pienso que siente fatiga en seguir haciendo esfuerzos por dominarse ante Judas de Keriot [4].

[4] La expresión «pienso» deja comprender que la Escritora la quiso usar no rigurosa sino popularmente. Cfr. Lc. 22, 41-44.

226. En Nobe en los días siguientes

(Escrito el 12 de noviembre de 1946)

Son unos días fríos y limpios de invierno. En la cima de la colina donde Nobe está edificada siempre sopla el viento, que el sol calienta juntamente con las casas, las pequeñas hortalizas que hay detrás de las casas; los pequeños arriates de verduras donde la tierra es fértil; arriates sin nada, que esperan la semilla. Los ojos, al mirar a su alrededor, donde no ven el verde gris de los olivos, o la capricosa forma serpentina de las vides sin hojas, descubren campos arados, sembrados ya, prontos a germinar con las primeras y tibias caricias de la primavera palestinense, envuelta en el tibio sol. Me atrevería a decir que en los días claros, como el que estoy viendo, la tibieza de la primavera se hace sentir, tanto es así que los almendros que hay cerca de las casas han empezado a echar sus yemas que se hinchan en las ramas, quando no hace muchos días estaban secos. Son yemas de color negruzo, pero que hablan de la savia que sube por ellas, que pronto se despertarán en el robusto tronco.

En el pequeño huerto de Juan, detrás de la casa, hay una tirilla de terreno cultivado, a su lado otra donde hay nogales. En la tirilla hay un almendro, tal vez más viejo que el dueño y que ha tenido tiempo de echar su ramaje por todas partes, menos por donde estaban las paredes de la casa. Más arriba el arbol se extiende y cuando esté en flor, sus ramas formarán una nubecilla sutil sobre la pobre terraza, un toldo más hermoso que un baldaquín real.

Para no estar ociosos, Jesús y lo apóstoles trabajan bajo el sol que da alegría y calienta. Los que entienden de carpintería y cerraduras, con vestidos estrechos, ajustan o hacen nuevos instrumentos. Otros escarvan el terreno, atierran las verduras trasplantadas, refuerzan alguna valla de cañas secas y majoletos verdes que encierran en dos partes el huertecillo, o bien podan el almendro y el nogal, amarran las ramas de vides que el viento separó. He notado que donde está Jesús, jamás se está de ocioso. Es el primero en enseñar lo bello de la obra manual, cuando no tiene que predicar. También hoy Jesús con sus primos está ajustando una puerta que en la parte inferior se había apolillado y cuyo candado se había desclavado. Felipe y Bartolomé están ocupados con las tijeras y la hoz, podando y cortando ramas. Los pescadores están ocupados con lazos y viejas cubiertas que tratan de ajustar... en las que meten argollas, tal vez con la intención de poner una larga manta sobre la terraza para cuando llegue el verano.

«Aquí estarás bien, Elisa» le dice Pedro asomándose por la pared de la terraza. Elisa está recargada contra la solada pared y teje.

«Tienes razón. Cuando la vid se haya alargado y el almendro arreglado, se convertirá en un lugar bueno para el verano» dice Felipe entre dientes, pues tiene en su boca juncos con que amarra los ramojos a las estacas.

Jesús levanta su cabeza para mirar. Elisa lo ve y le dice: «Quién sabe si estemos aquí para el verano...»

«¿Y por qué no?» le pregunta Andrés.

«No... No sé... No me formo esperanzas desde que... Desde que vi que cada pronóstico mío iba a acabar en la muerte.»

«¡Ey! El Maestro no va a morir porque no estemos más aquí. El Maestro ha elegido este lugar por causa suya. ¿No es verdad, Señor?» pregunta Tomás.

«Es cierto. Pero también es lo que dice Elisa...» responde Jesús trabajando con la repasadera al lado de la puerta que ha ajustado.

«Tú eres joven y ¡sano sobre todo!»

«No sólo se muere de enfermedad» replica Jesús.

«¿Quién está hablando de muerte? ¿Tú, Maestro? ¿Lo dices por Ti?... En verdad parece que hace tiempo se ha calmado el rencor. Mira, nadie nos perturba. Saben que estamos aquí. Ayer cuando regresábamos de compras nos encontraron y no nos molestaron» refiere Bartolomé.

«Cierto. No nos han molestado ni a nosotros que fuimos a los poblados vecinos a decir que estás aquí. Y eso que se ha topado con Elquías y Simón, con Sadoc y Samuel y hasta Nahum con el mismo Doras. Nos han saludado. ¿Verdad, Santiago?» dice Juan dirigiéndose a su hermano.

«Cierto. Debemos aceptar que Judas de Keriot ha trabajado muy bien, mientras en nuestros corazones lo criticábamos. Regresados a aquí, ¡ningúna molestia! Los hechos confirman sus palabras. Parece que hayamos vuelto a los bellos días de "Aguas Hermosas". ¡Aquellos primeros tiempos!... ¡Oh, si fuese verdad!» dice Santiago de Zebedeo.

«¡Ojalá lo fuera!» suspira Pedro.

«¡Cuando no retumba el rayo, no quiere decir que haya sereno!» intercala Elisa con tono de proverbio, haciendo al mismo tiempo que gira el huso.

«¿Qué insinúas?» pregunta Pedro.

«Insinúo que hay veces que la mucha tranquilidad, donde suele haber borrascas, es señal de una peor. Deberías saberlo, tú que eres pescador.»

«¡Que si lo sé, mujer! El lago es algunas veces una enorme tinaja llena de aceite azul. Generalmente cuando la vela está pendiente y el agua quieta, la borrasca está que se echa encima, y ¡qué borrasca! Viento de chicha, viento que sepulta a los navegantes.»

«¡Uhm! Si yo estuviese en vuestro lugar, desconfiaría de tanta paz. ¡Demasiada!»

«Entonces cuando hay guerra padece uno porque la hay, y cuando hay paz porque puede venir una guerra más cruel que antes. ¿Cuando habrá alegría?» intrerroga Tomás.

«En la otra vida. Acá el dolor siempre está a la mano.»

«¡Uff, qué lúgubre eres, mujer! ¡Entonces mis días están muy lejos de la alegría! Soy uno de los más jóvenes. Alégrate tú, Bartolomé. Eres el más cercano para gozar de ese día. Tú y Zelote» bromea Santiago de Zebedeo.

«¡Lúgubre y astuta, mujer! ¡Oh, las mujeres viejas! Pero, algunas veces nos adivinan. También mi madre cuando nos dice a uno de nosotros: "¡Ten cuidado! Estás a punto de cometer una necedad en esto y aquello", siempre adivina» dice Tomás que inclinado escarba la tierra.

«Las mujeres son perversas o más astutas que las zorras. No podemos nada contra ellas, para entender ciertas cosas que quieren que no entendamos» dice Pedro con experiencia.

«Cállate tú. Te cupo en suerte una mujer que te creería aun si le dijeses que el Líbano está hecho de mantequilla. Lo que le dices es ley para ella. Escucha, cree y calla» dice Andrés a su hermano.

«Es verdad... pero su madre vale por ella y por cien mujeres más. ¡Qué víbora!»

Todos se ríen, incluso Elisa y el anciano que ayuda a los jóvenes a entrecavar la tierra.

Entran Zelote, Mateo y Judas de Keriot.

«Terminado, Maestro. Estamos cansados. ¡Qué caminata! Pero mañana es descanso. Os toca a vosotros, mañana» dice Iscariote hablando a los que entrecavan la tierra. Y va a donde están tomando una azada para trabajar.

«Si estás cansado, ¿por qué trabajas?» le pregunta Tomás.

«Porque quiero poner a salvo unas plantitas. Este lugar está más pelón que el cráneo de un viejo, y ¡sería un pecado!» dice haciendo un hoyo más profundo con fuertes azadonadas.

«¡No era así en los hermosos tiempos! Pero luego... Muchas cosas han desaparecido y no me pareció razonable que trabajase para rehacerlas. Estoy viejo, pero más que viejo, afligido» protesta el anciano.

«¡Qué hoyos estás haciendo! Esos son para árboles, no para plantitas, como decías» advierte Felipe que ha bajado después de haber amarrado las vides.

«Cuando un árbol es pequeño, siempre es una plantita. Las mías lo son en verdad. El tiempo es propicio. Me lo aseguró quien me lo dijo. ¿Sabes quién fue, Maestro? El pariente de Elquías que es arbolista. ¡Y que si lo sabe hacer bien! ¡Conoce a maravilla árboles frutales, olivos! Estaba cortando un trozo de olivo. Le dije: "Dame de estas plantas". "¿Para quién?" preguntó. "Para un viejecillo de Nobe que nos da hospedaje. Esto servirá para que me perdone todos los escándalos que le he dado".»

«No, hijo. Eso se hace no con plantas, sino con la conducta. Y con Dios. Yo... yo miro, ruego y perdono. Pero mi perdón... Te agradezco las plantas... Aunque... ¿Crees que vaya a comer sus frutos?»

«¿Por qué no? Hay que esperar siempre. ¡Querer triunfar!... Y se

logra.»
«¡Sobre la vejez no hay triunfo! Ni lo deseo.»
«También sobre otras muchas cosas no lo hay. ¡Si bastase querer para alcanzarlo, hubiera tenido mis hijos!» suspira Elisa.
«Maestro, lo que acaba de decir Elisa me trajo a la memoria la pregunta que algunos nos hicieron en el camino. Preguntaron, pues el caso sucedío en una población, que si el milagro es prueba siempre de santidad. Yo respondí que sí, pero ellos dijeron que no porque en ese poblado, en los confines de Samaría, quien había obrado cosas extraordinarias ciertamente no era un justo. Los hice callar diciendo que el hombre siempre juzga mal y que aquel a quien tenían por no justo, tal vez lo era más que ellos. ¿Tú qué piensas?» pregunta Mateo.
«Digo que teníais razón. Cada uno por vuestra parte. Tú, porque dijiste que el milagro es siempre prueba de santidad. Y así suele acaecer. Tuviste también razón al haber afirmado que no se debe juzgar para no errar. Pero también tenían razón ellos en sospechar que hubiese otras fuentes en las cosas extraordinarias que realizaba aquel hombre.»
«¿Qué fuentes?» pregunta Iscariote.
«Las de las tinieblas. Existen hombres, que son adoradores de Satanás porque fomentan el culto de la soberbia, y que para imponerse a otros se venden a sí mismos al demonio para tenerlo por amigo [1]» responde Jesús.
«¿Pero se puede? ¿No es cuento de paganos eso de que el hombre pueda hacer contrato con el demonio o con espíritus infernales?» pregunta Juan sorprendido.
«Se puede. No como se lee en las fábulas paganas. Ni con dinero, ni por medio de contratos materiales, sino con adherirse al Malo con elegirlo, con entregarse a El con tal de tener una hora de triunfo sobre cualquier cosa. En verdad os digo que los que se venden al Maldito con tal de lograr su fin, son muchos más de los que se pueda imaginar.»
«¿Y lo logran? ¿Consiguen lo que piden?» pregunta Andrés.
«No siempre y no todo. Pero algo, sí.»
«¿Cómo es posible? ¿Es tan poderoso el demonio que pueda simular ser Dios?»
«Muchos... *y nada, si el hombre fuese santo.* Pero sucede que muchas veces el hombre es de por sí un demonio. Nosotros combatimos las posesiones [2] claras, estrepitosas, que están a la vista de todos, de las que culquiera cae en la cuenta... Son... insoportables a los familiares y conciudadanos, y sobre todo saltan a los ojos. Al

[1] Cfr. Rom. 1, 18 - 2, 11; Ef. 4, 17-19; 1 Pe. 4, 3-5; etc.
[2] Cfr. vol. 1°, pág. 804, not. 3.

hombre siempre llaman la atención las grandes cosas, que atraen sus sentidos. Pero no para mientes en lo que es inmortal y que se percibe solo con lo inmaterial, como son la razón y el espíritu; y si se para en ello, no se preocupa, sobre todo si no le causa daño alguno. Estas posesiones ocultas escapan, pues, a nuestro poder de exorcismo [3]. Son las más dañosas porque trabajan en la parte más selecta y delicada respecto a las mejores: de razón a razón, de espíritu a espíritu. Son como miasmas corruptores, impalpables, invisibles, hasta que la fiebre no advierte al individuo que está contaminado de ellos.»

«¿Y ayuda Satanás? ¿De veras? ¿Por qué? ¿Por qué Dios se lo permite? ¿Le permitirá hacerlo siempre? ¿Aun después de que empieces a reinar?»

«Satanás ayuda con tal de hacerse servir. Dios lo deja hacer porque de la lucha entre lo Alto y lo Bajo, el Bien y el Mal, brota el valor de la criatura. El valor y el querer. Siempre dejará hacer. Aun después de que haya subido Yo. Pero entonces Satanás tendrá en su contra a un enemigo poderoso y él tendrá un aliado muy fuerte.»

«¿Quién? ¿Quién?»

«La gracia.»

«¡Oh, bien! Entonces para los de nuestros tiempos, sin gracia, será más facil que sean reducidos al estado de esclavidud, y será menor su culpa si caen» objeta Iscariote que continúa zapando.

«No, Judas. El juicio será siempre igual.»

«Entonces es injusto; porque si se nos ayuda menos, por consiguiente se nos debe de condenar menos.»

«No estás del todo equivocado» dice Tomás.

«Sí que lo está, Tomás. Porque nosotros los de Israel tenemos mucho en qué creer, esperar, amar, muchas luces de sabiduría, y no podemos excusarnos con la ignorancia. Además, vosotros que tenéis la Gracia como Maestra vuestra desde hace ya casi tres años, *seréis juzgados como los de los tiempos nuevos*» dice Jesús marcando sus palabras y mirando a Judas que ha levantado su cabeza y se queda pensativo mientras mira al vacío.

Después sacude la cabeza, como si terminase una conclusión, y dando más duro con la zapa, pregunta: «Y quien se entrega así al demonio, ¿en qué se convierte?»

«En un demonio [4].»

«¡En un demonio! Si por ejemplo yo, pese a que afirmo que tu contacto da un poder sobrenatural, hiciese ciertas cosas... que censuras, ¿sería un demonio?»

«Tú lo has dicho.»

[3] Cfr. Hech. 19, 11-17.
[4] Cfr. vol. 1°, pág. 303, not. 2.

«Pero espero que no las vayas a hacer...» aconseja Andrés como espantado.

«¿Yo? ¡Ja, ja! Yo planto árboles para nuestro viejecillo» y corre a la otra parte del huerto; vuelve con cinco plantinas, envueltas en tierra.

«¿Viniste desde Beterón con esa carga sobre las espaldas?» pregunta Pedro.

«De más allá de Gabaón, deberías decir. Allá donde hay parte de los árboles frutales de Daniel. ¡Qué tierra tan magnífica! ¡Mirad!...» y desmorona entre sus dedos los terrones que cubren las raíces. Luego suelta los hilos que está amarrados alrededor de las plantitas, altas como unos cuarenta centímetros. Dos tienen unas cuantas ramitas, y son de olivo. «Ved. Esta para Jesús y ésta para María, que son la paz del mundo. Las siembro las primeras porque yo soy un hombre de paz. Aquí y... aquí» y las siembra en las extremidades. «Y aquí un manzano, pequeño y bueno como el del Edén, en recuerdo tuyo, Juan, que también vienes de Adán y no debes de admirarte si... pueda ser yo un pecador. Ten cuidado tú de la Serpiente... Y aquí... No, aquí no está bien. Allí, adelante, junto a la pared, esta pequeña higuera. ¿Como puede dejar de tenerse una igual cuando acá nacen por todas partes como la hierba? En el agujero del centro plantaremos este hermoso almendro. Aprenderá de ese viejo a dar buenos frutos. ¡Bueno, terminado está! Tu huertecillo será hermoso con los años... y cuando lo mires, te acordarás de mí.»

«Te recordaría de todos modos porque has estado aquí con el Maestro. Todo me hablará de estos días. Y al mirar las cosas diré: "¡Cual un hijo quiso ver arreglada mi casa!" Pero... si pudiese desear algo contrario de lo que está escrito ya en el cielo [5], quisiera no tener que recordar estos días tan hermosos para mí, más hermosos que cuando estos árboles, ahora viejos, fueron jóvenes; y joven era yo, y joven mi sposa, y mi hija jugaba aquí... Gustábamos de cuidar el manzano y el granado, la higuera y la vid, porque mi hijita era muy traviesa; y era muy hermoso ver a mi mujer, sentada a la sombra verde de los plantas, tejer o hilar... Después... partido que hubo mi hija... ¡tan olvidadiza!... Luego enferma y después muerta mi mujer... ¿Por qué y para quién cuidar lo que un tiempo fue bello? Todo ha muerto, menos los dos árboles viejos que se acuerdan de mi infancia. Quisiera morirme antes que volver a recordar, y lo quisiera ahora que hay una mujer buena como lo fue Lía. Te doy las gracias por las plantas, por el trabajo, por todo. Pero ruego al Señor mío que arranque mi vieja planta de este suelo antes que llegue la hora del crepúsculo para el viejo Juan...»

[5] Cfr. vol. 2°, pág. 644, not. 3.

Jesús se le acerca. Le pone la mano sobre la espalda, dulce y enérgico al mismo tiempo, dice: «Muchas cosas supiste hacer en tu larga vida. Una todavía te falta: la de aceptar de Dios la hora de la muerte sin pedir que se anticipa o se posponga un minuto. Te has resignado a muchas cosas. Por eso Dios te ama. Aprende resignarte a la más difícil: a vivir cuando se desearía sólo morir. Entremos. El sol se esconde detrás de los montes y hace ya frío. El sábado ha empezado. Después terminaremos los trabajos...» Y recogiendo la sierra, el cepillo y el martillo entra en casa. Los demás terminan de amontar las ramas cortadas, de regar las plantas sembradas y a poner en sus goznes la puerta.

227. Judas de Keriot es lujurioso

(Escrito el 14 de noviembre de 1946)

Nobe todavía duerme. Los primeros destellos del nuevo día aparecen que son de una delicadeza de tintes irreales. No tienen el color de luz verde-plateada de los albores de estío, que prontamente toman su matiz y cambian su color oro pálido en uno rosado cada vez más intenso. Es más bien un verde jade desleído en un gris azul tenuísimo que lo señala al oriente con un pequeño semicírculo, bajo el límite del horizonte. Es algo como que brilla, como el color de una pálida llama de azufre detrás de una cortina de humo blanquecino. Y se extiende en el cielo que es gris, aunque sereno y con estrellas que contemplan la tierra todavía. Como que se esfuerza en alejar el color grisáceo para que entre el color pálido de jade y el de cobalto del cielo palestino. Parece tímida y friolenta, como que se detiene en los bordes del oriente. Se tarda un poco. Sólo su círculo crece en brillantez de color sulfúreo, y apenas se diluye en el color verde al blanco entretejido con algo de amarillo, cuando el color rosa entra y quita al cielo el último velo nocturno, lo limpia y lo adorna como si fuese un baldaquino. Una hoguera se enciende en la otra parte del horizonte como si se hubiese caído una pared y hubiese dejado al descubierto un horno ardiente. ¿Pero es llama o un rubí encendido por fuego oculto? No. Es el sol que nace. Vedlo. Apenas despunta detrás de la curva del horizonte, y ya pintó de color rosa una guedeja de nubes y convirtió en diamantes las gotas de rocío en las puntas de los árboles que nunca se secan. Un alto roble, fuera de poblado, tiene un velo de diamantes en sus hojas bronceadas que vuelven al oriente. Parecen millares de estrellitas que tintilan entre las ramas de este gigante que se despierta de su sueño en medio de lo azul. Tal vez en la noche, algunas estrellas bajaron y murmuraron sus secretos a los ciudadanos de Nobe, o tal vez vinieron a consolar con su luz al Hombre que sin dormir camina silenciosamente allá arriba en la terraza de Juan.

Jesús es el único en toda Nobe que no duerme. Lentamente va y viene por la terraza de la casa con los brazos cruzados bajo el grueso manto que lo defiende del frío y con el capucho sobre la cabeza. Cuando llega el extremo de la terraza, mira hacia afuera, asomándose para ver el camino que pasa por el centro del poblado. El camino está semioscuro, vacío, silencioso. Torna a caminar, lenta, silenciosamente con la cabeza inclinada, meditabundo, algunas veces mira el cielo cada vez más luminoso, mira los tenues colores del alba y de la aurora, o sigue con sus ojos el vuelo de alguna ave mañanera, despertada con la luz, que deja su refugio de algún techo cercano para picotear a los pies del viejo manzano de Juan, remonta su vuelo, y al ver a Jesús pía despertando con ello a los demás pajarillos.

De un cercado llega el balido de alguna oveja y se pierde tembloroso por el aire. Por el camino se oye el rumor de pisadas de alguien que viene aprisa.

Jesús se asoma a mirar. Rápido baja la escalera, entra en la cocina oscura, cierra detrás de Sí la puerta.

Los pasos se acercan, se oyen en el huerto al lado de la casa. Se detienen ante la entrada de la cocina. Alguien trata de abrir. No está la llave. Da vuelta el pasador que puede moverse tanto por dentro como por fuera, y una voz contemporáneamente pregunta: «¿Se ha levantado ya alguien?» Una mano abre cautelosamente la entrada sin hacerla chirriar. Aparece la cabeza de Judas de Keriot por la abertura... Mira... Oscuridad. Frío. Silencio.

«Dejaron abierta la puerta... Y con todo... Me parecía que estaba cerrada... Por otra parte, no es de gran importancia... Los ladrones no roban a los pobres. Son ellos más miserables que nosotros... ¡Ey!... Esperemos que... no dure de este modo. ¿Dónde está ese maldito eslabón?... No lo encuentro... Si logro encender fuego... se me hizo tarde, demasiado tarde...¿Dónde estará? Demasiados son que lo tocan. ¿En el horno? No... ¿Sobre la mesa? Tampoco... ¿Sobre las bancas? No... ¿Sobre la mesita? Tampoco... Esa puerta carcomida chirría al abrirse... Madera podrida... goznes enmohecidos... Todo aquí es viejo, mohoso, horrible. ¡Ah, pobre Judas! Y no está... Tendré que ir a donde está el viejo...» Siempre hablando, ha ido palpando acá y allá invisible en la oscuridad, cauteloso como un ladrón o un ave nocturna que evita el chocar contra algo... Topa contra un cuerpo y da un grito de sofocado terror.

«No tengas miedo. Soy Yo. El eslabón está en mi mano. Tenlo. Enciende» dice Jesús calmadamente.

«¿Tú, Maestro? ¿Qué estabas haciendo aquí solo, en la oscuridad, en el frío?... Hoy habrá muchos enfermos, después de un sábado y dos días de lluvia, pero no vendrán pronto aquí. Hoy saldrán del poblado cercano, porque sólo ahora se espera que no lloverá... El viento de la noche ha secado los caminos.»

«Lo sé, pero haz luz. No es propio de las personas honestas el hablar en la oscuridad, sino de ladrones, de mentirosos, de lujuriosos y de asesinos. Los cómplices aman las tinieblas para sus acciones perversas. Yo no soy cómplice de nadie.»

«Tampoco yo, Maestro. Quería encender fuego. Por esto me levanté antes... ¿Qué dijiste, Maestro? No logré oírlo.»

«Enciende, pues.»

«¡Ah!... Vi que estaba tan sereno, pero frío. A todos les gustaría encontrar un buen fuego... ¿Te levantaste al oir que yo hacía ruido aquí o por el viejo que... todavía tiene sus dolores? ¡Finalmente! Parece que la yesca y el eslabón estuvieran húmedos porque no querían prender... Están mojados...»

Una flamita se desprende. Una sola, pequeña, temblorosa... pero bastante para ver dos rostros; el pálido de Jesús y el moreno e impertérrito de Judas.

«Ahora hago fuego... Estás pálido como un muerto. ¡No has dormido! ¡Y todo por ese viejo! Eres demasiado bueno.»

«Es verdad. *Soy demasiado bueno.* Con todos, aún con los que no se lo merecen. El viejo sí se lo merece. Es honrado, de un corazón fiel. No obstante no velé por él, sino por otro. Es verdad. La yesca y el eslabón estaban húmedos, pero no porque se hyan mojado al voltearse alguna taza, sino con mi llanto que sobre ellos goteó. Es verdad, que está sereno y que hace frío y que el viento ha secado los caminos, pero cerca del alba cayó el rocío. Sientes mi manto. Está húmedo... Luego llegó el alba y se vio que estaba sereno el cielo, llegó la luz y señaló un lugar vacío, vino el sol de la aurora a hacer brillar el rocío en las hojas y las lágrimas en las pestañas. Es verdad que hoy habrá muchos enfermos, pero no los esperaba a ellos. *Te esperaba a ti.* Por ti no he dormido toda la noche. Por ti, y no pudiendo esperarte aquí encerrado, subí a la terraza, a contar al viento mi llamada, a mostrar a las estrellas mi dolor, a la aurora mi llanto. No el viejo enfermo, sino el joven corrompido, el discípulo que huye del Maestro, el apóstol de Dios que prefiere la cloaca al cielo, y la mentira a la verdad. Fue él quien me tuvo en pie toda la noche. Y te he estado esperando. Cuando oí tus pisadas, bajé aquí... a esperarte. No tu persona que estaba ya cerca y que trasteaba cual ladrón por la cocina, sino tus sentimientos... Esperé una palabra... No supiste decirla cuando te topaste conmigo. ¿Aquel a quien estás vendiendo tu corazón, no te ha dicho que Yo lo sabía? ¡Pero no! No podía hacerlo, ni sugerirte la única palabra que podrías, que *deberías* pronunciar, si fueses un hombre justo. Te sugirió las mentiras no pedidas, inútiles, más ofensivas que tu huída nocturna. Te las sugirió riéndose a carcajadas porque así te ha hecho bajar una grada más y a Mí me ha causado un gran dolor. Es verdad que vendrán muchos enfermos. Pero *el más grande enfermo no vendrá* a su Médico. El Médico mismo *está enfermo de dolor por este enfermo que no quiere curarse*. Es verdad. Todo es verdad, y también que dije entre dientes una palabra que no oíste bien. Pero puedes adivinarla, por lo que te acabo de decir.»

Jesús ha estado hablando en voz baja, cortante, dolorosa y al mismo tiempo enérgica que Judas, que a las primeras palabras sonreía, derecho, desvergonzado, muy cerca de Jesús, poco a poco ha ido retirándose como si cada palabra fuese una repulsa, mientras Jesús se ha ido irguiendo cada vez más, cual verdadero Juez, con el dolor pintado en el rostro.

Judas arrinconado entre una artesa y el rincón, murmura: «Pero... No lo lograría...»

«¿No? Te la voy a decir, porque no tengo miedo de decir lo que es verdad. ¡*Mentiroso*! Eso fue lo que dije. Si se soporta al niño mentiroso porque no conoce lo que es una mentira, y se le enseña para no decirla otra vez, en un hombre no se soporta, en un apóstol, discípulo de la verdad misma, provoca asco. Completamente asco. Por esto te he esperado toda la noche y he llorado bañando la mesa, allí donde estaba el eslabón, y luego he llorado velando y llamándote a la luz de las estrellas con toda el alma. Por eso estoy mojado de rocío como el esposo del Cantar [1]. Inútilmente mi cabeza está mojada de rocío y mis cabellos de las gotas de la noche; inútilmente llamo a la puerta de tu alma, y le digo: "Abreme porque te amo. aun cuando estés manchada" [2]. Porque quiero entrar en ella y limpiarla. Porque está enferma, quiero curarla. ¡Estás atento, Judas! Atento de que el Esposo no se aleje, y para siempre, y que no lo puedas encontrar más... ¿Judas, no hablas?»

«Es por lo demás tarde. Tú mismo lo has dicho: te causo asco. Arrójame...»

«No. También los leprosos me causan asco, pero tengo piedad. Si me llaman acudo y los limpio. ¿No quieres ser limpiado?»

«Es tarde... y es inútil. No sé ser santo. Arrójame, te digo.»

«No soy uno de tus amigos fariseos que llaman inmundas a infinidad de cosas, las esquivan, o las arrojan con dureza mientras podrían limpiarlas con caridad. Soy el Salvador y *no arrojo a nadie...*»

Un largo silencio. Judas sigue en su rincón. Jesús apoyado sobre la esquina de la mesa, cansado, adolorido... Judas levanta la cabeza. Lo mira con titubeo y con voz entrecortada: «¿Si te dejase, qué harías?»

[1] Cfr. Cant. 5, 2.
[2] Alusión al Cant. 5, 2 y 5-6.

«Nada. Respetaría tu voluntad rogando por ti. Pero a mi vez te digo que aunque me dejases *es por lo demás ya tarde.*»

«¿Por qué?»

«¿Por qué? Los sabes como Yo... Prende fuego ahora. Se oyen pasos arriba. Olvidemos lo que acaba de pasar. *Todos verán que dormimos poco, tú y Yo... y que el fuego nos trajo aquí...* ¡Padre mío!...»

Mientras Judas acerca el fuego a las ramas que estaban sobre el horno y sopla para que la llama prenda en las delgadas virutas, Jesús levanta sus manos sobre su cabeza y luego se aprieta los ojos...

228. Jesús y Valeria. El milagro del pequeño Leví en Nobe

(Escrito el 15 de noviembre de 1946)

Jesús está en medio de enfermos y peregrinos que han venido a Él de muchas partes de Palestina. Hay hasta un navegante de Tiro que una desgracia en el mar lo ha hecho paralítico y cuenta su infortunio: se le cayó encima un fardo en un balanceo de la nave y bultos pesados de mercancía le pegaron en la columna vertebral. No se murió, pero está peor que un muerto, porque perdido todo, obliga a sus padres a que no trabajen por atenderlo. Dice que fue con ellos a Cafarnaúm, después a Nazaret, pero que María les dijo que estaría en Judea y sin duda en Jerusalén. «Me dio varios nombres de amigos que podían hospedarte. Un galileo de Séforis me dijo que estabas aquí. Y vine. Sé que no desprecias a nadie, ni siquiera a los samaritanos [1]. Espero que me escucharás. Tengo mucha fe.» La mujer no habla, pero en cuclillas junto a la colchoneta en la que está el enfermo, mira a Jesús con unos ojos más suplicantes que un discurso.

«¿Dónde te golpeaste?»

«Aquí en el cuello. Aquí el golpe fue más duro. Sentí un ruido en la cabeza, como cuando se golpea un bronce, que se cambió en un rugir tempestuoso, y luces, luces de todos colores danzaron ante mí... Luego no sentí más durante muchos días. Navegábamos por aguas de Cintium, y cuando volví en mí, estaba en casa. El rugir de la tempestad siguió en mi cabeza y las luces en mis ojos por días y días. Luego pasó... pero mis brazos están muertos, lo mismo que mis piernas. Soy un hombre muerto a los cuarenta años. Tengo siete hijos, Señor.»

«Mujer, alza a tu marido y muestra el punto en que fue golpeado.»

La mujer obedece sin replicar. Con destreza maternal y con la

[1] Cfr. vol. 2°, pág 12, not. 3.

ayuda de otra persona que la acompaña, hermano o cuñado no lo sé, mete un brazo por debajo de la espalda, mientras que con la otra sostiene su cabeza y con la delicadeza de alguien que voltearía a un recién nacido levanta el cuerpo pesado del lecho. Una cicatriz, todavía roja, es la señal del lugar en que el golpe fue mayor.

Jesús se inclina. Todos alargan su cuello para ver. Jesús apoya la punta de sus dedos en la cicatriz, diciendo: «¡Quiero!»

El enfermo siente una sacudida como si una corriente eléctrica lo hubiera tocado y se oye un grito: «¡Qué ardor [2]!»

Jesús quita sus dedos de las vértebras lesionadas y ordena: «¡Levántate!»

El curado no espera a que se lo repitan dos veces. Apoyar los brazos inertes por varios meses sobre el lecho, sacudirse para quitarse de encima lo que lo cubre, echar las piernas fuera de la camilla, ponerse en pie, todo esto lo hace en menos tiempo del que yo lo describo.

Su mujer grita, lo mismo que su pariente. El curado enmudecido de alegría levanta los brazos al cielo. Un instante de gozo arrebatador, luego se vuelve, con la seguridad de un hombre ágil, y se encuentra cara a cara con Jesús. La voz torna a él y grita: «¡Bendito seas Tú, y quien te ha enviado! ¡Creo en el Dios de Israel y en Ti, su Mesías!» y se arroja a tierra a besar los pies de Jesús en medio de los gritos de la gente.

Luego se realizan otros milagros en niños, mujeres, ancianos. Después Jesús habla.

«Habéis visto el milagro de huesos quebrados que se sueldan otra vez, de miembros muertos que vuelven a la vida. Esto os concedió el Señor ver para que la fe de los que creen se confirme, y hacerla nacer en los que no la tienen. El milagro se concede a cualquiera, sin distinción de lugar, que viene en busca de salud, empujado por la fe en mi poder de curar [3].

Hay aquí reunidos judíos y galileos, libaneses y siro-fenicios, habitantes de la lejana Batanea y de las costas marítimas. Todos han venido sin preocuparse de la estación y de lo largo del camino. Los acompañaron sus familiares sin quejarse, sin lamentarse de las labores o de los negocios que tuvieron que suspender. Porque cualquier sacrificio era nada respecto a lo que querían alcanzar. Así como cayeron por tierra los egoísmos y las incertidumbres humanas, así cayeron también las ideas políticas o religiosas que antes formaban como una muralla para que todos se considerasen como hermanos, iguales en la vida, como en el sufrimiento, en el deseo y esperanza de salud y de consuelo.

[2] Comparar con Lc. 8, 46.
[3] Como nota anterior.

Yo he concedido esto a los que han sabido unirse en una esperanza que es ya fe. Porque es justo que se haga así.

Soy el Pastor universal [4] y debo acoger a todas las ovejas que quieran entrar en mi grey. No hago distinción de ovejas sanas y enfermas, débiles y fuertes, de las que me conocen, porque pertenecen a la grey de Dios, y de las que hasta ahora no me conocían, y ni siquiera al Dios verdadero. Yo soy el pastor del linaje humano y tomo a mis ovejas de cualquier lugar donde se encuentren y se dirijan a Mí. ¿Son ovejas flacas, sucias, abatidas, ignorantes, apaleadas por sus pastores que no las aman y las han rechazado, diciendo que son inmundas? No existe inmundicia que no pueda limpiarse. No hay inmundicia de que si alguien quiere limpiarse y pide auxilio para lograrlo, se le rechace porque es inmundo.

Dios es quien suscita los buenos deseos, y si lo hace, señal es que quiere que lleguen a la realidad. Es el mismo Espíritu de Dios [5] *que pide con súplicas inefables que todos los hombres sean absorbidos por el Amor, porque el Espíritu de Dios desea derramarse y enriquecerse. Derramarse amando a un número ilimitado de seres, que apenas si bastan para dar paz a lo infinito de su Amor, y enriquecerse con el amor de un número ilimitado de seres que vienen a El atraídos por la dulzura de sus perfumes.* Por lo tanto a nadie le es lícito despreciar y rechazar a quien quiera entrar en la santa grey.

Esto lo digo para aquellos de entre vosotros que cultiven en su corazón ideas comunes en Israel, ideas de distinción y de prejuicios que Dios no ama porque son contrarios a su designio de hacer que todos los pueblos formen uno solo, que lleve el nombre del Mesías que El ha enviado.

Ahora hablo a aquellos que han venido de lejos, a las ovejas hasta ahora no domesticadas que han sentido el deseo de entrar en la grey única del Unico Pastor. Les digo que nada les quite la confianza, que nada los abata. No existe paganismo, ni idolatría, ni vida contraria a lo que enseño, que no puedan abandonarse, rechazarse, permitiendo de este modo al corazón que se haga nuevo, que se vea libre de toda mala planta, para que pueda aceptar la nueva semilla y revestirse de nueva librea.

Esto, más que el deseo de la salud corporal, debería empujar a los pueblos a venir a Mí. Lo que a continuación voy a decir es para los hebreos de Palestina, como para los hebreos y prosélitos de la Diáspora [6] y gentiles. Así como sabéis venir para que os cure de vuestras enfermedades, así también sabed venir para que se quite de vuestro espíritu el yugo del pecado o del paganismo. Todos

[4] Cfr. pág. 554, not. 1.
[5] Cfr. Rom. 8, 26-27; Gál. 4, 6.
[6] Cfr. pág. 374, not. 4.

deberíais pedirme ante todo, y desear con todos vuestras fuerzas que se os libre de lo que hace esclavo vuestro espíritu de fuerzas malas que lo domeñan. El primer milagro que deberíais desear es veros libres y querer entrar en el Reino de Dios. Porque alcanzado esto, cualquier otra cosa se os dará, y en tal forma que el don no pesara como castigo en la otra vida.

No os pusisteis a pensar en la intemperie, fatigas, pérdida de dinero con tal de alcanzar la salud del cuerpo, que aunque hoy se le cure, en un mañana no muy lejano morirá. Con el mismo valor deberíais saber hacer frente a cualquier cosa para alcanzar la salud del corazón, la vida eterna y la posesión del Reino de Dios. ¿Qué son las befas o amenazas de familiares, conciudadanos o autoridades respecto a lo que tendréis todos vosotros, de donde sea el lugar que vengáis, si venís a la verdad y a la vida? ¿Quién dejaría de ir a un lugar donde supiese que le espera una vida feliz, por entretenerse un día en una fiesta que se acaba con el anochecer? Y sin embargo muchos lo hacen. Y para saciarse de insípidas e inútiles alegrías del mundo, que no duran nada, dejan de acudir al lugar donde encontrarían para siempre el verdadero alimento, la verdadera salud, la verdadera alegría, sin miendo de que el enemigo pueda arrebatarla.

En el Reino de Dios no existen la guerra, el odio, las revoluciones. Quien entra en él no conoce más el dolor, el ansia, el engaño, sino que posee la alegre paz que emana de mi Padre.

Podéis iros. Volved a vuestros países. Mis discípulos son ya numerosos y están esparcidos por las regiones palestinenses. Escuchadlos, si queréis conocer mi doctrina y estar prontos para el día de la decisión de la que dependerá la vida eterna de muchos. Que mi paz os acompañe.»

Bendecida la multitud vuelve a entrar en casa... Los apóstoles se quedan fuera todavía un poco, luego entran para el almuerzo, pues el sol está ya a la mitad de su carrera.

Sentados a la rústica mesa, después de haber bendecido el queso y verduras con aceite, hablan de los sucesos de la mañana y se congratulan de que el número de discípulos evangelizadores sea tal que pueda aliviar al Maestro de la fatiga de hablar continuamente, sobre todo ahora que se le ve fatigadísimo.

En realidad Jesús ha adelgazado mucho estos días y su color que era de color marfil, con pinceladas de rosa bajo lo morenillo de su piel, por lo menos en sus mejillas, ahora es del todo blanco, semejante a un pétalo casi seco de magnolia. Viví mucho tiempo en Milán y conozco el delicado color de mármol de Candoglia con que está construída la hermosa catedral. Pues a mí me parece que el rostro del Señor, en estos últimos meses dolorosos de su vida terrena, tenga el color de ese mármol, que no es blanco, ni rosa, ni amarillo, sino los tres juntos. Los ojos son más profundos y por esto más oscuros. Tal vez se deba esto a una sombra de cansancio que obscurece sus párpados y órbitas. Ojos que poco duermen, que mucho lloran y sufren. Las manos parecen más largas porque están más delgadas y pálidas, las dulces manos de mi Señor en que se ven ya los tendones y las venas, las cavidades, y se transparentan los huesos. Manos santas, manos mártires que pronto el clavo traspasará. El verdugo perderá tiempo en encontrar el lugar donde meta el clavo, porque no hay grasa ya en la mano asceta de mi Señor. Ahora las tiene sueltas, como cansadas, sobre la tabla oscura de la mesa, mientras mueve su cabeza sonriendo cansadamente a sus discípulos que caen en la cuenta de su infinito cansancio corporal, y sobre todo de corazón. Comprenden que está muy afligido por el esfuerzo de tener unidos corazones diversos, de tener que soportar y tener oculto la infamia de su discípulo incorregible...

Pedro dice: «Tú debes descansar completamente hasta la Fiesta de la Dedicación [7]. Me ocuparé de los que vengan. Te irás... sí, te irás a casa de Tomás. Estarás cerca y tranquilo.»

Tomás apoya la proposición de Pedro, pero Jesús mueve su cabeza. No. No quiere ir.

«Entonces no hablarás en estos días. Lo podemos hacer nosotros. No será gran cosa, pero no nos separaremos de lo que sabemos. Solo curarás a los enfermos.»

«También nosotros podemos hacerlo» propone Iscariote.

«¡Uhm! Por mí, no» contradice Pedro.

«¡Ya lo has hecho!»

«Sí. Cuando el Maestro no estaba con nosotros, y teníamos que presentarlo y hacer que lo amasen. Pero ahora está aquí y los milagros los hace El sólo. El es el único digno. ¡Milagros, nosotros! Si somos nosotros los que tenemos necesidad de renovación, porque por nosotros mismos, y ahora caigo en la cuenta de ello, no haremos nada de bueno. Somos unos miserables, pecadores e ignorantes.»

«Habla por ti sólo, te lo ruego. ¡Yo no me siento miserable!» replica Judas de Keriot.

«El Maestro está cansado. Su cansancio es más bien moral que físico. Si en verdad lo amamos, evitemos las disputas. Son cosas que lo agotan» protesta enérgico Zelote.

Jesús levanta sus ojos para mirar al apóstol, siempre tan prudente. Le alarga una mano por encima de la mesa para acariciársela. Zelote toma entre sus manos oscuras la blanca de Jesús y se la besa.

«Tienes razón. Pero también la tengo yo al afirmar que debe ab-

[7] Cfr. vol. 2°, pág. 424, not. 6.

solutamente reposar. ¡Parece estar enfermo!...» insiste Pedro.

Todos están de acuerdo, incluídos el viejo Juan y Elisa, la que añade: «Lo había dicho hace tanto tiempo yo. Por esto quisiera...»

Un golpe a la puerta.

Andrés que es el más cercano, abre y sale, cerrando la puerta detrás de sí.

Vuelve a entrar: «Maestro, hay una mujer. Quiere verte. Trae a una niña consigo. Debe ser de alta posición social, aun cuando su vestido es modesto. No está enferma. Tampoco la niña, según creo. Pero no puedo afirmarlo bien porque trae un grueso velo. La niña trae hermosas flores en sus bracitos.»

«Despídela. Estamos diciendo que debe descansar y tú no lo dejas ¡ni siquiera comer!» grita con mal genio Pedro.

«Se lo he dicho, pero respondió que no dará ninguna molestia al Maestro y que El tendrá gusto de volverla a ver.»

«Entonces dile que regrese mañana, a la hora de todos. Ahora el Maestro va a descansar.»

«Andrés, acompáñala a la habitación de arriba. Voy pronto» dice Jesús.

«¡Ved! ¡Ya lo preveía! ¡Así se cuida! ¡Todo lo contrario de lo que estábamos diciendo!» Pedro está enojado.

Jesús se levanta y antes de salir pasa detrás de Pedro, le pone las manos sobre la espalda, se inclina un poco a besar sus cabellos diciéndole: «¡Bueno, Simón! Quien me ama ayuda a mi cansancio más que el reposo de la cama.»

«¿Qué sabes si es una de las que te aman?»

«Simón, la ira te empuja a decir palabras de las que ya te has harrepentido por necias. ¡Bueno, bueno! Una mujer que viene con una criatura inocente, que me trae flores, no puede ser sino una que me ama y que intuye mi necesidad de encontrar un poco de amor y pureza en medio de tanto odio e inmundicia [8].» Sube por la escalera que lleva a la terraza, mientras Andrés, terminado su encargo, vuelve a entrar en la cocina.

La mujer está en la puerta de la habitación de arriba. Alta, delgada bajo un pesado manto gris, con un velo de biso de color marfil que le baja del capucho cerrado en torno a su cara. La niña, que apenas llegará a los tres años, viene vestida de blanca lana con un manto circular con su capucho también blanco que ha caído detrás de sus cabellos de color rubio-castaño, porque la pequeña mira a la mujer levantado su carita que emerge de las flores que tiene entre sus bracitos. Bellas flores que sólo pueden encontrarse en estas regiones en el invierno: rosas encarnadas y flores blancas cuyo nombre ignoro. No soy muy experta en florería.

[8] Cfr. pág. 631, not. 3.

Apenas Jesús aparece en la terraza, que la pequeñita empujada por la mujer, corre a su encuentro: «Ave, Domine Jesu!»

Jesús se inclina a ver a la pequeña. Le pone una mano sobre sus cabellos y le contesta: «La paz sea contigo», luego se endereza, sigue a la pequeñuela que con su sonrisita de pajarito vuelve a la mujer que se ha inclinado profundamente, haciéndose a un lado de la puerta para que pase el Maestro.

Jesús la saluda con una inclinación de cabeza y entra en la habitación. Se sienta en uno de los primeros bancos que encuentra, sin decir nada. Tiene la majestad de *rey*. Sentado sobre el banco de madera sin respaldo, parece estar sentado en un trono tanta es la dignidad que irradia. No trae el manto, tan sólo su vestido de lana de azul muy oscuro, sin adornos, ni flecos. Un poco descolorido en la espalda donde la lluvia, el sol, el polvo y el sudor lo han desteñido. Es pobre, pero limpio. Parece como si fuera de púrpura, por la majestad de quien lo viste. Mantiene su cuerpo erguido, sus manos sobre las rodillas con las palmas abiertas. Sus pies están descalzos sobre el desnudo suelo de viejos ladrillos. Por fondo una pared desnuda, apenas si blanqueada con cal. Detrás no hay ni baldoquino, ni una bandera, sino un cedazo para la harina, una reata de la que penden manojos de ajos y cebollas. Se ve más imponente que si tuviese bajo sus pies un suelo precioso, a sus espaldas una pared dorada y un velo de púrpura adornado con joyas sobre su cabeza.

Espera. Su majestad cohibe a la mujer presa de una admiración respetuosa. También la niña se calla y se queda inmóvil junto a la mujer, un poco, tal vez, asustada. Pero Jesús sonríe, le dice: «Aquí me tenéis. No tengáis miedo.»

Todo temor desaparece. La mujer dice algo a los oídos a la niña, que camina seguida de la mujer hacia las rodillas de Jesús y le pone su racimo de flores: «Las rosas de Faustina a su Salvador.» Lo dice lentamente como quien no conoce bien una lengua que no es la suya. Entre tanto la mujer se arrodilla detrás de la niña, echándose atrás el velo. Es Valeria, la madre de la pequeña, que saluda a Jesús en su lengua: «¡Salve, Maestro!»

«Que Dios llegue a ti. ¿Cómo es que has venido? ¡Y sola!» pregunta Jesús mientras acaricia a la pequeñita que no tiene ya miedo, y no contenta con haber puesto las flores sobre las rodillas de Jesús, busca con sus manitas en el perfumado ramo las más hermosas según ella y se las ofrece diciendo: «¡Tómalas! ¡Tómalas! Son tuyas» y toma ya una rosa, ya una flor de largas hojas blancas y perfumadas, las levanta hasta el rostro de Jesús que las toma y luego las vuelve a poner sobre las demás.

Valeria habla: «Estuve en Tiberíades porque mi hija estuvo un poco enferma y nuestro médico lo aconsejó...» Una pausa larga. Cambia de color, después, como de prisa, dice: «Sufría terriblemente en el corazón y deseaba verte, porque para este sufrimiento mío hay solo un médico: que eres Tú, Maestro, que para todo tienes palabras acertadas... Por esto he venido. Por el egoísimo de ser consolada, y también para saber lo que debo hacer para... sí, para agradecerte a Ti y a tu Dios que me habéis concedido tener a esta hijita mía... Sabemos muchas cosas, Maestro. Las cosas más pequeña acaecidas en la Colonia se refieren a Pilatos diariamente sobre su mesa de trabajo, y así obtiene una vista de conjunto, pero para tomar alguna decisión se aconseja con Claudia... Muchos informes hablan de Ti y de los hebreos que agitan el país convirtiéndote al mismo tiempo en enseña nacional de rebeldía y causa de odio civil. Claudia está en lo cierto cuando le dice que si en Palestina hay alguien que no le haría mal alguno, eres Tú. Y Pilatos día tras día la eschuca... Hasta ahora quien se impone es Claudia. Pero si mañana una otra fuerza dominase a Pilatos... Lo supe y por esto pensé que mi pequeñita te daría consuelo...»

«Tienes un corazón bondadoso y lleno de luz. Que Dios te ilumine y vela ahora y siempre por esta hijita tuya.»

«Gracias, Señor. Tengo necesidad de Dios...» Lágrimas resbalan por los ojos de Valeria.

«Es verdad. Tienes necesidad de El. En El encontrarás todo consuelo y además el guía para juzgar acertadamente, para perdonar, amar otra vez y sobre todo para educar a esta niña a fin de que tenga la vida dichosa de quienes son hijos del Dios verdadero.

Lo ves. El Dios que no conocías, del que tal vez te burlaste, como de su ley, el Dios que es tan diverso de vuestros dioses, como lo es su ley diversa de las vuestras y de vuestra religión. El Dios que tal vez ofendiste con una vida en que la virtud no se tiene en cuenta: culpas leves, si quieres, pero duras heridas a la virtud y ofensas a la Divinidad que te creó. Este Dios te ha amado mucho. Valiéndose de un dolor que sentías con toda la fuerza de madre, de mujer que no conoce la vida futura e ignora lo que significa la separación temporánea de su hijo, te trajo a Mí. Tanto te amó que te llevó a Cesarea cuando en tu dolor agonizabas al ver que el cuerpo de tu hija iba enfriándose. Tanto te amó para que tuvieses siempre ante tus ojos su bondad y poder, y tuvieses un freno contra las costumbres licenciosas paganas y un consuelo en los dolores que pudieras encontrar como mujer casada. Tanto te ha amado que por medio de otros dolores ha reforzado en ti la voluntad de venir al Camino, a la Verdad, a la Vida, y de quedarte ahí con tu hijita para que al menos desde su infancia tenga lo que es consuelo y paz, salud y luz en los tristes días que caminará por la tierra, y la defienda de todo lo que te hace sufrir en tus afectos, en lo mejor de tu ser, que es instintivamente bueno y que no soporta el fango en que se le obliga a vivir.

Por lo que se refiere a tus afectos, eres una pagana. No es culpa tuya, sino del siglo en que vives, del gentilismo en que te creaste. Solo el que vive en la verdadera religión sabe dar a sus afectos el valor, medida y manifestaciones apropiadas. Tú, que no conocías la vida eterna, amabas desordenadamente a tu hijita, y al verla morir, te rebelabas con todas fuerzas, y enloquecías con su muerte próxima. Así como alguien que viera a un demente apoderarse de su ser más querido y lo suspendiese sobre un abismo, de donde nunca se podría salir, del que al caer jamás se podrían tener ni siquiera el cadáver frío para darle el último beso de amor, así veías a tu Faustina colgando en el abismo de la nada... ¡ Pobre madre que no tendría ya más hija! Ni con el espíritu, ni en la realidad. Sería la nada. La nada inexorable que llega con la muerte [9] para los que no creen en la vida espiritual.

Tú, mujer pagana, amorosa, fiel, has amado en tu esposo a tu dios terrenal, compañero de placeres, a tu hermoso dios que se dejaba adorar, rebajando tu dignidad al nivel de esclava. Esté sujeta la mujer a su marido, humilde, fiel, castamente. El hombre es la cabeza de la familia, pero cabeza no quiere decir déspota. Cabeza no significa ser un patrón caprichudo que dispone a su antojo no sólo del cuerpo, sino también de la parte mejor de su esposa [10]. "Donde tú, Cayo, ahí, yo, Caya" decís. Pobres mujeres de un país donde la

[9] En realidad, tal es la condición miserable de los que no creen.

[10] En lo que se refiere al matrimonio, en lugar de remitir a notas precedentes, ha parecido mejor reunir todo lo que se enseña en Ambos Testamentos: Gén. 1, 26-31 (la creación divina, dignidad, bendición, misión, poder de hombre y mujer); 2, 7 (formación divina del hombre); 2, 18-25 (objeto, formación divina de la mujer, institución divina del matrimonio aun por boca de Adán inocente, inspirado por Dios); 3 (pecado de los primeros padres; castigo divino del hombre y de la mujer); 8, 15 - 9, 1 (bendición renovada y nueva proclamación del matrimonio); 11-25 (ejemplo de Sara, mujer de Abraham); 24-29 (Rebeca, mujer de Isaac); 29-35 (Raquel, mujer de Jacob); 41-46 (Aseneth, mujer del patriarca José); Ex. 2-4 y 18 (Séfora, mujer de Moisés); Deut. 24, 1-4 (repudio mosaico); Jue. 4-5 (Débora de Apidoth, profetisa); 1 Rey 1-2 (Ana, mujer de Elcana, profetisa); 4 Rey. 22, 14 (Olda, mujer de Selum, profetisa); Tob. 3-12 (Sara, mujer de Tobías); Jdt. 8-16 (Judit, mujer de Manasés); Est. 2-16; Lc. 1 (Zacarías e Isabel); Mt. 1-2; Lc. 1-2 (José y María la Virgen); Mt. 5, 31-32; 19, 1-11; Mc. 10, 1-12; Lc. 16, 18 (indisolubilidad del matrimonio, puesto a la luz de su primitivo origen divino; abolición del repudio mosaico); Ju. 2, 1-12 (presencia de Jesús que consagra las nupcias y las bendice aun materialmente); Rom. 7, 1-3 (indisolubilidad del matrimonio hasta la muerte); 1 Cor. 7 (matrimonio, celibato, virginidad, viudez); 11, 2-16 (sujeción del hombre a Cristo, de la mujer al hombre); Ef. 5, 21-33 (conforme al modelo de Cristo y de la Iglesia, como de cabeza a cuerpo o a miembros, sujeción de la esposa al esposo y amor mutuo); Col. 3, 18-19 (sujeción de la muier al hombre y amor mutuo); 1 Tim. 5, 1-16 (viudas: escoger a las de edad para que cooperen al apostolado, invitar a las jóvenes a que vuelvan a casarse); 1 Pe. 3, 1-7 (santidad de las esposas, sumisión y apostolado para con los maridos; comprensión y respeto de éstos para con ellas). Acerca de lo que se refiere a la unión del esposo y de la esposa en cuanto es y debe ser la imagen de las relaciones de Dios para con el linaje humano, de Cristo para con la Iglesia, cfr. Cant., Os., Ef. 5, 21-33.

licencia existe aun en las fábulas de vuestros dioses. Quienes de vosotras no sois inpúdicas, ni desenfrenadas, ¿cómo podéis estar donde están vuestros esposos? Es inevitable que quien no es una desvergonzada y corrumpida se separe con asco, que experimente un dolor verdaderamente atroz, como si sus fibras se desgarrasen, que sienta pasmo, derrumbarse todo un culto que tenía por su marido a quien contemplaba como a un dios, cuando descubre que a quien adoraba como a una deidad, es un ser miserable, dominado por el instinto brutal, y que es licencioso, adúltero, disipado, indiferente, que se burla de los sentimientos y dignidad de su esposa.

No llores. Todo lo sé, sin necesidad de que centuriones me lo informen. No llores, mujer. Aprende antes bien a amar a tu esposo *ordenadamente.*»

«No puedo amarlo ya. No lo merece. Lo desprecio. No me envileceré imitándolo. No puedo amarlo. Todo ha cabado entre nosotros. He dejado que se fuera... sin tratar de detenerlo... En el fondo, la única vez que le agradezco, que se haya ido... No volveré a buscarlo. Por otra parte, ¿cuándo fue para mí un compañero? Al caerse la venda de mi adoración por él, ahora puedo recordar y juzgar sus acciones. ¿Estaba acaso en mi corazón cuando lloraba yo, teniendo que seguirlo hasta acá, abandonando a mi madre que moría de dolor y a mi patria, cuando era yo una joven esposa, próxima a dar a luz? El se burlaba con sus amigos de mis lágrimas, de mis náuseas, advirtiéndome sólo que no le fuese a ensuciarle el vestido. ¿Acaso estuvo a mi lado cuando me moría de nostalgia por mi patria? No. Afuera, con sus amigos, en banquetes donde mi estado no me permitía ir... ¿Estuvo vez alguna inclinado sobre la cuna de mi recién nacida? Se echó a reir cuando le mostraron a su hijita, y borbotó: "Estoy tentado a echarla al suelo. No me eché el yugo matrimonial para tener hijas". Ni siquiera se presentó a la purificación, llamándola inútil pantomima. Y como la pequeña lloraba, dijo al salir: "Ponle por nombre Libitina, y que la diosa la acepte". Cuando Fausta agonizaba, ¿acaso compartió conmigo mis angustias? ¿Dónde estuvo la noche que precedió a tu llegada? En casa de Valeriano, en un banquete. Pero lo amaba yo. Era mi dios, como lo dijiste. Todo me parecía bueno en él, justo en él. Me permitía que lo amara... era la más sumisa esclava de sus caprichos. ¿Sabes porqué me ha rechazado?»

«Lo sé. Porque en tu cuerpo surgió el alma, y dejaste de ser hembra para ser la esposa.»

«Estás en lo cierto. He querido hacer de mi hogar un hogar virtuoso... Logró obtener del Cónsul que se le mandase a Antioquía y me ordenó que no lo siguiese, pero se llevó a las esclavas favoritas. ¡Oh, no iré detrás de él! Tengo a mi hija. Tengo todo.»

«No. No tienes todo. Tienes una parte, una parte pequeña, del todo que te sirve a fin de que seas virtuosa. El Todo es Dios. Tu hija no debe ser causa de injusticia para con el Todo, sino al contrario. Por ella y con ella tienes el deber de ser virtuosa.»

«Vine a consolarte y eres Tú el que me consuelas. Vine también a preguntarte cómo educarla para que sea digna de su Salvador. Había pensado en hacerme prosélita vuestra [11] y en que ella también lo fuese...»

«¿Y tu marido?»

«¡Oh, todo ha acabado entre nosotros!»

«No. Todo empieza. Eres siempre su mujer. El deber de una mujer buena es hacer a su consorte bueno.»

«Dice que quiere divorciarse. Y lo hará. Por esto...»

«Y lo hará. Pero todavía no lo ha hecho. Y mientras no lo haga, tú eres su mujer aún según *vuestra* ley. Y como tal tienes la obligación de quedarte en tu lugar como esposa. Tu lugar es el segundo después del de tu marido, en tu casa, con la tu hija, a los ojos de los criados y del mundo. Tú dices: él fue quien dio el mal ejemplo. Es verdad. Pero eso no quita que tú no des el de virtud. Él se marchó. Es verdad. Ante tu hija y siervos toma su lugar.

No todo lo que hay en vuestras costumbres es digno de condenación. Cuando Roma no se había corrompido tanto, sus mujeres eran castas, trabajadoras y servían a las divinidades con vida virtuosa y fiel. Aunque la condición miserable de paganas las hacía servir a falsos dioses, la intencion era buena. Entregaban su virtud al Ideal de su religión, a la necesidad de respeto a una religión, a una divinidad cuyo nombre les era desconocido [12], pero que les parecía existir, que era mayor que el licencioso Olimpo, que las envilecidas deidades que lo pueblan según las leyendas mitológicas. Vuestro Olimpo no existe, vuestros dioses tampoco. Pero vuestras antiguas virtudes eran fruto de la convicción veraz de tener que ser virtuosos para que lo mirasen a uno con amor los dioses; eran fruto del deber que sentían para con las divinidades que adorabais. A los ojos del mundo, sobre todo de nuestro mundo judío, no habéis dejado de ser unos necios al honrar a quien no existe. Pero a los ojos de la justicia eterna y verdadera, a los del Dios Altísimo, Unico y Omnipotente Creador de todos los seres, esas virtudes, ese respecto, esas obligaciones y deberes no eran en vano. *El bien es siempre bien, la fe tiene siempre valor de fe, la religión tiene sempre valor de religión* si el que la sigue, practica y ama está convencido de estar en la verdad [13].

Te exhorto a que imites a las antiguas mujeres castas, trabajado-

[11] Llamábanse «prosélitos» los paganos que pasaban a la religión judía. Cfr. Mt. 23, 15; Hech. 2, 11.

[12] Cfr. Hech. 17, 22-23.

[13] Cfr. Apéndice.

ras y fieles de vosotras, quedándote en tu lugar, como columna y luz en tu casa y de tu casa. No creas que los siervos dejarán de respetarte menos porque te quedas sola. Hasta ahora te han servido con miedo y algunas veces con cierto odio y deseos de rebelión. De hoy en adelante te servirán de corazón. Los infelices aman a sus iguales. Tus esclavos saben lo que es el dolor. Tu alegría fue en otros tiempos un aguijón amargo. Tus penas, al despojarte del frío resplandor de patrona, en el sentido odioso de esta palabra, te revestirán con una luz amorosa de piedad. Te amarán, Valeria. Te amará Dios, te amará tu hija, te amarán tus siervos. Y aun cuando no fueses la esposa, sino la divorciada, recuerda (Jesús se pone de pie) que *la separación legal no destruye el deber de la mujer de que sea fiel a su juramento de esposa.*

Quisieras entrar en nuestra religión. Uno de sus preceptos divinos es que la mujer es carne de la carne de su esposo y que nada, ni nadie, puede separar lo que Dios ha hecho una sola carne [14]. También entre nosotros existe el divorcio. Se introdujo como fruto perverso de la lujuria humana, del pecado de origen, de la corrupción de los hombres. Pero Dios espontáneamente no lo quiso [15]. Dios no cambia palabra. Dios había dicho, al inspirar a Adán [16], todavía inocente y por lo tanto que hablaba con una inteligencia no ofuscada por la culpa, que los esposos, una vez unidos, deben ser una sola carne. La carne no se separa de la otra sino por la muerte [17] o enfermedad.

El divorcio mosaico, permitido para evitar pecados atroces, no concede a la mujer sino una libertad mezquina. La divorciada es siempre un ser inferior en el concepto de los hombres, bien se quede en tal estado, bien pase a segundas nupcias [18]. En el juicio de Dios, es una infeliz si su esposo por mala voluntad la divorcia y si-

[14] Cfr. nota anterior 10; en particular Gén. 2, 18-25; Mt. 19, 1-11; Mc. 10, 1-12; Lc. 16, 18; Rom. 7, 1-3; 1 Cor. 7.

[15] Cfr. nota anterior 10; en particular Deut. 24, 1-4; Mt. 19, 1-11.

[16] «Dios... al inspirar...» La *Glossa interlinearis* afirma que Dios fue quien «inspiró» a Adán las palabras referidas en Gén. 2, 23-24: «In ecstasi, prophetiae spiritu intellexit, costam sibi esse subductam, et mulierem formatam». Téngase en cuenta que la *Glossa interlinearis* (o Comentario brevísimo bíblico, *entre líneas* del texto sagrado), como la *Glossa ordinaria* (Comentario bíblico más amplio, puesto alrededor o al margen del texto sagrado), aun cuando se remontan a los siglos 11 u 12, dependen de los antiguos Santos Padres (Ambrosio, Jerónimo, Agustín, Juan Crisóstomo, Gregorio, Isidro, etc.) o de antiguos Escritores eclesiásticos (Estrabón, Rábano, Ruperto, etc.). En cuanto al trozo latino antes citado, cfr. *Biblia Sacra cum Glossa Ordinaria* (tiene también la *interlinearis*), Antuerpiae apud Joannem Meursium, 1634, columnas 83-84. Esta *Glossa* (entendiendo con este nombre la *interlinearis* como la *marginalis* u ordinaria) ejerció un gran influjo en los teólogos medievales aún los más ilustres (Alberto Magno, Tomás, Bonaventura, Escoto, etc.) por la autoritad de que gozaba y del modo con que la utilizaron.

[17] Cfr. nota anterior 10; en particular Rom. 7, 1-3; 1 Cor. 7, 39.

[18] Cfr. nota anterior 15.

gue en esta condición; pero no es más que una pecadora, una adúltera si comete tales pecados o si vuelve a casarse. Tú, al querer entrar en nuestra religión, lo haces por seguirme. Así pues Yo, Verbo de Dios, al haber llegado el tiempo de la religión perfecta [19], te digo lo que he dicho a muchos. No es lícito al hombre separar lo que Dios unió y es adúltero el que, o la que, viviendo su cónyuge, se casa [20].

El divorcio es una prostitución legalizada, que pone al hombre y a la mujer en condiciones de cometer pecados de lujuria. La mujer divorciada difícilmente puede ser viuda de su varón, viuda fiel. El hombre divorciado jamás permanece fiel a su primer matrimonio. Tanto el uno como el otro, al pasar a otras uniones, descienden del nivel de hombres al de animales, que pueden cambiar de hembra según su apetito. La fornicación legal, peligrosa para la familia y para la patria, es criminal para la prole. Los hijos de los divorciados juzgarán a sus padres. ¡Severo es el juicio de los hijos! Por lo menos uno de sus padres recibe la condenación. Y los hijos, por el egoísmo de sus padres, se ven condenados a una vida afectiva mutilada. Si a las consecuencias que acarrea el divorcio, por el que los inocentes hijos se ven privados de padre o madre, se añade que uno de los cónyuges vuelva a casarse y con él se quedan los hijos; a la suerte desgraciada de una vida afectiva que mutiló un miembro que no está, se une otra mutilación: la que perdió, más o menos en parte, en el afecto del otro miembro, separado, o completamente perdido, por el nuevo amor y por hijos que nacen de una nueva unión.

Hablar de nupcias, de matrimonio en el caso de una nueva unión de un divorciado o divorciada, es profanar el significado del matrimonio. Sólo la muerte de uno de los cónyuges y la viudez de uno de ellos puede justificar secundas nupcias. Yo sería de parecer que sería mejor bajar la cabeza ante la sentencia siempre justa de quien regula los destinos de los hombres y encerrarse dentro de una castidad, cuando la muerte ha puesto fin al estado matrimonial, dedicándose completamente a los hijos y amando al cónyuge que pasó a buena vida en sus hijos. Un amor despojado de todo lo que puede ser material, un amor santo y verdadero [21].

¡Pobres hijos! Saborear después de la muerte o la destrucción del hogar, la dureza de un padrastro o la de una madrastra, y ¡la angustia de ver que las caricias se condividen con otros hijos que no son hermanos!

No. En mi religión no existirá el divorcio. Será adúltero y pecador el que se divorcie civilmente para contraer nuevo matrimo-

[19] En el sentido de Mt. 5, 17-48; Rom. 3, 31; 10, 4; Gál. 3, 23-25.
[20] Cfr. nota anterior 10; en particular Mt. 19, 1-11; Rom.7, 1-3.
[21] Cfr. Rom. 7, 1-3; 1 Cor. 7, 39-40.

nio [22]. *La ley humana no podrá cambiar mi decreto. El matrimonio en mi religión no será un contrato civil, una promesa moral, que se hace ante la presencia de testigos y que éstos sancionan. Será una unión fuerte, sólida, santamente indisoluble por el poder santificante que le daré para que se convierta en Sacramento.* Para que comprendas: será un rito sagrado. *Este poder o fuerza ayudará a praticar santamente todos los deberes matrimoniales, pero también será la señal de la indisolubilidad del vínculo* [23].

Hasta ahora el matrimonio ha sido un contrato natural, mutuo y moral entre dos de sexo diverso. Cuando llegue mi ley, se extenderá al alma de los cónyuges [24]. *Por tanto se convertirá también en un contrato espiritual que Dios sancionará por medio de sus ministros* [25]. Bien sabes que nada es superior a Dios. Por esto *lo que El hubiere unido, ninguna autoridad, ley o capricho humano podrá disolver* [26].

Vuestro rito de "donde tú, Cayo, ahí yo, Caya" se perpetúa en el nuestro hasta el más allá, *en mi rito, porque la muerte no es fin, sino separación temporal del esposo y de la esposa, y el deber de amar dura aún después de la muerte.* Por esto afirmo que los viudos deberían ser castos [27]. Pero el hombre no sabe serlo [28]. Por esto también afirmo que los cónyuges tienen el deber recíproco de mejorar a su compañero.

No muevas la cabeza. Esta es la obligación, que debe cuplirse, si alguien quiere venir en pos de Mí.»

«Hoy estás severo, Maestro.»

«No. Soy Maestro y tengo ante Mí a una criatura que puede crecer en la vida de la gracia. Si no fueras lo que eres, te impondría menos. Pero tienes una buena disposición, y el sufrimiento purifica, templa siempre el metal. Un día te acordarás de Mí y me bendecirás de haberme portado como ahora lo hago.»

«Mi marido no volverá atrás...»

«Pero tú irás adelante, llevando de la mano a la inocente y cami-

[22] Cfr. Mt. 5, 31-32; 19, 1-11; Mc. 10, 1-12; Lc. 16, 18; Rom. 7, 1-3; 1 Cor. 7, 10-11.

[23] Cfr. además de los textos alegados en la nota anterior 10, el ritual para el matrimonio en las Liturgias bizantina, romana y ambrosiana.

[24] Idea teológicamente exacta, doctrinalmente profunda, literariamente clara, en la que muy poco se piensa. El matrimonio cristiano *no sólo considera los cuerpos, sino también las almas, el espíritu*: tiene por objeto, según las miras de Dios y de la Iglesia, unir bajo todos los puntos de vista (espiritual, síquico, físico) al hombre y a la mujer. La mujer, pues, no está sólo sometida al hombre, *sino es un solo ser* con su marido. Este es el ideal y el programa cristiano, altísimo, pero que puede realizarle quien — bajo la fuerza del Amor divino que santifica, vigoriza, y de su propia y indomable industria — lo *quiera* realizar.

[25] Cfr. nota anterior 23.

[26] Cfr. Mt. 19, 6.

[27] Cfr. 1 Cor. 7, 8-9 y 39-40; 1 Tim. 5, 3-16.

[28] Cfr. 1 Cor. 7, 9 y 40.

narás por el sendero de la justicia, sin odio, sin venganzas; y también sin inútiles esperas o reproches por que se perdió.»

«¡Sabes que lo tengo perdido!»

«Lo sé. Pero no tú. El te ha perdido a ti. No te merecía. Escucha ahora... Es algo duro. Sí. Me has traído rosas y la inocente sonrisa de tu hijita para consolarme... Yo... no puedo sino prepararte a que lleves la corona de espinas de las esposas abandonadas... Pero reflexiona. Si pudiese retroceder el tiempo y llevarte a aquella mañana en que Faustina agonizaba, y que tu corazón se encontrase en condiciones de escoger entre tu hija o tu marido, y que debieras absolutamente perder a uno de los dos, ¿a quién habrías escogido?»

Valeria reflexiona. Palidece por lo que sufre, por las lágrimas que al principio de la conversación derramó... Se inclina sobre la pequeñita que está sentada en el suelo que juguetea poniendo las flores blancas al rededor de los pies de Jesús. La toma, la abraza, dice con fuerte voz: «Escogería a ésta, porque a ella puedo darle mi corazón y educarla como he aprendido en la vida. ¡Mi hija! Y no separarnos ni en la otra vida. ¡Yo siempre su madre; ella siempre mi hija!» La cubre de besos, y la pequeñita la estrecha en el cuello, toda amor, toda sonrisas.

«Dime, ¡oh!, dime, Maestro que enseñas a vivir como héroes, ¿cómo educarla para que ambas estemos en tu Reino? ¿Qué palabras debo decirle, qué conducta?...»

«No son necesarias palabras ni conducta especial. Sé perfecta para que refleje tu perfección. Ama a Dios y al projimo para que aprenda a amar. Vive en la tierra con tus cariños en Dios. Ella te imitará. Por ahora así. Más tarde, mi Padre que os ha amado de modo especial, proveerá a vuestras necesidades espirituales, y seréis sabias en la fe que traerá mi Nombre. Esto es lo que hay que hacer. En el amor de Dios encontrarás frenos contra el mal [29]. En el amor al prójimo tendrás una ayuda contra el abatimiento de la soledad. Aprende a *perdonar*, a ti misma... y enseña lo mismo a tu hijita. ¿Comprendes lo que quiero decir?»

«Comprendo... Es justo... Maestro, me voy. Bendice a una pobre mujer... que es más pobre que una mendiga que tiene un fiel marido...»

«¿En dónde vives ahora? ¿En Jerusalén?»

«No. En Béter. Juana que es muy buena, me ha mandado a su castillo... Sufría mucho allá... Estaré hasta que venga Juana a Jerusalén, que será muy pronto. Baja a Judea con tu Madre y las otras discípulas cuando empiece la primavera. Estaré con ella por un poco de tiempo. Luego vendrán las otras e iré con ellas. Para ese entonces el tiempo habrá curado ya la herida.»

[29] Cfr. 1 Ju. 3, 6-9.

«El tiempo. Pero sobre todo Dios y la sonrisa de tu hijita. Hasta la vista, Valeria. Que el Dios verdadero que buscas con buen corazón, te consuele y te proteja.» Jesús pone la mano sobre la cabeza de la pequeñuela bendiciéndola. Se acerca a la puerta cerrada y pregunta: «¿Viniste sola?»

«No. Con una liberta. Mi carro me espera en el bosque a la entrada del pueblo. ¿Nos volveremos a ver, Maestro?»

«Para la Dedicación [30] estaré en Jerusalén, en el Templo.»

«Iré a allá, Maestro. Tengo necesidad de tus palabras en mi nueva vida...»

«Vete tranquila. Dios no deja de ayudar a quien lo busca.»

«Lo creo... ¡Oh, qué triste es nuestro mundo pagano!»

«La tristeza está donde no está lo verdadera vida en Dios. También en Israel se llora... Y es porque no se vive más en la ley de Dios. Hasta pronto. La paz sea contigo.»

La mujer se inclina profundamente y dice algo al oído a la niña. Esta levanta su carita, tiende sus bracitos y repite con su vocecilla: «Ave, Domine Jesu!»

Jesús se inclina sobre la boquita y recoge el besito que la niña le iba ya a dar. Nuevamente la bendice... Luego entra en la habitación y pensativo se sienta junto a las flores esparcidas por el suelo.

Pasa el tiempo así. Luego alguien llama a la puerta.

«Entra.»

La puerta se entreabre y aparece la cara fiel de Pedro.

«¿Eres tú? Ven.»

«No. Tú deberías venir con nosotros. Aquí hace frío. ¡Qué hermosas flores! ¡Deben valer!» Pedro habla mirando a su Maestro.

«Sí. Valen. Pero la manera y el modo con que se hizo valen más que las flores. Me las trajo la niña de Valeria, la romana amiga de Claudia.»

«¡Lo sé, lo sé! ¿Y para qué?»

«Para consolarme. Saben lo que sufro y Valeria tuvo una buena idea. Pensó que las flores de una inocente podrían consolarme...»

«¡Una romana!... ¡Y nosotros los de Israel te causamos tanto dolor!... Judas tuvo razón en sospechar. Dijo que había visto un carro esperando, y que sin duda era de alguna mujer romana... y... se intranquilizó...» La cara de Pedro es toda una interrogación.

Jesús no pregunta más que: «¿Dónde está Judas?»

«Afuera. Quiero decir, en el camino, cerca del bosque. Quiere enterarse de quién ha venido a verte...»

«Bajemos.»

Judas está ya en la cocina. Se vuelve al ver a Jesús y dice: «Aunque quisieras negarlo, no podrás menos de decir que esa mujer vino

[30] Cfr. vol. 2°, pág. 424, not. 6.

a... ¡lamentarse de alguna cosa! ¿No tienen algo más que decir? No tienen otra ocupación más que de espiar y de ir a contar y...»

«No estoy obligado a responderte, pero lo haré por todos. Simón Pedro sabe quién fue, y a todos voy a decir a qué vino. Aun las personas aparentemente más felices pueden tener necesidad de consuelo y de consejo... Andrés, ve a recoger las flores que me trajo la niña y llévalas al pequeño Leví.»

«¿Por qué?»

«Porque está agonizando.»

«¿Agonizando? Pero si a la hora de tercia [31] lo vi yo, ¡y estaba sano!» dice admirado Bartolomé.

«Estaba sano. Dentro de poco habrá muerto.»

«Si está tan mal, poco gozará de las flores...»

«Las flores que manda el Maestro dirán una palabra luminosa en ese hogar aterrorizado.»

Jesús se sienta. Los demás hablan de la fragilidad de la vida. Elisa se pone el manto, diciendo: «Yo también voy con Andrés... ¡Pobre mujer!...»

Andrés y Elisa se alejan con las flores entre las manos...

Jesús sigue callado, también Judas. Jesús está silencioso, pero no severo... Judas lo mira una y otra vez, aguijoneado por el ansia de saber, por el ansia atormentadora de quien no tiene paz en la conciencia. Encuentra la solución en llamar aparte a Pedro. Se calma. Va a molestar a Mateo que quieto escribe en un rincón de la mesa [32].

Regresa Andrés corriendo, jadea. «Maestro... el niño en verdad que está agonizando... De improviso... Parece como si estuviesen locos... Cuando Elisa dijo: "Las manda el Señor", yo creía que entenderían que era: "para el féretro", pero sus padres... juntos dijeron: "¡Oh, es verdad! Ve a llamarlo. El lo curará".»

«La palabra de la fe. Vamos» y Jesús sale aprisa, casi corriendo. Todos lo siguen, hasta el viejo Juan que cojea.

La casa está en los límites del poblado. Jesús pronto llega, se

[31] Cfr. pág. 463, not. 3.

[32] Esta Obra afirma aquí y en otros lugares que Mateo escribía. Cosa que puede creerse, porque había sido además aduanero (Mt. 9, 9; Mc. 2, 13-14; Lc. 5, 27-28). En otro lugar María Valtorta añade (según lo que decía el Padre Migliorini que copió en máquina las 15.000 páginas manuscritas) que lo que escribía Mateo eran apuntes de lo que Jesús decía, y que luego los completaba y ordenaba. Esto coincidiría con lo que Papías, obispo de Hierópolis en Frigia, que escribió cinco libros perdidos, *De interpretatione oraculorum Domini* afirmaba a principios del siglo II, aludiendo además de otros, a un cierto "Juan el Anciano o Presbítero", discípulo del Señor. Como Eusebio (s. III-IV) afirma que no fue Juan el Apóstol, es interesante notar que María Valtorta concuerda con el célebre historiador, cuyas obras jamás leyó, al enumerar entre los discípulos del Señor a un Juan, que a veces llama el Anciano y a veces el Presbítero, diferente del Apóstol predilecto autor del Evangelio espiritual. Cfr. Eusebio, *Historiae ecclesiasticae liber III*, cap. 39, Migne, *Patrologia graeca*, t. 20, col. 295-302.

abre paso entre la gente que estorba la entrada, va derecho a una habitación que está en el fondo del pasillo. Es una casa grande; muchos viven en ella, tal vez hermanos.

En la habitación, están inclinados sobre el lecho improvisado, los padres y Elisa... No ven a Jesús sino cuando dice: «La paz sea en esta casa.»

Los padres dejan al niño agonizante y se arrojan a sus pies. Sólo Elisa se queda donde está; trata de frotar los miembros, que se enfrían, con sustancias aromáticas.

El pequeñuelo está agonizando. Su cuerpo se ha hecho ya pesado. La muerte va entrando en él. Su carita tiene color de cera, sus narices fuliginosas, los labios morados. Fatigosa, acongojadamente respira. Parece como si cada respiro fuese el último, por lo separado uno del otro.

La madre llora con su cara pegada a los pies de Jesús. También el marido está inclinado. Dice: «¡Ten piedad, ten piedad!» No sabe decir otra cosa.

Jesús responde: «Leví, ven a Mí» y tiende sus brazos.

El pequeño, un niño como de cinco años, parece sacudirse, algo así como si alguien lo hubiese llamado con voz fuerte mientras dormía. Se sienta sin fatiga, se restriega con sus puñitos los ojos, mira atónito a su alrededor y al ver a Jesús con una sonrisa, baja del lecho, y sin vacilar con su tuniquita, va a El.

Sus padres como están inclinados, no ven nada, pero el grito de Elisa: «¡Bondad eterna!» y el de los apóstoles que desde el pasillo lanzan un: «¡Oh!» estupefacto, les dicen que algo ha sucedido. Levantan sus caras y ven a su hijito allí, sano, como si nunca hubiera estado agonizante...

La alegría se transforma en risa, en lágrimas, en gritos, en silencio, según las reacciones de cada uno. Enmudecen. Parecen ser presa del espanto... Es grande la diferencia entre lo que se ve en estos momentos y lo que se veía hace unos cuantos. Los padres, atolombrados del dolor, tratan a volver a la alegría.

Lo logran al fin al ver a su hijito en los brazos de Jesús. El mutismo se transforma en un diluvio de palabras de alegría, de bendición, y es difícil entenderlas, porque unas se sobreponen a las otras sin orden alguno. Creo que esto fue lo que sucedió. A eso de la hora sexta (hacia las 12), el niño que jugaba en el huerto, había entrado quejándose de dolores en el abdomen. Su abuela lo tomó en brazos y lo llevó cerca del fuego, donde pareció sentirse mejor. Pero la hora de nona [33] (a eso de las tres), había tenido un ataque de vómito intestinal e inmediatamente había empezado a agonizar. La clásica

[33] Cfr. pág. 463, not. 3.

peritonitis fulminante [34].

Su padre había ido a toda prisa a Jerusalén a los primeros síntomas del mal y regresado con un médico que, informado de todo diagnosticó: «No tiene remedio» y partió... El niño de momento en momento empeoraba, se enfriaba. En medio de su angustia, nunca pudieron imaginar que llegase a salvarse. Sólo cuando Andrés y Elisa habían entrado con las flores diciendo: «Las manda Jesús a Leví» habían como sentido una luz interna y exclamado: «Jesús lo salvará.»

«Lo salvaste. ¡Bendito seas para siempre! ¡Tus flores! ¡La esperanza! ¡La Fe! ¡Oh, sí, la fe de que nos amas! ¿Pero cómo supiste? ¡Bendito! Pide lo que quieras de nosotros. ¡Danos ordenes como si fuéramos tus esclavos! ¡Somos tuyos!...»

Jesús los escucha con el niños en los brazos. Los deja hablar hasta que se cansen, hasta que sus nervios, sujetos a una tensión tan grande, se calmen con el desahogo. Luego dulcemente dice: «Amo a los niños y a los corazones fieles. Todos vosotros de Nobe habéis sido muy buenos conmigo. Si soy bueno con quien me odia, ¿que no daré a quien me ama? Yo sabía... sabía que el dolor os hacía olvidaros de la fuente de la Vida. Quise señalar el camino...»

«¿Por qué no viniste por Ti solo, Señor? ¿Tenías miedo de que no te fuésemos a acoger?»

«No. Sabía que me habríais recibido con amor. Pero entre los que están aquí, hay alguno que tenía necesidad de convencerse de que no ignoro nada de lo que pasa a los hombres, ni el estado de su corazón [35]. Quise también que los demás comprendieran que Dios responde a quien lo invoca con fe. Quedaos en paz. Creced siempre en la fe, en la misericordia de Dios. La paz esté con todos vosotros. Adiós, Leví. Ve con mamá, ahora. Consagra también al Señor lo que llevas en el seno, como recuerdo de la bondad que el Señor ha tenido para contigo. Adiós, tú. Conserva tu espíritu en la justicia.»

Se voltea para irse, pasando con mucho trabajo por entre familiares que se han apiñado en el pasillo: abuelos, tíos, primos de Leví, que quieren hablar a Jesús, bendecirlo y que los bendiga, besarle la vestidura, las manos...

Detrás de la numerosa parentela está la gente de la población que quiere hacer lo mismo. Toma el camino detrás de Jesús y dejan la casa de Leví entregada a su alegría. Por las calles oscuras ya, con el acostumbrado estrépito de fiestas, toda Nobe acompaña a Jesús

[34] La Autora de esta Obra, María Valtorta, durante la primera guerra mondial, fue una diligente enfermera, mejor dicho «samaritana» en un hospital militar de Florencia. Su experiencia se refleja en muchas páginas de su Obra, pero sobre todo brillará en la agonía y muerte de Jesús.

[35] Cfr. vol. 1°, pág. 356, not. 7; pág. 428, not. 15; vol. 3° pág. 741, not. 2, y en este vol. pág. 627, not. 1.

a la casucha de Juan y es menester la autoridad de los apóstoles para persuadir a los de la población a que regresen a sus casas y dejen en paz al Maestro; y a ella agregan medios más enérgicos, como la amenaza de que, si no lo dejan descansar, al día siguiente se irán todos, y esto último da resultado.

Por fin Jesús puede reposar...

229. Jesús y la pecadora enviada a tentarlo

(Escrito el 21 de noviembre de 1946)

Los pueblos tomados en conjunto, o los hombres, individualmente, tienen siempre algo de niños y algo de salvajes, o per lo menos, de hombres primitivos. Por esto son muy sensibles a cualquier cosa que tenga sabor de novedad, de extraordinario, de fiesta.

La proximidad de las solemnidades tiene siempre una fuerza de exaltar los hombres, como si la fiesta borrase sus tristezas, sus cansancios. Cuando la fiesta va a empezar, un cierto brío, un tantín exaltado, se apodera de todos, como si esa proximidad se asemejase al tón-tón de los salvajes cuando van a sus guerras o danzan alrededor de sus altares.

Los apóstoles también al acercarse las Encenias [1], son presa de euforía. Hablan, ríen, se ponen a echar planes, a recordar fiestas pasadas, en que no falta una cierta nostalgia. El aire que anima, el aire de fiesta se posesiona de ellos, los empuja a obrar, para que todo esté arreglado durante la solemnidad.

¿Que las lámparas en la casa de Juan son pocas? ¡ Qué importa! En la de Tomás, en Rama, hay muchísimas. Y Tomás se va a Rama a traerlas. ¡Que el aceite no basta? ¡Oh, Elisa tiene mucho en Betsur y lo ofrece! Andrés y Juan van a Betsur a traerlo. ¿Que para cocer las hogazas se necesita fuego de maleza? Los dos Santiagos se van a los montes a traerla. ¿Parece poca la harina, la cebada, la miel para los platillos de rito? ¿Para qué se quiere a Nique en Jerusalén, que casi se ha ofendido porque nunca le piden algo, sino para que regale algo de su miel y dé cebada y dé harina de sus campos? Pedro y Zelote van a la casa de Nique, mientras Judas de Alfeo ayuda a Elisa a adornar la casa, y hasta el vieyo Bartolomé se une a la alegría común, junto con Felipe, a dar una manita de cal a la cocina negra del humo, para que se vea alegre.

Judas Iscariote se reserva la parte decorativa y regresa siempre cargado de ramas de siempre viva, olorosas, adornadas de bayas, que coloca con garbo sobre las mesas y alrededor de la campana del

[1] Cfr. vol. 2°, pág. 424, not. 6.

horno.

En la vigilia de las Encenias la casucha parece estar preparada para salir al encuentro de la novia. Está cambiada. Sus utensilios de bronce brillan. Sus lámparas resplandecen como el sol. Sus ramas alegran las blancas paredes. El olor a pan y a hogazas baña el aire, lo empapa, además del olor que despiden las ramas cortadas.

Jesús los deja hacer. Parece como si estuviera lejos, pensativo y hasta triste. Responde a quien le pregunta, y que quisiera un elogio por lo que ha hecho. Estas preguntas me permiten reconstruir los trabajos que han hecho los discípulos, que preguntan: «¿No he tenido un buen pensamiento para ir a mi casa a traer lámparas?»; o bien: «¿No hicimos bien Felipe, y yo, para blanquear todo? Hay luz, hay alegría. Parece hasta más grande»; o también: «¿Ves, Maestro? Elisa está contenta. Le parece como si estuviera en su casa, cuando vivían sus hijos. Hoy estuvo cantando cuando ponía aceite en las lámparas y cuando mezclaba la miel en la harina y lo desleía en leche para ponerlo en la cebada»; o bien: «Diga lo que quiera Elquías. Pero un poco de verde no está mal. En realidad, si el Creador ha hecho las ramas, es para que nos sirvamos de ellas, ¿no es verdad?» De este modo permiten que se reconstruya el trabajo que han hecho. Pero aun cuando responde a quienes anhelan una alabanza, su pensamiento está muy lejos. Se le nota.

La noche va cayendo. Después de los últimos saludos de los de la población, que antes de irse a sus casas, asoman su cabeza en la cocina para saludar al Maestro, el silencio cubre a Nobe. Es la hora en que todos cenan. Es la hora de descanso para los niños y ancianos, para los que están enfermos o delicados de salud.

Debe ser costumbre el hacer regalos en las Encenias, porque veo que apenas el viejo Juan se va a su cuarto, cercano a la cocina, Elisa y los apóstoles se ponen a terminar algo. Ella un vestido, éstos cosas talladas en madera y una tienda de cuerdas pintadas con rojo, verde, amarillo, morado. Especialidad de pescadores.

Tomás, Mateo, Bartolomé y Zelote los miran.

«Bueno. Ya terminé» dice Elisa levantándose y sacudiendo el vestido para que se le caigan las hebras que pudiere haber.

«Sentirá calor el pobre viejo. ¡Ey! Nosotros los hombres sin las mujeres somos en verdad infelices. No sé cómo estaríamos sin ti, después de varios meses de no haber ido a nuestras casas. Yo puedo hacer esto, pero si tuviese que poner un broche...» dice Pedro tocando el vestido.

«Te diste prisa. Te pareces a mi mujer» dice Bartolomé.

«También yo ya acabé. Esta madera era buena. Suave y resistente al mismo tiempo» dice Judas Tadeo que pone un frasquito que puede servir para salero o para poner cualquier otra especia.

«A mí todavía me falta. Hay aquí un nudo que no permite que se trabaje en él. Mi trabajo no saldrá bien. Me desagrada. Lo bello estaba en estos nudos oscuros con un fondo blanco. Mira, Jesús, ¿no te parece como si fuesen cimas de montes pintadas en la madera?» pregunta Santiago de Alfeo, enseñando una forma de vaso que no sé para qué sirva, muy bello por su forma, con su tapa veteada, como también el centro. Y el nudo resiste precisamente en la tapa.

«Continúa, continúa. Verás que lo logras. Calienta el hierro hasta el rojo. Lo lograrás, pasada la primera capa...» responde Jesús que ha estado mirando.

«¿Pero no la quema el fuego?» pregunta Mateo.

«No, si se hace con maña. Por otra parte, o se hace así o hay que desistir.»

Santiago calienta el punzón y pone la roja punta en el nudo. Se siente olor a madera quemada...

«¡Basta! Ahora trabaja y lo lográras» dice Jesús. Y ayuda a su primo, sujetando la tapa como si estuviese en un torno. Dos veces el cuchillo se resbala y ligeramente toca los dedos de Jesús.

«Quita tu mano, hermano. No quiero herirte...» dice Santiago de Alfeo, pero Jesús continúa sosteniendo el vaso.

La siguiente vez el cuchillo hiere el pulgar de Jesús.

«¿Lo viste? Te has herido. ¡Déjame ver!»

«No es nada. Dos gotas de sangre...» contesta Jesús sacudiendo su dedo porque su sangre cae sobre el nudo. «Seca la tapa. Se manchó» dice luego.

«No. ¡Dejadlo! Así vale muchísimo. Seca aquí tu dedo, Maestro. Aquí en mi velo. Tu sangre, es sangre bendita» dice Elisa envolviendo la mano en su velo de lino.

La tapa está hecha. La estría ha cedido.

«¡Quería vengarse antes!» comenta Zelote.

«Tienes razón. Un leño terco» dice Tomás.

«Con el hierro, fuego y dolor. Parece una de esas frases que tanto gustan a los romanos» observa Zelote.

«No sé por qué, pero a mí me parece que recuerdan ciertos puntos de los profetas. También nosotros somos del leño terco [2]... ¿y habrá necesidad de hierro, fuego y dolor para hacernos buenos?» pregunta Bartolomé.

«Lo será. Pero no bastará. Trabajo con el fuego y con mi dolor, pero no todos los corazones saben imitar este leño... ¡Silencio! Afuera hay alguien... Se oyen pasos...»

Escuchan. No se oye nada.

«Tal vez el viento, Maestro. Hay hojas secas en el huerto...»

«No. Eran pasos.»

«Algún animal nocturno. Yo no oigo nada.»

[2] Cfr. por ej., Ez. 17 y 31; Dan. 4.

«Tampoco yo. Tampoco yo...»

Jesús pone oídos atentos. Parece como si escuchase. Después alza su rostro y mira fijamente a Judas de Keriot que también ha estado atento a todo ruido. Más que los otros. Lo mira tan fijamente que Judas pregunta: «¿Por qué me miras así, Maestro?» La respuesta no llega, porque alguien llama a la puerta.

De las catorce caras que la lámpara ilumina, sola la de Jesús no se muda. Las demás cambian de color.

«¡Abrid! ¡Abre, Judas de Keriot!»

«Yo no. ¡Que no abro! ¡Y si fuesen hombres malos que hubieran venido a propósito hoy en la noche! ¡No seré yo quien te haga mal alguno!»

«Abre tú, Simón de Jonás.»

«Por lo menos les echaré encima la mesa» dice Pedro que se dispone a abrir...

«Abre, Juan, y no tengas miedo.»

«¡Oh, si quieres que entre, me voy al cuarto del viejo! No quiero ver nada» dice Iscariote, que con cuatro zancadas pasa de la puerta a la habitación de Juan y se mete en ella.

Juan, de pie, junto a la puerta, con la mano en la llave, mira espantado a Jesús y en voz baja dice: «¡Señor!...»

«Abre y no tengas miedo.»

«Hazlo. Somos trece hombres fuertes. ¡No serán ellos un ejército! Con cuatro puñetazos y gritos — Elisa, tú gritarás si llega el caso — los echamos a huir. ¡No estamos en un desierto!» dice Santiago de Zebedeo que se levanta el vestido, se arremanga la túnica, pronto al ataque. Pedro lo imita.

Juan, todavia dudoso, abre la puerta, mira, mira por la rendija. No ve a nadie. Grita: «¿Quién anda por ahí?»

Una voz adolorida de mujer responde: «Soy una mujer. Quiero al Maestro.»

«No es la hora de venir. Si estás enferma, ¿por qué andas a estas horas? Si eres leprosa, ¿por qué te aventuras a venir a un poblado? Si tienes algún sufrimiento, regresa mañana. Vete, vete con tu suerte» dice Pedro que está detrás de Juan.

«¡Tened piedad! Me encuentro sola en el camino. Tengo frío. Tengo hambre. Soy una infeliz. Llamadme al Maestro. El tiene piedad...»

Los apóstoles, cohibidos, miran a Jesús. Su rostro refleja severidad, pero no dice nada. Cierran la puerta.

«¿Qué hacemos, Maestro? ¿Le demos un pedazo de pan? No hay lugar para ella. Ir a las casas con una desconocida...» objeta Felipe.

«Espera. Voy a ver» dice Bartolomé y toma una lámpara para alumbrarse.

«No es necesario que vayas. La mujer no tiene frío, ni hambre y sabe muy bien a dónde debe ir. No tiene miedo de la oscuridad de la noche. Pero es una infeliz, aunque no está ni enferma, ni es leprosa. Es una prostituta. Vino a tentarme. Os lo digo para que sepáis que conozco todo, para que os persuadáis de ello [3]. Y os digo también que no ha venido porque hubiera querido, sino porque le pagaron para que viniese.» Jesús habla en voz alta, de modo que los que están en la habitación contigua puedan oírlo, sobre todo Judas.

«¿Y quién te pudo haber hecho esto? ¿Para qué?» pregunta el mismo Iscariote que aparece por la cocina. «Ciertamente los fariseos, no; como tampoco los escribas, y menos los sacerdotes, si es que fuese una mujer de vida alegre. No creo que lo hayan sido los herodianos [4]... cansados de entregarse a ciertos manejes para... Ni siquiera yo lo sé.»

«Te diré que sí son ellos para poder acusarme de pecador, de que tengo relaciones con daifas. Tú lo sabes, como también Yo. Y te digo también que no maldigo ni a ella, ni a quien la mandó. Todavía soy y siempre seré la Misericordia. Voy a verla. Si no tienes inconveniente, ven conmigo. Voy a verla porque realmente es un ser infeliz. Dijo que lo era, por decir mentira, pues es joven, hermosa y ha sido bien pagada, es sana y está satisfecha de su vida ruin. Pero es una infeliz, lo que es verdad. Sal delante de Mí y asiste a nuestra conversación.»

«Yo no salgo. ¿Por qué debo hacerlo?...»

«Para que puedas referirla a quien te preguntará.»

«¿Y quién me interrogará? Entre nosotros no hay razón porqué debamos hacernos preguntas, y los demás... No veo a nadie.»

«Obedece. Sal primero.»

«No. En esto no obedezco, y no puedes obligarme a que me acerque a una meretriz.»

«¡Oye! ¿Pues qué piensas ser tú? Yo voy, Maestro, y no tengo miedo de que se me puede algo» dice Pedro.

«No. Voy Yo sólo. Abre.»

Jesús sale al huerto. No se ve nada en lo espeso de la oscuridad. Se abre la puerta de la cocina y Pedro sale con una lámpara. «Toma esto por lo menos, Maestro, si es que no quieres que te acompañe» dice con voz fuerte. Y luego en voz baja: «Recuerda que estamos detrás de la puerta. Si algo te pasa, no tienes más que llamarnos...»

«Gracias. No discutáis de esto.»

Jesús toma la lámpara y la levanta para ver. Detrás del grueso

[3] Cfr. pág. 663, not. 35.

[4] Con toda probabilidad los herodianos eran la clase de judíos que hacían política, llenos de celo por la dinastía de Herodes Antipas, tetrarca de Galilea, siempre dispuestos a avisar a la autoridad romana las palabras o acciones de Jesús que pudiesen ir contra ella. Cfr. Mt. 22, 15-22; Mc. 3, 6; 12, 13-17; Lc. 20, 20-26.

tronco del nogal se ve una figura humana. Jesús da dos pasos hacia ella, y le ordena: «Sígueme.» Va a colocarse junto a la banca de piedra, recargada contra la pared, hacia la parte oriental.

La mujer se acerca velada, inclinada. Jesús pone la lámpara sobre la piedra, cerca de Sí.

«Habla» ordena enérgico, severo cual Dios, de modo que la mujer en lugar de acercarse o de hablar, retrocede y se inclina mucho más, sin pronunciar palabra alguna.

«Habla, te lo exijo. Querías verme. Aquí me tienes. Habla» dice con un cierto sabor de dulzura en la voz.

Silencio.

«Entonces el que hablará soy Yo. Respóndeme. ¿Por qué me odias así que te prestas a quien desea mi destrucción por todos los medios y posibilidades? Responde. ¿Qué mal o daño te he hecho, Yo, que ni siquiera en mi corazón me he burlado de ti por la vida infame que llevas? ¿Por qué has de odiar a quien en su corazón ni siquiera te ha deseado, que lo odias más de los que te han arrojado a esta vida de prostituta y que te desprecian cada vez que se llegan a ti? ¡Responde! ¿Qué cosa te ha hecho Jesús de Nazaret, el Hijo del Hombre [5], a quien apenas si conoces de vista porque te lo encontraste por las calles de la ciudad? ¿Jesús que no te conoce [6], que no conoce tu cara, y que no se preocupa de tu belleza física, porque sólo en tu alma busca la figura manchada, sucia, para conocerla, para curarla? ¡Habla, pues!

¿No sabes quién soy? Sí que lo sabes, sabes dos cosas por lo menos. Sabes que soy joven y que te gusta mi persona. Esto te lo han dicho tus instintos bestiales. Y tu lengua de ebria lo ha dicho a quien oyó tu confesión y se ha aprovechado de ella para causarme daño.

Sabes que soy Jesús de Nazaret, el Mesías. Esto te lo dijeron quienes se están aprovechando de tu apetito carnal, que te pagaron para que vinieses a tentarme. Te dijeron: "El se llama el Mesías. Las multitudes lo proclaman el Santo, el Mesías. No es más que un impostor. Necesitamos de pruebas de su miseria de hombre. Dánoslas y te cubriremos con oro". Y como tú, con un mínimo de rectitud, con la última migaja de tesoro de rectitud que Dios puso en tu cuerpo junto con el alma, que has destruido y reducido casi a la nada, no querías hacerme mal, porque a tu modo, me amabas, ellos te prometieron: "No le causaremos ningún daño. ¡Antes bien! te lo entregamos como un hombre y te damos los medios para que lo hagas vivir como un rey a tu lado. No necesitamos otra cosa para poner paz en nuestras conciencias que decir que El es un hombre cual-

[5] Cfr. vol. 3°, pág. 32, not. 4.

[6] Por experiencia humana. Cfr. vol. 1°, pág. 428, not. 15.

quiera. Una prueba de que no estamos equivocados al afirmar que El no es el Mesías". Así te hablaron. Y tú viniste. Si Yo me dejase engañar de tus encantos, el infierno caería sobre Mí. Ellos están prontos a cubrirme de lodo y capturarme. Tú eres su instrumento.

Ves que no te pregunto nada. Hablo *porque lo sé*. Pero si sabes las dos primeras cosas, la tercera la ignoras. No sabes quién sea Yo, además del hombre que estás viendo. Los otros te dijeron: "Es el Nazareno". Te diré quién soy. Soy el Redentor. Para redimir no debo tener pecado. Mi posible sensualidad de humano, mira como la tengo pisoteada [7]. Así como hago con este feo gusano que en la oscuridad del fango iba al fango en busca de sus lascivos amores; así la he aplastado *siempre*. Así la estoy aplastando ahora. De igual modo estoy dispuesto a arrancarte de tu enfermedad y a pisotearla librándote de ella, para sanarte, para santificarte. Porque soy el Redentor. Esto solo. Tomé cuerpo humano para salvaros, para destruir el pecado, *no para pecar*. Lo tomé para borrar vuestros pecados, *no para pecar con vosotros*. Lo tomé para amaros, *pero con un amor que da su vida, su sangre, su palabra, todo su ser, para llevaros al cielo, a la Justicia, no para amaros como animal Y ni siquiera como hombre, porque soy más que hombre.*

¿Sabes quién soy Yo? No lo sabes. No conoces ni siquiera la importancia de lo que te habías propuesto realizar. Y te perdono. No la conocías. Pero, ¿cómo has podido vivir de tu prostitución? No eras así antes. Eras buena. ¡Oh, infeliz! ¿No recuerdas tu infancia? ¿No recuerdas los besos de tu madre? ¿Sus palabras? ¿Las horas en que orabais juntas? ¿Las palabras de la sabiduría que tu padre te explicaba, por la noche, y en los sábados el sinagogo?... ¿Qué cosa te convirtió en estúpida y ebria? ¿No recuerdas nada de esto? ¿No lo lamentas? Dime, ¿eres realmente feliz? ¿No respondes? Lo diré en tu lugar: no eres feliz. Cuando te levantas encuentras sobre tu almohada tu vergüenza, que es la que te da los buenos días. La voz de tu conciencia te grita sus reproches, mientras te acicalas y ador-

[7] Según esta Obra, Jesús para mostrar tangiblemente a la extraviada mujer cómo aplastar el vicio al que se había degradado, igualándose a un animal inmundo que los viajeros suelen aplastar, y para mostrar, cómo El, joven y bello más que cualquier otro hombre, había llevado una vida de gran penitencia (cfr. Mt. 4, 1-17; 8, 19-20; Lc. 9, 57-58) realiza un acto desacostumbrado, pero simbólico e impresionante (que trae a la memoria el Salmo mesiánico 21, 7-8). La expresión "posible sensualidad", debe entenderse *abstracta o absolutamente hablando*, en cuanto que Jesús, verdadero Dios, pero también verdadero Hombre, estaba dotado de verdadera voluntad y de *libertad* humana, la que jamás se opuso a la Voluntad divina, bien porque su voluntad humana no *quiso*, bien, como enseña Sto. Tomás, porque estába confirmada en gracia. La primera razón podía comprenderla la mujer extraviada; la segunda, le era prácticamente difícil de comprender. El Buen Pastor, se valió de la primera para enseñar más fácilmente a la pecadora. En cuanto a la opinión de Sto. Tomás, cfr. *Summa theologica*, III, q. 18 y como ejemplo art. 5, al 3.

nas y perfumas para el placer. Hueles el olor infame aun en los perfumes más delicados. Sientes náuseas en los más exquisitos alimentos. Tus collares te pesan más que una cadena. Y lo son. Mientras ríes y seduces, algo gime dentro de ti. Te embriagas para disipar el fastidio y el asco de tu vida. Odias a los que dices amar para sacarles el dinero. Te maldices a ti misma. Tu sueño está lleno de pesadillas. El recuerdo de tu madre es una espada en tu corazón. La maldición de tu padre no te deja en paz. Y luego tienes ante tu vista los desprecios de aquellos con quienes te encuentras; la crueldad de quien te emplea, sin una gota de piedad. Eres mercancía. Te vendes. La mercancía comprada puede usársela como se quiera. Se rompe, se tira, se aplasta, se le escupe. El comprador tiene derecho de hacerlo. No puedes rebelarte... ¿Te hace feliz esta vida? No. Estás desesperada. Encadenada. Torturada. En la tierra eres una piltrafa sucia que cualquiera puede pisotear. Cuando sientes aflicción, cuando buscas consuelo y levantas tu corazón a Dios, sientes que está irritado contra ti [8]. El cielo se te cierra más que a Adán [9]. Si te sientes mal, tienes miedo de morir porque prevés tu suerte. El Abismo te espera [10].

¡Oh, infeliz! ¿Y no era suficiente esto? ¿Quieres agregar a la cadena de tus culpas, la de ser causa de la ruina del Hijo del Hombre? ¿Del que te ama? El Unico que te ama. Porque también por tu alma se hizo hombre. Yo podría salvarte si quisieras [11]. Sobre al abismo de tu abyección se inclina el abismo de la misericordiosa Santidad, y está aguardando un deseo tuyo de querer ser salvada para que te arranque del abismo de tu inmundicia. En tu corazón piensas que es imposible que Dios te perdone. Y esto lo deduces del hecho de que el mundo no te perdona que seas una mujer de vida alegre. Pero Dios no es el mundo. Dios es bondad. Dios es perdón. Dios es amor [12].

Te pagaron para que vinieses a hacerme mal. En verdad te digo que el Creador, con tal de salvar a una criatura suya, puede cambiar en bien lo que estaba mal. Si quieres, tu venida se te cambiará en bien. No te avergüences de tu Salvador. No te avergüences de tu Salvador. No te avergüences de mostrarle desnudo tu corazón. Aunque lo quieras ocultar, El lo está viendo y sobre él llora. Llora.

[8] La expresión «sientes que está irritado...» debe entenderse en el sentido de que si el pecador, no quiere realmente arrepentirse, Dios tampoco lo perdona, y por lo tanto la ira de Dios está sobre él. (N.T.)

[9] Cfr. Gén. 3, 23-24. La expulsión del paraíso terrestre es la figura de la expulsión del paraíso celestial: ambas efecto y castigo del pecado original.

[10] El Abismo, significa aquí el lugar en que los demonios están recluidos, en espera de su castigo final, como se habla a cada paso en el Apocalipsis, cfr. 9, 1-12; 11, 1-13; 17, 8-18; 20, 1-6.

[11] Cfr. vol. 3°, pág. 621, not. 4.

[12] Cfr. Is. 54, 4-10; 1 Ju. 4, 7-16.

Ama. No te avergüences de arrepentirte. Trata de tener valor en el arrepentimiento como lo fuiste en la culpa. No eres la primera de este género de vida a mis pies, y que conduzca a la justicia... Jamás he arrojado a ninguna, por más culpable que fuese. He procurado, al revés, atraerla y salvarla. Es mi misión.

El estado de un corazón no me causa horror. Conozco a Satanás y sus obras. Conozco a los hombres y sus debilidades. Conozco la condición de la mujer que paga, como es justicia, más duramente que el hombre las consecuencias de la culpa de Eva [13]. Sé, pues, juzgar y compadecer. Te aseguro que más severo soy para con los que inducen a una mujer a caer, que contra ella. Soy más severo contra los que te han enviado, que contra ti, ¡infeliz mujer!, que ignorabas para lo que te querían. Hubiera querido que te hubieras llegado empujada por un deseo de ser redimida como otras hermanas tuyas. Pero si secundas el deseo de Dios, y de una acción mala haces la piedra angular de tu nueva vida, Yo pronunciaré sobre ti la palabra de paz [14]...»

Jesús, que al principio había hablado con un tono enérgico, poco a poco lo ha ido ablandando, pero sin mostrar ninguna debilidad en sus sentidos, y sin equívoco de su bondad, guarda silencio ahora, esperando a que la mujer hable, la cual sigue de pie, inclinada, cada vez más inclinada, a unos dos metros de distancia, y que a la mitad de las palabras de Jesús se ha llevado las manos a la cara y ha dejado ver dos hermosas manos bajo el manto oscuro, adornadas con anillos. De sus antebrazos desnudos penden brazaletes.

No puedo afirmar si la mujer llora o no. Si llora, lo hace tan silenciosa que no se oye ningún sollozo, ni se ve que se sacuda. Parece una estatua por lo inmóvil que sigue bajo su vestido negro. Luego de pronto cae de rodillas al suelo, se encoge, y empieza a llorar en realidad, sin importarle que se le oiga. Luego, sin erguirse, dice: «¡Es verdad! Eres verdaderamente un profeta... Todo es verdad... Me pagaron para esto... Pero me habían dicho que se trataba de una apuesta... Que ellos te descubrirían en mi casa... Pero también cerca de Ti...»

«Mujer, quiero oir sólo *tus* culpas...» la interrumpe Jesús.

«Es verdad. No tengo derecho de acusar a nadie porque soy un montón de inmundicia. Todo es verdad. No soy feliz... No gozo de las riquezas, festines, amores... Me pongo colorada al pensar en mi madre... Tengo miedo de Dios y de la muerte... Odio a los hombres que me pagan. Todo lo que has dicho es verdad. Pero no me arrojes, Señor. Nadie, después de mi madre, me había hablado como lo has hecho. Más bien, me has hablado con más dulzura que mi madre,

[13] Cfr. Gén. 3, 16.
[14] Cfr. pág. 410, not. 3.

que en los últimos días fue dura conmigo por mi conducta... Para no oírla hui a Jerusalén... Pero Tú... Tu dulzura es como si fuese nieve sobre el fuego que me devora. Mi fuego se apaga, antes bien es otra clase de fuego. El que sentía me devoraba sin darme luz y calor. Era yo un ser helado y en tinieblas. ¡Oh, cómo he buscado el sufrimiento! ¡Cuántos dolores inútiles y malditos yo misma me he dado! Señor, te dije a través de la puerta entreabierta que era yo una mujer infeliz y que quería piedad. No era cierto. Era mentira, pero ellos me dijeron que te las dijese para hacerte caer. Y añadieron que mi belleza haría el resto... ¡Mi belleza! ¡Mis vestidos!...»

La mujer se pone de pie. Ahora que está erguida, veo que es alta. Se quita el velo y el manto y deja ver su belleza. Sus ojos pintados con el bistre son grandes y bellísimos. Tienen una mirada de inocencia asombrada que es extraño ver en mujeres de esta clase [15]. Tal vez los ha lavado con el llanto [16]. Arranca y pisotea su manto; rompe el velo, arranca los preciosos broches de uno y de otro y los arroja al suelo; se quita los anillos y brazaletes; arroja lejos los adornos que traía en la cabeza, se agarra sus relucientes guedejas, se las despeina para borrar en ellas todo lo artificial, llevada de un ansia de sacrificio que causa hasta miedo. El collar que llevaba pendiente va a parar al suelo y sus bolitas se pierden en él. Pisotea las piedras que adornaban sus sandalias. Su preciosa faja tiene igual destino, lo mismo que el broche con el que sostenía su vestido sobre el pecho. Y todo lo hace mientras anhelosa repite: «¡Fuera, fuera! ¡Malditas cosas, fuera! Vosotras y quienes me las dieron. ¡Largo de aquí, belleza! ¡Adiós cabellos! ¡Adiós piel de jazmín!»

Rápida, toma una piedra aguda que ve en el suelo y se golpea con ella la cara, la boca; con las uñas pintadas se rasga el cuerpo. La sangre cae de las heridas, los lugares golpeados se hinchan... hasta que su furia se aplaca, y jadeante, agotada, desfigurada, despeinada, con su vestido sucio por la sangre, por polvo, se echa al suelo, a los pies de Jesús, gimiendo: «Y ahora puedes perdonarme, si ves mi corazón, porque no existe más de mi pasado, ni alguna otra cosa... Has vencido, Señor, a tus enemigos y a mí misma... Perdóname mis pecados...»

«Te había ya perdonado desde que vine a tu encuentro. Levántate y no peques más.»

[15] La conversación que, según esta Obra, Jesús tiene con la mujer, es digna de consideración desde el punto de vista pastoral e invita a reflexionar detenidamente. Lo que dice de los ojos, que no sólo eran bellísimos, sino que tenían un toque de inocencia asombrada, es muy exacta. Son los ojos de *todas* las que han recibido de Dios una *fuerza* más que ordinaria de amar. Cfr. Jos. 2; 6; Mt. 21, 28-32; Lc. 7, 36-50; Hebr. 11, 30-31; Sant. 2, 24-26.

[16] Este «tal vez» hace comprender que la Escritora estaba incierta. En realidad el corazón sigue siendo bueno, cuando se falta no por malicia, sino por ignorancia o fragilidad, y por lo tanto los ojos que son la luz del corazón (Mt. 6, 22-23; Lc. 11, 34-36).

«Dime qué debo hacer, y lo haré.»
«Aléjate de los lugares donde pecabas, de los que te conocen. Tu madre...»
«¡Oh, Señor mío, no me recibirá ya! Me odia, porque por mi causa murió mi padre, maldiciéndome.»
«Si te recibe Dios que es Dios, y te recibe porque es Padre, ¿no puede tu madre acorgerte, tu madre que te engendró y que es mujer como tú? Humildemente ve a su casa. Llora a sus pies, como has llorado a los míos. Dile todo lo que ha pasado, como lo has hecho conmigo. Cuéntale tus sufrimientos. Invoca su compasión. Hace años que tu madre está esperando este momento. Lo espera para morir en paz. Sufre sus palabras de amoroso reproche, como has sufrido las mías. Es tu madre. Y por esto tienes la doble obligación de oírla con respeto.»
«Eres el Mesías. Eres más que una madre.»
«Ahora lo dices. Cuando viniste a tentarme no lo sabías, y con todo oíste mis palabras.»
«Eres muy diverso de todos los hombres... algo... Eres Santo. ¡oh Jesús de nazaret!»
«Tu mamá es santa como madre y como criatura. Por sus oraciones has encontrado misericordia ante Dios. ¡Una madre siempre es santa! ¡Dios quiere que siempre se la honre.»
«Yo le quité la fama. Toda la población sabe lo que soy.»
«Con mayor razón debes ir a decirle: "Madre, perdóname". Para consagrarle tu vida, para reparar la aflicciones que por ti ha sufrido.»
«Así lo haré... Pero... Señor, no me devuelvas a Jerusalén. *Ellos* me están esperando... y no sé si pudiera resistir a sus amenazas... Déjame aquí hasta que amanezca, y luego...»
«Espera un momento.»
Jesús se levanta, se dirige a la puerta de la cocina, toca, se le abre, dice: «Elisa, ven conmigo.»
Ella obedece. La lleva a donde está la mujer que al ver venir a otra mujer, y anciana, tiene un movimiento de vergüenza y trata de cubrirse sus carnes y su vestido provocativo con los pedazos de manto y velo desgarrados.
«Oyeme, Elisa. Me voy ahora mismo de esta casa. Dirás a mis discípulos que se reúnan conmigo al amanecer en la puerta de Herodes. Todos, menos Judas de Keriot que *debe* venir conmigo. Vas a llevar a esta mujer a dormir contigo. Puedes tomar mi cama, porque no regresaré por mucho tiempo a Nobe. Mañana, cuando Juan se levante, tú y él, acompañaréis a esta mujer a donde os dijere. Le darás un vestido cualquiera y un manto de los tuyos. La ayudaréis *en todo.*»
«Está bien, Señor. Se hará como has dicho. Me desagrada por

Juan...»

«A Mí también. Quería que estuviese contento, pero el odio de los hombres impide al Hijo del hombre que tenga una hora de regocijo...»

«¿Y luego Señor?»

«¿Luego? Puedes regresar a Betsur en espera... Hasta pronto, Elisa. Mi bendición y mi paz estén contigo. Adiós, mujer. Te confío a una madre y a un hombre justo. Si crees que tienes que regresar a tomar tus prendas...»

«No. No quiero tener nada con el pasado.»

«Pero, ¡óyeme!, no vas a dejar todo tirado. ¿No tienes siervos? ¿No tienes familiares?» pregunta Elisa.

«No tengo más que una esclava... y...»

«Tendrás que dejarla libre, tendrás...»

«Te ruego que lo hagas tú, cuando regreses. Ayúdame a que me cure del todo.» La angustia palpita en su voz.

«¡Sí, hija mía, sí! No te angusties. Mañana pensaremos en todo. Ahora ven conmigo allá arriba.» Elisa la toma de la mano, la lleva por escaleras, a una de las dos habitaciones que hay. Luego ligera baja: «Pensé que estaba bien que todos te viesen sin ella, Señor; y que ni supiesen dónde está. Estos joyeles...» Se inclina a recoger anillos y brazaletes, broches, horquillas, la faja y las bolitas del collar que no fueron pisoteadas. «¿Qué haremos de esto, Señor?»

«Ven conmigo. Tienes razón. Está bien que no me vean con ella.»

Entran a la cocina. Todos miran a Jesús interrogativamente. El viejo Juan se ha levantado, tal vez al oir la discusión de los apóstoles.

«Elisa, da esas cosas preciosas a Tomás. Mañana las venderás a algún orfebre. Servirá para los pobres. Sí. Son joyeles de una mujer, de *ésa.* Y esta es la respuesta a quien piensa que una mujer puede tentar al Hijo del hombre y desviarlo de su misión. También es el consejo que doy a los que me odian, que es inútil todo lo que hagan por encontrar algo de qué acusarme. Juan, Elisa te dirá lo que tienes que hacer. Te bendigo...»

«¿Te vas, Señor?»

«Tengo que irme. Adiós. La paz sea contigo.» Se vuelve a los apóstoles y les ordena: «Id a acostaros, menos tú, Judas de Keriot, que vendrás conmigo.»

«¿A dónde? ¿Y de noche?» replica Judas.

«A orar. No te hará mal. ¿O temes el aire nocturno, si estás junto a Mí?»

Judas inclina su cabeza, toma de mala gana su manto. Jesús toma el suyo.

«Mañana al amanecer en la puerta de Herodes. Iremos al Templo y...»

«¡No!» El no es unánime. El de Judas es más fuerte.

«Iremos al Templo. ¿No dijiste que los habías convencido de que me dejarían en paz?»

«Cierto.»

«Entonces iremos al Templo. Ven» y se dirige a la puerta para salir.

«Y así ha acabado una fiesta que habíamos preparado...» suspira Pedro.

«Terminada, antes de empezarla, deberás decir» le replica Santiago de Zebedeo.

Jesús está ya en los umbrales de la puerta abierta. Se vuelve y bendice. Luego, desaparece en la oscuridad.

En la cocina todos están mudos. Mateo pregunta a Elisa: «Pero, ¿cómo sucedió esto?»

«No lo sé. Había una mujer que lloraba. El le dijo a ella lo que también os dijo. Quién haya sido, de dónde y para qué haya venido, no lo sé...»

«Está bien. Vámonos...» Menos Bartolomé y Mateo, que duermen en la casa, todos los demás se van.

230. Jesús y Judas de Keriot hacia Jerusalén

(Escrito el 25 de noviembre de 1946)

El alba esclarece el horizonte. El bosque de olivos que cubre el monte se ilumina poco a poco al salir de la penumbra, y los troncos, todavía en ella sumergidos, parece como si no existieran, mientras sus copas plateadas pueden ya distinguirse. Parece como si la niebla cobijara el monte, pero no es otra cosa más que lo gris de la fronda a la luz equívoca matinal.

Jesús está sólo bajo los olivos. Pero no en Getsemaní, porque este monte es paralelo al Moria, por decir así, y es solo. Nos encontramos, pues, al norte de Jerusalén, al otro lado de las tumbas de los reyes. Jesús sigue orando y no cesa ni aún cuando los primeros trinos de los pajarillos le dicen que el día ha nacido ya. Sólo cuando los primeros rayos del sol prenden un punto de oro en el oro, hasta ahora sin brillo de las cúpulas del Templo, se pone de pie, se sacude el manto en que hay tierra y alguna que otra hoja seca, se alisa la barba y los cabellos con la mano, luego se ajusta el vestido y la faja, mira las sandalias, se vuelve a poner el manto y baja por un sendero que apenas se distingue entre los troncos. Tal vez se dirige a esa casucha de donde sale humo. Pero no. Da vuelta hacia un caminillo más ancho que lleva al camino principal, que a su vez lleva a la ciudad.

Detrás de El sin saber cómo, baja Judas Iscariote. Digo sin saber cómo, porque corre como un loco para alcanzar al Maestro. A cierta distancia le grita. Jesús se detiene. Judas llega jadeando, le dice: «Maestro... hice bien en haber venido a buscarte. ¿Te ibas sin mí? Ziforá me dijo que te esperara en la casa, que habrías ido, pero...»

«¿No dije a todos que los esperaba en la puerta de Herodes al amanecer? El alba ha despuntado. Voy a la puerta de Herodes.»

«Eso dijiste... pero fue a los demás. Nosotros estuvimos juntos.»

«¿Juntos?» Jesús está muy serio.

«Es la verdad. Salimos juntos. Así lo quisiste. Luego preferiste ir solo a orar. Yo estaba dispuesto a ir contigo.»

«En Nobe diste claras señales de que no te habría gustado pasar la noche en oración con tu Maestro. Y no quise forzar tu voluntad. De nada hubiera servido. El bien hay que hacerlo espontáneamente para que tenga perfume y sea fecundo. De otro modo no es sino una... pantomima, y algunas veces, peor.»

«Pero yo... ¿Por qué estás como enojado conmigo desde hace algunos días? ¿No me amas ya?»

«Con mayor razón te lo podría preguntar: ¿no me amas ya? Pero no te lo pregunto, porque también esta pregunta sería inútil, y Yo no hago cosas inútiles.»

«Bueno, entiendo. ¡Porque sabes muy bien que yo te amo!»

«Quisiera saberlo, Judas de Keriot. Quisiera poder decirte: sé que me amas. Pero como nunca hago cosas inútiles, también no digo palabras falsas. Por esto no te digo que sé que me amas.»

«Pero ¡cómo, Maestro! ¿Que no te amo? ¿No trabajo por Ti? ¿Puedes dudarlo? Esto me aflige. ¿Yo que apenas veo que una cosa te aflige, no la hago más, y estoy atento para no repetirla? Mira: comprendí que te desagrabada que yo... saliese de noche. No he salido más. Comprendí que te fastidiaban a más no poder las discusiones de tus enemigos. Fui — sin preocuparme de las injurias que me dijeron — a decirles que no se repitiesen, y Tú mismo ves que nadie te ha molestado. Y espero que ni siquiera en el Templo. No eres justo, Maestro, con el pobre Judas.»

«Eres el primero que de entre los que me siguen, me reproche de injusto...»

«¡Oh, perdón! Tus palabras, tu seriedad me causan tanto dolor que no soy capaz de reflexionar. Me enloquece, créerlo. ¡Ea, paz mía!, hagamos las paces entre nosotros. Quiero estar contigo, como si estuviese unido a Ti. Juntos siempre...»

«Un tiempo lo estuvimos. Pero dime Judas: ¿ahora cuándo lo estamos?»

«¿Te refieres a aquella noche? ¿O cuando no fui contigo a Betabara? Tú sabes por qué no fui a donde estabas. Por bien tuyo... Y aquella noche ... Soy joven, ¡Señor! Pero fuera de esos momentos en que confieso haber cometido un error, no cabe duda, siempre he estado junto a Ti.»

«No me refiero a la proximidad corporal, sino a la espiritual, a la de pensamiento y corazón. Judas, tú estás lejos de tu Salvador y cada vez te alejas más.»

«¡Lo que me esperaba! ¡Para mí han de ser tus regaños! Y mira con qué humildad los recibo. Te dije: "Despáchame!". Me has tenido contigo... ¿y ahora que quieres de mí?»

«¡Que qué quiero! Quisiera no haberme hecho hombre inútilmente por ti. Es lo que quisiera. Pero tú por lo demás eres ya de otro amo [1], de otra nación, hablas una lengua diferente... Oh, ¿qué puedo hacer, Padre mío, para limpiar el templo profanado de este hijo tuyo y hermano mío?» Jesús llora, su rostro está sumamente pálido.

Judas también pierde color y se separa un poco. Jesús le aventaja un paso más, bajando con la cabeza inclinada, encerrado en su dolor. Entonces Judas hace un gesto de burla, de amenaza, diría yo, de un cruel juramento. Su cara, que venía enmascarada con el aire de una hipócrita dulzura y humildad, se hace angulosa, dura, brutal, cruel. Verdaderamente endemoniada [2]. Es un odio, pero no humano, lo que se ve en sus negras pupilas, y ese fuego de odio converge sobre Jesús. Luego, con un alzarse de hombros y con dar una pisotada, termina su razonamiento que lleva en el interior. Continúa caminando como uno que está ya decidido a hacer lo que se había propuesto.

La ciudad con sus murallas está cerca. Gente que se amontona a sus puertas. Forasteros, campesinos, gente de poblaciones cercanas. Entre ella están los once que al ver al Maestro le vienen al encuentro.

«Maestro, mientras te esperábamos, vino un hombre a buscarte. Dijo que te ruega Valeria que vayas a la sinigoga de los libertos romanos [3]. Que no dejes de ir. Te espera.»

«Está bien. Iremos. Pero antes iremos a la casa de José de Séforis, porque mis vestidos están sucios...»

«¿Dónde dormiste, Señor?» pregunta Pedro.

«En ningún lugar, Simón. Oré en el monte. La tierra estaba húmda y lodosa. Míralo.»

«¿Para qué oras al descubierto, Señor? Te podría hacer mal...»

«Los elementos no hacen mal al Hijo del Hombre [4]. Las cosas de

[1] Esto es, del demonio. Cfr. 3 Rey. 21, 13 (Vulgata); Ju. 8, 44; Hech. 13, 10; 1 Ju. 3, 8-12.

[2] Cfr. pág. 419, not. 6.

[3] Cfr. Hech. 6, 9; 1 Cor. 7, 17-24, sobre todo versículo 22.

[4] Cfr. vol. 3°, pág. 32, not. 4.

Dios son buenas [5]... Son los hombres, los que odian al Hombre.»
Pedro lanza un suspiro... Van a la casa del galileo. Los demás los siguen...

[5] Cfr. Gén. 1, 1-25; Prov. 8, 22-31.

231. Jesús en la sinagoga de los libertos romanos

(Escrito el 26 de noviembre de 1946)

La sinagoga de los romanos [1] se encuentra en la parte opuesta del Templo, cerca del Hípico. Hay gente que está en espera de Jesús. Cuando, apenas se le ve por la calle y se le señala, las mujeres corren a su encuentro. Jesús viene con Pedro y Tadeo.

«Salve, Maestro. Te doy las gracias por haberme escuchado. ¿Entras ahora en la ciudad?»

«No. Desde hora temprana estoy en ella [2]. Fui ya al templo.»

«¿Al Templo? ¿No te han ofendido?»

«No. Era de mañana y nadie me esperaba.»

«Te mandé a llamar para esto... y también porque aquí hay algunos gentiles que quisieran hoírte hablar. Hace días que van al Templo a esperarte, pero se burlan de ellos y hasta los amenazan. También ayer estuve allí y comprendí que te esperan para ofenderte. Despaché mensajeros a todas las puertas. Con el dinero todo se puede...»

«Te lo agradezco. Pero Yo, Rabí de Israel, no puedo subir al Templo. ¿Quiénes son estas mujeres?»

«Mi liberta Tusnilde. Dos veces bárbara. De las florestas de Teotuburgo. Una presa de esas avanzadas imprudentes que tanta sangre han costado. Mi padre la regaló a mi madre, y ella a mí, para que haga lo que yo hago. Es muy buena. Las otras que te esperan son mujeres de gentiles. De muchas partes. Tienen muchos problemas. Vinieron en las naves de sus maridos.»

«Entremos en la sinagoga...»

El sinagogo, de pie en el umbral, se inclina y se presenta: «Matatías Sículo, Maestro. A Ti alabanzas y bendiciones.»

«La paz sea contigo.»

«Entra. Cierro la puerta para estar tranquilos. Tanto es el odio que los tabiques son ojos y las piedras orejas para observarte y denunciarte. Tal vez son mejores que éstos que, con tal de que no to-

[1] Cfr. pág. 678, not. 3.
[2] Cfr. pág. 463, not. 3.

ques sus intereses, te dejan obrar» dice el viejo sinagogo caminando al lado de Jesús para llevarlo más allá de un pequeño patio a una ancha sala que es la sinagoga.

«Matatías, curemos primero a los enfermos. Su fe es digna de su premio» aconseja Jesús, y pasa de mujer en mujer imponiendo sus manos [3].

Algunas están sanas, pero sufre el pequeñito que tienen en brazos y Jesús cura el niño. Una es una niña pequeñita totalmente paralítica y, curada, grita: «¡Sitaré te besa la mano, Señor!»

Jesús, que había adelantado ya algunos pasos, sonriente se vuelve y pregunta: «¿Eres siria?»

La mujer responde: «Fenicia, Señor. Más allá de Sidón. Vivimos en las riberas del Tamiri. Tengo diez hijos y dos hijas. Una se llama Sira y la otra Tamira. Sira ha enviudado. Es muy joven. Tanto que, libre, se ha ido a vivir cerca de un hermano, que está en la ciudad y que es un seguidor tuyo. Ella nos dijo que Tú lo puedes todo.»

«¿No vino contigo?»

«Sí, Señor. Está detrás de esas mujeres.»

«Acércate» ordena Jesús.

La joven, temerosa, se acerca.

«Si me amas, no debes tener miedo de Mí» dice Jesús con voz suave.

«Te amo. Por esto dejé Alejadroscene. Pensé que podría oírte una vez más... y que habría aprendido a aceptar mi dolor...» Llora.

«¿Cuánto tiempo hace que te quedaste viuda?»

«A finales de vuestro Adar... Si hubieras estado, Zeno no hubiera muerto. El lo decía... porque te había oído y creía en Ti.»

«Entonces no ha muerto, mujer. Quien cree en Mí, vive. La verdadera vida no es esta luz en que vive el cuerpo. La vida es la que se alcanza creyendo y siguiendo el Camino, la Verdad, la Vida, y obrando según lo que he enseñado. Aun cuando el creer en El, el seguirlo a El, el obrar según su enseñanza durara muy poco tiempo y que la muerte pronto troncara; aun cuando fuese por un solo día, una sola hora, en verdad te digo que quien así obrare, no saboreará jamás la muerte. Porque mi Padre, y Padre de todos los hombres, no tendrá en cuenta el tiempo que pasó en mi ley y fe, *sino su voluntad de vivir hasta la muerte en ella y en la fe.* Yo prometo la vida eterna a quien cree en Mí y obra según lo que enseño, amando a su Salvador, propagando este amor, practicando, mientras puede,

[3] Jesús, y luego los apóstoles, con la imposición de las manos (una acción que se emplea para infundir el Espíritu Santo y arrojar los demonios), solían bendecir y curar a los enfermos. Cfr. Mc. 6, 1-6; 7, 31-37; 8, 22-26; 16, 14-20; Lc. 4, 40-41; 13, 10-17; Hech. 28, 1-10. Este gesto de la imposición de las manos viene del Antiguo Testamento (cfr. por ej.: Gén. 48), y se encuentra en el Nuevo con el significado y eficacia también de comunicar una gracia y una misión, como se notará en su lugar.

mis enseñanzas. Los obreros de mi viña [4] son todos los que vienen a decir: "Señor, acéptame entre tus trabajadores", y siguen con la misma voluntad hasta que mi Padre juzga que terminó su jornada. En verdad, en verdad os digo que habrá obreros que trabajarán una sola hora, *su última hora*, y que tendrán a la mano un premio más a la mano que los que trabajaron todo el día, pero siempre con tibieza, empujados al trabajo sólo por la idea de no merecer el infierno, esto es, por el miedo del castigo. Mi Padre no premia con la gloria inmediata este modo de obrar. A esta clase de tipos egoístas, que tienen prisa en hacer el bien, pero sólo aquel bien que baste a librarles del Castigo eterno, el Juez divino les hará expiar ampliamente [5]. Tendran que aprender a sus propias expensas, después de una larga expiación, a estar prontos en el amor, *en un verdadero amor*, que no busca sino la gloria de Dios. Aún más, os diré que en lo futuro, muchos serán, sobre todo entre los gentiles, los obreros de una sola hora, y aún menos, que entrarán gloriosos en mi Reino porque en aquella única hora de correspondencia a la gracia que les invitaba a trabajar en la viña de Dios, habrán alcanzado la perfección heroica de la caridad. Tranquilízate, pues, mujer. Tu marido no ha muerto, sino que vive. No lo has perdido. Por un poco de tiempo está separado de ti. Ahora tú, como una novia que todavía no ha entrado en la casa de su futuro marido [6], debes prepararte a las verdaderas bodas inmortales con el que ahora lloras. ¡Oh, dichosas nupcias de dos corazones que se han santificado, que se juntan nuevamente para siempre donde no hay más separación, ni temor de no amarse, ni dolor, donde los corazones se regocijarán en el amor de Dios y en el amor mutuo! *La muerte para los justos es una vida verdadera, porque nada puede amenazar la vitalidad de su espíritu, esto es, la de permanecer en la Justicia.* No llores, ni lamentes, Sira, lo que es caduco. Levanta tu corazón, y mira con justicia y con verdad. Dios te ha amado, salvando a tu compañero del peligro de las cosas del mundo que hubieran destruido su fe en Mí.»

«Me has consolado, Señor. Viviré como me has dicho. Sé bendito, y contigo tu Padre, para siempre.»

El sinagogo, mientras Jesús trata de avanzar, pregunta: «¿Puedo hacerte una objeción, sin que por esto sea una ofensa?»

«Habla. Estoy aquí cual Maestro para dar sabiduría a quien me preguntare.»

«Dijiste que algunos pronto serán gloriosos en el cielo. ¿No acaso está cerrado? ¿No acaso están los justos en el limbo en espera de entrar en el cielo?»

[4] Comparar esto con Mt. 20, 1-16.
[5] Alusión al Purgatorio. Cfr. vol. 2°, pág. 533, not. 2.
[6] Cfr. vol. 1°, pág. 82, not. 1.

«Así es. El cielo está cerrado y lo estará hasta que el Redentor lo abra. Pero su hora ha llegado [7]. En verdad te digo que el día de la redención ya alborea en el oriente, y pronto estará en el zenit. En verdad te digo que no habrá otra fiesta después de ésta, antes de aquel día. En verdad te digo que estoy ya forzando las puertas, al estar ya casi sobre la cumbre del monte de mi sacrificio... Este ya me empuja sobre las puertas del cielo, porque está ya en movimiento. Cuando se cumpla, recuérdalo, se correrán las sagradas cortinas y se abrirán las celestiales puertas [8]. Porque Yeové [9] no estará más presente con su gloria [10] en el debir [11], e inútil será poner un velo [12] entre el Inconocible [13] y los mortales. Los hombres que nos precedieron y que fueron justos irán a su lugar destinado, con el Primogénito a la cabeza [14], que ha perfeccionado todo en su cuerpo y en el espíritu, y sus hermanos con el vestido de luz que tendrán hasta que sus cuerpos sean llamados al júbilo.»

Jesús toma el tono del sinagogo o del rabí cuando repite las palabras bíblicas o recita un salmo. «Y El me dijo: "Profetiza a estos huesos y diles: 'Huesos áridos, escuchad la palabra del Señor... Yo infundiré en vosotros el aliento y viviréis. Pondré los nervios, haré que vuestra piel aumente, la alargaré, os daré un aliento y viviréis y sabréis que soy el Señor... Ved que abriré vuestras tumbas... Os sacaré de los sepulcros... Cuando haya introducido en vosotros mi aliento, tendréis vida y os haré descansar en vuestra tierra' " [15].»

Torna a tomar el tono de su voz habitual, baja sus brazos que tenía extendidos y continúa: «La resurrección del que es árido, del que está muerto a la vida es doble, y se desprende de las palabras del profeta. La primera es la resurrección a la vida y en la vida, esto es, a la gracia que es vida para cuantos acogen la palabra del Señor, el Espíritu engendrado por el Padre, que es Dios como el Padre de quien es Hijo, y que se llama Verbo, el Verbo que es Vida y da la vida, esa vida de la que todos tienen necesidad y de la que Israel está privado como los gentiles. Si Israel quiere obtenerla,

[7] Cfr. pág. 213, not. 7.

[8] Cfr. pág. 361, not. 12 y pág. 476, not. 2.

[9] Cfr. vol.1° pág 356, not. 7; y en este vol. pág 541, not. 2.

[10] Cfr. pág. 624, not. 6.

[11] Esto es, «El Santo de los santos» que estaba en la parte más sagrada del Templo. Cfr. pág. 476, not. 2.

[12] Como la not. 8.

[13] Se dice que Dios sea «inconocible» no en el sentido de que no podamos conocerlo, sino en el de que no podrá ser conocido como debe serlo. Por esto la S. Escritura afirma que sólo el Hijo conoce el Padre. Cfr. por ej.: Ex. 33, 18-23; Ju. 1, 18; 6, 45-46; 7, 28-29; Col. 1, 15; 1 Ju. 4, 12; y también S. Tomás *Summa Theologica*, I, q. 12.

[14] Esto es, Jesús, el Unigénito del Padre, Primogénito de sus hermanos según su naturaleza humana. Cfr Mt. 1, 25; Lc. 2, 7; Rom. 8, 29; Col. 1, 15-20; Heb. 1,6; Ap. 1, 5; además vol. 1°, pág.3, not. 3.

[15] Cfr. Ez. 37.

debe esperar y acoger la Vida que viene del cielo de hoy en adelante. En verdad os digo que si los de mi pueblo no me acogen a Mí, que soy la Vida, no la tendrán, y mi venida será para ellos muerte, porque la han rechazado. Ha llegado la hora en que Israel se dividirá entre los vivos y los muertos. Es la hora de la elección, de la vida o de la muerte. La Palabra ha hablado, ha mostrado su origen, su poder, ha curado, enseñado, resucitado, y en breve habrá cumplido su misión. No hay más excusa para que no se acerquen a la Vida. El Señor pasa. Una vez pasado, no regresa. No regresó a Egipto a devolver la vida a los primogénitos de los que se habían burlado de El y oprimido a los israelitas. No volverá ni siquiera esta vez, después que la inmolación del Cordero haya decidido las suertes. Los que no me acogieren antes de que pasare [16], los que me odian y odiaren, no tendrán mi sangre para que santifique sus corazones, y no vivirán y no tendrán a Dios con ellos por el resto de su peregrinación por la tierra. Sin el divino Maná [17], sin la nube protectora y luminosa [18], sin el agua que viene del cielo, sin Dios, andarán vagando por el extenso desierto de la tierra, por toda la tierra, para el que será un desierto porque le falta la unión con el cielo, la cercanía con el Padre y el Amigo, que es Dios. Hay otra resurrección, la universal, en la que los huesos calcinados y dispersos por tantos siglos, frescos volverán a cubrirse de nervios, de carne, de piel. Y se verificará el Juicio. El cuerpo y los corazones de los justos se alegrarán con el espíritu en el Reino eterno, y el cuerpo de los condenados sufrirá con el espíritu en un castigo eterno. Te amo, Israel; te amo, Jerusalén; te amo, ¡oh humanidad! Y a causa de este amor os invito a la vida y resurrección bienaventurada.»

Los que se encuentran en la sala están como fascinados. No hay distinción entre los pasmados hebreos y los demás pertenecientes a diversos lugares y religiones. Más bien diría que los que no son israelitas se hallan presa de cierto estupor.

Un anciano de entre ellos murmura entre dientes algo.

«¿Qué has querido decir?» le pregunta Jesús volviéndose.

«Dije que... Repetía las palabras que en mi juventud escuché del pedagogo: "El hombre puede con la virtud subir a la perfección divina. En la criatura está el resplandor del Creador, que tanto más se revela cuanto más el hombre se hace digno de ello por la virtud; algo así como si se consumase la materia en el fuego de la virtud. Se concedió al hombre conocer al Ente que, por lo menos en la vida de cada hombre, con cariño paternal o severo, se muestra a él para que pueda decir: 'Debo ser bueno. ¡Desgraciado de mí si no lo consi-

[16] Cfr. vol. 2°, pág. 180, not. 6.
[17] Cfr. vol. 2°, pág. 428, not. 11.
[18] Como la not. 8.

guiere! Ya que un poder inmenso brilló ante mí para hacerme comprender que la virtud es deber y es señal de la nobleza del ser humano'. Encontraréis este resplandor de la Divinidad en la hermosura natural, en la última palabra del moribundo, en la mirada de un desgraciado que os mira, en el silencio de la persona que amáis, que callando, no admite una acción vuestra responsable; la encontraréis en los ojos espantados de un niño cuando mira la violencia; o en el silencio de las noches, cuando estáis solos; en la habitación cerrada y sola os encontraréis con un otro yo, muy diverso del vuestro, que habla con un sonido que no es humano. Es Dios, un Dios que debe ser el Creador, a quien todas las cosas, sin saberlo, adoran. Un Dios único que satisface todos los sentimientos del hombre virtuoso, que no se sacia ni se consuela con nuestras ceremonias, ni doctrinas, ni ante los altares vacíos, muy vacíos pese a que una estatua los eleve''. Conozco muy bien estas palabras, porque hace muchos años que me las repito como si fueran mi libro, como si fueran mi esperanza. He vivido muchos años, he trabajado, sufrido y hasta llorado. Pero todo lo soporté, y espero, confiado en la virtud, que me encontraré con este Dios que Hermógenes [19] me había prometido que conocería. Ahora a mí mismo me dije que lo he visto. Y no por un momento fugaz, no como un sonido, he oído sus palabras. He visto lo Divino dentro de una forma bellísima, dentro de un cuerpo. Lo he visto y me he quedado lleno de sacra admiración. El alma, lo que los verdaderos hombres admiten, mi alma te acepta, ¡oh Perfección!, y te dice: ''Enséñame tu Camino, tu Vida y tu Verdad para que un día yo, hombre solitario, pueda juntarme contigo, Suprema Belleza''.»

«Volveremos a unirnos. Y te digo también que más tarde se nos unirá Hermógenes.»

«Murió sin conocerte.»

«El conocimiento material no es necesario para que alguien me posea. El hombre que por su virtud llega a subir al Dios desconocido, y a vivir virtuosamente como homenaje a este Dios, se puede decir que lo conoció, porque se reveló a él, como premio de su vida virtuosa. Sería una desgracia que se me tuviese que conocer personalmente. Difícilmente alguien podría reunirse conmigo. Porque, os lo digo, pronto el Viviente dejará el reino de los muertos para regresar al reino de la vida, y los hombres no tendrán otro medio de conocerme que por la fe o el espíritu. El conocimiento que tengan de Mí, no se detendrá, sino que se propagará y se perfeccionará, porque se verá privado de todo lo que es pesantez de los sentidos. Dios hablará. Dios obrará. Dios vivirá. Dios se descubrirá a

[19] Retórico y sofista, nacido en Tarso alrededor del a. 161 d. C. o bien, arquitecto, nacido tal vez en Priene, que vivió en los siglos III y II a. C.

los corazones de sus fieles con su Naturaleza inconocible y perfecta [20]. Los hombres amarán al Dios-hombre. Y El los amará con medios nuevos, con medios inefables que su amor infinito habrá dejado en la tierra, antes de regresar a su Padre, después de haber realizado todo [21].»

«¡Oh, Señor, Señor, dínos cómo podremos encontrarte y conocer que Tú eres el que nos hablas, y dónde estarás, después que te hayas ido!» gritan varios. Algunos añaden: «Somos gentiles y no conocemos tu ley. No tenemos tiempo para quedarnos aquí y seguirte. ¿Cómo haremos para alcanzar la virtud que nos haga merecedores de conocer a Dios?»

En la sonrisa de Jesús hay luz, hay felicidad al ver sus conquistas entre los paganos. Con toda dulzura responde: «No os preocupéis de saber muchas leyes. Estos os llevarán (y pone sus manos sobre los hombros de Pedro y Tadeo) mi ley. Pero mientres no lleguen, tened como norma las siguientes palabras en que se compendia mi ley de salvación.

Amad a Dios con todo vuestro corazón. Amad las autoridades, a vuestros padres, amigos, criados, aun a los enemigos, como os amáis a vosotros mismos. Y para estar seguros de no pecar, antes de hacer algo, bien sea mandado, bien porque lo queráis, preguntaos: "¿Me gustaría que esto que voy a hacer, otro me lo hiciera?" Si no os gustare, no lo hagáis [22].

Con estas sencillas líneas podéis trazaros el camino por el que llegaréis a Dios y El a vosotros. Porque nadie se sentiría contento de que un hijo suyo le fuese ingrato, que alguien se lo matase, o bien que otro cualquiera os lo robase, os quitase la mujer, deshonrase su hermana o su hija, le arrebatase la casa, los campos, los siervos fieles. Con esta regla seréis buenos hijos y buenos padres, buenos maridos, buenos hermanos, honrados comerciantes y amigos. Por lo tanto seréis virtuosos, y Dios vendrá a vosotros.

A mi alrededor tengo no sólo hebreos y prosélitos en quienes no hay malicia, esto es, me refiero a vosotros que habéis venido a recibirme no con una trampa, como hacen los que os arrojaron del Templo, para que no vengáis a la vida, sino también a vosotros gentiles que habéis venido de todas partes del mundo. Veo cretenses y fenicios mezclados con habitantes del Ponto y Frigia; hay también uno que es de las playas donde se abre el mar desconocido, donde algún día seré amado. Veo a griegos con sicilianos y a cirenaicos con asiáticos [23]. Pues bien Yo os digo: ¡idos! Decid en

[20] Cfr. Ex. 33, 7-23; Núm. 12, 4-8; Deut. 34, 10-12; Ju. 15, 12-17; 1 Cor. 13, 12; 1 Ju. 3, 1-2.

[21] Alusión al Sacrificio eucarístico y a los Sacramentos de la Nueva Ley.

[22] Cfr. pág. 530, not. 3 y la "Regla de oro" que se contiene en Mt. 7, 12; Lc. 6, 31.

[23] Descripción que hace pensar en Hech. 2, 5-11.

vuestras ciudades que la Luz está en el mundo y que vengan a Ella. Decid que la Sabiduría ha dejado los Cielos [24] para hacerse pan de los hombres, agua para los hombres que mueren de sed. Decid que la Vida ha venido a sanar, a resucitar lo que estaba enfermo o muerto. Decid... decid que el tiempo pasa rápido como relámpago de verano. Quien tiene deseo de Dios, que venga. Su corazón conocerá a Dios. Quien tenga deseo de ser curado, que venga. Mi mano, mientras está libre, curará a los que la invocaren con fe.

Id a decir, y no os tardéis, que el Salvador espera a los que aguardan y desean una ayuda superior para la Pascua en la Ciudad Santa. Decidlo a los que tienen necesidad, y aún a los que parecen escuchar por curiosidad. De este sencillo movimiento pueda nacerles la chispa de la fe en Mí, de la fe que salva. ¡Id! Jesús de Nazaret, El Rey de Israel, el Rey del mundo, convoca a sus representantes del mundo para darles sus tesoros de gracias y tenerlos por testigos de su elevación [25], que lo consagrará triunfante, por los siglos de los siglos, como Rey de reyes y Señor de los señores [26]. ¡Id! ¡Id!

En el albor de mi vida terrena, llegaron de diversos puntos, representantes de mi pueblo [27] a adorar al Infante en el que el Inmenso se ocultaba. El querer de un hombre, que se creía poderoso y no era más que un siervo de ese querer divino, había ordenado el censo en su Imperio [28]. Obedeciendo a órdenes desconocidas e inmutables del Altísimo, ese hombre pagano se convirtió en el pregonero de Dios que quería que todos los hombres de Israel, esparcidos en todas las partes de la tierra, en la tierra de este pueblo, cerca de Belén de Efrata, se pasmasen con las señales venidas del cielo, cuando se escucharon los primeros vagidos del recién nacido. Y como si no fuera suficiente, otras señales hablaron a los gentiles, y una representación de ellos vino a adorar al Rey de reyes, pequeño, pobre, sin ambición de una corona terrena pero que ante los ángeles era el Rey [29].

Ha llegado la hora en que seré Rey en la presencia de los pueblos. Rey, antes de regresar al lugar de donde vine.

En el crepúsculo de mis días terrenos, en el atardecer de mi vida humana , es justo que haya hombres de todos los pueblos que vean

[24] Cfr. vol. 1°, pág. 766, not. 5; vol. 3°, pág. 183, not. 7 y pág. 209, not. 5; pág. 593, not. 5.

[25] El término «elevación» tiene doble significado, el de «subir y ascender» y el de «estar arriba de algo». Este segundo es el que interesa en este lugar. Jesús «estará arriba, en la cruz». Cfr. Ju. 3, 14-15; 8, 28-29; 12, 31-33; Fil. 2, 6-11. En algunos otros lugares bíblicos se entiende sólo la Resurrección o Ascensión de Cristo.

[26] Cfr. Deut. 10, 17; 2 Mac. 13, 4; 1 Tim. 6, 13-16; Ap. 17, 14; 19, 16.

[27] Alusión a la adoración de los pastores y de otros israelitas llevados a Jerusalén para el censo.

[28] Esto es, la voluntad del emperador Augusto César. Cfr. Lc. 2, 1-20.

[29] Alusión a la estrella y venida de los Magos. Cfr. Mt. 2.

al que va a ser adorado y en el que se oculta toda la Misericordia. Gocen los buenos de las primicias de esta nueva mies, de esta misericordia que se abrirá como nubes de Nisán para henchir los ríos de aguas saludables, prontas a fertilizar los árboles plantados a sus riberas, como se lee en Ezequiel [30].»

Jesús continúa a sanar a enfermos y enfermas. Le dicen sus nombres: «Yo soy Zila... Yo soy Zabdí... Yo soy Gail... Yo Andrés... Yo Teófanes... Yo Selima... Yo Olinto... Yo Felipe... Yo Elisa... Yo Berenice... Mi hija se llama Gaya... Yo Argénides... Yo... Yo... Yo...»

Ha terminado. Quisiera irse, pero muchos le ruegan que les hable.

Y uno, tuerto tal vez, porque tiene un ojo cubierto con una venda, dice para entretenerlo algo más: «Señor, uno que me tenía envidia por mis negocios me pegó. A duras penas logré salvar la vida, pero perdí un ojo, que el golpe me reventó. Ahora mi rival es pobre y nadie lo quiere, y se ha ido a una población cercana a Corinto. Yo soy de allí. ¿Qué debería hacer a éste que casi me mató? No hacer a los otros lo que no me gustaría recibir, está bien. Pero de él recibí... y ¡qué mal!... mucho mal...» En su cara se ve el pensamiento que no dice: «y por esto quisiera vengarme...»

Jesús lo mira con una luminosa sonrisa de sus ojos de zafiro, y con la dignidad de Maestro le pregunta: ««¿Tú que eres de Grecia me lo preguntas? ¿No acaso han enseñado vuestros grandes que los mortales se hacen semejantes a Dios cuando corresponden a los dones que El les concede para hacerlos semejantes a Sí, y que son: *poder estar en la verdad y hacer bien al prójimo*?»

«¡Ah, sí, Pitágoras [31]!»

«¿Y no han dicho que el hombre se acerca a Dios no con la ciencia, el poder u otra cosa, sino *con hacer el bien*?»

«¡Ah, sí, Demóstenes [32]! Maestro, perdona si te digo algo... Tú eres hebreo y los hebreos no leen a nuestros filósofos... ¿Cómo sabes estas cosas?»

«Porque Yo, la Sabiduría, fui quien inspiró en las inteligencias que pensaron esas palabras. Estoy donde se realiza el bien. Tú, griego, escucha los consejos de los sabios en los que todavía sigo hablando [33]. Haz el bien a quien te ha hecho mal y Dios te llamará santo. Ahora déjame ir. Otros me están esperando. Adiós, Valeria.

[30] Cfr. Ez. 17, 3-10; 19, 10-11. Además Sal. 1; Jer. 17, 7-8.

[31] Filósofo, asceta, matemático y físico. Nació en Samos hacia 571 y murió en Metaponto hacia el 497.

[32] Político y orador ateniense, nacido alrededor del a. 384 a. C.

[33] Espléndida y animadora verdad, que frecuentemente se haya en la Biblia. Leer por ej.: Job. 32, 8; Prov. 1-9 (especialmente: 2, 6); Sab. 6-9; Eccli. 1, 1-10; etc.

No temas por Mí, todavía no ha llegado mi hora [34]. Cuando llegare, ni siquiera todos los ejércitos de César podrían formar una valla contra mis adversarios.»

«Salve, Maestro. Ruega por mí.»

«Para que la paz se posesione de ti. Adiós. La paz sea contigo, sinagogo. La paz a todos los creyentes y a los que quieren serlo.»

Y con un gesto que es saludo y bendición sale de la sala, atraviesa el patio y toma la calle...

[34] Cfr. pág. 213, not. 7.

232. Judas y los enemigos de Jesús

(Escrito el 2 de diciembre de 1946)

No veo a Jesús, ni a Pedro, ni a Judas de Alfeo, ni a Tomás. Veo a los otros nueve que caminan en dirección del suburbio de Ofel.

La gente que hay por la calle, no es la multitud de las fiestas de Pascua, Pentecostés y Tabernsculos. Más o menos es la misma de la ciudad. Se ve que las Encenias [1] no eran muy importantes y no exigían la presencia de los hebreos en Jerusalén. Sólo los que por casualidad se encontraban en la ciudad, o bien, los de las poblaciones cercanas, venían a la ciudad para subir al Templo. Los demás, sea por la estación o por el carácter propio de la fiesta, se quedaban en sus ciudades y en sus casas.

Pero muchos discípulos, los que por amor del Señor han abandonado casa u parientes, intereses y trabajos, están en Jerusalén y se han unido a los apóstoles. Con todo, no veo a Isaac, Abel, Felipe, Nicolás, que habían ido a acompañar a Sabea a Aera. Hablan amigablemente, contando y oyendo contar lo que pasó en el tiempo en que estuvieron separados. Se podría afirmar que han visto al Maestro, tal vez en el Templo, porque no se sorprenden de su ausencia. Caminan despacio, y de cuando en cuando se detienen como a esperar a alguien, mirando ya adelante, ya atrás, por los caminos que de Sión llegan al que conduce a las puertas meridionales de la ciudad.

Dos veces Judas, que viene atrás de todos haciendo de orador a un grupo pequeño de discípulos llenos de buena voluntad, pero no de ciencia, le llaman por su nombre algunos judíos que siguen el grupo pero sin mezclarse con él, no sé con qué intenciones o encargos. Y las dos veces Iscariote mueve los hombros sin volverse. Pero

[1] Cfr. vol. 2°, pág. 424, not. 6.

la tercera vez lo tiene que hacer, porque uno de ellos deja su grupo, y toma a Judas de la manga, obligándolo a detenerse: «Ven aquí por un momento, que tenemos que hablarte.»

«No tengo tiempo, ni puedo» responde secamente Judas.

«¡Ve, ve! Te esperamos. Mientras que no veamos Tomás, no podemos dejar la ciudad» le dice Andrés que está cerca de él.

«Está bien. Seguid. Pronto os alcanzo» dice Judas sin ganas de hacer lo que se le pide.

Quedado solo, pregunta al que lo importunó: «¿Qué? ¿Qué se te ofrece? ¿Qué queréis? ¿No podéis dejar de molestarme?»

«¡Oh, qué aire te das! Pero cuando te llamamos para darte dinero, entonces sí que no te molestamos. ¡Eres un pedante! Pero hay alguien que te puede hacer bajar la cabeza... Recuérdalo.»

«Soy libre y...»

«No. No lo eres. Libre es al que de ningún modo podemos hacer esclavo. Tú sabes su nombre. ¡Tú!... Tú eres esclavo de todo y de todos, y en primer lugar de tu orgullo. En pocas palabras, si no vienes antes de la hora de sexta [2] a casa de Caifás, ¡ya te podrás componer! ¡Ay de ti!» Es un «¡ay!» verdaderamente milagroso.

«Está bien. Iré. Pero sería mejor que me dejaseis en paz, si queréis...»

«¿Qué cosa? No haces más que prometer, pero, en la realidad, nada...» Judas se desprende de un tirón del que lo tenía de la manga, y al correr dice: ««Hablaré cuando esté allí.»

Alcanza a los de su grupo. Está pensativo y un poco de mal humor. Andrés preocupado le pregunta: «¿Malas noticias? ¿No, eh? Tal vez tu madre...»

Judas, que al principio le echó unos ojos, dispuesto a darle una dura respuesta, cortésmente le responde: «Es verdad. Pocas buenas noticias... Sabes... la estación... Ahora... que me ha llegado a la mente una orden del Maestro. Si ese hombre no me hubiera detenido, me hubiera olvidado hasta de ella... Me recordó el lugar donde vive, y al oir el nombre me acordé del encargo. Bueno, cuando vaya a cumplir el encargo, iré también a la casa de ese hombre y me enteraré mejor...»

Andrés que es sencillo y honrado, está muy lejos de sospechar que su compañero pueda mentir. Le dice afanoso: «Vete, vete al punto. Lo diré a los demás. ¡Vete, vete! Y quítate esa ansia...»

«No, no. Debo esperar a Tomás, por lo del dinero. Unos momentos más o unos momentos menos...»

Los otros que se habían parado a esperarlos, los ven venir.

«Judas ha tenido malas noticias» dice preocupado Andrés.

«Es verdad, pero cuando vaya al encargo, me enteraré mejor...»

[2] Hacia las 12 del día.

«¿De qué cosa?» pregunta Bartolomé.
«Ved a Tomás que viene corriendo» dice al mismo tiempo Juan, y esto sirve para que Judas no responda.
«¿Os hice esperar? ¿Mucho? Es que quise hacerlo bien... Y lo logré. Mirad qué bonita bolsa. Para los pobres. El Maestro estará contento.»
«La necesitábamos. No teníamos ni siquiera un céntimo que dar a los pobres» dice Santiago de Alfeo.
«Dámela» dice Iscariote tendiendo la mano para coger la bolsa que se columpia en la de Tomás.
«Jesús me encargó lo de la venta y tengo que entregarle el dinero en sus manos.»
«Le dirás lo que valió. Ahora dámela, que tengo prisa de irme.»
«No. No te la puedo dar. Jesús me dijo cuando íbamos por el Sixto: "Luego me das el dinero". Y así lo voy a hacer.»
«¿De qué tienes miedo? ¿De que tome algo o de que te quite el mérito de la venta? En Jericó también vendí, y bien. Hace años que soy el encargado del dinero. Es mi derecho.»
«¡Oh! Oye, si quieres pelear por esto, ténla. Cumplí con mi encargo y lo demás no me preocupa. Tenla, tenla. ¡Hay cosas mucho más hermosas que esto!...» y Tomás entrega la bolsa a Judas.
«Bueno... si el Maestro ha dicho...» objeta Felipe.
«¡No sutilices! Más bien vámos ahora que estamos todos juntos. El Maestro ordenó que estuviésemos en Betania antes de sexta. Apenas si alcanza el tiempo» sugiere Santiago de Zebedeo.
«Entonces os dejo. Adelantaos. Voy y regreso.»
«¡No, después! Dijo muy claro: "Estad todos juntos"» objeta Mateo.
«Todos vosotros juntos. Pero yo tengo que irme. Ahora que tuve noticias de mi madre...»
«La cosa se puede interpretar también así, sobre todo si tuvo órdenes que no sepamos...» dice Juan con tono conciliador.
Menos Andrés y Tomás, todos los demás no quieren que se vaya. Al fin ceden diciendo: «Está bien, vete. Pero date prisa y sé prudente...»
Judas parte por un vericueto que lleva al monte Sión, mientras los otros continúan su camino.
«No estuvo bien eso. El Maestro había ordenado: "Estad siempre juntos y sed buenos". Hemos desobedecido al Maestro. Siento remordimiento» dice después de unos pocos minutos Zelote.
«Lo mismo pienso yo...» confiesa Mateo.
Los apóstoles se reúnen en un grupo cuando tienen que decidir sobre algo. He notado que los discípulos se separan siempre con

respeto, cuando se reúnen ellos a discutir [3].

Bartolomé propone: «Hagamos así. Digamos a éstos que nos siguen que se vayan. Sin esperar a que nos encontremos en el camino que lleva a Betania. Nos dividiremos en dos grupos y nos pondremos a esperar a Judas. Unos en la parte inferior, otros en la alta. Los más ligeros en la inferior, los otros en la superior. Si el Maestro nos precediere, nos verá llegar juntos, porque fuera de Betania un grupo esperará al otro»

Se acepta la proposición. Despiden a los discípulos. Siguen juntos hasta donde se puede doblar hacia Getsemaní y tomar el camino superior del monte de los Olivos. Costeando el Cedrón, se toma el camino inferior que lleva a Betania y Jericó.

Entre tanto Judas corre como si lo persiguiesen. Por un tiempo continúa subiendo por el sendero que lleva a la cima de Sión en dirección al poniente, luego dobla por otro más estrecho, como una vereda, que en lugar de subir, baja hacia el sur. Lleva aire sospechoso. Corre, y de vez en cuando se voltea como asustado. Tiene miedo como de que alguien le siga. La vereda, tortuosa entre los recodos de las casas construidas sin ningún plan previo, conduce a un lugar extenso. Hay una colina al otro lado del valle, más allá de las murallas. Una colina baja cubierta de olivos, más allá del seco y pedregoso calle de Innón. Judas corre ligero pasando entre los cercados que sirven de límite a los huertecillos de las últimas casas que están cerca de la muralla, las pobres chozas de los pobres de Jerusalén. Pero no toma para salir de la ciudad por la puerta de Sión que tiene cerca, sino que corre hacia arriba, hacia otra puerta, un poco al occidente. Está fuera de la ciudad. Trota como un potro para darse prisa. Pasa como viento cerca de un acueducto; después cerca de las cuevas lúgubres de Innón, donde viven los leprosos a cuyos lamentos se hace sordo. Es claro que busca los lugares que otros esquivan. Directo va hacia la colina cubierta de olivos, la única al sur de la ciudad. Lanza un suspiro de alivio cuando está a las faldas y apresura el paso, se arregla el capucho, la faja, los vestidos que se había levantado, se lleva la mano a la frente, como para hacer sombra y mirar mejor, porque el sol le da sobre los ojos. Mira hacia la parte oriental, donde está el camino inferior que lleva a Betania y Jericó. Pero no ve nada que lo perturbe. Antes bien un recodo de la colina le sirve de valla, entre él y el camino. Sonríe. Empieza a subir despacio, para no sofocarse. Entre tanto piensa. Y entre más piensa, su cara se oscurece maś. Habla consigo mismo pero en voz baja. A un cierto punto se detiene, saca la bolsa del seno, la mira, y después de haber tomado una parte que mete en su

[3] Cfr. pág. 465, not. 2.

bolsillo se la vuelve a meter. De este modo la bolsa se ve menos.

Hay una casa entre los olivos. Es bella. La más bella de la colina, pues las otras casuchas que hay por la falda, no sé si dependan de ella o sean independientes, el caso es que son pobres. Llega a través de una cierta clase de sendero arenoso entre olivos, puestos a distancia y en orden. Llama a la puerta. Se hace reconocer. Entra. Seguro atraviesa el vestíbulo, va a un patio cuadrado a cuyos lados hay muchas puertas. Empuja una de ellas. Entra en una amplia sala donde hay diversas personas y se ve la cara socarrona y al mismo tiempo odiosa de Caifás, la del ultrafariseo Elquías, la de garduña del sanedrista Félix, junto con la viperina de Simón. Más allá está Doras, el hijo de Doras, que se parece cada vez más a su padre; con él están Cornelio y Tolmai. Están también los escribas Sadoc y Cananía, viejo en años, apergaminado, pero como si fuera un joven perverso, Colascebona el Anciano, Natanael ben Faba, y luego un cierto Doro, un tal Simón, un tal José, uno llamado Joaquín, personas que no había yo conocido. Caifás dice los nombres y yo los escribo. Termina: «... reunidos están aquí para juzgarte.»

Judas tiene una cara rara: de miedo, odio, violencia. Pero calla. No hace gala de su altivez. Lo rodean burlones y cada uno habla lo que se le antoja.

«¿Bueno? ¿Qué has hecho del dinero? ¿Qué cosa nos dices, sabio hombre, que todo lo puedes? Habla pronto y bien. ¿Dónde está tu trabajo? Eres mentiroso, charlatán, bueno para nada. ¿Dónde está la mujer? ¿Ni siquiera te quedaste con ella? Y así en lugar de servirnos, le sirves a El, ¿no es verdad? ¿Es así como nos ayudas?» Son cargos pletóricos de ira, de amenaza. Son gritos de reproche, y se oyen otras cosas que no logro captar.

Judas los deja que se desgañiten. Cuando ya lo están y sin aliento, habla: «Hice lo que puede. ¿Qué culpa tengo si es un hombre a quien nadie puede hacer pecar? Dijisteis que queríais conocer su virtud. Os he demostrado que no peca. Por esto os ayudé. ¿Lograsteis algo? ¿Lo pusisteis en la silla del acusado? No. De cada tentativa vuestra de hacerlo aparecer como pecador, de que caiga en el garlito, ha salido más victorioso que antes. Entonces si no lo habéis logrado, pese a vuestro odio, ¿debía lograrlo yo, que no lo odio, que soy un imbécil por seguir a un pobre inocente, demasiado santo para poder ser rey, y rey que destruya sus enemigos? ¿Qué mal me ha hecho El para que yo se lo haga? Hablo así porque pienso que lo odiáis hasta verlo muerto. No puedo persuadirme que queráis sólo convencer al pueblo de que es un loco, y persuadirnos a nosotros, y a El, de ello, de que le tenéis compasión. Sois demasiado venenosos conmigo y demasiado enfurecidos por verlo superior al mal, para que lo pueda yo creer. Me habéis preguntado que qué hice de vuestro dinero. Lo empleé en lo que sabéis. Tuve que gastar y gastar dinero para convencer a la mujer... No lo logré con la primera y...»

«Cállate la boca. Nada de eso es verdad. Esa estaba loca por El y no cabe duda que inmediatamente fue. Tú mismo dijiste que ella te lo había confesado. Eres un ladrón. ¡Quién sabe para qué usaste nuestro dinero!»

«Para arruinarme el alma, ¡asesinos de un alma! Para convertirme en un fraudolento, en uno que no tiene paz, en uno que sabe que sospechan de él tanto Jesús, como los compañeros. Tenedlo presente: El me ha descubierto... ¡Oh, si me hubiera arrojado! Pero no lo ha hecho, no. ¡Me defiende, me protege, me ama!... ¡Vuestro dinero! Pero, ¿por qué tomé el primer céntimo?»

«Porque eres un malvado. Entre tanto te lo chupaste, y ahora gimoteas por habértelo acabado. ¡Vil habías de ser! Y ahora nada se ha logrado. Las multitudes aumentan a su alrededor y cada vez se sienten más atraídas. Nuestra ruina se aproxima, y ¡eso por culpa tuya!»

«¿Mía? ¿Por qué entonces no os atravisteis a aprehenderlo y acusarlo de que quería hacerse rey? Me dijisteis que lo intentasteis, pese a que os había dicho que era inútil, porque El no tiene hambre de poder. ¿Porqué no lo indujisteis a pecar contra su misión, si sois tan bravos?»

«Porque se nos escapa de las manos. Es un demonio que se esfuma como el humo, cuando quiere. Es como una serpiente: fascina, no se puede hacer nada, si mira a uno.»

«Si mira a sus enemigos, a vosotros. Porque sé que si mira a los que no lo odian con todas sus fuerzas, como vosotros lo hacéis, entonces su mirada conmueve, impele a hacer al bien. ¡Oh, esa mirada! ¿Por qué me ha de mirar a mí así, yo que soy un monstruo por culpa mía y culpa vuestra que me hacéis lo sea diez veces más?»

«¡Cuánta palabrería! Nos aseguraste que tratándose del bien de Israel nos ayudarías. ¿No comprendes, maldito, que este hombre es nuestra ruina?»

«¿Nuestra? ¿De quién?»

«¡De todo el pueblo! Los romanos...»

«No. Es sólo la *vuestra*. Tenéis miedo de vuestra piel. Sabéis que Roma no intervendrá en contra nuestra por causa de El. Lo sabéis como lo sé yo y como lo sabe el pueblo. Tembláis porque sabéis, porque tenéis miedo de que os arroje fuera del Templo, del reino de Israel. Y haría bien. Haría muy bien en limpiar su era de vosotros, hienas inmundas, apestosas, áspides...» Está furioso.

Lo prenden, lo sacuden, furiosos también ellos, como que lo aterrorizan... Caifás le grita en su cara: «Está bien. Así es. Y así son las cosas. Tenemos derecho de defender lo que es nuestro. Se ha visto que las cosas pequeñas no bastan ya para persuadirlo a que huya, a que deje libre el campo. Ahora lo haremos nosotros mismos, sin servirnos de ti, pedazo de imbécil, charlatán. Y cuando hayamas dado a El su merecido, no dudes que te daremos el tuyo...»

Elquías tapa la boca a Caifás, y con su flema fría, de sierpe venenosa, dice: «No, no así. Exageras, Caifás. Judas ha hecho lo que pudo. No debes amenazarlo. ¿En el fondo no son sus intereses los nuestros?»

«¡Pero eres un idiota, Elquías! ¿Qué yo tenga los intereses de éste? ¡Yo quiero que a El se le arroje! Judas quiere que triunfe para que triunfe con Él. Tú dices...» aúlla Simón.

«¡Paz, paz! Siempre decís que soy riguroso. Pero hoy soy el único magnánimo. Hay que comprender y compadecer a Judas. El nos ayuda como puede. Es buen amigo, pero, claro, también lo es del Maestro. Su corazón está afligido... Quisiera salvar al Maestro, salvarse a sí y salvar a Israel... ¿Cómo pueden conciliarse ciertas cosas opuestas entre sí? Dejémoslo que hable.»

La jauría se calma. Judas puede finalmente hablar. Dice: «Elquías tiene razón. Yo... ¿Qué queréis de mí? Todavía no lo comprendo. He hecho lo que he podido. No puedo hacer más. Es demasiado grande El para mí. Me lee el corazón... y no me trata como merezco. Soy un pecador y El lo sabe y me absuelve. Si fuese menos vil, debería... Matarme debería para hacerme incapaz de causarle algún mal.» Judas se sienta, abatido. Con la cara entre las manos, los ojos fuera de sus órbitas, fijos en el vacío. Se ve claramente que sufre, presa de instintos contrarios...

«¡Loco! ¿Qué quisiere que sepa? Haces así porque te has arrepentido de abrirte paso» exclama el llamado Cornelio.

«¿Y si así fuese? ¡Oh, si así fuese! ¡Si estuviese realmente arrepentido y fuese capaz de permanecer así!...»

«Lo veis? ¡Lástima de nuestro dinero!» grazna Cananías.

«Estamos con alguien que no sabe lo que quiere. Hemos escogido a alguien que es peor que un imbécil!» les echa en cara Felipe.

«¿Imbécil? ¡Un fantoche, deberías decir! Lo jala con un hilo el Galileo y se va con El. Lo jalamos nosotros y se viene con nosotros» grita Sadoc.

«Bueno, si sois tan buenos y más bravos que yo, arreglaos vosotros mismos. De hoy en adelante no me intereso más. No esperéis ni un mensaje, ni una palabra. No podré hacerlo, porque sospecha ya de mí y me vigila...»

«¿No dijiste que te absuelve?»

«Así es. Y precisamente porque todo lo sabe. ¡Todo, todo, lo sabe, oh!» Judas se oprime la cara con las manos.

«Entonces, ¡lárgate de aquí, mujercilla vestida de hombre! ¡Malnacido, bestia, lárgate, lárgate! Lo haremos nosotros. Y ten cuidado, ten cuidado de chistarle una palabra, porque nos la pagarás.»

«¡Me voy, me voy! ¡Hubiera sido mejor no haber venido! Pero acordaos de lo que ya os he dicho. Simón, El encontró a tu padre; y a tu primo, Elquías. No creo que Daniel haya hablado. Estaba yo presente y no los vi que hubiesen hablado aparte. ¡Pero tu padre! No habló nada, por lo que dicen mis condiscípulos. Ni siquiera ha revelado tu nombre. Se limitó a decir que su hijo lo había arrojado porque amaba al Maestro y no aprobaba tu conducta. Pero dijo que nos veíamos, que voy a tu casa... Y podría decir lo demás. Tecua no está en los confines del mundo... No digáis después que yo hablé, cuando ya muchos conocen vuestras intenciones.»

«Mi padre no hablará más. Ha muerto» dice lentamente Simón.

«¿Muerto? ¿Lo has matado? ¡Horror! ¡Por qué te dije dónde estaba!...»

«Yo no he matado a nadie. No me he movido de Jerusalén. Hay muchas maneras de morir. ¿Te causa admiración que un viejo, y un viejo que va a exigir dinero de los comerciantes no sea amenazado? Por lo demás... fue su culpa. Si se hubiera estado quieto; si no hubiera abierto ojos y orejas, ni usado su lengua, todavia se le veneraría y se le serviría en casa de su hijo...» dice Simón con una lentitud que saca de quicio.

«En una palabra... ¡lo mandaste matar! ¡Parricida!»

«Estás loco. Al viejo le pegaron, se cayó, se pegó en la cabeza y murió. Una desgracia. Sencillamente una desgracia. Peor para él que le tocó pedir el peaje a un malandrín...»

«Te conozco, Simón. No puedo creer... Eres un asesino...» Judas está pálido.

El otro se ríe en su cara, repitiendo: «Deliras. Ves crímenes donde sólo hubo una desgracia. Tan sólo ayer lo supe y tomé las providencias para el caso. Para vengarme, y para dar los honores. Si pude honrar su cadáver, no pude aprehender al asesino. Sin duda que fue algún ladrón, salido de Adomín a despachar a sus presas en las plazas... ¿Quién lo va aprehender ahora?»

«No lo creo... No lo creo... ¡Largo, largo! ¡Dejadme ir!...» Recoge el manto que se le había caído y hace por salir.

Pero Cananías lo ase con su mano de rapiña: «¿Y la mujer? ¿Dónde está la mujer? ¿Qué dijo? ¿Qué hizo? ¿Lo sabes?»

«No sé nada... Dejadme ir...»

«¡Mientes! ¡Eres un fraudolento!» aúlla Cananías.

«No sé. Lo juro. Fue. Esto es verdad, pero ninguno la vio, ni siquiera yo que tuve que partir inmediatamente con el Rabí. Tampoco mis compañeros. Hábilmente les he preguntado... He visto las joyas destruidas, que Elisa llevó a la cocina... otra cosa no sé. ¡Lo juro por el Altar y el Tabernáculo! [4]»

[4] Para esta clase de juramentos, cfr. Mt. 23, 16-22.

«¿Y quién te va a creer? Eres un vil. Como traicionas al Maestro, también puedes traicionarnos. Pero ¡ten cuidado!»
«No traiciono. ¡Lo juro por el Templo de Dios!»
«Eres un perjuro. Tu cara lo está diciendo. Sirves a El y no a nosotros...»
«No. Lo juro por el Nombre de Dios.»
«¡Dilo si te atreves a revalidar tu juramento!»
«¡Lo juro por Jeové!» y se pone de color negruzo al pronunciar el Nombre de Dios. Tiembla, balbucea, no sabe ni siquiera decir cómo se pronuncia. Parece como que la «jota» la pronuncie con fuerza. La «v» muy raspada, como si terminase en aspiración. Creo que sería más o menos de este modo: Keoqveh [5]. De todos modos es una pronunciación rara.

Un silencio de terror cunde por toda la sala. Hasta se han separado de Judas... Después Doras y otros dicen: «Repite el mismo juramento de que nos servirás a nosotros solos...»
«¡Ah, eso no, malditos! ¡Eso no! Os juro que no os he traicionado y que no os denunciaré al Maestro. Y ya cometo un pecado. Pero mi destino no lo uno al vuestro. Vosotros, que el día de mañana, aprovechando mi juramento, podríais imponerme... cualquier cosa, hasta un crimen. ¡No! Denunciadme como sacrílego al Sanedrín [6], denunciadme como asesino a los romanos. No me defenderé. Dejaré que me maten... Y tendré una buena suerte. Pero no juro más... no más...» Se libra con esfuerzos violentos de quienes lo tienen asido, y huye gritando: «Tened en cuenta que Roma os sigue los pasos, que Roma ama al Maestro...» Un fuerte aventón de puerta que retumba en la casa, es la señal de que Judas ha salido de la cueva de lobos.

Se miran mutuamente... La rabia... y tal vez el miedo, los ha puesto pálidos... Y como no pueden vomitar su ira y miedo contra nadie se trenzan entre sí. Cada uno trata de echar la responsabilidad sobre el otro de lo sucedido y de sus consecuencias posibles. Quien reprocha en una forma, quien en otra. Quien por lo que pasó, quien por lo que está por venir. Quien grita: «Fuiste tú el que quisiste seducir a Judas»; y quien: «Habéis hecho mal en haberlo tratado en esa forma. ¡Os habéis descubierto!»; quien propone: «Vamos detrás de él, con dinero, con excusas...»
«¡Ah, eso no!» chilla Elquías que es a quien más culpan. «Dejadme a mí y veréis que tengo pesquis. Judas sin dinero se pone manso. ¡Oh, manso como un cordero!» y lo dice con su sonrisa viperina. «Hoy, mañana, durante un mes mantendrá su palabra... Pero después... Es demasiado vicioso para poder vivir en la pobreza que le

[5] Cfr. vol. 1°, pág. 356, not. 8.
[6] Cfr. pág. 620, not. 48.

da el Rabí... y vendrá a nosotros... ¡Ja, ja! ¡Dejádmelo a mí! ¡Dejadme todo! Yo sé...»

«Bueno. Pero entre tanto... ¿Oíste, no? Los romanos nos espían. Los romanos lo aman. Y es verdad. Esta mañana, como ayer y antier, lo esperaron en el patio de los gentiles. Siempre están allí las mujeres de la torre Antonia... Vienen hasta de Cesarea a escucharlo...»

«¡Caprichos de mujeres! No me preocupan. Es hermoso. Habla bien. Ellas están locas por los charlatanes demagogos y filósofos. Para ellas el Galileo es uno de ellos, no más. Les sirve para matar sus ratos de ocio. ¡Paciencia si queremos lograr algo! Paciencia y astucia. También valor. Pero no lo tenéis. Queréis hacer algo, pero no mostraros. Ya os he dicho lo que haría yo, pero no aceptáis...»

«Tengo miedo al pueblo. Lo ama mucho. Amor aquí, amor allí... ¿Quién lo va a tocar? Si lo arrojamos, nos arrojarán también... Es menester...» dice Caifás.

«Es menester no dejar pasar más la ocasión. ¡Cuántas hemos perdido! A la primera que se nos presente, hay que convencer aún a los que de nosotros están inciertos, y luego vérnoslas también con los romanos.»

«Eso se dice en un instante, ¿pero cuándo y dónde tuvimos ocasión de hacerlo? El no peca, no aspira al poder, no...»

«Si no hay motivo, se inventa... Ahora vámonos. Mañana lo vigilaremos... El Templo es nuestro. Afuera manda Roma. Afuera está el pueblo para defenderlo, pero dentro del Templo...»

233. Los siete leprosos curados. Jesús habla a los apóstoles, a Marta y María

(Escrito el 4 de diciembre de 1946)

Jesús con Pedro y Judas Tadeo camina ligero por un lugar lúgubre, pedregoso, al lado de la ciudad. Como no veo el olivar, sino un montecillo, mejor dicho, varios montecillos y que poco a poco empiezan a verdear, y que están al poniente de Jerusalén, entre los que está el lúgubre Gólgota, pienso que estoy del lado occidental de la ciudad.

«Podemos dar alguna cosa con todo lo que hemos conseguido. Debe ser terrible vivir en esos sepulcros en el invierno» dice Tadeo cargado de paquetes al igual que Pedro.

«Estoy contento de haber ido a las casas de los libertos para conseguir dinero para los leprosos. ¡Pobres infelices! En estos días de fiesta nadie se acuerda de ellos. Todos la pasan bien... ellos se han de acordar de su casa perdida... Pero, ¡si al menos creyesen en Ti!

¿Lo harán, Maestro?» pregunta Pedro siempre tan sencillo, tan aficionado a Jesús.

«Lo esperamos, Simón, lo esperamos. Entre tanto roguemos...» Y continúan orando.

El lúgubre valle de Innón aparece con sus sepulcros de vivos.

«Adelantaos y dad» dice Jesús.

Los dos van, hablando en voz alta. Por las aberturas de las cuevas o refugios se dejan ver las caras de los leprosos.

«Somos los discípulos del Rabí Jesús» dice Pedro. «Ahorita viene. Nos ha mandado a que os demos algo. ¿Cuántos sois?»

«Aquí siete. Tres más a la otra parte de En Rogel» responde uno.

Pedro abre su envoltorio. Tadeo el suyo. Hacen diez partes. Pan, queso, matequilla, aceitunas. ¿Dónde poner el aceite que viene en una pequeña jarra?

«Uno de vosotros traiga un recipiente. Que lo ponga allí, sobre el peñasco. Os dividiréis el aceite, como hermanos que sois y en nombre del Maestro que predica el amor para con el prójimo» grita Pedro.

Un leproso, baja cojeando en dirección de los dos apóstoles, cerca del peñasco, y pone un cacharro viejo. Los mira mientras echan el aceite, y pregunta pasmado: «¿No tenéis miedo de que esté yo cerca de vosotros?» En realidad entre él y los apóstoles no hay más que el peñasco.

«No tenemos miedo sino de ofender a la caridad. El nos ha mandado a socorreros porque quien es del Mesías debe amar como El. Ojalá este aceite abra vuestro corazón, lo ilumine como si ya se hubiese encendido la lámpara de vuestro corazón. El tiempo de la gracia ha llegado para los que esperan en el Señor Jesús. Tened fe en El. Es el Mesías y sana cuerpos y almas. Todo lo puede porque es Emmanuel [1]» dice Tadeo con su majestad que impone.

El leproso con su cacharro entre las manos, lo mira como fascinado. Dice: «Sé que Israel tiene su Mesías, porque de El hablan los peregrinos que vienen a buscarlo a la ciudad, y nosotros oímos lo que dicen. Yo nunca lo he visto porque hace poco que he venido. ¿Decís que me curaría? Entre nosotros hay algunos que lo maldicen, otros que no. No sé a qué decidirme.»

«¿Son buenos los que lo maldicen?»

«No. Son crueles y nos tratan mal. Quieren los mejores lugares y las raciones más abundantes. No sabemos si vamos a quedarnos aquí.»

«Tú mismo ves que quien da hospedaje al infierno, es quien odia al Mesías. Porque el infierno presiente que será vencido por El, y por esto lo odia. Pero te aseguro que hay que amarlo y con fe, si

[1] Cfr. Is. 7, 10 - 8, 10 donde dos veces aparece la figura de «Emmanuel» (7, 14; 8, 8) y una sola vez se dice su significado: «Dios con nosotros» (8, 10); y también Sal. 45, 8 y 12.

quiere uno ser amado del Altísimo acá en la tierra y después» explica Tadeo.

«¡Que si quisiera alcanzar gracia! Hace apenas dos años que me casé y tengo un niñito que no me conoce. Desde hace pocos meses soy leproso. Lo véis.» En realidad tiene pocas manchas.

«Dirígete al Maestro con fe. ¡Mira! Allí viene. Llama a tus compañeros y regresa aquí. Pasará y te sanará.»

El hombre corre por la falda del monte y llama: «¡Urías! ¡Joab! ¡Adiná! Y vosotros que no creéis. El Señor viene a salvarnos.»

Uno, dos, tres cuerpos horrorosos se asoman. La mujer muy poco. Es un horror viviente... Tal vez llora, tal vez habla, pero no se le puede entender nada, porque su voz sale de algo que no es la boca, y que ahora es dos maxilas desnudas de dientes, descubiertas, horribles..

«Te repito que me dijeron que te llamase. Que viene a curarnos.»

«¡Yo no! Las otras veces no le he creído... y no me escuchará más... Además no puedo caminar» dice con más claridad la mujer, tal vez debido a las fatiga. Con los dedos sostiene sus trozos de labios para poder hablar claro.

«Nosotros te llevamos, Adiná...» dicen dos varones y el del cacharro.

«No... no... demasiado he pecado...» y se queda donde está...

Otros tres corren, como pueden, y con imperio dicen: «Danos aceite, y luego os podéis ir con Belzebú [2], si así os pluguiere.»

«El aceite es para todos» replica el de cacharro, tratando de defender lo único que tiene. Pero los tres violenta, cruelmente le ganan y le arrebatan el cacharro.

«Ved. Siempre lo mismo... Un poco de aceite después de tanto... Pero el Maestro llega... Vamos a El. ¿No quieres venir, Adiná?»

«No me atrevo...»

Los tres bajan al peñasco. Se paran a esperar a Jesús a quien han ido a encontrar los dos apóstoles. Cuando llega, gritan: «¡Piedad de nosotros, Jesús de Israel! ¡Esperamos en Ti, Señor!»

Jesús levanta su rostro, los mira con esos ojos que no tienen igual. Pregunta: «¿Por qué queréis la salud?»

«Por nuestras familias, por nosotros... Es horrible vivir aquí...»

«No sois solo carne, hijos. Tenéis también alma y vale más que la carne. De ella os deberíais ocupar. No pidáis, pues, sólo la curación por vosotros, por vuestras familias, sino para que conozcáis la palabra de Dios y viváis a fin de comprender su Reino. ¿Sois justos? Obrad más santamente. ¿Sois pecadores? Pedid tiempo para que podáis reparar el mal hecho... ¿Dónde está la mujer? ¿Por qué no

[2] Cfr. pág. 373, not. 2.

viene? ¿No tiene valor de ver el rostro del Hijo del hombre [3], ella que no temió encontrarse con el rostro de Dios cuando pecaba? Id a decirle que mucho le ha sido perdonado por si arrepentimiento y resignación, y que el Eterno me ha traído para absolver a los que se han arrepentido de su pasado [4].»

«Maestro, Adiná no puede caminar...»

«Id a ayudarla a que baje aquí. Y traed otro jarro. Os daremos más aceite...»

«Señor, apenas si alcanza para los otros» dice Pedro en voz baja, mientras los leprosos van a buscar a la mujer.

«Habrá para todos... Ten fe. Para ti es más fácil creer en esto, que no que esos miserables crean que su cuerpo pueda volver a ser como antes.»

Entre tanto allá abajo, en la gruta, hay pleito entre los leprosos malos al repartirse la comida...

La mujer traída en brazos... gime, gime como puede: «¡Perdón! ¡Del pasado! ¡De no haber pedido perdón las otras veces!... ¡Jesús, Hijo de David, ten piedad de mí!»

La ponen junto al peñasco. Y sobre él una cacerola todo abollada.

Jesús pregunta: «¿Qué os parece que sea más fácil: hacer que aumente el aceite o hacer que brote la carne donde la lepra se la comió?»

Un silencio... Luego la mujer responde: «El aceite. Pero también la carne porque Tú puedes todo. Puedes devolverme el corazón de mis años mozos. ¡Creo, Señor!»

¡Oh, la sonrisa divina! Es como luz que dulce, suave, gozosa se propagara! Está en los ojos, en los labios, en la voz mientras dice: «Por tu fe estás curada y perdonada. También vosotros. Tened este aceite y alimentos para restableceros. Id a ver al sacerdote como está prescrito [5]. Mañana, cuando amanezca os traeré vestidos y podréis salir. ¡Ea, alabad al Señor! ¡No sois más leprosos!»

Sucede entonces que los cuatro, que hasta ahora habían estado mirado fijamente al Señor, se miran y gritan sorprendidos. La mujer quisiera erguirse, pero está demasiado desnuda para hacerlo. Sus harapos se le caen y su cuerpo está mas desnudo que cubierto. Semiescondida por el peñasco, llevada del pudor no sólo para con Jesús, sino para con sus compañeros, llora sin freno, diciendo: «¡Bendito seas! ¡Bendito seas! ¡Bendito seas!» y sus bendiciones se mezclan con las horribles blasfemias de los tres malos leprosos, que se han enfurecido al ver curados a los otros. Suciedades y piedras vuelan por el aire.

[3] Cfr. vol. 3°, pág. 32, not. 4.
[4] Cfr. pág. 410, not. 3.
[5] Cfr. vol. 1°, pág. 326, not. 1.

«No podéis quedaros aquí. Venid conmigo. No os pasará nada. Mirad. Por el camino no viene nadie. Mirad. Es la hora de sexta [6] que hace que todos se reúnan en casa. Iréis con los otros leprosos hasta mañana. No temáis. Seguidme. Ten, mujer» y le da su manto para que se cubra.

Los cuatro, un poco atemorizados, un poco sin saber qué hacer, lo siguen como cuatro corderos. Se dirigen hacia Siloán, triste y célebre lugar de leprosos. Jesús se detiene sobre el borde y dice: «Subid a decirles que mañana temprano estaré aquí. Id a hacer fiesta con ellos hablando del Maestro de la buena Nueva.» Ordena que les den toda la comida que tienen y los bendice antes de despedirse de ellos.

«Vámonos. Pasa ya la sexta» dice Jesús volviéndose para regresar por el camino inferior que lleva a Betania.

De pronto oye un grito: «Jesús, Hijo de David, piedad también de nosotros.»

«No han esperado al alba...» advierte Pedro.

«Vamos a donde están. Son tan pocas las horas en que puedo hacer el bien sin que quien me odia turbe la paz de los que reciben el favor» replica Jesús y vuelve sobre sus pasos, con la cabeza levantada hacia los tres leprosos de Siloán que se han asomado al rellano de la pequeña colina y que repiten el grito, al que se unen los curados, que están detrás.

Jesús no hace más que extender sus manos y decir: «Hágase como queréis. No olvidéis de vivir según los caminos del Señor.» Los bendice, entre tanto que la lepra desaparece de sus cuerpos, algo así co mo una capa de nieve que se derrite a los rayos del sol. Jesús se va aprisa, seguido por las bendiciones de los curados, que desde su lugar extienden los brazos como para abrazarlo.

Vuelven al camino que lleva a Betania, que sigue la corriente del Cedrón y que da una vuelta pronunciada, después de algunos centenares de pasos de Siloán. Cuando se pasa, y se puede ver la otra parte del camino que sigue a Betania, se ve que ligero camina Judas de Keriot.

«¡Si es Judas!» exclama Tadeo, el primero en verlo.

«¿Por qué anda aquí y solo? ¡Oye, Judas!» grita Pedro.

Judas se vuelve al punto. Está pálido, verduzco. Pedro le grita: «Pareces un demonio de color lechuga.»

«¡Qué haces aquí, Judas? ¿Por qué dejaste a tus compañeros?» pregunta al mismo tiempo Jesús.

Judas toma control de sí. Responde: «Estaba con ellos. Encontré a alguien que me trajo noticias de mi madre. Mira...» se busca en la faja. Se pega en la frente con la mano: «Lo dejé en su casa. Quería

[6] Hacia las 12 del día.

que leyeras la carta... O la perdí por el camino... No está muy bien. Mejor dicho, está mal... Pero ved ahí a los compañeros... que están esperando. Te han visto... Maestro... no sé dónde estoy.»

«Lo comprendo.»

«Maestro... aquí tienes las bolsas. Hice dos... para no llamar la atención... Caminaba solo...»

Los apóstoles Bartolomé, Felipe, Mateo, Simón y Santiago de Zebedeo se sienten un poco embarazados. Se acercan francos a Jesús sí, pero como quien sabe que cometió un error.

Jesús los mira, dice: «No volváis a hacerlo. No está bien que os dividáis. Si os digo que no lo hagáis es porque sé que tenéis necesidad de ayudaros mutuamente. No sois demasiado fuertes para hacer algo por vosotros solos. Unidos, el uno frena, el otro sostiene. Divididos...»

«Fui yo, Maestro, el que aconsejó que nos dividiéramos, aunque nos habías mandado no lo fuéramos a hacer, que juntos fuéramos a Betania. Judas se fue por justas razones y pensamos que no estaba bien que fuéramos sin él. Perdóname, Señor» dice humilde y francamente Bartolomé.

«Os perdono. Pero os repito que no lo volváis a hacer. Pensad que el obedecer por lo menos libra de un pecado: *el de persuadirse que uno es capaz de hacer algo por sí. No sabéis cómo el demonio gira a vuestro alrededor para espiar cualquier ocasión con tal de haceros pecar, de hacer daño a vuestro Maestro, que es muy perseguido. Son tiempos cada vez más difíciles para Mí y para la sociedad que he venido a formar, de modo que es necesario mucho cuidado para que no sea, no digo ya herida y exterminada, porque no lo será jamás sino hasta el fin de los siglos, en que dejará de existir, sino ensuciada de fango. Sus adversarios os miran con toda atención, no os pierden jamás de vista, y también pesan todas mis palabras, todas mis acciones. Y esto para que tengan con qué denigrarme. Si hos ven peleadores, si os ven divididos, imperfectos en algo, aunque no sea de gran monta, recopilan, unen lo que hicisteis y os lo lanzarán como fango, como una acusación contra Mí y mi Iglesia que se está formando.* ¡Lo estáis viendo! No os reprocho nada, pero sí os aconsejo para vuestro bien. Oh, ¿no sabéis, amigos míos, que se aprovecharán aun de las cosas mejores y las presentarán para poder acusarme con cierta apariencia de justicia? Procurad ser más obedientes y más prudentes en lo porvenir.»

Los apóstoles están conmovidos por la dulzura de Jesús. Judas de Keriot continúa cambiando de colores. Se queda abatido, un poco detrás de todos, hasta que Pedro le pregunta: «¿Qué te haces ahí? No cometiste un error mayor que los demás. Vente, pues, con todos» y lo obliga a obedecer.

Caminan rápidos, porque no obstante que haga sol, sopla un

vientecillo que invita a caminar para entrar en calor. Han caminado ya un trecho cuando Natanael, envuelto en su manto, nota que Jesús no trae el suyo, pregunta: «Maestro, ¿qué has hecho de tu manto?»

«Lo di a una leprosa. Hemos curado y consolado a siete leprosos.»

«Tendrás frío. Toma el mío» dice Zelote y añade: «Me acostumbré a los fríos sepulcros cuando el frío del invierno soplaba.»

«No, Simón. Mira, allá está Betania, pronto estaremos en casa. De veras que no tengo frío. He tenido tanto gusto en el corazón que me calienta más que un grueso manto.»

«Hermano, nos das algo que no tuvimos. Nosotros no los curamos. Tú fuiste y Tú los consolaste» dice Tadeo.

«Vosotros preparasteis su corazón para creer en el milagro. Por esto conmigo y como Yo habéis ayudado a curar y consolar. ¡Si supieses cuánto disfruto en asociaros a Mí en todas mis cosas! ¿No os acordáis de las palabras de Juan de Zacarías, mi primo: "Es menester que El crezca y que yo empequeñezca"? Lo decía con toda razón, porque cualquier hombre, por grande que sea, digamos Moisés o Elías, debe desaparecer como las estrellas ante los rayos del sol, ante el que ha venido de parte del Padre Santísimo. También Yo, fundador de una sociedad que durará lo que duren los siglos, y que será santa como lo es su fundador y Cabeza, de una sociedad que hará mis veces, y será una sola conmigo, así como los miembros y el cuerpo del hombre son una sola cosa con la cabeza que lo dirige [7], debo de decir: "Es menester que ese cuerpo brille y que Yo me ofusque". Vosotros seréis mis continuadores. Dentro de poco no estaré más entre vosotros, acá en la tierra, materialmente, para dirigiros a vosotros mis apóstoles, a los discípulos, a mis seguidores. Pero estaré espiritualmente con vosotros, siempre, y vuestras almas sentirán mi Espíritu, recibirán mi Luz [8]. Vosotros tendréis que aparecer en primera línea, entre tanto que Yo regresaré al lugar de donde he venido. Por esto os vengo preparando gradualmente para que seáis los primeros en salir. Algunas veces me hacéis la observación de que "antes nos mandabas". Había necesidad de que fuerais conocidos. Ahora que lo sois, que para este pedazo de tierra sois ya *los Apóstoles*, os tengo siempre unidos a Mí, participantes de todas mis acciones de modo que el mundo pueda decir: "Los ha hecho socios en las obras que realiza porque después de El seguirán siendo su continuación". Es verdad, amigos míos. Debéis avanzar cada vez más, iluminaros, ser mi continuación, ser Yo, mientras que cual una madre que lentamente deja de sostener a su hijo que ha aprendido a caminar, me retiro... El traspaso de Mí a vosotros no

[7] Cfr. pág. 628, not. 3.
[8] Hace pensar esto en Mt. 28, 18-20; Ju. 14, 15-21.

debe ser violento. Los pequeños de la grey, los humildes fieles podrían asustarse. Yo los paso con toda suavidad de Mí a vosotros para que no se sientan solos ni por un momento. Amadlos, mucho, como Yo los amo. Amadlos en recuerdo mío, como Yo los he amado...»

Jesús calla absorto en sus pensamientos. No sale de ellos sino hasta que un poco antes de Betania encuentra a los otros apóstoles que han venido por el otro camino. Todos prosiguen hacia la casa de Lázaro. Juan dice que los están esperando, porque los siervos ya los devisaron. Dice que Lázaro está muy mal.

«Lo sé. Por esto os dije que estaríamos en la casa de Simón. Pero no quería alejarme sin saludarlo una vez más.»

«Pero, ¿por qué no lo curas? Sería muy justo. A tus mejores siervos los dejas morir. No comprendo...» dice Iscariote, atrevido como siempre, aun en sus mejores momentos.

«No hay necesidad de que lo comprendas antes de tiempo.»

«No lo habrá, dices bien. Pero, ¿sabes qué cosa dicen tus enemigos? Que curas cuando puedes, no cuando quieres. Que proteges cuando puedes... ¿No sabes que el viejo de Tecua murió ya? ¿Y que lo mataron?»

«¿Muerto? ¿Quién? ¿Eliana? ¿Cómo?» preguntan todos, sorprendidos. Pedro es el único que pregunta: «¿Y cómo lo sabes tú?»

«Por casualidad lo supe hace poco en la casa donde estuve. Sabe Dios que no miento. Parece que fue un ladrón, disfrazado de mercader, y que en vez de pagar el lugar, lo mató...»

«¡Pobre viejo! ¡Qué vida tan infeliz! ¡Qué muerte tan triste! ¿No dices nada, Maestro?» preguntan varios.

«No tengo nada que añadir fuera de que el anciano sirvió al Mesías hasta su muerte. ¡Así fuera el final de todos!»

«Respóndeme, hijo de Alfeo, pero no será como tú afirmabas, ¿o sí?» pregunta Pedro a Tadeo.

«Puede ser. Un hijo que por odio a su padre y por añadidura por odio de esta clase, puede ser capaz de todo. Hermano mío, muy verídicas son tus palabras: "Y el hermano se levantará contra su hermano; y el padre contra sus hijos".»

«Y quien hiciere así creerá haber servido a Dios. Ojos ciegos, corazones endurecidos, espíritus sin luz. Y con todo los deberéis amar» dice Jesús.

«Pero, ¿cómo vamos a amar a quien nos tratare así? Ya será bastante sino reaccionamos y si soportamos resignadamente sus hechos...» exclama Felipe.

«Yo os daré un ejemplo que os enseñaré. A su tiempo. Y si me amareis haréis lo que Yo haré.»

«Ved a Maximino y a Sara. Debe estar muy malo Lázaro que sus hermanas no salgan a tu encuentro» observa Zelote.

Los dos se llegan y se postran. En sus rostros, en sus vestidos está impresa la huella que el dolor y la fatiga acompañan a las familias en donde se lucha contra la muerte. Maximino no dice sino: «Maestro, ven...» pero tan afligido, que vale más que un discurso. Llevan a Jesús a al puerta de la pequeña habitación, mientras los otros siervos se ocupan de los apóstoles.

Al leve toquido de la puerta acude Marta, saca su cabeza floca y pálida: «¡Maestro, ven! ¡Bendito seas!»

Jesús entra, atraviesa la habitación que precede a la del enfermo, y entra en ella. Lázaro está durmiendo ¿Lázaro? Un esqueleto, una momia amarillenta que respira... Su cara es la de una calavera, y en el sueño se ve mejor. La piel cenicienta y estirada brilla en los ángulos de los pómulos, de las maxilas, de la frente, de las órbitas tan profundas que parece como ni en ellas no hubiese ojos, de la nariz afilada que parece haber crecido tanto que desfigura el contorno de las mejillas. Los labios son tan pálidos que apenas si se notan, y aparece como que no pueden cerrarse en medio de dos filas de dientes semidescubiertos, semicerrados... es la cara de uno que ya ha muerto [9].

Jesús se inclina a mirarlo. Se yergue. Mira a las dos hermanas que lo miran con toda el ansia concentrada en sus ojos, en su alma adolorida, en su alma llena de esperanza. Les hace una señal, y sin ruido sale al patiecillo que precede a las los habitaciones. Lo siguen. Cierran la puerta tras sí.

Solos, entre cuatro paredes, en silencio, con el cielo arriba, sobre sus cabezas, se miran. Las hermanas no saben ya pedir, no saben ni siquiera hablar. Pero Jesús habla: «Sabéis quién soy. Sé quiénes sois. Sabéis que os amo. Sé que me amáis. Conocéis mi poder. Conozco vuestra fe en Mí. Sabéis también, sobre todo tú, María, *que cuanto más se ama, más se obtiene. Amar es saber esperar y creer sobre toda medida, sobre toda realidad que aconsejase a no creer y a no esperar*. Pues bien, por esto os digo que *sepáis esperar y creer contra toda realidad contraria*. ¿Me entendéis? Os digo: sabed esperar y creer contra toda realidad contraria. No puedo detenerme aquí sino unas cuantas horas. Sólo el Altísimo sabe cuanto desearía como hombre detenerme aquí con vosotras, para asistirlo, consolarlo, para asistiros y confortaros. Pero como hijo de Dios sé que es necesario que me vaya. Que me aleje... Que no esté aquí cuando... me deseéis más que el aire que respiraréis. Un día... muy pronto... comprenderéis estas razones que ahora os parecen crueles. Son motivos divinos, que me duelen a Mí como Hombre, tanto como a vosotros. Son dolorosos *por ahora*. Ahora que no podéis abrazar y contemplar la belleza y la sagacidad. Ni os las puedo

[9] Cfr. pág. 566, not. 2.

revelar. Cuando todo se haya cumplido, entonces comprenderéis y os alegraréis... Escuchadme. Cuando Lázaro haya... muerto. ¡No lloréis así! Entonces mandadme llamar *cuanto antes*. Entre tanto arreglad todo para los funerales *con gran pompa*, cual corresponde a él y a vuestra casa. El es un judío de fama. Pocos lo aprecian por lo que es, pero supera a muchos ante los ojos de Dios... Os haré saber dónde esté para que me podáis encontrar.»

«Pero, ¿por qué no estar aquí por lo menos en ese momento? Nos resignamos, sí, a su muerte... Pero Tú... Pero Tú... Pero Tú...» Marta solloza no pudiendo decir algo, ahogando en su vestido el llanto...

María, al revés, mira Jesús, lo mira, lo mira, como hipnotizada... y no llora.

«Sabed obedecer, sabed creer, esperar... sabed decir siempre "sí" a Dios... Lázaro os está llamando... Id. Luego voy... No tendré más tiempo de hablaros a solas. Recordad lo que os acabo de decir.»

Y mientras presurosas entran, Jesús se sienta sobre una banquita de piedra y ora.

234. Jesús en la Fiesta de la Dedicación del Templo [1]

(Escrito el 9 de diciembre de 1946)

Estar en pie en una mañana en que hace viento y frío no es posible. En la cima del Moria el viento que viene del noroeste, sopla haciendo volar los vestidos y poniendo coloradas las caras y los ojos. Y con todo hay quien ha subido al Templo para las oraciones. Los que pecan por su ausencia absoluta son los rabinos con sus respetivos grupos de alumnos. El portal parece más amplio y sobre todo más majestuoso, sin esas voces gritonas y sin esa pompa que hay en él, como de costumbre.

Y debe ser cosa rara verlo tan vacío, que muchos se asombran. También Pedro se admira. Tomás, que parece hasta más robusto, envuelto en su largo y pesado manto, dice: «Se habrán encerrado en algunas habitaciones, por temor a perder su voz. ¿Los extrañas?» y se ríe.

«¡Oh, no! ¡Ojalá nunca los volviera a ver! Pero no quisiera que sucediese...» y mira a Iscariote que no habla, pero comprende la mirada de Pedro y dice: «De veras que han prometido no molestar más, a no ser que el Maestro los... escandalizare. No cabe duda que estarán espiando. Pero como aquí no se peca, ni se ofende, ellos no es-

[1] Cfr. Ju. 10, 22-39.

tán.»

«Mejor así. Dios te bendiga, muchacho, si has logrado que entren en razón.»

Todavía es temprano. Hay poca gente en el Templo. Digo «poca» en comparación de la amplitud del lugar. Ni siquiera docientas o trecientas personas se ven dentro: en los patios, pórticos y corredores...

Jesús, único Maestro en el amplio atrio de los gentiles va y viene, hablando con los suyos y con los discípulos que ha encontrado en el recinto del Templo. Responde a sus objeciones o preguntas, esclarece puntos que no han podido comprender y que no pudieron explicar a otros.

Se acercan dos gentiles, lo miran, se van sin pronunciar palabra alguna. Pasan personas que trabajan en el Templo, lo miran: tampoco dicen una palabra. Lo mismo sucede con algún fiel.

«¿Vamos a estar todavía aquí?» pregunta Bartolomé.

«Hace frío y no hay nadie. Estar aquí en paz, agrada. Maestro, hoy en realidad estás en la casa de tu Padre, y como dueño» dice sonriente Santiago de Alfeo. Añade: «Así habrá sido el Templo cuando vivían Nehemías y los reyes sabios y los hombres piadosos [2].»

«De mi parte sería mejor que nos fuéramos. De allá nos están espiando...» dice Pedro.

«¿Quiénes? ¿Los fariseos?»

«No. Los que pasaron antes, y otros más. Vámonos, Maestro...»

«Espero a los enfermos. Me vieron cuando entraba en la ciudad y la voz se esparció. Cuando haga más sol, vendrán. Quedémonos hasta un tercio antes de sexta [3]» responde Jesús. Y continúa caminando para adelante y para atrás para no sentir el aire frío.

De hecho, después de poco tiempo, cuando el sol ha mitigado ya el frío, llega una mujer con una niña enferma y pide que se la cure. Jesús la contenta. La mujer pone sus óbolo a sus pies diciendo: «Esto es para otros niños que sufren.» Iscariote recoge la moneda.

Poco después, en una camilla traen a un hombre de edad, enfermo de las piernas. Jesús le da la salud.

Viene ahora un grupo, que pide a Jesús que vaya fuera de la muralla del Templo para que arroje el demonio de su niña [4], cuyos gritos desgarradores se oyen hasta allí dentro. Jesús va con ellos. Sale a la calle que lleva a la ciudad. Entre la gente que se ha apiñado a ver a la jovencilla que echa espuma y se retuerce, sacando tamaños

[2] Alusión a Salomón (pese a sus defectos), a Ezequías, Josías, Zorobabel. Cfr. 3 y 4 Rey., 2 Par., Esd. y Neh., Ag.

[3] Hacia las 12 del día.

[4] Cfr. vol. 1°, pág. 804, not. 3.

ojos, hay gentiles. De los labios de la jovencilla se escuchan palabras de mal gusto y tanto más aumentan, cuanto más Jesús se acerca. Cuatro robustos jóvenes apenas si pueden sujetarla. Junto con las injurias salen gritos que reconocen a Jesús, súplicas que dicen que no se le arroje, y también prorrumpe en verdades que repite monótonamente: «¡Largo! ¡No me hagáis ver a este maldito! ¡Largo, largo! Causa de nuestra ruina. Sé quién eres. Eres... Eres el Mesías. Eres... Otro aceite fuera del de allá arriba no te ha ungido. La fuerza del cielo te protege y te defiende. ¡Te odio, maldito! No me arrojes. ¿Por qué nos arrojas y no nos quieres, mientras sí tienes cerca de ti a una legión de demonios en uno solo? ¿No sabes que todo el infierno está en uno [5]? Sí, que lo sabes... Déjame aquí, por lo menos hasta la hora de...» Las palabras se cortan, como ahogadas, otras veces salen, otras terminan en aullidos: «¡Déjame entrar por lo menos en él! No me mandes al Abismo. ¿Por qué nos odias, Jesús, Hijo de Dios? ¿No te basta con lo que eres? ¿Por qué quieres imperar también sobre nosotros? No te queremos. ¡No! ¿Por qué has venido a perseguirnos, si hemos renegado de ti? ¡Largo, largo! ¡No, no arrojes sobre nosotros los fuegos del cielo! ¡Tus ojos! Cuando estén apagados, nos reiremos... ¡Ah, no! Ni siquiera entonces... ¡Tú nos vences! ¡Nos vences! ¡Sed malditos Tú y el Padre que te ha enviado, y el que viene de vosotros y es vosotros [6]... ¡Aaaah!»

El grito final es completamente espantoso, como el de una persona a quien degollaren, y se debe a que Jesús, después de que muchas veces interiormente, con su pensamiento había dado orden de que cesase, finalmente toca con un dedo la frente de la jovencilla. El grito termina con una convulsión horrenda, con un fragor en que hay una carcajada y un grito de pesadilla. Al dejarla aúlla: «No me voy lejos... ¡Ja, ja!» semejante al trueno de un relámpago que se escucha en el firmamento, aun cuando este limpísimo.

Muchos corren atemorizados, otros se apiñan a ver a la jovencilla que de pronto se ha calmado; como refugiándose entre los brazos de quienes la sujetaban se queda así por pocos instantes, luego abre los ojos, sonríe, siente que no tiene el velo en la cara ni en la cabeza, trata de ocultarla con su brazo levantado. Quienes están con ella, quieren que dé gracias al Maestro. Pero El dice: «Dejadla. Tiene vergüenza. Su alma me ha dado ya las gracias. Devolvedla a su madre. Allí es su lugar...» y vuelve las espaldas a la gente, volviendo a entrar en el Templo, al lugar de antes.

«¿Viste, Señor, que muchos judíos se llegaron por detrás? Reconocí a algunos. ¡Allí están! Son los que antes estaban espian-

[5] Alusión a Judas Iscariote. Cfr. pág. 419, not. 6.
[6] Alusión al Espíritu Santo, por cuyo poder son arrojados los demonios. Comparar con Mt. 12, 22-32.

do. Mira cómo discuten entre sí...» refiere Pedro.

«Estarán echándose la suerte para saber en quién de ellos entró el diablo. También está Nahaúm, el hombre de confianzas de Anás. Es un tipo que se lo merece...» propone Tomás.

«Tienes razón. No viste porque estabas mirando a otra parte, pero el fuego se dejó ver sobre su cabeza» dice Andrés cascando los dientes. «Estaba cerca de él y tuve miedo...»

«Todos estaban juntos. Yo vi que el fuego se cernía sobre nosotros y pensé que íbamos a morir... Temblé, más bien, por el Maestro. Parecía como si se suspendiera sobre su cabeza» explica Mateo.

«No. Yo lo vi salir de la jovencilla y estallar sobre los muros del Templo» objeta Leví, el discípulo pastor.

«No discutáis entre vosotros. El fuego no señaló ni a éste, ni a aquél. Fue sólo la señal de que el demonio había huido» dice Jesús.

«Pero dijo que no se iría lejos...» replica Andrés.

«Palabras de demonio... Quién les hace caso. Alabemos más bien al Altísimo por estos tres hijos de Abraham [7] curados en su cuerpo y en su alma.»

Entre tanto muchos judíos que han venido llegando de esta y de aquella parte — pero no con ellos los fariseos, ni escribas, ni sacerdotes — se acercan y rodean a Jesús. Uno de ellos claramente confiesa: «Has obrado cosas grandes en esta mañana. Obras verdaderamente dignas de un profeta y de un gran profeta. Los espíritus de los abismos han dicho de Ti cosas grandes. Pero no pueden aceptarse sus palabras, si la tuya no las confirma. Estamos temblando de miedo por esas palabras. Pero también tenemos miedo de engaño porque se sabe que Belzebú [8] es un espíritu mentiroso. Dinos, pues, quién eres. Dínoslo con tu propia boca que respira verdad y rectitud.»

«¿No os lo he dicho tantas veces? Hace ya casi tres años que os lo vengo diciendo, y antes de Mí, os lo dijo Juan en el Jordán y la Voz de Dios que se oyó de los cielos.»

«Tienes razón. Pero nosotros no estuvimos esas veces. Nosotros... Tú que eres un hombre recto, debes comprender nuestras ansias. Queremos creer en Ti como en el Mesías. Pero ha sucedido muchas veces que el pueblo de Dios ha sido engañado por mesias falsos. Consuela nuestro corazón que espera oir una palabra de seguridad y te adoraremos.»

Jesús los mira severamente. Sus ojos parecen perforar sus cuerpos y dejar al descubierto sus corazones. Luego dice: «Realmente, muchas veces los hombres saben decir mentiras mejor que Sata-

[7] Expresión igual en Lc. 13, 16.

[8] Cfr. pág. 373, not. 2.

nás. No. Vosotros no me adoraréis. *Jamás*. Sea lo que os dijere. Y si lo llegaseis a hacer, ¿a quién adoraríais?»

«¿A quién? ¡A nuestro Mesías!»

«¿Llegaríais a hacerlo? ¿Quién es para vosotros el Mesías? Responded, para que sepa lo que valéis.»

«¿El Mesías? El Mesías es el que por órdenes de Dios juntará al Israel disperso y lo hará un pueblo victorioso, bajo cuyo cetro estará el mundo. ¿No sabes lo que es el Mesías?»

«Lo sé, como lo sabéis. Para vosotros, pues, es un hombre que superando a David y Salomón y a Judas Macabeo [9], hará de Israel la nación reina del mundo.»

«Así es. Dios lo ha prometido. El Mesías nos vengará, nos hará gloriosos, nos devolverá nuestros derechos. El Mesías prometido.»

«Escrito está: "No adorarás a otro que no sea el Señor Dios tuyo" [10]. ¿Cómo podréis adorarme, si en Mí solo veis al Hombre-Mesías?»

«¿Y qué otra cosa podemos ver en Ti?»

«¿Qué? ¿Y con estos sentimientos habéis venido a preguntarme? ¡Raza de víboras engañosas y venenosas! Sois hasta sacrílegos. Si en Mí no podéis ver otra cosa que el Mesías humano y me adoráis, sois unos idólatras. Sólo a Dios se debe la adoración. En verdad os digo que el que os está hablando es más que el Mesías que os figuráis con una misión, con palacios y poderes, que sólo vosotros, faltos de espíritu y sabiduría, os imagináis. El Mesías no ha venido a dar a su pueblo un reino, como creéis. No ha venido a ejercer venganzas sobre otros poderosos. Su Reino no es de este mundo. Su poder sobrepuja cualquier otro poder del mundo, que siempre es limitado.»

«Nos mortificas, Maestro. Si eres Maestro y nosotros somos ignorantes, ¿por qué no quieres instruirnos?»

«Hace tres años que lo estoy haciendo, y siempre estáis en las tinieblas, rechazando la Luz.»

«Es verdad. Tal vez lo sea. Pero lo que fue en el pasado, no quiere decir que suceda en lo porvenir. ¿Y qué? Tú que tienes piedad de los publicanos y de las prostitutas, que absuelves a los pecadores, ¿no vas a tener piedad de nosotros, sólo porque somos de dura cerviz y nos esforzamos en comprender lo que eres?»

«No es que os esforcéis. *Es que no queréis comprender*. No sería culpa alguna que fuerais unos idiotas. Dios tiene muchas luces que podrían alumbrar aun la inteligencia más cerrada, pero llena de buena voluntad. Esto es lo que os falta. Más bien, tenéis una, sí,

[9] Cfr. por ej., David y Salomón: 1, 2 y 3 Rey.; 1 y 2 Par. Para Judas Macabeo, cfr. 1 Mac. 3-9; 2 Mac. 8-15.

[10] Deut. 6, 13.

que es opuesta. Por esto no comprendéis quién soy.»

«Será como dices. Estás viendo cuan humildes somos. Te pedimos en el nombre de Dios. Responde a nuestras preguntas. No tengas otras sospechas de nosotros. ¿Hasta nuestro corazón va a quedar inseguro? Si eres el Mesías dínoslo claramente.»

«Os lo he dicho. En las casas, plazas, caminos, poblaciones, montes, ríos, en las playas del mar, en las fronteras de los desiertos, en el Templo, en las sinagogas, en los mercados os lo he dicho, y vosotros no creéis. No hay lugar de Israel que no haya oído mi voz. Hasta los lugares que llevan por abuso el nombre de Israel desde hace siglos, pero separados del Templo; hasta los lugares que han dado nombre a esta tierra nuestra, que de dominadores se convirtieron en subyugados, que jamás se libraron de sus errores para venir a la Verdad, hasta la Siro-Fenicia, que los rabinos esquivan como tierra de pecado, han oído mi voz y conocido lo que soy.

Os lo he dicho, y no creéis en mis palabras. He realizado cosas a las que no habéis prestado un corazón generoso. Si lo hubierais hecho con espíritu sincero, habríais llegado a creer en Mí. Aquellos que tienen buena voluntad, que me siguen, porque me reconocen como a su Pastor, han creído a mis palabras y al testimonio que dan mis obras.

¿Creéis acaso que lo que hago, no tenga por objeto *vuestra* utilidad? ¿Y utilidad para todas las criaturas? Desengañaos. No penséis que la utilidad depende de la salvación de uno solo, que mi poder consiguió, o porque haya sido librado de la obsesión o del pecado. Esta es una utilidad circunscrita a un individuo. Poca cosa respecto al poder que viene dado por la fuente sobrenatural, más que sobrenatural: divina, que le da salida para que sea la única utilidad. Hay una utilidad en las cosas que hago. La utilidad de quitar toda duda a los que dudan, de convencer a los contrarios, además de robuster cada vez más la fe de los que creen.

Por razón de esta utilidad colectiva, en favor de *todos* los hombres presentes y futuros, porque mis obras darán testimonio de Mí a los que vendrán después y los convencerán en lo que se refiere a Mí, mi Padre me dio poder de hacer lo que hago. En las obras de Dios nada se hace sin un buen fin. Recordadlo siempre. Meditad en esta verdad.»

Jesús deja de hablar por unos instantes. Clava su mirada en un judío que tiene la cabeza inclinada y luego añade: «Tú estás pensando así, tú, el del vestido de color de uva madura, te estás preguntando si Satanás tenga también un fin bueno. No quieras ser un necio enemigo mío y no busques error en mis palabras. Te respondo que *Satanás no es obra de Dios, sino de la libre voluntad del ángel rebelde*. Dios lo había hecho un ministro glorioso suyo [11], y por lo tanto lo había creado para un fin bueno. Ahora, hablando contigo mismo, dices: "Entonces Dios es un necio porque dotó de gloria a un futuro rebelde y confió su voluntad a un desobediente". Te respondo: Dios no es un necio, sino un ser perfecto en sus acciones y pensamientos. Es el Perfectísimo. Las criaturas son imperfectas, cuando sean las más perfectas. Siempre habrá un punto de inferioridad en ellas respecto a Dios. *Pero Dios, que ama a las criaturas, les ha concedido la libertad de arbitrio para que por ella se perfeccionen en la virtud y se hagan a sí más semejante a El, su Padre.* Te digo además, tú que te burlas y astutamente buscas error en mis palabras, *que del mal, aun voluntariamente cometido, Dios saca un fin bueno: el que sirva para dar posesión a los hombres de una gloria merecida* [12]. *Las victorias sobre el mal son la corona de los elegidos. Si el mal no pudiese crear una consecuencia buena para aquellos que tienen buena voluntad, Dios lo habría destruido. Porque nada de cuanto hay en la creación debe estar privado de incentivo o de consecuencias buenas.*

¿No respondes? ¿Te cuesta trabajo declarar que he leído tu corazón y que tus raciocinios injustos han sido destruidos? No te obligaré a hacerlo. En la presencia de todos, te dejaré a tu soberbia. No te exigo que me declares victorioso, pero cuando estés con éstos, semejantes a ti, y con quienes te enviaron, confiesa entonces que Jesús de Nazaret leyó tus pensamientos, que destrozó tus objecciones con las únicas armas de su palabra verídica.

Dejando este asunto personal volveré a vosotros que me estáis escuchando. Si uno solo de vosotros se convirtiese por mis palabras a la Luz, mis fatigas de hablar a piedras, mejor dicho, a sepulcros llenos de víboras, quedaría muy bien recompensadas.

Dije que los que me aman, me han reconocido por su Pastor a través de mis palabras y obras. Pero vosotros no creéis, *no podéis creer*, porque no sois de mis ovejas.

¿Qué sois vosotros? Os lo pregunto. Preguntadlo a lo íntimo de vuestro corazón. No sois unos tontos. Lo podéis saber por lo que sois. Basta con que escuchéis la voz de vuestra alma que está intranquila porque sigue ofendiendo al Hijo del que la creó. Pero vosotros, pese a que sepáis lo que sois, no lo confesaréis. No sois humildes, ni sinceros. Yo os diré lo que sois. Sois en parte lobos, en parte machos cabríos salvajes. Pero ninguno de vosotros, pese a la piel de ovejas con que se cobija, es cordero. Bajo la piel suave y blanca encubrís toda clase de colores feroces; tenéis los cuernos puntiagudos, los colmillos y las pezuñas de unos y otros. Y no

[11] Cfr. pág. 51, not. 3.
[12] Cfr. vol. 3°, pág. 621, not. 4.

queréis dejar de serlo, porque os gusta, y vuestros sueños alimentan ferocidad y rebelión. Por esto no podéis amarme, ni seguirme, ni comprenderme. Si entráis en la grey, será sólo para causar daño, dolor o desorden. Mis ovejas os temen. Si fuesen como vosotros, os odiarían. Pero no saben hacerlo. Son los corderos del Príncipe de la paz, del Maestro del amor, del Pastor misericordioso [13]. No saben odiar. Jamás os odiarán, como tampoco Yo os odiaré jamás. Os dejo el odio, *que es el malvado fruto de la triple concupiscencia* [14] *con el propio ser que irrumpe en el hombre animal, que vive olvidadizo de ser también espíritu, además de materia.* Yo me quedo con lo que es mío: el amor. Lo comparto con mis corderos, lo ofrezco también a vosotros para haceros buenos.

Si llegaseis a ser buenos, me comprenderíais y perteneceríais a mi grey semejantes a los que están en ella. Nos amaríamos. Yo y mis ovejas nos amamos. Ellas me escuchan, reconocen mi voz. Vosotros no comprendéis lo que signifique conocer mi voz. Significa no tener dudas sobre su origen y distinguirla entre mil voces de falsos profetas, como la voz verdadera venida del cielo. Ahora y siempre, aun entre los que creen ser, y en cierto sentido siguen la Sabiduría, habrá muchos que no sabrán distinguir mi voz de otras que os hablarán de Dios, con mayor o menor rectitud, pero que serán voces inferiores a la mía...»

«Andas diciendo que te vas a ir, y pero seguirás hablando. Si te vas, no hablarás más» objeta un judío con desprecio, como si hablase a un débil mental.

Si la voz de Jesús ha sido un poco severa, fue sólo al principio cuando se dirigió a los judíos y luego cuando respondió a las objecciones internas del judío. Pero su voz continúa siendo dulce y llena de dolor: «Hablaré siempre, para que el mundo no se convierta en idólatra. Hablaré a los míos, a los que he elegido para que os repitan mis palabras. El Espíritu de Dios hablará y ellos comprenderán lo que aun los sabios no logran ni lograrán enteder. Porque los estudiosod estudiarán la palabra, la frase, el modo, el lugar, el cómo, el instrumento, a través de los cuales la Palabra habla, *mientras mis elegidos no se perderán en esos estudios inútiles, sino escucharán, perdidos en el amor, y comprenderán porque será el Amor el que hablará. Serán capaces de distinguir las páginas adornadas de los doctos, y las mentirosas de los falsos profetas, de los rabinos hipócritas,* que enseñan doctrinas no correctas o enseñan lo que no practican, *de las palabras sencillas, verdaderas, profundas que procederán de Mí. Pero el mundo los odiará por esto, porque el mundo me odia a Mí-Luz y odia a los hijos de ella; el mundo de ti-*

[13] Cfr. pág. 554, not. 1; y pág. 624, not. 4.
[14] Cfr. pág. 493, not. 5.

nieblas no ama sino las tinieblas que le favorecen para pecar [15]. Mis ovejas me conocen y me conocerán y me seguirán aun en los senderos llenos de sangre y de dolor que seré el primero en recorrer y que detrás de Mí también recorrerán. Las animan los caminos que conducen a la Sabiduría. Los caminos que la sangre y el llanto de los perseguidos, porque enseñan la justicia, alumbran porque resplandecen en la oscuridad de humo del mundo y de Satanás y son como chispas de estrellas que conducen al Camino, a la Verdad, a la Vida a quienes buscan la Sabiduria. De esto tienen necesidad las almas: *de quienes las lleve a la Vida, a la Verdad, al recto Camino. Dios es misericordioso para con las almas que buscan y no encuentran, no por su culpa, sino por desidia de pastores ídolos. Dios es piadoso para con las almas que, abandonadas a sus propias fuerzas, se extravían y las acogen ministros de Lucifer, dispuestos a acogerla para hacerlas prosélitas de sus doctrinas. Dios es misericordioso para con los que están en el engaño sólo porque los rabinos de Dios, los llamados rabinos de Dios, se han desinteresado de ellos. Dios es piadoso para con los que salen al encuentro del desconsuelo, de la oscuridad, de la muerte por culpa de falsos maestros, que no tienen de maestros sino el vestido y la ambición de que se les dé tal nombre. Así como envió profetas a su pueblo, así como me envió a Mí para todo el mundo, así también enviará después para estas pobres almas los siervos de la palabra, de la verdad, del amor, que repetirán mis palabras, que dan la Vida. Así pues mis ovejas de hoy y de mañana tendrán la Vida que les daré a través de mi palabra que es vida eterna para quien la acoge, y no perecerán jamás, y nadie las podrá arrancar de mis manos.»*

«Nosotros nunca hemos rechazado las palabras de los verdaderos profetas. Siempre hemos respetado a Juan, que ha sido el último de ellos» replica airado un judío a quien sus compañeros hacen eco.

«Murío a tiempo para no hacerse odioso y para que no lo persiguierais. Si viviese todavía, el "*no es lícito*" *que dijo por un incesto carnal* [16] lo diría también a vosotros que cometéis un adulterio espiritual fornicando con Satanás y ofendiendo a Dios. Lo mataríais como queréis matarme a Mí.»

Furiosos los judíos se mueven como abejas, prontos a picar, fastidiados de fingirse buenos.

Jesús no se preocupa de ello. Levanta su voz para dominar el avispero y grita: «Me preguntasteis que quién soy, ¡hipócritas! Dijisteis que era porque queríais saberlo para estar seguros. Y ahora decís que Juan fue el último profeta. Dos veces os condenáis por mentira. La primera porque decía que no habéis jamás rechazado

[15] Cfr. pág. 339, not. 7.

[16] Alusión a lo que se refiere en Mt. 14, 3-12; Mc. 6, 17-29; Lc. 3, 19-20.

las palabras de los verdaderos profetas [17], la segunda porque al afirmar que Juan es el último de los profetas y que creéis en los verdaderos profetas, me excluís a Mí aun como profeta, y profeta *verdadero*. ¡Bocas mentirosas! ¡Corazones falaces! En verdad, en verdad, aquí en la casa de mi Padre proclamo que soy más que un profeta. Retengo lo que el Padre me ha dado. Lo que el Padre me ha dado es más precioso de todo y de todos, porque es una cosa sobre la que el querer y poder de los hombres no pueden poner sus manos rapaces. Retengo lo que Dios me ha dado y que aunque esté en Mí, siempre está en Dios, y nadie puede arrebatarlo de las manos de mi Padre, ni de las mías porque la naturaleza divina es igual. Yo y el Padre somos una sola cosa.»

«¡Ah, horror! ¡Blasfemia! ¡Anatema!» El aullido de los judíos retumba por el Templo, y una vez más las piedras que usan los cambistas y vendedores de animales para tener en orden sus lugares, pueden servir de proyéctiles, listos para lanzarse.

Pero Jesús se yergue con los brazos cruzados sobre el pecho. Sube sobre un banco de piedra para ser más visible y desde allí los domina con los rayos de sus ojos de zafiro. Domina y fulgura. Es tan majestuoso que los paraliza. En lugar de lanzarle las piedras, las echan a un lado o las conservan en las manos, pero sin atreverse a lanzárzelas. Aún los aullidos se calman envueltos en un temor extraño. Es propiamente Dios quien mira en Jesús. Y cuando Dios mira así, el hombre, aún el más protervo, empequeñece, se espanta.

Me pongo a pensar en qué habrá consistido el misterio por el que los judíos pudieron ser tan crueles en el Viernes Santo. En qué habrá consistido no haberse manifestado un tal dominio en Jesús en ese día. Verdaderamente fue la hora de las tinieblas, la hora de Satanás [18], y sólo ellos reinaron... La Divinidad, la Paternidad de Dios abandonó a su Mesías, y El no fue más que la Víctima [19]...

Jesús sigue en esta posición por unos segundos. Luego continúa hablando a esta turba vendida y vil, que ha perdido toda su valentía ante una mirada divina: «¡Pues bien! ¿Qué queréis hacer? Me preguntasteis que quién soy. Os lo he dicho. Os habéis puesto furiosos. Os he recordado lo que he obrado, os he hecho ver y recordar muchas obras buenas que brotan de mi Padre y que he realizado con el poder que me viene de El. ¿Por cuál de estas obras me queréis apedrear? ¿Por haber enseñado la justicia? ¿Por haber

[17] Cfr. vol. 1°, pág. 389, not. 2.
[18] Cfr. pág. 448, not. 1.
[19] Ciertamente no en el sentido de que Dios efectivamente se haya separado de Jesús, destruyendo así la unión hipostática de la Naturaleza divina y de la Naturaleza humana, sino en el sentido que usa el mismo S. Mateo en 27, 46 y S. Marcos en 15, 34, por lo tanto de una separación sólo *aparente*, aunque muy dolorosa. Poco antes de morir, dijo sobre la cruz, repitiendo las primeras palabras del Sal. 21: «Dios mío, Dios mío, ¿por qué me has abandonado?»

traído a los hombres a la Buena nueva? ¿Por haber venido a invitaros al Reino de Dios? ¿Por haber curado a vuestros enfermos, dado vista a vuestros ciegos, movimiento a los paralíticos, palabra a los mudos, libertad a los poseídos, vida a muertos, bien a los pobres, perdonado a los pecadores, amado a todos, aún a los que me odian, a vosotros y a los que os enviaron? ¿Por cuál, pues, de estas obras me queréis apedrear?»

«No es por las buenas obras que has hecho, que te queremos lapidar, sino por tu blasfemia, porque siendo hombre, te haces Dios.»

«¿No está escrito en vuestra Ley: "Yo dije: vosotros sois dioses e hijos del Altísimo? [20]" Ahora bien, si Dios llamá "dioses" a quienes habló, al haber dado una orden: la de vivir de modo que su semejanza e imagen que existen en el hombre, aparezcan claras y que el hombre no sea ni demonio ni animal; si los hombres son llamados "dioses" en la Escritura, palabra inspirada de Dios, y por lo tanto, no puede modificarse, ni anularse según los caprichos e intereses del hombre, ¿por qué me echáis en cara que blasfeme, a Mí a quien el Padre ha consagrado y enviado al mundo, tan sólo porque he dicho: "Soy Hijo de Dios"? Si no hiciera las obras de mi Padre, tendrías razón en no creer en Mí. Pero las hago. Vosotros sois quienes no queréis creer en Mí. Creed por lo menos en estas obras, para que sepáis y reconozcáis que el Padre está en Mí y Yo en El.»

El huracán de gritos y de violencia ruge con mayor fuerza. De una de las terrazas del Templo, en que se habían escondido sacerdotes, escribas y fariseos, graznan muchas voces: «Apoderaos de ese blasfemo. Su culpa es ya pública. Todos hemos oído. ¡Muerte al blasfemo que se proclama Dios! Dadle el mismo castigo que al hijo de Salumit de Dabri. ¡Llévesele fuera de la ciudad y lapídesele! Tenemos todo el derecho. Escrito está: "El blasfemo es reo de muerte" [21].»

Los gritos de los jefes azuzan la ira de los judíos, que tratan de apoderarse de Jesús y de entregarlo maniatado a los magistrados del Templo, que acuden, seguidos por las guardias de Templo.

Pero más ligeros que ellos una vez más, los legionarios que vigilaban desde la torre Antonia y que han seguido atentos el tumulto, salen fuera de su caserma y vienen. No respetan a nadie. Las astas de sus lanzas rebotan sobre cabezas y espaldas. Su excitación aumenta con los chascarrillos e insultos: «¡A vuestras cuevas, perros! ¡Fuera de aquí! Licinio, dale duro a ese tiñoso. ¡Fuera! ¡El miedo os hace apestar más que nunca! ¡Pero qué coméis, cuervos, para apestar así? Bien dices, Basso. Se purifican, pero apestan. ¡Mira allá a aquel narigudo! ¡Al muro, al muro, que tomamos los

[20] Cfr. Sal. 81, 6; pág. 207, not. 3.
[21] Cfr. Lev. 24, 10-16.

nombres! ¡Y vosotros, búhos, bajad de allá! Os conocemos. El centurión dará una buena relación al Procónsul. ¡No, a ese déjalo! Es un apóstol del Rabí. ¿No ves que tiene cara de hombre y no de chacal? ¡Mira, mira, cómo escapan por esa parte! ¡Déjalos ir! ¡Para persuadirlos habría que ensartarlos con el hasta entera! ¡Sólo así los tendríamos domados! ¡Tal vez mañana! ¡Ah, tú estás preso y no te escapas! Te vi, ¿eh? Fuiste quien arrojó la primera piedra. Darás cuenta de ello, por haber herido a un soldado de Roma... También éste. Nos maldijo, imprecando las banderas. ¿Ah, sí? ¿De veras? Ven, que te las haremos amar en nuestras mazmorras...» Y de este modo, cargando e insultando, apresando a unos y poniendo en fuga a otros, los legionarios limpian el amplio patio.

Cuando los judíos ven que dos de los suyos han sido arrestados, muestran su vileza: o huyen cacareando como una parvada de gallinas al ver el gavilán, o se arrojan a los pies de los soldados para suplicar piedad con un servilismo y adulación repugnantes.

Un oficial, a cuyos pies se acerca un viejo arrugado, uno de los enemigos más encarnizados de Jesús, llamándolo «magnánimo y justo», le da un terrible empellón que lo echa a rodar tres pasos atrás y le grita: «Largo, largo de aquí, vieja zorra tiñosa.» Volviéndose a un compañero, mostrándole la pantorrilla, dice: «Tiene uñas de zorra y baba de sierpe. Mira. ¡Por Júpiter Máximo! Me voy ahora a las Termas a restañar los rasguños de ese viejo lleno de baba» y se ve que su pantorrilla muestra terribles rasguños.

He perdido de vista a Jesús. No puedo decir a dónde se habrá ido, ni por qué puerta, salido. Durante la confusión vi tan sólo las caras de los hijos de Alfeo y de Tomás, que luchaban por abrirse paso, y las de algunos de los discípulos pastores. Después también las de ellos se me perdieron de vista y no ha quedado más que ese montón de pérfidos judíos que corren acá y allá para evitar que los capturen y que los legionarios los reconozcan, pues tengo la impresión que para ellos es un motivo de júbilo dar duro sobre ellos y pagarse de todo el odio con que los cubren.

235. Jesús para aislarse va a la gruta de su nacimiento

(Escrito el 11 de diciembre de 1946)

Jesús está a las espaldas del Templo, cerca de la puerta de las Ovejas, a las afueras de la ciudad. Le rodean sus apóstoles y discípulos pastores, menos Leví, que todavía están bajo la impresión atolondramiento y del enojo. No veo a ningún otro de los discípulos que estuvieron con El en el Templo. Discuten entre sí.

Mejor dicho parece como si discutiesen con Jesús, y con Judas de Keriot especialmente. A este último le echan en cara la rabia de los judíos y lo hacen con mordaz ironía. Judas los deja hablar, Repite: «Yo hablé con fariseos, escribas y sacerdotes, y ni uno de ellos estuvo entre la multitud.»

Echan en cara a Jesús que no hubiera truncado la discusión, después que la apaciguó la primera vez. Responde: «Tenía que terminar mi manifestación [1].»

Ahora que el sábado se acerca y también los días de fiesta, están inciertos a dónde ir. Simón Pedro propone ir a casa de José de Arimatea. A Betania no se puede ir a dar molestia alguna, sobre todo porque Jesús dijo claramente que no quiere ir más allá.

Tomás dice: «Ni José ni Nicodemo están. Se han ido. Por la fiesta. Ayer los saludé cuando estábamos esperando a Judas, y me lo dijeron.»

«Vamos entonces a casa de Nique» propone Mateo.

«Está en Jericó para la fiesta» replica Felipe.

«A la casa de José de Séforis» propone Santiago de Alfeo.

«¡Uhm! José... ¡No le haremos un regalo! Ha tenido dificultades y... ¡Claro que lo dijo! Venera al Maestro, pero quiere estar en paz. Parece una barca entre dos corrientes... Quiere flotar siempre... tiene en cuenta todos los lastres. Hasta del pequeño Marcial... tanto que no quiso pasarlo a José de Arimatea» protesta Pedro.

«¡Ah, por esto estaba ayer con él!» exclama Andrés.

«¡Comprendido! Por eso es mejor que se refugie en un puertecillo seguro... ¡Eh, le falta valor! ¡El sanedrín [2] mete miedo a todos» añade Pedro.

«Habla por ti, te lo pido. Yo no tengo miedo de nadie» interrumpe Iscariote.

«Tampoco yo... Por defender al Maestro desafiaría a todas las legiones. Pero no somos nosotros... Los otros... Eh, tienen negocios, casas, mujer, hijas... Tienen que pensar en ello.»

«También nosotros tenemos» objeta Bartolomé.

«También nosotros somos los apóstoles y...»

«Y sois iguales a los otros. No critiquéis, pues, a nadie. La hora de la prueba aun no ha llegado» dice Jesús.

«¿Todavía no ha llegado? ¿Entonces qué cosa son las que hemos ya pasado? Tú mismo viste cómo hoy te he defendido. Todos lo hicieron, pero yo más que todos. Di tales empujones y codazos que hubieran hecho varar una barca... ¡Una idea! Vamos a Nobe. ¡El viejo estará feliz!»

«Sí, sí. A Nobe.» Todos aprueban.

[1] Esto es, la manifestación de su Divinidad y poder. Cfr. pág. 624, not. 6.
[2] Cfr. pág. 620, not. 48.

«Juan no está. Haríais el viaje de balde. Podéis ir a Nobe, pero no a casa de Juan, porque no está.»
«¡Podéis! ¿Y Tú no vienes?»
«No quiero, Simón de Jonás. Tengo que ir a un lugar en estos días de las Encenias [3]. Si no estoy, podéis estar tranquilos en cualquier lugar. Por esto os digo: id a donde queráis. Os bendigo. Os recomiendo que estéis unidos en cuerpo y espíritu, sujetos a Pedro, que es vuestro jefe [4], pero no como si fuera el patrón, sino como a hermano mayor. Tan pronto como regrese Leví con mi alforja, nos separaremos.»
«¡Eso no, mi Señor! ¡Que te deje ir solo, jamás!»
«Se hará, si Yo lo quiero, Simón de Jonás. No tengas miedo. No estaré en la ciudad. Nadie que no sea ángel o demonio descubrirá mi refugio.»
«Está bien. Porque son muchos los demonios que te odian. ¡Te digo que sólo no irás!»
«Están también los ángeles [5], Simón. Me voy.»
«¿Pero a dónde? A la casa de quién, si has rechazado las mejores porque quieres o por las circunstancias. Me imagino que no vas a quererte estar en esta estación en alguna gruta, en los montes.»
«¡Si lo quisiera! Los montes son menos fríos que los corazones de los hombres que no me aman» responde Jesús como hablando a Sí mismo, inclinando su cabeza para esconder el brillo de una lágrima.
«Ahí viene Leví corriendo» dice Andrés que mira desde lo alto del camino.
«Démonos la paz y separémonos. Si queréis ir a Nobe apenas tendréis tiempo de llegar antes de que anochezca.»
Llega Leví jadeando: «Por todas partes te buscan, Maestro... Me lo han dicho los que te aman... Han ido a muchas casas, sobre todo a las pobres...»
«¿Te vieron?» pregunta Santiago de Zebedeo.
«Sí, y hasta me asieron. Pero yo que sabía de ante mano, dije: "Voy a Gabaón", salí por la puerta de Damasco y corrí por detrás de la muralla... No dije mentira, Señor, porque yo y éste vamos a Gabaón después del sábado. Esta noche nos quedamos en la campiña de la ciudad de David... Me traen recuerdos de días...» y mira a Jesús con una sonrisa angelical en su cara varonil y barbada, una sonrisa que recuerda la fisionomía del niño de aquella noche de Belén.
«Está bien. Podéis iros. También vosotros. Yo me voy. Cada uno

[3] Cfr. vol. 2°, pág. 424, not. 6.
[4] Léase atentamente en el vol. 3°, pág. 189, el cap. 31 y sobre todo la pág. 193.
[5] Cfr. pág. 51, not. 3.

por su camino. Dentro de pocos días estaré en el poblado de Salomón, id allá. Antes de dejaros os repito las palabras que os dije cuando os mandé de dos en dos por las ciudades: "Id, predicad, anunciad que el Reino de los cielos está *muy* cerca. Curad a enfermos, limpiad leprosos, resucitad a los muertos en el espíritu y en el cuerpo imponiendo en mi Nombre la resurrección del espíritu, la búsqueda de Mí que soy la vida, o la resurrección del cuerpo. No os ensoberbezcáis de lo que hiciereis. Evitad las disputas entre vosotros y con quien no os ame. No exijáis algo de lo que hiciereis. Preferid ir entre las ovejas extraviadas de la casa de Israel que no entre gentiles y samaritanos [6]; y esto último no por desprecio, sino porque no estáis preparados para convertirlos. Sin preocupación del mañana dad de lo que tenéis. Haced todo lo que me habéis visto hacer, y con igual espíritu que el mío. Ved que os doy el poder de hacer lo que hago y que quiero que hagáis para que Dios sea glorificado".» Sopla sobre ellos [7], da el beso de paz a cada uno y luego se despide.

Todos se van de mala gana, volviéndose varias veces. Los saluda con la mano hasta que ve que se han ido todos, luego baja al lecho del Cedrón, por entre unos matorrales, se sienta sobre una piedra a la orilla del riachuelo, bebe del agua clara fría, se leva el rostro, las manos, los pies. Se arregla nuevamente y se sienta otra vez. Piensa... Y no cae en la cuenta de lo que sucede a su alrededor, esto es, que el apóstol Juan, que había partido con sus compañeros, ha regresado solo y lo imita escondiéndose entre un matorral tupido...

Jesús se está allí por algunos minutos, luego se levanta, se echa la alforja encima y siguiendo el Cedrón, entre la espesura, llega al pozo de En Rogel; luego corta al suroeste, hasta tomar el camino de Belén. Juan, a unos cien pasos detrás, lo sigue, bien envuelto en el manto para no ser recogido.

Y caminan por los senderos de los que el invierno ha arrebatado el verdor. Jesús, con su paso largo, devora el camino. Juan lo sigue con dificultad, y también para no ser descubierto. Dos veces Jesús se detiene y se vuelve. La primera al pasar cerca del pequeño collado donde Judas estuvo para ir a hablar con Caifás y camaradas, la segunda cerca de un pozo donde se sienta y come un poco de pan, bebiendo del jarro de un viajero. Luego continúa su camino, mientras el sol va bajando lentamente. Llega al sepulcro de Raquel, cuando los últimos rayos rojos del horizonte se apagan en una pincelada de color morado. El cielo en el occidente parece una calderola de glicinas en flor, mientras en el oriente se pinta de cobalto

[6] Cfr. vol. 2°, pág. 12, not. 3.

[7] Como la tarde de la Resurrección. Cfr. Ju. 20, 19-23. El soplo y el beso son símbolo y comunicación del Amor divino, y por lo tanto del Espíritu Santo.

con un frío anochecer invernal y las primeras estrellas empiezan tímidas a asomarse.

Jesús apresura el paso. Llegará antes de que la noche se cierre. Llegado a un cierto punto alto, desde el que divisa la ciudad de Belén, se detiene, contempla, suspira... Luego ligero descende. No entra a la ciudad. La rodea por entre sus últimas casas. Derecho va a las ruinas de la casa o torre de David, donde nació. Pasa el arroyuelo que corre cerca de la gruta, pone pie en el pequeño descubierto de hojas secas... Mira cuidadosamente las ruinas. No hay nadie. Entra...

Juan está más allá, cauteloso para que Jesús no lo sienta, ni lo vea. Mira, busca con cuidado. Más bien a tientas, que por verlas, encuentra una de las secciones de establos. Entra y prende luz en un rincón. Ve un poco de paja sucia; algunas ramas secas; heno en el pesebre.

Juan está contento. Habla consigo mismo: «Al menos oiré... y... O morimos juntos o lo salvo.» Luego entre suspiro dice: «¡Aquí nació! ¡Y aquí viene a llorar su dolor... Y... ¡Ah, Dios eterno, salva a tu Mesías! Me tiembla el corazón, ¡oh Dios Altísimo!, porque El se aísla siempre antes de emprender grandes cosas... ¿Qué gran cosa puede haber ahora, sino manifestarse como el Rey Mesías? ¡Oh, todo lo que ha dicho lo tengo dentro!... Soy un muchacho tonto y poco es lo que comprendo. Todos comprendemos poco, ¡oh Padre eterno nuestro! Pero yo tengo miedo. ¡Miedo tengo! Porque habla de muerte, de una muerte dolorosa, de traición, de cosas terribles... ¡Tengo miedo, miedo, Dios mío! Da fuerzas a mi corazón, ¡eterno Señor! Fortifica mi corazón de muchachillo, como sin duda robusteces el de tu Hijo para los futuros acontecimientos... ¡Oh, que lo presiento! Para eso ha venido aquí. Para sentirte más que nunca, y robustecerse con tu amor. Yo lo imito, ¡oh Padre Santísimo! Amame y haz que te ame para tener la fuerza de padecer todo sin cobardía, para consuelo de tu Hijo.»

Juan ora largamente, de pie, con los brazos en alto, a la luz que despiden temblorosas las ramas que encendió en una vieja hornilla. Ora, hasta que ve que el fuego está por apagarse. Sube al ancho pesebre y se acurruca entre el heno. No puede distinguirse en medio de las sombras. Su negro manto lo envuelve. Un primer rayo de luna se mete por la abertura que da al oriente, señal de que la noche ya reina. Juan, cansado, se duerme. Su respiro y el leve chasquido del arroyuelo son los únicos rumores en esta noche de diciembre.

Arriba, el firmamento, en el que ligeras nubes envuelven y ocultan por instantes a la luna, parece como si escuadras de ángeles lo recorriesen... Pero no se oye su canto. De cuando en cuando entre los escombros se oye el canto lúgubre de «¡cucú! ¡cucú!» de las aves nocturnas, y algunas veces se oye una especie de risotada, como de bruja, que es una lechuza, y de lejos se percibe que llega como un lamento, un aullido. ¿Algún perro encerrado en el redil aúlla a la luna; o bien será algún lobo, a quien el viento trae el olor de la presa y que se sacude los flancos con la cola, que aúlla de hambre, no atreviéndose a acercarse a los establos bien guarnecidos? No lo sé.

Luego se escuchan voces y pisadas y se ve una luz rojiza, que tiembla entre las ruinas. Son discípulos pastores. Uno detrás del otro: Matías, Juan, Leví, Daniel, Banjamín, Elías, Simeón. Matías trae una rama por antorcha. Pero el que va adelante es Leví y se asoma en la gruta de Jesús. Se vuelve rápido y hace señal de estarse quietos. Mira otra vez... luego con la mano derecha abre la portezuela; hace señal a los otros de entrar, se hace a un lado que los otros pasen, teniendo siempre un dedo en los labios en señal de silencio. Después todos se retiran conmovidos como Leví.

«¿Qué hacemos?» pregunta en voz baja Elías.

«Quedémonos aquí a contemplarlo» responde José.

«No. No es lícito a nadie violar los secretos espirituales de las almas. Vámonos más allá» dice Matías.

«Tienes razón. Entremos en aquella otra parte. Así no nos vamos lejos y estamos cerca de El» propone Leví.

«Vamos.» Pero antes de retirarse, miran una vez más hacia dentro de la cueva de la Natividad; luego se van, conmovidos, tratando de no hacer rumor.

Cuando están en el umbral de la otra sección oyen los ronquidos de Juan.

«Hay alguien» dice Matías deteniéndose.

«¿Qué querrá? Entremos también nosotros. Como pudo refugiarse un mendigo, que ciertamente lo será, también nosotros podemos refugiarnos» replica Benjamín.

Entran con la antorcha en alto. Juan, hecho un ovillo en su improvisado e incómodo lecho, con la cara cubierta por su cabellera y por el manto, continúa durmiendo. Se acercan despacio con la intención de sentarse en la paja esparcida cerca del pesebre; pero al hacerlo Daniel echa una mirada más atenta sobre el que duerme y lo reconoce. Dice: «Es el apóstol del Señor. Juan de Zebedeo. Se han refugiado para orar... el sueño ha vencido al apóstol. Vámonos de aquí. Podría sentirse mortificado al verse descubierto dormido en lugar de estar orando...»

Salen y de mala gana entran en el otro galerón que está detrás de éste. Simeón propone: «¿Por qué no quedarnos en el umbral de su gruta, para verlo de vez en vez? Por muchos años hemos estado bajo el roció a la luz de las estrellas, cuidando los rebaños ¿y no podemos hacerlo para cuidar al Cordero de Dios? ¡Nosotros que fuimos los primeros en haberlo adorado en su primera noche tenemos derecho!»

«Tienes razón como hombre y como adorador del Hombre-Dios. ¿Pero qué viste al asomarte hacia dentro? ¿Acaso al Hombre? No. Sin querer hemos atravesado el umbral al atravesar el triple velo extendido para proteger el misterio, y hemos visto lo que ni siquiera el Sumo Sacerdote ve al entrar en el Santo de los Santos [8]. Hemos visto los inefables amores de Dios con Dios. No nos es lícito espiarlos otra vez. La potencia de Dios podría castigar nuestras pupilas atrevidas, que han visto el éxtasis del Hijo de Dios. ¡Oh, contentémonos con lo que tuvimos! Quisimos venir aquí para pasar la noche en oración antes de irnos a nuestra misión. Orar y recordar aquella noche lejana... En vez de eso hemos contemplado el amor de Dios. ¡Oh, cuánto nos ha amado el Eterno, al darnos la alegría de contemplar al Infante, haber sufrido por El, y de anunciarlo como discípulos del Niño Dios y del Hombre-Dios! Ahora nos ha concedito este misterio... Bendigamos al Altísimo y no deseemos más» dice Matías que, según me parece es el que goza de mayor autoridad por su saber y rectitud.

«Tienes razón. Dios nos ha amado mucho. No debemos pedir más. Samuel, José y Matías no tuvieron sino la alegría de adorar el Infante y de haber sufrido por El. Jonás murió sin haberlo alcanzado. El mismo Isaac no está aquí para ver lo que hemos visto. Y si hay alguno que lo merece es él que se deshace en anunciarlo [9]» dice Juan.

«¡Es verdad, es verdad! ¡Qué feliz se hubiera sentido si hubiera visto esto! Se lo contaremos» dice Daniel.

«Sí. Grabemos todo en nuestro corazón para decírselo» añade Elías.

«Y a los otros discípulos y fieles» exclama Benjamín.

«No. No a los otros. Y no por egoísmo, sino por prudencia y por respcto al misterio. Si Dios quiere, llegará la hora en que podamos revelarlo. Por ahora debemos guardar silencio» aconseja nuevamente Matías, y volviéndose a Simeón: «Tú fuiste como yo discípulo de Juan. Acuérdate cómo nos instruía sobre la prudencia de las cosas santas: "*Si alguna vez Dios, como ya os ha favorecido, os siguiese favoreciendo con dones extraordinarios, que esto no os haga ebrios charlatanes. Recordad que Dios se manifiesta a los espíritus, que están encerrados en los cuerpos, que son como piedras celestiales que no deben exponerse a las inmundicias del mundo. Sed santos en el cuerpo y en los sentidos para poder frenar*

[8] Cfr. pág. 361, not. 12; y pág. 476, not. 2.

[9] Según esta Obra, José y Matiás, de los que se hace mención en los Hech. 1, 23, habrían sido expastores y pertenecido al grupo de los que adoraron al recién nacido Mesías en su gruta de Belén. Isaac fue, por su parte, el primero de los discípulos.

todo instinto carnal. En los ojos como en los oídos, en la lengua como en las manos. Y santos en el pensamiento sabiendo frenar el orgullo de querer demostrar lo que tenéis. Porque los sentidos y demás partes del cuerpo, como la inteligencia, deben servir, y no reinar. Servir al espíritu, no reinar sobra él. Deben proteger, no turbar el espíritu. Por esto, poned el sello de vuestra prudencia en los misterios de Dios, fuera de una orden explícita, así como el espíritu conserva el de su permanencia temporal en el cuerpo. Serían inútiles en realidad, y hasta peligrosos, el cuerpo y la inteligencia, si no lográsemos que nos sirviesen para obtener méritos, y si no sirviesen para ser templos de un altar donde brilla la gloria de Dios [10]: nuestro espíritu''. ¿Os acordáis de esto, tú Juan, y tú Simeón? Espero que sí, porque si no os acordáis de las palabras de nuestro primer maestro, él ha muerto realmente para vosotros. *Un maestro vive mientras su doctrina vive en sus discípulos. Y si después viene suplantado por otro mayor,* por los discípulos de Jesús, por el Maestro de los maestros, *no es jamás lícito olvidar las palabras del primero, que nos prepararon a comprender y a amar con sabiduría al Cordero de Dios.»*

«Tienes toda la razón. Hablas sabiamente. Te obdecemos.»

«Pero, ¡qué penoso, qué duro es resistir no verlo otra vez, estando tan cerca! ¿Estará todavía como antes?» pregunta Simeón.

«¡Quién sabe! ¡Cómo brillaba su rostro!»

«¡Más que la luna en una noche serena!»

«En su boca había una sonrisa divina...»

«De sus pupilas se desprendían lágrimas...»

«No decía ni una palabra. Pero todo en El era plegaria.»

«¿Qué habrá estado viendo?»

«A su Eterno Padre. ¿Lo dudas? Solo ese ver, puede premiar con ese aspecto. Antes bien ¿qué digo? Más que verlo ¡estaba con El, en El! ¡El Verbo con el Pensamiento! ¡Y se amaban!... ¡Ah!...» dice Leví que parece estar en éxtasis también.

«Bueno, por lo que dije no es lícito quedarnos allí. Pensad que ni siquiera su apóstol lo hizo...»

«¡Es verdad, Maestro santo! Más que la tierra ardiente en sed, El tiene necesidad de sentirse inundado del amor de Dios. ¡Tanto odio a su alrededor!...»

«Pero también mucho amor. Yo quisiera... ¡Lo haré! ¡El Altísimo me oye! Me ofrezco y digo: ''Señor Dios Altísimo, Dios y Padre de tu pueblo, que aceptas y consagras los corazones y los altares e inmolas las víctimas que te aguardan, descienda como fuego tu voluntad y me consuma como víctima con tu Mesías, con el Mesías y

[10] Cfr. pág. 624, not. 6.

por el Mesías, tu Hijo, mi Dios y Maestro [11]. A Ti me encomiendo. Escucha mi plegaria".» Matías que ha pronunciado esta oración de pie, con los brazos levantados, vuelve a sentarse sobre su montón de hierba seca.

La luna no ilumina ya la gruta, está próxima al occidente. Sus rayos todavía iluminan la campiña, pero no aquí dentro. Caras y cosas se envuelven en una sola sombra. También las palabras disminuyen, hasta que el sueño vence la buena voluntad, y se oyen de vez en vez palabras alejadas que no reciben respuesta... El frío, que es más duro al amanecer, es un estimulante para combatir el sueño. Se ponen otra vez de pie, prenden unas ramas, se calientan los cuerpos que tiritan.

«¿Cómo la pasará El que no piensa en hacer fuego?» pregunta Leví que está castañeteando de frío.

«¿Y tendrá comida?» pregunta Elías. Dice: «No tenemos ahora más que nuestro amor y un poco de alimentos pobres... y hoy es sábado...»

«¿Sabes qué? Pongamos todo nuestro alimento en la entrada de la gruta y vámonos. Un pedazo de pan no nos faltará antes de que llegue la tarde, en casa de Raquel o en la de Elisciá. Seremos la providencia de la Providencia del Hijo de quien a todos nos provee» propone José.

«Sí, sí. Hagamos una buena fogata para ver bien y calentarnos. Luego llevamos todo allá y nos alejaremos antes de que Él o el apóstol salgan y nos vean.»

A las llamas juguetonas abren sus alforjas. Sacan pan, queso seco y una que otra manzana. Luego echan encima leña y cautelosos salen, entre tanto que Matías alumbra con una tea sacada de la hoguera. Ponen todo fuera de la entrada de la gruta, les ramas secas en tierra, encima el pan y demás cosas. Luego se retiran; pasan otra vez el arroyuelo, uno tras otro, cobijados en un silencioso amanecer que el canto de un gallo de improviso viene a deshilvanar.

[11] *Espléndida* oración, que contiene alabanza y petición, de estructura y forma clasicamente litúrgicas, digna de la mejor tradición oriental y occidental. Mucho más bella aparece si se le asocia con la de pedir la luz para los ojos y para el espíritu, que está en la pág. 442.

236. Jesús y Juan de Zebedeo

(Escrito el 14 de diciembre de 1946)

Es una mañana fría pero serena de invierno. La helada ha blanqueado con sus goticas el suelo y la hierba, y ha convertido las ramas secas tiradas por el suelo en preciosos joyeles de perlas.

Juan sale de su cueva. Se ve muy pálido con su vestido de color nuez-oscuro. Debe tener mucho frío o algo le debe doler. No lo sé. Lo que veo es que está muy pálido y como que no camina bien. Se dirige al arroyuelo, se queda pensando si meter las manos en él o no. Se decide. Bebe agua con las manos que le sirven de taza. Se las sacude y se las seca en el vestido. Luego se queda sin saber qué hacer... Mira hacia la parte de la gruta donde está Jesús y mira hacia la suya. Vuelve lentamente a la suya. Al llegar a la abertura por donde se entra, se siente como mareado y vacilante. Hubiera caído por tierra si no se hubiese apoyado a la pared semidestruida. Apoya la cabeza contra el brazo doblado. Se sostiene a la pared por unos cuantos minutos. Levanta la cabeza, y mira a su alrededor... No entra en su cueva. Rozando el muro, sosteniéndose sobre los salientes de las piedras sin nada de cal, da los pocos pasos que lo separan de su lugar a donde está Jesús, y llegado a la entrada, se echa de rodillas diciendo: «¡Jesús, Señor mío, ten piedad de mí!»

Jesús sale pronto: «Juan, ¿qué estás haciendo aquí? ¿Qué te pasa?»

«¡Oh, Señor mío, tengo hambre! Hace casi dos días que no como nada. Tengo hambre y frío...» y castañetea, palidísimo.

«¡Ven, ven adentro!» dice Jesús ayudándolo a levantarse.

Juan, apoyado sobre el brazo de Jesús, llora con la cabeza inclinada sobre su espalda y suplica: «¡No me castigues, Señor, si te desobedecí...»

Jesús sonríe y le responde: «Estás ya castigado. Estás como uno que estuviese muriendo... Siéntate aquí sobre esta piedra. Voy a hacer fuego y te daré de comer...» Enciende con la yesca unas ramas y hace un buen fuego en el rústico horno que está cerca de la puerta. Olor a ramas que arden y alegría de llamas se esparcen por la paupérrima cueva. Jesús pone sobre un palo dos pedazos de pan, y los coloca junto a la llama. Cuando ve que están calientes, les pone encima trozos de queso, que pronto se hinchan y toman la forma como de un plato que estuviera a las llamas.

«Come ahora y deja de llorar» dice siempre sonriente y pasando el pan a Juan, que llora sin hacer ruido, como un niño sin fuerzas; y pese a que come, no deja de gimotear.

Jesús vuelve al pesebre, regresa con manzanas, las pone entre las cenizas que se han calentado al calor de la leña que arde entre dos piedras que sirven de sostén.

«¿Te sientes mejor?» pregunta, sentándose junto a su apóstol que con la cabeza responde que sí.

Jesús le pone un brazo sobre su espalda y lo acerca a Sí, cosa que aumenta el llanto de Juan, que se siente sin fuerzas y teme, tal vez, un regaño por verse así acogido.

Jesús lo tiene de este modo, sin decir nada, hasta que termina de comer. Luego: «Por ahora basta. Te daré las manzanas después.

Quisiera darte un poco de vino, pero no tengo. Antier, al amanecer, encontré leña y alimentos fuera de la cueva. No había vino. Por eso no puedo dártelo. Tal vez más tarde podré buscar una poca de leche donde los pastores que he visto que apacientan sus ganados más allá del arroyo. Hasta que la helada no se derrite, no salen las ovejas...»

«Me siento mejor, Señor... No te aflijas por mí.»

«Y ahora de qué te afliges, que pareces un árbol sobre el que se vaya derritiendo la escarcha?» pregunta Jesús sonriendo con más ánimo y dando un beso a Juan, arriba de la frente.

«Porque estoy lleno de remordimientos, Señor... y... ¡Sí, déjame! Debo hablarte de rodillas... pedirte perdón...»

«¡Pobre Juan! El esfuerzo superior que hiciste no sólo te ha debilitado el cuerpo, sino también la cabeza. ¿Crees que tengo Yo necesidad de tus palabras para juzgarte y absolverte?»

«Sí, sí. Sé que todo lo sabes. Pero no tendré paz sino hasta que no te haya dicho mi pecado, mejor dicho, mis pecados. ¡Déjame! Permíteme que acuse mis culpas.»

«Si así lo quieres, habla.»

Juan se echa de rodillas y levantando su cara mojada en lágrimas dice: «Pequé por desobediencia, presunción y... no sé si diga bien: de flaqueza humana. Pero cierto que esta es mi culpa más reciente, mayor; la que me hace sufrir más, que me grita diciéndome cuán inútil siervo sea yo, y algo más: lo egoísta, lo vil que soy.»

Las lágrimas corren por su cara, mientras el rostro de Jesús se hace más luminoso. El está un poco inclinado sobre su apóstol que llora. La sonrisa divina es una caricia sobre el dolor de Juan. Pero éste se siente tan afligido que ni siquiera se siente consolado con esa sonrisa. Continúa: «Te desobedecí. Nos había dicho que no nos dividiéramos, y yo me separé muy pronto de los compañeros y les di escándalo. Respondí de mala manera a Judas de Keriot que me advertió que iba a cometer un pecado. Le contesté: "Ayer tú lo hiciste, y ahora yo. Lo hiciste por tener noticias de tu madre, yo lo hago por estar con el Maestro y velar por El, defenderlo"... Presumí de mí porque quería hacer esto... ¡Yo, pobre tonto, defenderte! Y luego presumí de mí porque quise imitarte. Dije: "Sin duda que El está en oración y ayuna. Haré lo que hace y por su misma intención". Y todo lo contrario...» El llanto se convierte en sollozos, mientras la confesión de la debilidad humana, de la materia que sofocó la voluntad del espíritu, sale de los labios de Juan: «Y todo lo contrario... estuve durmiendo. Cuando amaneció, y me desperté te vi lavarte en el río, volver aquí y comprendí que podían haberte capturado, ¡y yo no había estado pronto a defenderte! Luego, quería hacer penitencia y ayunar, pero no fui capaz de hacerlo. A bocadillos, como para no comer, terminé el primer día el poco pan que traje. Sabes que no tenía yo más. Y no me había llenado cuando no había ya nada. Ayer tuve mucha hambre, y esta noche... ¡Oh, antier dormí poco por el hambre y por el frío! Pero esta noche no dormí nada... no he podido resistir más esta mañana... vine porque tuve miedo de morir de hambre... y lo que más me duele es que fui incapaz de velar para orar, y de velar por Ti, pero sí fui capaz de hacerlo por el hambre que me mataba... Soy un siervo necio y vil. ¡Castígame, Jesús!»

«¡Pobre muchacho! ¡Quisiera que todo el mundo tuviese estas culpas! Levántate, escúchame y tu corazón volverá a la paz. ¿Desobedeciste también a Simón de Jonás?»

«No, Maestro. No lo habría hecho porque nos dijiste que estuviésemos sujetos a él como a un hermano mayor. Cuando le dije: "Mi corazón no está tranquilo al verlo ir solo", respondió: "Tienes razón. Pero yo no puedo porque me mandó que os guíe a todos vosotros. Vete, y que Dios sea contigo". Los otros protestaron y Judas más que los demás. Me recordaron la obediencia, y también reprocharon a Simón Pedro.»

«¿Reprocharon? Sé sincero, Juan.»

«Es verdad, Maestro. Fue Judas quien se lo reprochó y quien me trató mal. Los otros sólo dijeron: "El Maestro ha ordenado que estemos juntos". Me lo decían a mí y no al jefe. Simón replicó: "Dios ve el fin de los que quieres hacer y perdonará. El Maestro perdonará porque esto es amor", me bendijo, me dio el beso y me mandó detrás de Ti, como aquel día que fuiste a la casa de Cusa, al otro lado del lago.»

«Entonces de esta culpa no tengo por qué absolverte...»

«¿Porque es demasiado grave?»

«No. Porque no ha existido. Siéntate otra vez aqui al lado de tu Maestro y escucha la lección. *Hay que saber aplicar las órdenes con rectitud y buen sentido, sabiendo comprender el espíritu de la orden, no sólo las palabras que la forman. Yo dije: "No os separéis". Te separaste y por eso pudiste haber pecado. Pero antes había dicho: "Estad unidos en cuerpo y en espíritu, sujetos a Pedro". Con tales palabras lo designé como a mi legítimo representante entre vosotros, con facultad completa de juzgar y de mandaros. Por esto, cuanto Pedro ha hecho o hará en mi ausencia, estará bien hecho. Porque al haberlo investido del poder de guiaros, el Espíritu del Señor, que está en Mí, estará también con él y lo guiará al dar aquellas disposiciones u órdenes que las circunstancias exijan y que la Sabiduría sugerirá al apóstol cabeza, para el bien de todos* [1]. *Si Pedro te hubiese dicho: "No vayas" y tú de todas maneras hubieras venido, ni siquiera el motivo bueno de tu acto: haberme*

[1] Léase atentamente en el vol. 3°, pág. 189, el cap. 31 y sobre todo la pág. 193.

querido seguir por amor para defenderme y estar conmigo en los peligros, hubiera bastado para borrar tu culpa. Habría sido necesario mi perdón. Pero Pedro, tu Jefe, te dijo: "Vete". La obediencia que le prestaste, te justifica completamente. ¿Comprendido?»

«Sí, Maestro.»

«¿Debo absolverte de la culpa de presunción? Dime sin pensar, que veo tu corazón. ¿Quisiste por soberbia querer imitarme para poder decir: "Por mi voluntad he abolido la necesidad de la carne porque puedo hacer lo que hago?" Piensa bien...»

Juan reflexiona. Luego: «No, Señor. Examinándome bien, no lo hice por eso. Trataba de hacerlo porque he comprendido que la penitencia es sufrimiento para el cuerpo y luz para el espíritu. He comprendido que es un medio de fortificar nuestra debilidad y alcanzar muchas cosas de Dios. Tú lo has estado haciendo por ello. Y por esto quise hacerlo. Tal vez no me equivoque si afirmo que si lo haces Tú que eres fuerte, poderoso, santo, yo, nosotros, lo tendríamos que hacer siempre, si siempre fuese posible hacerlo, para ser menos débiles y materiales. Pero no pude hacerlo. Siempre he tenido hambre y me siento tan...» el llanto vuelve a bajar humilde como reconocimiento verdadero de la limitación de la capacidad humana.

«Pues bien, ¿crees que esta pequeña miseria de la carne haya sido inútil? ¡Oh, que si te acordarás de ella en lo porvenir, cuando te sentirás tentado de ser severo y exigente con tus discípulos y fieles! Volverá a tu mente y te dirá: "Acuérdate que también tú cediste al cansancio, al hambre. No pretendas que los otros sean más fuertes que tú. Sé padre para tus fieles, como tu Maestro lo es esta mañana para contigo". Habrías podido muy bien velar y no sentir tanta hambre. Pero el Señor permitió que te sometieses a las necesidades de la carne para hacerte humilde, cada vez más humilde y siempre más compasivo con tus semejantes. *Muchos no saben distinguir entre tentación y culpa consumada. La primera es una prueba que alcanza méritos y no quita la gracia; la segunda es una caída que quita mérito y gracia. Otros no saben distinguir entre eventos naturales y culpas, y tienen escrúpulo de haber pecado, cuando, y es tu caso, no han obedecido sino a buenas leyes naturales. Llamo claramente "buenas" a las leyes naturales, que son distintas de los instintos desenfrenados. Porque no todo lo que ahora se llama "ley natural" lo es, y es bueno. Buenas eran todas las leyes relacionadas con la naturaleza humana, que el Señor dio a los primeros padres: la necesidad de comer, de descansar, de beber. Luego, los instintos animales, el desorden, la sensualidad de toda clase se introdujeron con el pecado y se mezclaron con las leyes naturales, manchando con su inmoderación lo que era bueno. Y Satanás ha conservado vivo el fuego, el incentivo de los vicios con sus tentaciones. Ahora ves, que si no es pecado ceder a la necesidad del descanso y de la comida, sí lo son las francachelas, las borracheras, el mucho descansar. También la necesidad de casarse y de tener hijos no es pecado; antes bien Dios ha dado la orden de hacerlo para poblar la tierra de hombres* [2]*. Pero no es buena la unión carnal sólo por satisfacción de los sentidos.* ¿Has comprendido también esto?»

«Sí, Maestro. Pero dime una cosa. Los que no quieren procrear ¿pecan contra una orden de Dios? Dijiste un vez que el estado de vírgines es bueno.»

«*Es el más perfecto* [3]*, como lo es el de quien no satisfecho de emplear bien las riguezas, se despoja de todo. Hay perfecciones a las que el hombre puede llegar. Y tendrán un gran premio* [4]*. Tres son las cosas más perfectas: la pobreza voluntaria, la castidad perpetua, la obediencia absoluta en todo lo que no es pecado. Estas tres cosas hacen al hombre semejante a los ángeles* [5]*. Y hay una que es la perfectísima: dar la propia vida por amor de Dios y de los hermanos. Esta cosa hace a la criatura semejante a Mí, porque la lleva hasta el amor absoluto. Y quien ama perfectamente es semejante a Dios, se absorbe y se funde con El* [6]. Tranquilízate, Juan mío. No cometiste ninguna culpa. ¿Por qué, pues, sigues llorando?»

«Porque una culpa siempre la hay. La de haber sabido venir a Ti por necesidad de comer y haber debido velar por el hambre que tenía, y no por amor. Nunca me la perdonaré. No me volverá a suceder. No dormiré más, mientras Tú sufras. No me entregaré al sueño mientras Tú lloras.»

«No te metas con lo porvenir, Juan. Tu voluntad está pronta, pero una vez más puede vencerla la carne [7] y te sentirías abatido al acordarte de esta promesa hecha a ti mismo, que no mantuviste por fragilidad. Mira. Te voy a aconsejar lo que tienes que decirte para estar en paz, sea cual fuere lo que te sucediere. Di conmigo:

[2] Cfr. Gén. 1, 26-31; 8, 15 - 9, 1.

[3] No estará de más recordar a Mt. 19, 10-12; 1 Cor. 7, 1 y 7-8 y 32-35.

[4] Comparar con Mt. 19, 16-29; Mc. 10, 17-30; Lc. 18, 18-30.

[5] En la hermosa oración por las vírgines, data del Sacramentario romano leonino (V - VII siglos) es alabadísima la semejanza angélica de aquellos que particularmente se consagran a Dios por la pobreza voluntaria, la castidad perpetua, la obediencia absoluta. La bendición de las vírgenes la conservó (con algunos retoques) el libro litúrgico llamado *Pontificale Romano:* «...Pater omnipotens, aeterne Deus: Castorum corporum benignus habitator, et incorruptarum Deus amator animarum. Qui humanam substantiam, in primis hominibus diabolica fraude vitiatam, ita in Verbo tuo, per quod omnia facta sunt, reparas, ut eam non solum ad primae originis innocentiam revoces, sed etiam ad experientiam aeternorum bonorum, quae novo in saeculo sunt habenda, perducas; et obstrictos adhuc conditione mortalium, *jam ad similitudinem provehas Angelorum...»* Este «jam» contiene una tácita alusión a: Mt. 22, 30; Mc. 12, 25; Lc. 20, 36.

[6] La misma doctrina se encuentra, por ej. en: Mt. 20, 26-28; Mc. 10, 43-45; Ju. 15, 12-15; Rom. 5, 5-8; Gál. 2, 19-20; Ef. 5, 1-2; 1 Ju. 2, 6; 3, 16.

[7] Como en Mt. 26, 41; Mc. 14, 38.

"Yo, con la ayuda de Dios, propongo, en lo que me es posible, de no ceder más a la debilidad de la carne". Permanece en este propósito. Si algún día, aunque tú no lo quisieras, la carne se cansa y afligida supera tu voluntad, entonces dirás como ahora: "Reconozco ser un pobre hombre como todos mis hermanos, y esto me sirva para tener humillado mi orgullo". ¡Oh, Juan, Juan, no es tu inocente sueño lo que puede causarme dolor! Ten. Estas manzanas te darán fuerzas. Juntos las dividamos, bendiciendo a quien me las dio» y toma las manzanas cocidas y casi reventando, da tres a Juan y tres toma El.

«¿Quién te las dio, Señor? ¿Quién vino a verte? ¿Quién sabía que estabas aquí? Yo no sentí ni voces, ni pasos. Eso que después de la primera noche, siempre he estado despierto...»

«Salí cuando apenas se veían los primeros rayos de luz. Encontré leña en la entrada y sobre ella pan, queso y manzanas. No vi a nadie. Fueron unos que tuvieron deseos de hacer una nueva peregrinación y dar una muestra de amor...» dice lentamente Jesús.

«¡Es verdad! ¡Los pastores! Lo habían dicho: "Iremos a la tierra de David... Son días de recuerdos..." Pero, ¿por qué no se detuvieron?»

«¡Para que! Adoraron y...»

«Y se llenaron de compasión. Te adoraron y me compadecieron... Son mejores que nosotros.»

«Sí. Han conservado siempre buena, siempre mejor su voluntad. El don que Dios les regaló no ha sido causa de mal...» Jesús no sonríe. Piensa, y se pone triste. Luego se sacude. Mira a Juan que a su vez lo está observando y dice: «¿Y bien? ¿Nos vamos? ¿Todavía te sientes desfallecido?»

«No, Maestro. No tendré muchas fuerzas, porque tengo mi cuerpo adolorido, pero creo que puedo caminar.»

«Entoces vámonos. Ve a tomar tu alforja mientras meto lo que sobró en la mía y vámonos. Tomaremos el camino que lleva al Jordán para evitar entrar en Jerusalén.»

Tomam el mismo camino por donde habían venido, que el sol de un tibio día de diciembre va calentando.

237. Jesús, Juan y Mannaén

(Escrito el 16 de diciembre de 1946)

Están ya en tierras cercanas al Mar Muerto [1], y fuera del camino por el que pudieren atravesar las caravanas, dirigiéndose hacia el noreste. Haciendo a un lado lo áspero del terreno lleno de piedras

[1] Cfr. pág. 429, not. 1.

salientes, de fragmentos de sal, que se ven entre las hierbas y las espinas, la marcha es buena y sobre todo tranquila, porque no se ve ni un alma viviente hasta donde el ojo alcanza. La temperatura es tibia, el suelo seco.

Vienen hablando entre sí. Tal vez, en los días pasados, encontraron pastores con quienes se quedaban, porque hablan de ello. Hablan también de un niño curado. Hablan con suavidad, con cariño, cual dos amigos. Cuando no se dicen nada, se ve en sus ojos el afecto mutuo que sienten entre sí. Se sientan para descansar y tomar un poco de alimento. Emprenden el camino, siempre con ese aspecto de paz, con ese rostro de paz que me la da a mi corazón cuando lo veo.

«Allá es Gálgala» dice Jesús señalando un grupo de casas que blanquean sobre un montículo hacia el noreste. «Estamos cerca del río.»

«¿Entraremos en Gálgala para pasar la noche?»

«No, Juan. He evitado a propósito todas las ciudades, y también evitaré ésta. Si encontramos a algún pastor, nos quedamos con él. Si vemos cerca del camino caravanas que van a pasar allí la noche, les pediremos que nos acojan bajo sus tiendas. Los nómadas del desierto son siempre hospitalarios. Y en este tiempo es fácil encontrarlos. Si nadie nos hospedare, dormiremos bajo las estrellas los dos juntos, bajo nuestros mantos y nos velarán los ángeles.»

«¡Oh, sí! ¡Siempre será mejor que aquella noche triste, la última que pasé en Belén!»

«Pero, ¿por qué no fuiste pronto a verme?»

«Porque me sentía culpable. Y también porque me decía: Jesús es tan bueno que no me regañará, más bien me consolará, como lo hiciste. ¿Y qué hubiera pasado con la penitencia que quería hacer?»

«La habríamos hecho juntos, Juan. También yo estuve sin alimentos, ni fuego, pese a haber encontrado alimentos y leña.»

«Tienes razón. Pero estar contigo no es ninguna penitencia. Cuando estoy contigo no sufro más. Te miro. Te escucho. Y soy feliz.»

«Lo sé. Y también que en ningún otro mi pensamiento se imprime como en mi Juan. Sé también que sabes comprender y callar cuando hay que callar. Tú, sí, me comprendes, porque me amas. Juan, escúchame. Dentro de un poco de tiempo...»

«¿Qué cosa, Señor?» pregunta inmediatamente, interrumpiéndole, asiéndole del brazo, deteniéndole para mirarle en el rostro, con ojo de escudriñador espanto y con la cara pálida.

«Dentro de poco tiempo se cumplen tres años que empecé a evangelizar. He dicho a las multitudes todo lo que tenía haberles dicho. Quien me quiera amar y seguirme tiene lo necesario para hacerlo, y con toda seguridad. Los demás... Algunos se convencerán con los hechos. La mayoría se quedará sorda aún ante ellos. A éstos tengo algunas cosas que decir, y se las diré, porque también hay que observar la justicia, además de la misericordia. Hasta ahora la misericordia se ha callado muchas veces y en muchas cosas. Pero antes de callarse para siempre, hablará el Maestro con severidad de juez. Pero no tenía intenciones de hablarte de esto. Quería decirte que dentro de poco, después de haber dicho a las ovejas cuanto tenía que decirles para hacerlas mías, me recogeré mucho en la oración y me prepararé. Cuando no ore, dedicaré mi tiempo a vosotros. Así como hice al principio, así haré al final. Vendrán las discípulas. Vendrá mi Madre. Nos prepararemos todos para la pascua. Juan, te pido desde ahora que te dediques mucho a las discípulas, y sobre todo a mi Madre...»

«Señor mío, ¿qué cosa puedo dar a tu Madre que Ella no posea en sobreabundacia, y tanta que puede repartirnos a todos nosotros?»

«Tu amor. Hazte cuenta de que eres su segundo hijo [2]. Ella te ama y tú la amas. Tenéis un solo amor que os une: el amor que me tenéis. Yo, su Hijo de carne y corazón, estaré siempre más... ausente, abstraído en mis... ocupaciones. Ella sufrirá porque sabe... sabe lo que va a pasar. Tú debes consolarla también por Mí, hacerte tan amigo que pueda llorar sobre tu corazón y sentir consuelo. Conoces bien a mi Madre. Has estado en su casa. Pero una cosa es hacerlo como discípulo que ama reverentemente a la Madre de su Maestro, y otra hacerlo como hijo. Quiero que tú lo hagas como un hijo, para que sufra un poco menos cuando ya no me tendrá.»

«Señor, ¿vas a morir? Hablas como uno que está por fallecer. Me causas aflicción...»

«Muchas veces os he dicho que *debo* morir. Es como si se hubiera

[2] Jesús de lo alto de la cruz, confió a María Juan, como a una madre el hijo, y a Juan María, como a un hijo la madre, también porque la Virgen no tuvo otros hijos, y Cristo no tuvo otros hermanos o hermanas. Es verdad que la Biblia llama a Jesús «primogénito» de María (Lc. 2, 7), pero los comentadores hacen notar que, en el estilo bíblico, «primogénito» no significa necesariamente «el primero de los hermanos», sino sobre todo la dignidad y derechos de la primogenitura (Gén. 22, 1-19; Ex. 13, 1 y 11-16; 22, 28; 34, 19-20; Núm. 3, 40-51; 8, 15-19). En otros lugares Jesús es proclamado «primogénito» no en relación a su Madre o a otros hermanos, sino en relación a todos los hombres o a su derecho sobre todas las criaturas. Cfr. Rom. 8, 29; Col. 1, 15 y 18; Hebr.1, 6; Ap. 1, 5. Sin duda, no se puede negar que los Evangelios hablen de «hermanos» y «hermanas» de Cristo; pero los comentadores hacen ver que en hebreo y arameo (como en el uso popular de algunas regiones de Italia), los *primos*, u otros parientes cercanos, son llamados «hermanos» (Gén. 13,8; 14,16; 29, 15; Lev. 10, 4; 1 Par. 23, 22). Los lugares en que se hace mención en los Evangelios de «hermanos» o «hermanas» indicando el nombre o no, son: Mt. 12, 46-50; 13, 55-56 (28, 10); Mc. 3, 31-35; 6, 3; Lc. 8, 19-21; Ju. 7, 3-10; 20, 17; Hech. 1, 14-16. Finalmente en Ju. 19, 25-27 Jesús confía a Juan como hijo de María, y a María como Madre de Juan. La Virginidad perpetua de María ha sido siempre una verdad creída firme y explícitamente proclamada por el Magisterio universal ordinario de la Iglesia. Baste ver las Liturgias de Oriente y Occidente que parece no sepan alabar a María sin cantar himnos a su inviolable virginidad y a su divina maternidad.

hablado a niños o a tardos de inteligencia. Sí, voy a morir. Lo diré también a los otros, pero más tarde. A ti te lo digo ahora. Recuérdalo, Juan.»

«Me esfuerzo en recordar tus palabras, siempre... Pero éstas me duelen, me afligen muchísimo...»

«¿Quieres decir que haces todos tus esfuerzos por olvidarlas? ¡Pobre muchacho! No eres tú el que olvidas, no eres tú el que recuerdas. Tú y tu voluntad. Es tu mismo ser humano que no puede recordar esto que es muy grande para soportarlo, *inmensamente grande*, y que todavía no sabe cuán monstruoso será eso que te atonta como si fuera un peso que te cayera sobre la cabeza. Y sin embargo es así. Dentro de poco iré a la muerte. Mi Madre se quedará sola. Moriré con una gotica de dulzura en mi océano de dolor si te viere como "hijo" para mi Madre...»

«¡Oh, Señor mío, si soy capaz... si no me sucede como en Belén, sí que lo haré! Velaré con un corazón de hijo. ¿Pero qué le podré dar, para consolarla, si te pierde a Ti? ¿Qué daré si yo también lo habré perdido todo, si el dolor me habrá atontado? ¿Cómo haré yo, que no he podido velar y padecer, en la calma, por una noche, y por un poco de tiempo? ¿Cómo haré?»

«No te excites. Ruega mucho en este tiempo. Te tendré mucho conmigo y con mi Madre. Juan, tú eres nuestra paz. Y entonces también lo serás. No tengas miedo, Juan. Tu amor hará todo.»

«¡Oh sí, Señor, tenme mucho contigo! Tú sabes que no me gusta mucho aparecer ante los demás, hacer milagros, yo quiero, yo sólo sé amar...»

Jesús lo vuelve a besar en la frente, cerca de las sienes, como en la gruta...

A su vista se descubre el camino que va al río, y alguno que otro peregrino que espolea su cabalgadura o aprieta el paso para llegar a algún paradero, antes de que anochezca. Todos vienen envueltos en sus mantos porque, oculto el sol, el aire es frío y nadie nota a los dos viajeros que ligeros caminan en dirección al río.

Un jinete casi a galope los alcanza, los pasa, se detiene depués de algunos metros porque le estorba una recua de asnos, cerca de un puentecillo a horcajadas sobre un arroyo, que se da ínfulas de arrastrar mucha agua hacia el Jordán o al Mar Muerto. Mientras espera su turno para pasar, el jinete se vuelve y hace un gesto de sopresa. Baja de su silla y teniendo al caballo por las riendas, vuelve pasos atrás hacia Jesús y Juan que no lo han visto.

«¡Maestro! ¿Cómo aquí? Y solo con Juan» pregunta el jinete echándose hacia atrás las extremidades de su capucho que llevaba a la cara, para que le sirviesen también como de máscara para defenderse del viento y del polvo. La cara morena y varonil es la de Mannaén.

«La paz sea contigo, Mannaén. Quiero pasar el río. Pero creo que no lo podré hacer, sino hasta cuando haya anochecido. ¿Y tú a dónde vas?»
«A Maqueronte. A la sucia cueva. ¿No tienes donde dormir? Ven conmigo. Yo iba a galope para llegar a un albergue que hay en el camino de las caravanas. O si te parece levantaré la tienda bajo los árboles del río. Traigo todo en la silla.»
«Mejor así. Pero tú has de preferir ir al albergue.»
«Te prefiero a Ti, mi Señor. Creo que es una gracia haberte encontrado.Vamos, pues. Conozco las riberas como si fueran los corredores de mi casa. A los pies del collado de Gálgala hay un bosque, donde no soplan los vientos, hay mucha hierba para hacer fogatas. Estaremos bien.»
Ligeros caminan dirigiéndose hacia la parte oriental, dejando el camino que va al vado o hacia Jericó. Llegan pronto a los límites de un bosque tupido que baja de las faldas del monte y que se extiende hacia las riberas.
«Voy a aquella casa. Me conocen. Pediré leche y paja para nosotros» dice Mannaén, yendo con su caballo. Pronto regresa seguido de dos hombres con sendos manojos de paja sobre las espaldas y una cubeta de cobre llena de leche.
Entran en el bosque sin hablar. Mannaén dice que echen la paja en tierra y que se vayan. De las bolsas de la silla saca yesca y eslabón y hace fuego con la mucha leña que hay. El fuego alegra y calienta. Juan trae piedras, las pone cerca del fuego, pone la cubeta para que se caliente la leche. Mannaén, desensilla el caballo, extiende la manta de lana suave de camello, la fija con estacas, teniendo como respaldo el grueso tronco de un vijo árbol. Tiende sobre la hierba una piel de oveja, que traía en la silla, pone ésta también y dice: «Maestro, ven. Un refugio de un jinete en el desierto. Pero protege del rocío y de la humedad del suelo. A nosotros nos bastará la paja. Te aseguro, Maestro, que los tapetes preciosos y baldaquinos, los sillones del palacio, me parece que no tienen nada de bello en comparación de este trono tuyo, de esta tienda y de esta paja. Los suculentos platillos que muchas veces he probado, no tendrán jamás el sabor del pan y leche que juntos tomaremos aquí. ¡Me siento feliz, Maestro!»
«Tambien Yo, Mannaén, y lo mismo Juan. La Providencia nos ha unido esta noche para que mutuamente nos alegremos.»
«Esta noche y mañana, Maestro, y también pasado mañana, hasta no dejarte seguro, entre tus apóstoles. Me imagino que te vas a reunir con ellos...»
«Sí. Me esperan en la casa de Salomón.»
Mannaén lo mira. Luego dice: «Pasé por Jerusalén y supe... Por Betania, y comprendo por qué no te detuviste ahí. Haces bien en

irte a otras partes. Jerusalén es un cuerpo lleno de veneno y de podredumbre. Más que la que destruye a Lázaro...»

«¿Lo viste?»

«Sí. Afligido por los dolores de su cuerpo y por las penas de su corazón que sufre por Ti. Lázaro muy afligido se está muriendo... También yo quisiera morir antes que ver el pecado de nuestros compatriotas.»

«¿Había excitación en la ciudad?» pregunta Juan que alimenta el fuego.

«Mucha. Está dividida en dos bandos. Y cosa extraña, los romanos han usado de clemencia con algunos presos en la sedición acaecida días anteriores. Se dice en voz baja que se hace para que no aumente la excitación. Se dice también que pronto vendrá a Jerusalén el Procónsul. Antes de lo acostumbrado. No sé si será un bien, lo que sí sé es que con seguridad lo imitará Herodes. Y esto será para mí un bien porque así podré estarte cerca. Con un buen caballo — y los caballerizos de Antipas tienen veloces caballos árabes — es cosa de poco tiempo ir de la ciudad al río, si es que allí te quedas...»

«Sí, allí me quedaré, por lo menos por ahora...»

Juan saca la leche caliente en la que cada uno moja su pan, después que Jesús ofreció y bendijo los alimentos. Mannaén ofrece dátiles flavos como la miel.

«¿Pero dónde tenías tantas cosas?» pregunta Juan sorprendido.

«La silla de un jinete es un pequeño mercado, Juan. Hay de todo para él y para el animal» responde Mannaén con una sonrisa amigable de su cara morena. Piensa por un momento y luego pregunta: «Maestro, ¿es lícito amar los animales que nos sirven y que muchas veces son más fieles que el hombre?»

«¿Por qué esta pregunta?»

«Porque hace poco se burlaron de mí algunos y me reprocharon cuando me vieron cubrir con la manta, que nos sirve ahora de tienda, a mi caballo sudado por la carrera.»

«¿No te dijeron algo más?»

Mannaén cohibido mira a Jesús... No responde.

«Habla con sinceridad. No es murmurar ni ofenderme, si me cuentas lo que te dijeron para lanzar un nuevo puñado de lodo contra Mí.»

«Maestro, Tú sabes todo. En realidad lo sabes y es inútil querer ocultarte nuestros pensamientos o los de los otros. Sí. Me dijeron: "Se ve que eres discípulo de ese samaritano [3]. Eres un pagano como El, que viola hasta el sábado [4], para contraer la inmundicia tocando animales inmundos".»

[3] Cfr. vol. 2°, pág. 12, not. 3.
[4] Cfr. vol. 1°, pág. 513, not. 1.

«¡Ah, sin duda fue Ismael!» exclama Juan.

«Así es. El y otros con él. Les repliqué: "Comprendería que me llamaseis inmundo porque vivo en la corte de Antipas. No porque cuido de un animal al que Dios creó". Me respondieron, porque también había en el grupo algunos herodianos [5], lo que es fácil ver desde hace poco tiempo y es sorprendente, porque no podían verse. Me respondieron: "Nosotros no juzgamos las acciones de Antipas sino las tuyas. También Juan el Bautista estuvo en Maqueronte, tenía trato con el rey y siempre permaneció justo. Tú, por el contrario, eres un idólatra..." Comenzó a apiñarse gente y me controlé para no incitarla. Hace tiempo que algunos de tus falsos seguidores la incitan a que se oponga contra quien te hospeda, y otros que se imponen diciendo que son tus discípulos y que los has enviado...»

«¡Es demasiado! Maestro, ¿a dónde llegaremos?» pregunta inquieto Juan.

«No más allá de donde podrán llegar. Fuera de ese límite Yo caminaré solo y resplandecerá mi luz y nadie podrá dudar más que Yo soy el Hijo de Dios. Acercaos y escuchad. Antes echad más leña.»

Los dos, felices, se echan sobre la gruesa piel de oveja extendida a los pies de Jesús, que está sentado en la silla escarlata, bajo la tienda, que tiene como fondo el grueso tronco del árbol. Mannaén, estirado, con los codos apoyados sobre el suelo, la cabeza apoyada sobre las palmas, sus ojos en los de Jesús. Juan se sienta sobre sus calcañales y apoya la cabeza contra el pecho de Jesús, poniéndole su brazo por la cintura, en su posición habitual.

«Cuando el Creador terminó de crear todo y lo entregó al rey, que es el hombre [6], creado a su imagen y semejanza, mostró al hombre todos los animales creados y quiso que les pusiese nombre para distinguirlos entre sí. Se lee en el Génesis "que el nombre que Adán puso a los animales era apropiado, y el real". Se lee también que Dios, al criar al hombre y a la mujer, dijo: "Hagamos al hombre a nuestra imagen y semejanza para que domine los peces del mar, las aves del cielo, las bestias, y toda la tierra, y los reptiles que se arrastran sobre ella".

Creó a la mujer, compañera de Adán, también a su imagen y semejanza, y no siendo razonable que la tentación, que estaba en acecho, tentase y corrompiese más suciamente a la pareja les dijo: "Creced y multiplicaos. Llenad la tierra y sujetadla. Dominad sobre los peces del mar, sobre las aves del cielo y sobre todos los animales que se mueven en la tierra", y añadió: "Ved que os doy

[5] Cfr. pág. 668, not. 4.

[6] Para todo este discurso sobre la creación, cfr. Gén. 1-2; Job. 38-39; Sal. 8; 103; Prov. 8, 22-31.

cuantas hierbas de semilla hay sobre el haz de la tierra, y cuantos árboles producen fruto de simiente, para que todo os sirva de alimento y a todos los animales de la tierra, a las aves del cielo y a cuanto se mueve sobre la tierra y vive".

Los animales y las plantas y todo cuanto el Creador hizo en beneficio del hombre, son don de un amor y patrimonio que el padre dio a guardar a sus hijos para que lo usen en beneficio propio y en agradecimiento a El, Dador de todas las cosas. Por esto se les ama y se les trata bien.

¿Qué diríais de un hijo al que su padre diese vestidos, mueblario, dinero, campos, casas, diciéndole: "Te lo doy para ti y para tus sucesores para que tengáis con qué ser felices. Usad todo este con amor y en recuerdo de mi amor que os lo da" y que luego dejase él y sus descendientes que todo se arruinase o que lapidasen lo recibido? Diríais que no habrían honrado a su padre, no lo habrían amado, como tampoco amado las cosas que les dio? De igual modo el hombre debe tener cuidado de cuando Dios con un cuidado providencial le ha puesto a su disposición.

Cuidado no quiere decir: idolatría, ni afecto desordenado por los animales, plantas o cualquier otra cosa. Cuidado quiere decir: sentido de piedad, de reconocimiento por las cosas inferiores que nos sirven y que tienen su vida, esto es, su sensibilidad.

El alma viviente de las criaturas inferiores a las que habla el Génesis, no es el alma que tiene el hombre. Es la vida, sencillamente la vida, esto es, el ser sensible a las cosas actuales, tanto materiales como afectivas. Cuando muere un animal es insensible, porque con la muerte ha terminado para él realmente todo. No tiene ningún futuro. Pero mientras vive, sufre el hambre, el frío, el cansancio; puede herirse, padecer, gozar, amar, odiar, enfermarse y morir. El hombre en recuerdo de Dios que le ha dado tales medios para que su destierro en la tierra le sea menos penoso, debe ser humano para con sus siervos inferiores que son los animales. En el libro de Moisés [7], ¿no acaso está prescrito que se tenga compasión hacia los animales, las aves, etc.?"

Os digo en verdad que es necesario saber ver justamente las obras del Creador. Si se miran así se ve que son "buenas". Y lo que es bueno se le ama. Se ve que son cosas dadas con el fin bueno y por un impulso de amor, y como tales podemos y debemos amarlas, viendo más allá de su ser finito, al Ser infinito que las creó para nosotros. Se ve que son útiles, y como tales hay que amarlas. Ninguna cosa, recordadlo, ha sido creada en el universo sin un determinado fin. Dios no derrama su potencia en cosas inútiles. Esta hierbecilla es tan útil como el tronco que sirve de fondo a nuestra tienda.

[7] Cfr. Deut. 22, 1-4 y 6; y también Ex. 23, 4-5.

La gota de rocío, la pequeña perla de la escarcha, son tan útiles como el inmenso mar. El mosquito es tan útil como el elefante, y el gusano que está en el fango del foso, como la ballena. No hay cosa inútil en el creado. Dios hizo todo con buen fin, por amor al hombre. Este debe usar de todo con fin recto y por amor a El, que le dio todo cuanto hay sobre la tierra, para que sea súbdito.

Dijiste, Mannaén, que el animal frecuentemente es más útil que los hombre. Yo afirmo que los animales, las plantas, los minerales, los elementos subrepujan al hombre en obedecer, siguiendo pasivamente las leyes de la creación, o activamente, el instinto que el Creador les dio, o sujetándose a ser domesticados para el fin por el cual fueron creados. El hombre, que debería ser la perla en la creación, frecuentemente es su porquería. Debería ser la nota más afinada y cercana a los coros celestiales al alabar a Dios, y muy frecuentemente es la nota desafinada que maldice o blasfema, se rebela o dedica sus alabanzas a las criaturas más bien que al Creador. De ahí viene la idolatría, de ahí la ofensa, de ahí la asquerosidad. Y todo ello es pecado.

Tranquilízate, pues, Mannaén. No es pecado que hayas tenido compasión de tu caballo sudado que te sirvió. Pecado son las lágrimas que se hace derramar a los propios semejantes y los amores desenfrenados que son ofensa ante Dios, digno de que el hombre lo ame a El sólo.»

«¿Peco por estar con Antipas?»

«¿Por qué fin estás? ¿Para gozar?»

«No, Maestro. Para velar por Ti. Lo sabes: por este motivo iba yo ahora. Se que han enviado mensajeros a Herodes para incitarlos contra Ti.»

«Entonces no es pecado. ¿No te gustaría estar más conmigo, en la pobreza de mi vida?»

«¿Y me lo preguntas? Desde el principio te lo dije. Esta noche, bajo esta tienda, los pobres alimentos que hemos tomado no tienen comparación para mí. ¡Oh, si no fuera porque hay que escuchar los silbidos de las sierpes cerca de su madriguera, estaría contigo! He comprendido en qué consiste tu misión. Hubo un día en que equivoqué. Pero me sirvió para comprender, y no me apartaré más de la justicia.»

Lo estás viendo. Nada es inútil. Aun el error, para quien tiende al bien, es un medio. El error cae como caparazón de crisálida, y sale la hermosa mariposa, que no huele, no se arrastra, sino que vuela en busca de los cálices de las flores y de los rayos de luz. También las almas buenas son así. Pueden dejarse envolver en miserias y apestosos petates por un momento, pero luego se libran de ello y vuelan de flor en flor, de virtud en virtud, hacia la luz, hacia la perfección. Alabemos al Señor por sus obras que son una continua misericordia, que se mueven, aunque el hombre no caiga en la cuenta, en su corazón y a su alrededor.»

Jesús ora, poniéndose de rodillas porque la tienda, que es baja y estrecha, no lo permite. Después de haber echado más leña al fuego y dado de comer al caballo, se preparan a descansar, prometiendo que vigilarán por turno el fuego y el animal, sobre el que Mannaén ha echado una especie de gruesa manta para que no sufra el frío de la noche.

Jesús y Mannaén se acuestan sobre la paja y se envuelven en sus mantos para dormir. Juan, por temor de que se deje vencer del sueño, camina fuera de la tienda, echando leña en el fuego y mirando al caballo que a su vez lo mira con esos inteligentes ojos negros y rítmicamente golpea con la pezuña, sacudiendo la cabeza, haciendo sonar las sonajas de plata de los arneses y aplastando aromáticas flores selváticas, nacidas al pie del árbol al que está atado. Y como Juan le presenta hierbas más sabrosas, que han nacido un poco más lejos, relincha de gusto y busca frotar sus ternillas húmedas y semigrises en el cuello del apóstol. Desde más allá, en el silencio profundo de la noche, llega el ruido tranquilo del río.

Dice Jesús:

«Y así termina el tercer año de mi vida pública. Sigue ahora el período preparatorio a la Pasión, en el que aparentemente todo parece limitarse a pocos hechos y a pocas personas, como un paulatina desaparición de mi persona y de mi misión. En realidad, el que parecía vencido y expulsado, era el héroe que se preparaba para la apoteosis y a su alrededor se apiñaban no las personas, sino las pasiones llevadas al extremo.

Todo lo que ha precedido, y que tal vez en algunos episodios pueda parecer sin objeto a lectores de mala voluntad o superficiales, aquí se ilumina bajo su luz pálida o resplandeciente. Y sobre todo los personajes más importantes. Las cosas que muchos no creen ser dignas de que se les conozca, porque en ellas ven el modo para llegar a ser verdaderos maestros del espíritu. Como dije a Mannaén y a Juan, nada de lo que Dios hizo es inútil, ni siquiera el débil tallo de la hierba. De igual modo nada es superfluo en esta obra. Ni las figuras espléndidas, ni las débiles y las oscuras. Para los maestros del espíritu son más útiles las figuras débiles y oscuras que las bien delineadas y heroicas.

Como desde la cima de un monte, se puede contemplar toda su configuración, la razón de sus bosques, arroyos, praderas, pendientes, para subir de la llanura a la cresta, y se ve toda la hermosura del panorama y con mayor fuerza llega el convencimiento de que todas las obras de Dios son útiles y maravillosas y que una sirve y perfecciona la otra y que todas forman la belleza de lo creado; así también, siempre para quien es de espíritu recto, todas las diversas figuras, episodios, lecciones, de estos tres años de vida evangélica, contemplados como de lo alto de la cima del monte de mi obra de Maestro, sirven para dar una visión completa de ese conjunto político, religioso, social, colectivo, espiritual, egoístico hasta el crimen o altruístico hasta el sacrificio en que Yo fui el Maestro y el Redentor. La grandiosidad del drama no se percibe en una sola escena, sino en todas las que lo forman. La figura del protagonista emerge de las luces diversas con que lo iluminan las partes secundarias.

Llegados a la cima, y la cima era el Sacrificio por el que me encarné [8] descubiertos todos los pliegues de los corazones y todos los ardides de las sectas, no hay que hacer otra cosa que como el viajero que ha llegado a ella: mirar, contemplar todo y a todos. Conocer el mundo hebreo. Conocer lo que Yo era: el hombre superior a los sentidos, al egoísmo, al rencor. El hombre que tuvo que ser tentado por todo un mundo, para que se vengase, para que aspirase al poder, a las alegrías honestas del matrimonio y del hogar. El Hombre que debío soportar todo viviendo en contacto con el mundo y sufrir por la distancia entre la imperfección y pecado del mundo y mi Perfección infinita. El Hombre que a todos los gritos, seducciones, reacciones del mundo, de Satanás y del "yo" [9] supo responder: "No", y permanecer puro, manso, fiel, misericordioso, humilde, obediente hasta la muerte de Cruz.

¿Comprenderá todo esto la sociedad de hoy en día a la que doy esto para que me conozca, para hacerla fuerte con los asaltos cada más vigorosos de Satanás y del mundo?

También hoy como hace veinte siglos la contradicción la suscitarán aquellos a los cuales me revelo. Soy signo de contradicción una vez más. Pero no tengo yo la culpa, aunque respeto lo que en ellos suscito [10]. Los buenos, los de buena voluntad, tendrán reacciones buenas de pastores y de humildes. Los otros reaccionarán de una manera perversa como los escribas, fariseos, saduceos y sacerdotes de aquel tiempo. Cada uno da lo que posee. El bueno que llega a ponerse en contacto con los malos desencadena una bullición mayor de perversidad en ellos. Los hombres serán juzgados, como lo fueron el Viernes Santo, según como hubiesen juzgado, aceptado y seguido al Maestro, que con un nuevo intento de infinita misericordia, se ha hecho conocer una vez más.

Aquellos cuyos ojos se abrieren y me reconocieren, dirán: "Es El. ¿Es esta la razón por la cual nuestro corazón ardía, mientras nos hablaba y nos explicaba las Escrituras?" [11].

Mi paz sea con éstos y contigo, fiel y amado pequeño Juan.»

[8] El Credo del Concilio Niceno-Costantinopolitano dice: «...Jesum Christum, Filium Dei unigenitum... Qui propter nos homines et propter nostram salutem descendit de coelis. Et incarnatus est de Spiritu Sancto ex Maria Virgine et homo factus est. Crucifixus etiam por nobis... passus... sepultus...»

[9] Por el "yo" se entiende aquí la Humanidad santísima de Jesús, la que precisamente porque era *verdadera* naturaleza humana, experimentaba naturalmente repugnancia por los sufrimientos espirituales, síquicos, físicos; aún cuando, bajo todos los aspectos y en todos los momentos, estaba perfectamente de acuerdo con la Voluntad de Dios. Cfr. Lc. 22, 39-48 y lugares paralelos, en este caso menos ricos de elementos, y se comprenderá la cuádruple narración de la Pasión.

[10] Alusión a lo que se refiere en Lc. 2, 33-35.

[11] Cfr. la narración de los viajeros de Emmaús: Lc. 24, 13-35, y particularmente, verso 32.

Índice

El tercer año de la vida pública
(cuarta parte)

Printed in Italy, 1996

GRAFICHE DIPRO
Via Cima Da Conegliano, 17
31056 RONCADE (TV)